Sanación natural con Remedios caseros

1.001 sorprendentes secretos curativos aprobados por Médicos

Joan Wilen y Lydia Wilen

Sanación natural con remedios caseros
por Joan Wilen y Lydia Wilen

Título del original en inglés: *Bottom Line's Treasury of Home Remedies and Natural Cures*

Traducción publicada por convenio con las autoras.

Algunos de los remedios en este libro se adaptaron de:
Folk Remedies That Work © 1992, 1996 por Joan Wilen y Lydia Wilen.

Se reconoce con gratitud el uso de material extractado de *Folk Remedies That Work*, publicado originalmente en *Healing Visualizations* por Gerald Epstein, MD. Copyright © 1989 por Gerald Epstein, MD. Usado con el permiso de Bantam Dell, un sello editorial de Random House, Inc.

Traducción y diagramación de interiores: Daniel A. González y asociados

10 9 8 7 6 5 4 3 2 1

ISBN 0-88723-690-1

Este libro está basado en las investigaciones y observaciones de las autoras. La información contenida en este libro no se debe considerar como sustituto de los consejos del médico personal del lector o de otros profesionales médicos, quienes siempre deberían ser consultados antes de comenzar un programa de salud.

La información contenida en este libro ha sido investigada detenidamente, y se han efectuado todos los esfuerzos para asegurar que sea correcta en la fecha de publicación. Se avisa a los lectores, en especial los que ya padecen problemas de salud y los que toman medicamentos recetados, que consulten con un profesional de la salud acerca de las recomendaciones específicas acerca de los suplementos y sus dosis adecuadas. Las autoras y la casa editorial expresamente niegan toda responsabilidad por cualquier efecto adverso que resulte debido al uso o a la aplicación de la información contenida en este libro.

Bottom Line Books® es una marca registrada de
Boardroom® Inc.
281 Tresser Blvd., Stamford, CT 06901

Bottom Line Books® publica la opinión de autoridades expertas en muchos campos. El uso de este libro no sustituye los servicios profesionales de salud u otros. Consulte con profesionales competentes para obtener respuestas a sus preguntas específicas.

Los precios, ofertas, tasas, direcciones, números de teléfono y sitios en Internet que aparecen en este libro son correctos en el momento de la publicación, pero con frecuencia pueden cambiar.

Bottom Line Books® es un sello editorial de Boardroom® Inc., casa editora de libros y boletines impresos y electrónicos. Nos comprometemos a brindarle a usted, nuestro estimado lector, la mejor información de las fuentes más confiables del mundo. Nuestra meta es lograr que usted y sus seres queridos disfruten de buena salud, felicidad, mayor riqueza, más sabiduría y tiempo adicional.

Impreso en Estados Unidos de América

Contenido

Acerca de las autoras ... vii
Bienvenida de las hermanas Wilen ... ix
Tratamientos alternativos actualizados y asombrosas terapias antiguas ... xi
Acupresión ... xi
Afirmaciones ... xiv
Aromaterapia ... xv
Cromoterapia (Terapia de colores) ... xvii
Terapia con gemas ... xviii
Hierbas ... xix
Homeopatía ... xx
Terapia magnética ... xxi
Reflexología ... xxii
Visualización ... xxiv
Consideraciones acerca de nuestros remedios ... 1
Afecciones de la A a la Z (*bueno,* hasta la V) ... 3
Aftas (úlceras en la boca) ... 3
Alergias y fiebre del heno ... 4
Ampollas ... 10
Apendicitis ... 11
Artritis ... 12
Asma ... 19
Astillas ... 21
Atragantamiento ... 21
Bebidas alcohólicas y sus problemas ... 23
Cabello y su cuidado ... 30
Ciática ... 34
Cigarrillos: cómo abandonar el hábito 36
Colesterol ... 39
Comezón ... 43
Congestión de los senos nasales ... 45
Corazón saludable ... 47
Cortaduras y heridas ... 49
Cuello rígido o doloroso ... 51
Culebrilla (herpes zoster) ... 55
Depresión ... 57
Diabetes ... 61
Diarrea ... 79
Dientes, encías y boca ... 81
Dolor de cabeza ... 89
Dolor de espalda ... 94
Embarazo ... 100
Enfermedad celíaca ... 103
Estreñimiento ... 104
Estrés, ansiedad y ataques de pánico ... 106
Fatiga ... 113

Garganta irritada 118
Gota 120
Hemorragia nasal 123
Hemorroides 124
Herpes genital 125
Herpes labial 126
Hiedra venenosa 129
Hipo 131
Indigestión 133
Intestino irritable 139
Mareo causado por movimiento 142
Mastitis 143
Memoria: cómo mejorarla 144
Menopausia 148
Menstruación y sus retos 149
Moretones 151
Músculos: calambres, dolores y esguinces 153
Neuralgia 158
Niños y afecciones infantiles 159
Oídos y sus afecciones 167
Ojos y sus dolencias 170
Olor corporal 177
Peso: cómo controlarlo 179
Picaduras de insectos y mordeduras de serpientes 191
Piel: cómo cuidarla 194
Piel: cómo curarla 201
Pies y sus dolencias 207
Presión arterial 214
Próstata 218
Quemaduras 222
Quemaduras de sol 223
Resfriados y gripe 226
Riñones y problemas urinarios 229
Sexualidad 232
Sueño: consejos para dormir bien ... 238
Tiña 243
Tos 243
Úlceras 247
Uñas: cómo cuidarlas 248
Vaginitis 252
Várices 253
Verrugas 256
Vesícula biliar y sus problemas 259

Le hace bien al cuerpo 261

Ayurveda 261
Caldo de carne 261
Caminata con bastones 265
Cepillado en seco del cuerpo 266
Cerezas 269
Contacto físico 272
Donar sangre 275
Extracto de hoja de olivo 275
Limpieza interna con aceite 279
Miso 281
Música como medicina 285
Omega-3: ácidos grasos esenciales ... 287
Reconstructor de nervios "ReBuilder" ... 291
Reiki: energía que sana 292
Remedios florales de Bach 293
La risa 294
Sahumerios "smudging" para la autolimpieza 295
Salba 298
Taichí 301
Té de kombucha 304
Té verde 307
Técnica Alexander 309
Terapia con arcilla 311
Texto imprescindible sobre alimentos ... 312
Tónico antibiótico absolutamente natural 313

Consejos saludables 315

Afeitado de piernas 315
Aguacates –¿cuándo están maduros? 315
Anillo atascado 316

Antibióticos 316
Aromas para sanarse 316
Base de datos de medicina natural ... 316
Bebidas calientes 317
Bolsas de plástico 317
Cebollas sin llorar 317
Compresa helada alternativa 318
Computadora segura 318
Ensaladas más sanas..................... 318
Fortalecedores del sistema inmune ... 318
Cuando hace frío 318
Huevos sin problemas 319
Jengibre sana mucho 319
Lavado de manos eficaz 319
Más jugo de limón 320
Una manzana (o dos) al día 320
Identificación de la medicación 320
Consejos para tomar medicamentos 321
Elimine los metales pesados............ 321
Quite el olor a ajo 321
Quite los pesticidas de las
frutas y verduras 321
Para madurar piña 322
Libro de referencia 322
Resolución de problemas 322
Sin sudor 322
Para sacar una tirita 322

Consejos salubres para el hogar..323

Para combatir la contaminación
del aire 323
Cómo cuidar los utensilios
de cocina 325
Consejos para la limpieza............... 327
Hogar, dulce hogar 329

Mascotas...
Cómo mantenerlas sanas.........335

Para perros y gatos 335
Especialmente para los perros 339
Especialmente para los gatos 344
Para las mascotas exóticas 345
Otros tips para dueños de mascotas... 346

Recursos..349

Productos alternativos,
gemas y regalos 349
Productos de hierbas y más 350
Productos para viajes 350

Índice...351

Acerca de las autoras

Las hermanas Wilen –Joan y Lydia– son energéticas y entusiásticas investigadoras de la salud. En una carrera profesional de tres décadas, han descubierto miles de asombrosos "remedios caseros". Los han compartido en best sellers, entre ellos su primer libro en español, *Remedios caseros curativos de Bottom Line* (2009), en decenas de artículos de revistas, en sus numerosas entrevistas en programas de televisión, incluyendo *CBS This Morning* y el *Today Show* de la cadena NBC, y un sinnúmero de presentaciones por radiodifusión.

Joan y Lydia se criaron en una familia que valoraba y practicaba la sanación natural. Cuando alguien estaba afectado por un problema de salud, la abuelita "bubby" tenía un remedio al alcance de la mano.

Después de la publicación de su primer libro en inglés y sus apariciones en un programa de TV semanal, abuelitas, bubbies, nanas, nonnas, yayas y casi todo el mundo que había tenido alguna vez una abuelita compartieron con las hermanas sus remedios.

La meta de las hermanas Wilen es brindar a sus lectores las maneras más simples, más seguras y más sabias de ayudarse a sí mismos a sentir y lucir lo mejor posible. Por lo tanto, han buscado e investigado y descubierto la información que les presentan en este increíble libro repleto de soluciones caseras y económicas para disfrutar de la buena salud.

Además, cada uno de los remedios en el libro fue aprobado por un médico. Por favor, estimados lectores, no duden y no se demoren más –¡entérense y disfrútenlos! ■

Bienvenida de las hermanas Wilen

Hola, estimado lector. Lo felicitamos por querer cuidarse a sí mismo y a su familia, y le agradecemos por elegir este libro.

Acerca de este libro... recibimos reacciones tan positivas por nuestro primer libro *Remedios caseros curativos de Bottom Line* ("Bottom Line's Healing Remedies"), y tantos pedidos de más tratamientos naturales que nos sentimos obligadas a preparar otro libro al que llamamos en inglés *Bottom Line's Treasury of Home Remedies and Natural Cures*. Ahora estamos muy entusiasmadas por presentarle estos remedios en español.

Además de la lista de afecciones de la A hasta la Z (*bueno*, solo hasta la letra V) incluimos algunos capítulos con todo tipo de revelaciones sorprendentes, sugerencias que le cambiarán la vida, tratamientos que le harán recobrar la salud, terapias innovadoras y productos increíbles que tal vez usted no sepa que existan, aunque debería saberlo.

Los capítulos a los que queremos llamar su atención son...

- **Tratamientos alternativos actualizados y asombrosas terapias antiguas**
- **Le hace bien al cuerpo**
- **Consejos saludables**
- **Consejos salubres para el hogar**

En estos capítulos, y en todo el libro, citamos a expertos en medicina que estuvieron dispuestos a compartir sus conocimientos, su experiencia y su sabiduría con usted. Busque la receta de los *Propulsores de energía del Dr. Kim* (página 114), el *Tónico antibiótico absolutamente natural* del maestro herborista Richard Schulze (página 313), el *Asombroso remedio de las pasas remojadas en ginebra* (página 13), la experta en vida holística Jane Alexander y sus secretos sobre el *sahumerio "smudging"* (página 295), y los *consejos sobre las mascotas* de la veterinaria Dra. Jill Elliot (página 341).

También quisiéramos llamar su atención a los artículos denominados "Consejos de los sabios" que se encuentran en el libro. No se pierda la información imprescindible de destacados expertos en sus especialidades, la cual puede ser ejemplos sobre un tema o tal vez los resultados de un estudio reciente.

Al leer este libro, notará que aparecen algunos productos de marca. Como es imposible para nosotras investigar e informar sobre los cientos de empresas de suplementos y alimentos que existen en el mercado y en Internet, nos limitamos a informarle acerca de las pocas empresas destacadas en las que confiamos. Es importante que usted sepa que nadie nos paga por mencionar su producto. Escribimos acerca de empresas porque creemos en su ética, su integridad y la calidad de sus productos, con la esperanza de que serán de ayuda para nuestros lectores, así como nos han ayudado a nosotras.

Otro detalle importante: Siempre escuche a su voz interior, especialmente acerca de saber cuándo consultar a un médico.

Nosotras no tenemos título médico y *no estamos recetando* tratamiento ni medicamentos. Somos escritoras e investigadoras y estamos *reportando.* Antes de comenzar cualquier tratamiento de autoayuda, consulte con su profesional de la salud... alguien que esté familiarizado con su historial médico. Si su médico no está dispuesto a considerar los tratamientos alternativos o integrativos, podría ser hora de buscar otro médico. Sabemos que esto es más fácil decirlo que hacerlo –en particular teniendo en cuenta las restricciones del seguro de salud. Si ese fuese el caso, tal vez le convenga mostrarle a su médico las páginas apropiadas de este libro relacionadas a su problema de salud específico. Usted no será el primer paciente en hacerlo, en particular en esta era de investigación por Internet. Y quizá su médico lo sorprenda comenzando un diálogo acerca de nuevas maneras de hacer frente a su problema de salud.

Le pedimos algo más... imagine que le estamos dando un fuerte abrazo (todos deberíamos recibir al menos tres abrazos al día, y lo estamos poniendo en marcha a usted con dos abrazos).

Además de los abrazos, le deseamos amor, felicidad, salud y el tiempo para disfrutarlos.

Joan y Lydia
(Las hermanas Wilen)

Tratamientos alternativos actualizados y asombrosas terapias antiguas

Cuando nos propusimos preparar este libro, decidimos que sería una colección de los últimos tratamientos alternativos y de remedios antiguos. Pero cuanto más investigábamos, más nos dimos cuenta de que en muchos casos "lo último" y lo "actualizado" es en realidad lo "antiguo", redescubierto y con nombres nuevos.

Así que, en este libro, mencionamos terapias redescubiertas con la esperanza de abrir un horizonte de curación totalmente nuevo para usted. Si le despierta interés algo en particular, lo alentamos a que siga eso que le interesa.

Existen organizaciones, asociaciones y fundaciones dispuestas a compartir su información. Existen maravillosos sitios en Internet, libros, DVD y cintas disponibles en las cuales usted podrá encontrar todo lo que siempre quiso saber acerca de casi todo. Proporcionamos recursos útiles en todo este libro y en la sección Recursos. Pero consulte también en bibliotecas y librerías. También hay clases, seminarios y talleres de todo tipo. No solo puede usted ampliar sus conocimientos, sino que es además una gran manera de conocer gente con intereses comunes. Consulte en las escuelas de su localidad para encontrar cursos de educación para adultos, y en las tiendas de alimentos saludables para enterarse de conferencistas invitados que den charlas, y para obtener publicaciones y folletos gratuitos que anuncien los eventos disponibles.

Aquí, entonces, con breves explicaciones para ponerlo en buen camino, le ofrecemos la información básica acerca de algunas de las terapias alternativas o antiguas que se mencionan en nuestro libro...

ACUPRESIÓN

La mayoría de la gente piensa que la acupresión es la acupuntura sin agujas. Y lo es... en cierto modo. Ambas terapias provienen de la medicina tradicional china. Ambas involucran puntos desencadenantes específicos en el cuerpo a lo largo de canales llamados "meridianos". Con la acupresión, se aplica presión usando los pulgares y los otros dedos, las palmas de las manos o dispositivos electrónicos. La presión estimula los puntos que corresponden a la zona del cuerpo que tiene problemas y pone en marcha las capacidades naturales autocurativas del cuerpo.

El shiatsu es la forma de acupresión más conocida. Usando los pulgares, los otros dedos y las palmas de la mano, un terapeuta del shiatsu emplea técnicas de masaje como golpecitos, apretones, fricciones y aplicación de presión a lo largo de los meridianos adecuados para eliminar las obstrucciones de la energía, permitiendo el flujo óptimo del chi (energía).

Existen varias opiniones acerca de cómo da resultados la acupresión...

- **Libera la tensión de los músculos,** estimula el flujo de energía, desbloquea la energía trabada y vuelve a equilibrar la energía, lo cual resulta en la sanación.
- **La aplicación de presión puede bloquear la transmisión de las señales de dolor.**
- **Puede liberar endorfinas,** *opioides* y/o *neurotransmisores*, los cuales son nuestras sustancias reductoras naturales del dolor.

Cualquiera sea la razón, la acupresión da buenos resultados y es fácil de realizar. Incluso es posible aplicarla a usted mismo. Ahora que la entiende mejor, inténtela cuando le aflige algún problema. Si le satisfacen los resultados, inscríbase en un curso de acupresión y aprenda cómo conservar su buena salud manteniendo su cuerpo equilibrado practicando la acupresión.

Consejos de los sabios...

Alivio en las puntas de los dedos

La acupresión puede mejorar muchos problemas físicos, mentales y emocionales en tan solo unos pocos minutos –y es gratis.

Los puntos de acupresión frecuentemente tienen antiguos nombres descriptivos, como *Unión de los valles* ("Joining the Valley") y *Despeje mental* ("Mind Clearing").

Estas son las técnicas de acupresión para varios problemas de salud. A menos que le indiquemos algo diferente, las sesiones diarias de acupresión, tres veces al día, son la mejor manera de mejorar un problema, ya sea temporal o crónico.

Dolor de la artritis

La *Unión de los valles* es un punto de acupresión realmente maravilloso porque puede aliviar el dolor de la artritis en cualquier lugar del cuerpo.

Ubicación: En la membrana entre los dedos pulgar e índice, en el punto superior del músculo que une los dedos pulgar e índice.

Qué hacer: Apriete rítmicamente el punto de acupresión. Mientras aprieta, apoye el lado de la mano que esté más cerca del meñique sobre el muslo o la superficie de una mesa. Aplique presión en la membrana mientras aprieta hacia abajo. Esto le permite sesgarse más profundamente en el punto, aumentando los beneficios.

También es útil para: dolor de cabeza, dolor de muelas, resaca ("hangover"), síntomas de la fiebre del heno ("hay fever"), estreñimiento.

> ***ATENCIÓN:*** Este punto está prohibido para las mujeres embarazadas debido a que la estimulación puede provocar contracciones prematuras en el útero.

Problemas de memoria

Los puntos de acupresión de *Despeje mental* pueden mejorar la memoria en forma instantánea –por ejemplo, cuando ha olvidado el nombre de una persona o ha ido al supermercado sin la lista de compras.

Ubicación: El ancho de un dedo (o sea, alrededor de media pulgada o un centímetro) directamente arriba del centro de cada ceja.

Qué hacer: Coloque suavemente el pulgar de la mano derecha arriba de la ceja derecha y la punta del dedo medio arriba de la ceja izquierda. Siga apretando suavemente. Debería sentir una leve depresión o hendidura en la estructura del hueso –los puntos de acupresión en ambos lados se encuentran en esta depresión. Presione la hendidura muy suavemente, mantenga la presión y respire profundamente. Después de uno o dos minutos, experimentará más claridad mental y una memoria más nítida.

Dolor en la parte inferior (lumbar) de la espalda

Como ayuda para prevenir y aliviar el dolor en la parte inferior de la espalda, practique este ejercicio durante un minuto, tres veces al día. Lo puede hacer de pie o sentado.

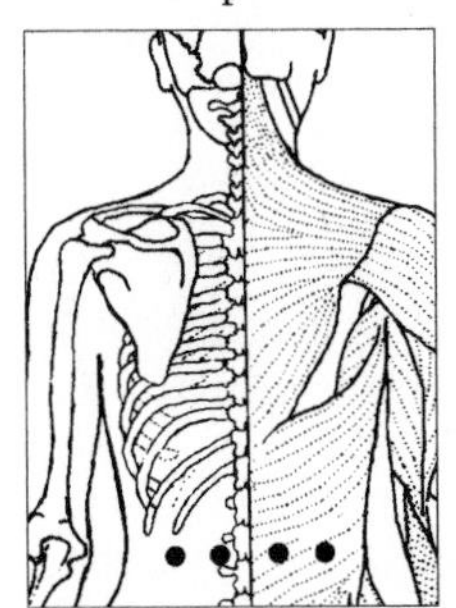

Ubicación: Coloque el dorso de las manos contra la parte inferior de la espalda, alrededor de una pulgada (dos cm) hacia afuera de la columna vertebral.

Qué hacer: Frote enérgicamente ambas manos hacia arriba y abajo –alrededor de unas tres pulgadas (siete cm) hacia arriba y seis pulgadas (15 cm) hacia abajo– usando la fricción para generar calor en la parte inferior de la espalda.

Si aplica la técnica correctamente, tendrá que respirar profundamente para seguir frotando vigorosamente, y comenzará a sudar ligeramente.

También es útil para: ansias de comer, especialmente los antojos por alimentos dulces, fatiga crónica, problemas sexuales, escalofríos, fobias, y los síntomas de la fibromialgia.

Trastornos emocionales

El punto de acupresión *Puerta interna* ("Inner Gate") puede reducir los trastornos emocionales –como la ansiedad, la depresión y la irritabilidad– en dos o tres minutos.

Ubicación: En el lado interno del antebrazo, el ancho de tres dedos hacia arriba desde el centro del pliegue de la muñeca, entre dos tendones gruesos.

Qué hacer: Coloque el pulgar en el punto y los otros dedos directamente detrás de la parte externa del antebrazo, entre los dos huesos. Apriete lenta y firmemente, y mantenga durante dos o tres minutos, mientras respira profundamente. Repita en el otro brazo por la misma cantidad de tiempo.

También es útil para: síndrome del túnel carpiano, insomnio, indigestión y náuseas.

Insomnio

Los puntos de acupresión *Sueño tranquilo* ("Calm Sleep") y *Sueño feliz* ("Joyful Sleep") –en las partes interna y externa de los tobillos– pueden ayudar a mejorar el insomnio. Use estos puntos de acupresión siempre que quiera relajarse profundamente y dormir mejor.

Ubicación: El punto *Sueño tranquilo* se encuentra en la primera hendidura debajo de la parte externa del hueso del tobillo. El punto *Sueño feliz* está directamente debajo de la parte interna del hueso del tobillo, en una pequeña hendidura.

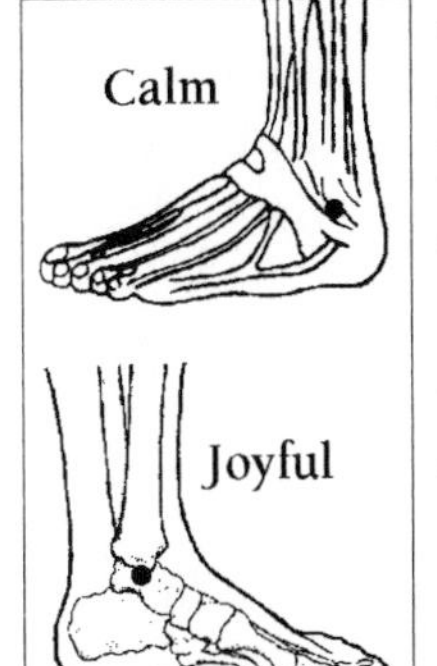

Qué hacer: Coloque el pulgar en un lado del tobillo y los otros dedos en el otro lado, y presione firmemente. Si se encuentra en el punto correcto, estará ligeramente sensible. Mantenga durante dos minutos, respirando profundamente. Repita en el otro tobillo. Hágalo de nuevo si aún tiene problemas para dormir o si se despierta durante la noche.

Dolor de cabeza

Los puntos de acupresión *Entradas al conocimiento* ("Gates of Consciousness") alivian el dolor de cabeza causado por tensión y las migrañas.

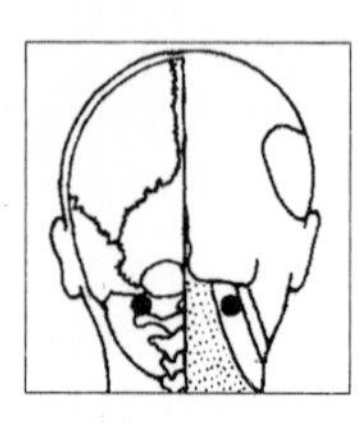

Ubicación: Debajo de la base del cráneo a cada lado de la columna vertebral, a una separación de alrededor de tres a cuatro pulgadas (ocho a 10 cm), según el tamaño de la cabeza.

Qué hacer: Usando los pulgares, los otros dedos o los nudillos de los dedos, presione los puntos bajo la base del cráneo.

Al mismo tiempo, incline lentamente la cabeza hacia atrás de modo que el ángulo de la cabeza relaje los músculos del cuello. Presione hacia delante (hacia la garganta), hacia arriba (debajo de la base del cráneo) y levemente hacia dentro, sesgando la presión hacia el centro del cerebro. Siga aplicando presión durante dos minutos, respirando.

También es útil para: dolor en el cuello, insomnio, presión arterial elevada.

Lo esencial de la acupresión

A menos que le indiquemos algo diferente, use el dedo medio, con el índice y el anular como apoyo. Aplique firme y gradualmente presión estacionaria directamente sobre el punto de acupresión durante tres minutos.

- **"Firmemente"** significa usar una cantidad de presión que cause una sensación entre placentera y dolorosa –o sea, un "dolor placentero". Si la presión se aplica muy fuertemente o muy rápidamente, el punto dolerá. Si la presión es demasiado suave, usted no se beneficiará al máximo.
- **"Gradualmente"** significa mover el dedo hacia el punto, y alejarlo del punto, en movimientos muy, pero muy, lentos. El aplicar y liberar la presión del dedo permite que el tejido responda y se relaje, estimulando la curación.
- **"Estacionaria"** significa que usted no está frotando ni masajeando la zona.
- **"Directamente"** significa en un ángulo de 90 grados a partir de la superficie de la piel. Si está tirando de la piel, el ángulo de presión no es correcto.
- **Cuando aplique presión,** incline su peso hacia el punto. Si sus manos son débiles o si le duelen los dedos al aplicar presión, trate de usar los nudillos. También puede usar un instrumento, como una pelota de golf o la goma de borrar de un lápiz.
- **Respire** lenta y profundamente mientras aplica presión. Esto ayuda a liberar el dolor y la tensión.

Michael Reed Gach, PhD, fundador del Acupressure Institute en Berkeley, California. Es autor de material educativo sobre la autocuración –DVD y CD y muchos libros, entre ellos, *Acupressure's Potent Points* (Bantam), *Acupressure for Lovers* (Bantam) y *Arthritis Relief at Your Fingertips* (Warner), y es coautor de *Acupressure for Emotional Healing* (Bantam). Su sitio web es *www.acupressure.com*.

Ilustraciones cortesía de Michael Reed Gach, PhD.

AFIRMACIONES

Las palabras amables son como la miel; endulzan el alma y sanan el cuerpo. (Proverbios 16:24)

Las palabras son poderosas... muy poderosas.

Aquí le presentamos un ejemplo sencillo de Joan Wilen: Tenía que hacer algo para alguien y me molestaba tener que hacerlo. No me permitía hacer lo que yo quería hacer. Estaba enojada y molesta y pronto sentí rigidez en el cuello. Entonces me sentí aun más enojada y molesta. Cuando me encontré con un amigo en el autobús, le pedí que cambiáramos de asiento, explicándole que tenía rigidez en el cuello y no podía mirar en su dirección a menos que él se sentara en el lado opuesto. De inmediato me preguntó qué estaba sucediendo en mi vida que me estaba haciendo infeliz. Sin pensarlo, le dije lo que me pasaba, agregando: "Y me duele el cuello solo de pensarlo".

¡Ajá!, nuestro subconsciente influye sobre nuestras palabras y pensamientos sin discriminar. Debemos ser cuidadosos acerca de lo que *pensamos* y *decimos*.

Escuche lo que piensa y dice, y deje de programarse en forma negativa: "Todo este tránsito me pone mal del estómago". "Cuando ella habla, hago oídos sordos". "Es un trabajo que rompe la espalda". "Me duele la cabeza solo de pensar en preparar mis impuestos para el contador". ¿Le suena conocido?

En cambio, las afirmaciones son declaraciones *positivas* que formulan un deseo o anhelo como si *ya fuera* real. Por ejemplo, digamos que tuviera una afección dolorosa de la espalda. Una sencilla afirmación podría ser: "No siento nada de dolor". Todas las afirmaciones son positivas, en el tiempo presente y específicas. Una afirmación es una programación positiva para el subconsciente y, como ventaja adicional, hace que usted se sienta mejor *conscientemente* también.

Comience asignándose a usted mismo una afirmación apropiada. (Incluimos afirmaciones al final de la mayoría de las secciones de este libro). Anótela en una tarjeta y léala repetidamente durante el día –al menos siete veces seguidas, en voz alta de ser posible. Piense acerca del significado de la misma y cuando la diga, dígala con ganas. Aun si no la dice con ganas, el hecho de memorizarla y simplemente decirla de memoria, hará una impresión adecuada en su subconsciente.

He aquí un ejemplo de una afirmación para repetir una y otra vez, mientras pasea por la calle: *Ando por la vida con alegría y serenidad.*

Una vez que comprenda mejor lo profundamente que lo afectan sus palabras y pensamientos, podrá crear sus propias afirmaciones identificando con precisión su problema físico y la causa subyacente del mismo.

AROMATERAPIA

Debra Nuzzi, maestra herborista y elaboradora de inhaladores de esencias ("essential oil inhalers"), observa que nuestro sentido del olfato es único, ya que los receptores nerviosos olfatorios son los únicos receptores en contacto directo con el mundo exterior. Estos "cabellos" sensibles, ubicados justo debajo del cerebro, al mismo nivel que el caballete de la nariz, recogen las moléculas aromáticas, transportando su mensaje directamente al sistema límbico, eludiendo la barrera de la sangre y cerebro. El sistema límbico es el centro en el cerebro de la emoción y la memoria. Controla todo el sistema endocrino de hormonas que regulan el metabolismo del cuerpo, el estrés, los niveles calóricos, el equilibrio de la insulina, la excitación sexual y mucho más.

Para que la aromaterapia sea eficaz, utilice solo aceites esenciales naturales (no sintéticos ni artificiales), y busque las palabras "true" (verdadero) "absolute" (puro) o "concrete" (concreto) en la etiqueta. Los aceites son poderosos, así que úselos en cantidades pequeñas.

■ Receta ■

Cómo preparar perfume casero

- **Esterilice una botella** (de vidrio de color es preferible para el perfume) y su tapa en el lavavajillas o cuidadosamente en agua recién hervida.
- **Vierta en la botella ¼ taza de vodka (cuanto mayor sea el porcentaje de alcohol, mejor).** Se usa el vodka porque durante su proceso de destilación el alcohol se purifica creando una sustancia neutral que estabiliza el aroma del perfume y evita que las esencias se echen a perder.
- **Agregue entre 22 y 25 gotas de esencias ("essential oils").** Mientras las agrega, una gota por vez y una esencia por vez, anote la fórmula que está elaborando. Por ejemplo, quizás quiera usar 7 gotas de ylang-ylang, 10 gotas de lavanda y 5 gotas de manzanilla.

  Mezcle y huela hasta que encuentre la receta que lo haga tararear.
- **Para permitir que los aceites se mezclen bien y añejen la fragancia, tape la botella** y póngala en un lugar fresco, oscuro y apartado por al menos 48 horas, pero no por más de un mes.
- **Una vez que haya decidido que el perfume se ha añejado lo suficiente, dilúyalo** con 2 cucharadas de agua destilada o de manantial ("spring water"). Luego agregue unas 5 gotas de glicerina para ayudar a conservar la fragancia.
- **Dele un nombre a su perfume y etiquete la botella.** Si no está usando una botella de vidrio de color, proteja el perfume de la luz envolviendo la botella con papel de aluminio ("aluminum foil").

Consejos de los sabios...

Aromas curadores

La aromaterapia alivia sin peligro muchas afecciones, según demuestran mis investigaciones, al provocar la liberación de sustancias químicas del cerebro que afectan el bienestar físico y emocional.

Lo mejor: Mantenga un alimento, una flor, un aceite esencial o un artículo de tocador aromatizado naturalmente a media pulgada (un cm) de la cara y al mismo nivel que los labios. Inhale durante tres minutos... haga una interrupción de cinco minutos... repita hasta veinticinco veces.

- **Para la ansiedad,** pruebe lavanda.

Cómo parece actuar: aumenta las ondas cerebrales alfa que estimulan un estado relajado y contemplativo.

Cómo usarla: Inhale aceite esencial de lavanda ("lavender essential oil")... encienda una vela con aroma a lavanda... o ponga una almohadilla para los ojos ("eye pillow") con aroma a lavanda sobre los ojos.

- **Para la fatiga,** pruebe jazmín.

Cómo parece actuar: estimula las ondas cerebrales beta que mejoran el estado de alerta.

Cómo usarla: Cierre una fosa nasal con un dedo e inhale profundamente aceite de jazmín ("jasmine") o un artículo de tocador con aroma a jazmín... repita con la otra fosa nasal. Siga alternando durante cinco minutos. Esta técnica de una fosa nasal a la vez prolonga los efectos.

- **Para el dolor de cabeza,** pruebe manzana verde cortada en tajadas

Cómo parece actuar: provoca la liberación de las sustancias químicas del cerebro, como las *endorfinas* y la *serotonina*, que inhiben las sensaciones de dolor y alivian la tensión.

Cómo usarla: Para aliviar las migrañas y el dolor de cabeza causado por tensión, inhale el aroma de la manzana tan pronto como sienta que le va a doler la cabeza. Esto parece dar mejores resultados a las personas a quienes les gusta el aroma de la manzana verde.

- **Para la libido baja**, pruebe caramelos de marca Good & Plenty, junto con pepinos ("cucumbers") o bananas (plátanos).

Cómo parecen actuar: estimulan los centros de la excitación del cerebro en las mujeres, disminuyendo las inhibiciones y aumentando el estado de alerta.

Cómo usarlos: Se logran mejores resultados al oler simultáneamente el caramelo y el pepino o la banana, así que huela ambos juntos.

- **Para cualquier problema de memoria relacionado con la menopausia**, pruebe flores.

Cómo parecen actuar: estimulan la conexión entre el nervio olfatorio y las partes del cerebro relacionadas con la memoria.

Cómo usarlas: Cuando desea recordar alguna información nueva, huela una mezcla de aromas para acelerar el proceso de aprendizaje. Pruebe con un ramo de flores aromáticas mixtas o un perfume con aroma a flores.

- **Para los dolores menstruales,** pruebe manzana verde (en tajadas) y su aroma preferido.

Cómo parecen actuar: calman las contracciones musculares (la manzana)... y mejoran el estado de ánimo.

Cómo usarlos: Seleccione un aroma que le encante –un aroma preferido ayuda a eliminar la depresión al distraerlo del dolor.

- **Para evitar el comer en exceso**, pruebe banana o manzana verde (en tajadas) o menta piperita ("peppermint").

Cómo parecen actuar: Estimulan el centro de la saciedad en el cerebro que indica que el estómago está lleno.

Cómo usarlas: Para disminuir las ansias de alimentos, inhale profundamente tres veces en cada fosa nasal, alternando los lados. Alterne mensualmente entre las fragancias como ayuda para prevenir los estancamientos en la pérdida de peso.

- **Para la tristeza**, pruebe productos horneados.

Cómo parecen actuar: evocan recuerdos felices de la niñez.

Cómo usarlos: Hornee o compre su pastel, tarta u otra delicia –solo el aroma ayudará a que usted se sienta mejor. Si su dieta se lo permite, consuma algunos bocaditos para obtener una ayuda adicional para su estado de ánimo.

Alan Hirsch, MD, fundador y director neurológico de la Smell & Taste Treatment and Research Foundation, en Chicago (*www.smellandtaste.org*). Neurólogo y psiquiatra, ha publicado más de 300 artículos sobre las afecciones del olfato y del gusto, y es autor de ocho libros, entre ellos, *Life's a Smelling Success* (Authors of Unity).

CROMOTERAPIA (TERAPIA DE COLORES)

Los cromoterapeutas tratan las afecciones médicas con colores específicos para corregir los desequilibrios de energía que se cree que son la causa subyacente de la enfermedad. El profesional aplica el color en la forma de gemas, velas, varitas, prismas, telas, vidrios, lentes o luces, en los chakras apropiados (los siete centros espirituales principales del cuerpo ubicados a lo largo de la columna vertebral). Al mostrar el color apropiado, el proceso curativo debería comenzar. *He aquí una descripción de cada chakra, su color correspondiente y los usos medicinales de cada uno...*

- **Primer chakra–rojo.** Está ubicado en la base de la columna vertebral. Se usa para estimular el cuerpo y la mente y para mejorar la circulación de la sangre.
- **Segundo chakra–naranja.** La zona de la pelvis. Se usa para sanar los pulmones y aumentar los niveles de energía.
- **Tercer chakra–amarillo.** Plexo solar. Se usa para estimular los nervios y purificar el cuerpo.
- **Cuarto chakra–verde.** Corazón. El punto de equilibrio para todos los chakras que controlan las relaciones y las interacciones con otras personas.
- **Quinto chakra–azul.** Garganta. Se usa para mitigar las enfermedades y aliviar el dolor.
- **Sexto chakra–índigo.** Parte inferior de la frente. Se usa para aliviar los problemas de la piel.
- **Séptimo chakra–violeta.** Parte superior de la cabeza. Se usa para estimular la inspiración, la creatividad y la espiritualidad.

TERAPIA CON GEMAS (CURACIÓN CON CRISTALES)

Las gemólogas Connie Barrett y Joyce Kaesslinger (*www.rainbowcrystal.com*) compartieron con nosotras sus conocimientos sobre por qué y cómo las gemas pueden ayudar a sanar.

Se afirma que las personas y las gemas tienen campos de energía electromagnética. Nuestros campos energéticos están cambiando constantemente –equilibrándose y desequilibrándose. Las gemas vibran en una frecuencia perfectamente simétrica, regular y armoniosa. Es parte de la naturaleza del universo que todas las cosas buscan el equilibrio. Cuando nos sometemos al contacto directo con la energía de las gemas, permitimos que esa energía desbloquee nuestra propia energía y logre el equilibrio donde existía el desequilibrio.

La manera más eficaz de sanarse a sí mismo con una gema es recostarse sobre la espalda, con la cabeza hacia el norte (alineando la columna vertebral con el eje del corazón y la energía magnética de la tierra), y la gema sujeta con cinta adhesiva a la zona con problemas. Permanezca en esa posición y medite, o diga una afirmación, o simplemente relájese durante al menos 20 minutos. Si no puede recostarse, sostenga la gema y frótela. Cuando no esté trabajando activamente con la gema, úsela o llévela con usted en un bolsillo, una cartera o un maletín. Una gema de media pulgada (un cm) proyecta energía hasta tres pies (un metro) a su alrededor.

Cuando las gemas están en joyas, los revestimientos conductores de oro o plata aumentan la energía de la gema. La plata es una energía receptora suave y fluida, y el oro se considera como muy activo y energizante.

Se afirma que las gemas lo ponen en contacto con su propia intuición (lo que nosotras llamamos su "ser superior" y "esa pequeña voz interior"). Para elegir una gema, use esa intuición y seleccione la que parezca llamarlo. El tamaño y el precio no son importantes. No tienen que ser grandes ni caras para ser eficaces. De hecho, algunas gemas pequeñas con diseños o colores intensos son más potentes que las gemas grandes con colores apagados.

Tradicionalmente, se sabe que ciertas gemas son buenas para afecciones específicas. Pero si piensa que una gema específica, diferente a la sugerida, lo va a ayudar, use la que prefiera. Confíe en su intuición, aun si significa prescindir de la tradición. Cuando padece un problema físico, es posible que la raíz del problema no sea el síntoma en sí. Su "ser superior" podría dirigirlo a la gema que lo llevará a la raíz del problema.

Lo imprescindible es prestar atención a "esa pequeña voz interior". Sin embargo, para estar seguro, podría usar la gema que lo atrajo, además de la que se recomienda para su problema específico. No hay problema con eso. De hecho, más es mejor. No se preocupe, no hay riesgo de una sobredosis de gemas.

Después de usar una gema para la sanación, haga correr agua fría sobre la misma por 15 segundos, permitiendo que la energía negativa fluya fuera de la gema y se vaya por el desagüe con el agua. Mientras lo hace, enjuáguese también las manos y las muñecas con el agua fría.

HIERBAS

Para obtener el beneficio máximo de las hierbas, usted debería conocer algunas reglas fundamentales sobre lo que se debe hacer y lo que no se debe hacer.

• **Almacene las hierbas en recipientes de vidrio herméticos de color ámbar (de ser posible).** Los recipientes de *vidrio* son mejores porque las hierbas contienen aceites volátiles que reaccionan con el plástico.

• **Mantenga las hierbas lejos de la luz directa del sol y de las fuentes de calor.**

• **No guarde las hierbas en el refrigerador.** Deben conservarse en un lugar seco y el refrigerador es un ambiente húmedo.

• **Ponga una etiqueta con la fecha en los recipientes de sus hierbas.** El consenso de la opinión entre los herboristas es que usualmente las hierbas comienzan a perder su potencia en alrededor de un año.

• **La regla general para la preparación de las hierbas es *dejar en remojo* las hojas y flores y *hervir* las raíces, corteza y semillas.** Para preparar un té de raíz de jengibre ("gingerroot"), por ejemplo, haga hervir el agua con los trozos de jengibre, y luego caliente a fuego lento por 15 a 20 minutos, para después colar y beber.

• **Siempre que sea posible, use una olla de vidrio o porcelana** para hervir las raíces, cortezas y semillas, y para hervir el agua en la que dejará en remojo las flores y las hojas de las hierbas.

• **Las hierbas pueden ser potentes.** Tenga tanto cuidado con las hierbas como lo tiene con los medicamentos recetados. En la mayoría de los casos, *más no es mejor.*

• **Si tiene un historial de alergias, sea especialmente cuidadoso al tomar hierbas.** Comience muy lentamente, permitiéndose verificar si tiene alguna reacción alérgica. Si tiene cualquier signo o síntoma, ¡no use la hierba! Busque un remedio que no sea de hierbas para tratar su problema.

• **Generalmente las hierbas se pueden mezclar.** Si padece más de un problema, puede preparar un té usando dos o tres hierbas distintas. Como lo expresa la herborista Maria Treben, "Las hierbas medicinales del jardín de Dios saben transitar los caminos del cuerpo humano, y siempre se dirigen al lugar donde se necesitan".

• **Siempre beba el té lentamente en vez de beberlo a grandes tragos.** Mientras lo toma a sorbos, piense en la energía curativa de la hierba.

• **Se puede usar una cataplasma ("poultice") de hierbas para aplicar calor húmedo balsámico a la zona afectada.** Prepare la cataplasma dejando en remojo una cucharada de la hierba apropiada en agua caliente durante cinco minutos. Cuele y guarde el agua, y luego envuelva la hierba en una estopilla (gasa, "cheesecloth") –usando el grosor de dos o tres telas–, o en un trozo de tela blanca o muselina sin blanquear ("unbleached muslin"), y aplíquela. Tan pronto como la cataplasma se seque, sumérjala en el agua de la hierba y vuelva a aplicar la cataplasma húmeda a la zona afectada.

• **De vez en cuando, desé un baño relajante de hierbas.** Durante al menos cinco minutos, deje remojar media taza de su(s) hierba(s) preferida(s) en dos cuartos de galón (dos litros) de agua recién hervida. Cuele y vierta el líquido en al agua tibia de su baño.

Otra manera de preparar un baño de hierbas es llenar una bolsa de tela con hierbas y dejarla suspendida bajo el grifo mientras se llena la bañera (tina) con agua caliente.

• **Las tinturas se preparan con hierbas frescas y alcohol etílico ("ethyl alcohol").** El alcohol extrae y conserva las propiedades curativas de la hierba. Por fortuna, hay una amplia variedad de tinturas preparadas con hierbas disponibles en la mayoría de las tiendas de alimentos saludables, de vitaminas y de hierbas, y (por supuesto) en Internet. A menos que tenga un problema con las bebidas alcohólicas, las tinturas son convenientes de usar; puede llevarlas en un pequeño recipiente. Puede poner gotas de la tintura en agua o jugo, o puede tomarla directamente –bajo la lengua– y será absorbida por el torrente sanguíneo rápidamente. Alrededor de cinco gotas de tintura equivalen a una taza de té de hierbas. Las dosis varían según la tintura. Consulte la etiqueta para saber la cantidad que recomienda el fabricante.

> ***ATENCIÓN:*** ¡Las mujeres embarazadas y los niños deberían tratarse con hierbas solo bajo la supervisión de un profesional de la salud especializado en hierbas!
>
> Además, las personas que tengan un historial de alcoholismo deberían evitar las tinturas con alcohol. Sin embargo, si la tintura se mezcla con agua caliente, el vapor eliminará la mayor parte del alcohol.

HOMEOPATÍA

En 1796, el médico alemán Dr. Samuel Hahnemann estableció los principios fundamentales de la homeopatía. Fue el primer médico en preparar medicamentos de una manera especializada; probándolos en seres humanos sanos para determinar cómo actuaban para curar las enfermedades. Por esta razón el Dr. Hahnemann se llama el "padre de la farmacología experimental".

En la práctica de la homeopatía, los pacientes son tratados con preparaciones extremadamente diluidas que pueden *causar* síntomas en una persona sana, pero pueden *aliviar* síntomas similares en las personas que padecen esos síntomas. ¿¡Cómo!? Bueno, la filosofía del Dr. Hahnemann –y el principio fundamental de la homeopatía– se resume mejor con la frase en latín *Similia similbus curentur*, lo similar cura lo similar.

La Dra. Jill Elliot, veterinaria homeopática, afirma que "El objetivo de un homeópata es hallar una sustancia que produzca en una persona (o un animal) sana los mismos síntomas que padece el paciente. Cuando se suministra el remedio correcto... ¡usted afirmará que el resultado es por arte de magia!"

Los remedios homeopáticos, elaborados con productos minerales, animales y vegetales, se preparan mediante la dilución en serie agitando con golpes vigorosos (lo que los homeópatas llaman "sucusión"), después de cada dilución suponiendo que esto aumenta el efecto del tratamiento. Este proceso se llama la "potenciación", y se continúa hasta que determinadas potencias se alcanzan. Los remedios homeopáticos vienen con diferentes potencias (6C, 30C, 6X, 30X, etc.).

ATENCIÓN: Mantenga sus remedios homeopáticos lejos de cualquier aparato que tenga un campo electromecánico, como refrigeradores, microondas, celulares, etc. Los remedios homeopáticos se consideran medicamentos energéticos. Otros fuertes campos electromecánicos pueden "anular" la energía de los remedios homeopáticos. Por esta razón, los remedios homeopáticos no surtirán efecto en un paciente que se someta a tratamientos de radiación.

Además, al usar remedios homeopáticos, NO beba café ni consuma sustancias aromáticas fuertes como mentas, incluyendo la pasta dental con sabor a menta, al mismo tiempo. Hacerlo anulará el efecto del tratamiento homeopático.

TERAPIA MAGNÉTICA

El Dr. Alvin Bakst, un cirujano torácico y cardiovascular, se ha convertido en un pionero del alivio magnético del dolor (*www.drbakstmagnetics.com*). Sus investigaciones lo llevaron a redescubrir la antigua técnica del Extremo Oriente de colocar estratégicamente fuertes imanes unipolares en las zonas del cuerpo afectadas por el dolor y los malestares.

El Dr. Bakst nos explicó cómo una persona siente dolor: No existe el dolor si la sensación no llega al cerebro. Cuando se inicia un impulso de dolor, este debe llegar al cerebro para que se interprete como un dolor. El impulso nervioso es llevado al cerebro de una manera similar al flujo de electricidad a lo largo de un alambre. En forma simplificada, el impulso de dolor se transmite al cerebro mediante el flujo de partículas magnéticas con carga positiva llamadas iones.

Bloqueo del dolor: Hay varias maneras de bloquear la transmisión del impulso de dolor al cerebro. Una es el uso de un bloqueo con anestésicos. Otra es el uso de medicamentos que actúan en el hipotálamo del cerebro para calmar el dolor. La tercera es el uso de terapia magnética para obstruir el flujo del impulso nervioso.

Cómo funcionan los imanes: Al colocar un imán negativo muy poderoso sobre el nervio, los iones con carga magnética positiva serán atraídos hacia el campo magnético negativo, obstruyendo así el flujo de los iones con carga positiva a través de los nervios del cerebro. Claro que algunos de los iones positivos escaparán, permitiendo así la sensación continua. Sin embargo, la investigación revela que cuanto más tiempo estén colocados los imanes sobre la zona afectada, más eficaz será el campo magnético negativo.

Acerca de los imanes: La fuerza de los imanes se mide en gauss. Cuanto mayor sea la medida en gauss, más poderoso y más eficaz será el imán. El campo magnético tiene la capacidad de penetrar a través de la piel. Distintos imanes tienen diferentes profundidades de penetración a través de la piel. Un imán cerámico podría tener una profundidad de penetración de 1 a 1,5 pulgada (2 a 4 cm). Si un nervio está cerca de la superficie de la piel, un imán cerámico será suficiente para controlar el impulso de dolor de ese nervio. Si el nervio afectado está entre 2 y 4 pulgadas (5 a 10 cm) de profundidad, un imán cerámico no será muy útil. Solo un imán de neodimio ("neodymium") tiene la capacidad de penetrar tan profundamente.

Otros beneficios de los imanes: También se ha comprobado científicamente que los imanes tienen un profundo efecto al nivel celular básico. Se ha demostrado que aumentan la circulación a la zona dentro del campo magnético, lo que asiste a la sanación del tejido y acelera la curación de las fracturas. Por lo tanto, aunque los imanes por sí mismos no curan una herida, aumentan la circulación a la zona afectada, ayudando al cuerpo a curarse más z.

Los veterinarios también han usado imanes para ayudar a aliviar el dolor y la inflamación en los caballos.

REFLEXOLOGÍA

Aunque el arte de la reflexología se remonta al antiguo Egipto, India y China, no fue hasta 1913 que el Dr. William Fitzgerald introdujo esta terapia en Occidente como *terapia zonal* ("zone therapy"). Observó que las zonas de reflejos en los pies y las manos estaban vinculadas a otras zonas y órganos del cuerpo dentro de la misma zona.

En la década de 1930, Eunice Ingham desarrolló aún más la teoría de zonas hasta llegar a lo que actualmente se conoce como la *reflexología*. Observó que la congestión o tensión en cualquier parte del pie se refleja en la parte correspondiente del cuerpo.

La Asociación de Reflexólogos de Gran Bretaña (*www.aor.org.uk*) define la reflexología como una terapia complementaria que actúa en los pies o las manos (y también en las orejas), permitiendo que el cuerpo se cure a sí mismo. Después de una enfermedad, estrés, herida o afección, el cuerpo se encuentra en un estado de "desequilibrio", y las vías de energía vital están bloqueadas, impidiendo que el cuerpo funcione eficazmente. Las manos sensibles y diestras de un reflexólogo pueden detectar diminutos depósitos y desequilibrios en los pies, y al masajear estos puntos, el reflexólogo puede liberar los bloqueos y restaurar el flujo libre de energía a todo el cuerpo, estimulando a que el cuerpo se cure a sí mismo, frecuentemente contrarrestando toda una vida de abuso.

Mayor información: Describimos algunos remedios caseros de la reflexología en este libro. Si quiere ir un paso más allá y visitar a un reflexólogo profesional, consulte el sitio web de la American Reflexology Certification Board (ARCB) para obtener una remisión. Visite *www.arcb.net* y haga clic en "Referral to a National Certificant".

Consejos de los sabios...

¡Mucho más que un masaje en los pies!

Durante muchos años, la reflexología ha sido considerada por muchos estadounidenses y profesionales de la salud como poco más que un masaje en los pies.

Actualización: Los estudios científicos recientes demuestran que el dolor crónico, los trastornos digestivos y otros problemas de salud comunes pueden aliviarse mediante el uso de la reflexología. Esta implica aplicar presión a zonas específicas –conocidas como "puntos de reflexología"– ubicadas en los pies, las manos y las orejas.

Cómo actúa: Cuando una parte del cuerpo es herida o deja de funcionar en forma adecuada debido a una enfermedad, las sustancias químicas irritantes se acumulan en las terminaciones nerviosas alejadas pero relacionadas en los pies, las manos y las orejas. Varios estudios han demostrado que los masajes en ciertas partes de los pies, las manos y las orejas con técnicas táctiles, alivian los problemas en las partes correspondientes del cuerpo.

Beneficio adicional: Usted puede aplicar varias formas básicas de la reflexología a usted mismo o a otra persona.

Para obtener mejores resultados, masajee todos los puntos de reflexología que describimos en este artículo durante al menos cinco minutos, dos veces al día, cuatro veces a la semana o más. El alivio puede llegar a los pocos minutos, pero a veces tarda días o semanas de masajes repetidos de las zonas de reflexología apropiadas para obtener resultados.

> ***ATENCIÓN:*** NO masajee sobre moretones, cortaduras, llagas, infecciones en la piel ni directamente sobre las zonas donde se ha dañado un hueso o tensionado una articulación durante los tres a seis meses anteriores. Si se ha sometido a una cirugía o sufrido la fractura de un hueso, pregúntele a su cirujano cuándo es seguro efectuar la reflexología sobre esas zonas.

La técnica principal que se usa en la mayoría de las partes de los pies y las manos, incluyendo los puntos que describimos a continuación, es la de deslizamiento del pulgar ("thumb roll" en inglés).

Qué hacer: Haga presión suavemente con la parte carnosa del pulgar contra la zona que desea masajear. Mantenga esta presión y, moviéndose lentamente, doble el nudillo del centro del pulgar en dirección hacia arriba y deslice el pulgar de la parte carnosa hacia la punta, moviéndolo hacia delante. Luego, invierta el movimiento del nudillo, de modo que una vez que el pulgar esté plano, usted pueda deslizar el pulgar nuevamente, moviéndolo cada vez hacia delante en la dirección a la que apunta el pulgar.

Estos son los puntos de reflexología que corresponden a dolencias comunes…

Acidez estomacal ("heartburn")

Qué hacer: Estando sentado en una silla, ponga el pie izquierdo sobre la rodilla derecha. Use el pulgar izquierdo para ubicar la "línea del diafragma", que separa el antepié y el arco del pie, donde el color de la piel cambia entre la parte carnosa y la parte blanda de la planta del pie. En esta línea, alrededor de una pulgada (dos cm) del borde interior del pie, presione suavemente con la punta del pulgar mientras aprieta suavemente con el dedo índice en la parte superior del pie durante cinco a 10 minutos.

Luego, coloque la punta del pulgar derecho sobre la parte blanda de la palma izquierda, en el punto entre la base de los nudillos, debajo de los dedos índice y medio. Mientras los dedos de la mano derecha aprietan suavemente el dorso de la mano izquierda, aplique presión suavemente usando la punta del pulgar derecho durante cinco a 10 minutos.

Dolor de cabeza

Qué hacer: Comience con la mano correspondiente al lado de la cabeza donde el dolor es más intenso. En el dorso de esa mano, ubique un punto a alrededor de una pulgada (dos cm) por debajo del nudillo que une la mano con el dedo índice, en la membrana carnosa entre el dedo índice y el pulgar. Ponga la punta del pulgar de la otra mano en este punto y la punta del dedo índice de la otra mano del lado de la palma de ese punto, apretando para hallar el punto que es levemente más grueso y más sensible que la región circundante. Mientras mantiene presión constante, mueva suavemente la punta del pulgar en pequeños círculos sobre este punto. (Por favor tenga en cuenta que este movimiento es diferente al deslizamiento del pulgar). Usualmente tarda unos cinco minutos de masaje para aliviar un dolor de cabeza causado

Ilustraciones de Shawn Banner.

por tensión, y hasta una hora para reducir o eliminar una migraña.

> ***ATENCIÓN:*** No debería masajear este punto durante el primer trimestre de un embarazo, ya que podría tener un efecto adverso en el feto. En su lugar, masajee solamente el punto relacionado en la oreja, según describimos aquí.

Después de que haya terminado la reflexología sobre la mano, ubique la pequeña ala dura de cartílago que está en la parte superior del lóbulo de la oreja, y luego sienta dónde se encuentran esta ala y el lóbulo. Con la punta del pulgar en el frente de la oreja y la punta del dedo índice detrás de la oreja, apriete suavemente este punto entre los dedos índice y pulgar, buscando un punto que es levemente más grueso y más suave que la zona circundante. Apriete ambas orejas al mismo tiempo, manteniendo durante cinco a 10 minutos, mientras descansa los codos sobre una mesa o un escritorio.

Síndrome del intestino irritable

Qué hacer: Estando sentado, ponga el pie izquierdo sobre la rodilla derecha. Con los dedos de la mano izquierda, suavemente agarre la parte superior del pie. Usando la técnica de deslizamiento del pulgar en franjas repetidas superpuestas, masajee a lo largo desde el borde interno hasta el borde externo del pie, sobre todas las partes suaves de la planta y el talón, durante 10 minutos. Repita, usando el pulgar derecho sobre la planta del pie derecho.

Después de que haya completado la reflexología en el pie, use el pulgar derecho para realizar la técnica de deslizamiento del pulgar sobre la palma de la mano izquierda. Masajee desde afuera hacia dentro de la palma, comenzando justo por debajo de la base de los dedos y avanzando hacia la muñeca. Repita, usando el pulgar izquierdo para masajear la palma derecha.

Dolor y rigidez en el cuello

Qué hacer: Mueva el dedo apenas por encima del ala de cartílago que describimos en la sección de dolor de cabeza, y halle una cresta de cartílago que va hacia arriba y debajo de la oreja. Ponga las puntas de los dedos índice sobre la pulgada (dos cm) inferior de esta cresta en ambas orejas mientras descansa los codos sobre una mesa o un escritorio. Apriete suave pero firmemente entre los dedos índice y pulgar con los pulgares detrás de las orejas. Continúe por cinco a 10 minutos.

Bill Flocco, maestro de reflexología, investigador y fundador y director de la American Academy of Reflexology, con sede en Los Ángeles, California. Es el autor de varios libros sobre la reflexología, entre ellos, *Reflexology Research: Anatomy of a Reflexology Research Study* (William Sanford).

VISUALIZACIÓN DE IMÁGENES

Su mente es una herramienta activa y poderosa. Se estima que la persona promedio tiene 10.000 pensamientos que pasan por su mente todos los días (al menos la mitad de los mismos son negativos). La visualización –una variedad de técnicas visuales usando imágenes mentales– puede aprovechar la energía positiva de su imaginación para estimular la relajación y cambios en la actitud y el comportamiento. También estimula la sanación física.

Gerald N. Epstein, MD, psiquiatra y uno de los más destacados profesionales del cuidado integrativo de la salud para la curación y la transformación, y director del American Institute for Mental Imagery (*www.drjerryepstein.org*), describe en forma poética la manera en que la visualización de imágenes ("mental imagery") puede usarse como ayuda para curarse a sí mismo y mejorar su salud.

"Veo nuestras vidas individuales como jardines que deben cuidarse. Todos somos esencialmente jardineros que cuidamos nuestra propia realidad (nuestro jardín). Como jardineros, tenemos funciones especiales, principalmente desmalezar, sembrar y, por supuesto, cosechar.

"Los jardines que están llenos de maleza no pueden cosecharse en forma adecuada. La maleza se impondrá sobre las semillas e impedirá que echen raíces y florezcan. Las dolencias, las enfermedades y las creencias negativas son malezas que hemos permitido que crezcan en nuestros jardines personales. Emociones como la ansiedad, la depresión, el temor, el pánico, las preocupaciones y la desesperación también son malezas. Las creencias negativas y las emociones están íntimamente conectadas con las afecciones y las enfermedades. No es una sorpresa para nadie que reconozca la unidad básica del cuerpo y la mente que los investigadores hayan encontrado una correlación entre las emociones negativas y la función disminuida del sistema inmune. De forma similar, las creencias positivas nos brindan emociones positivas, como el humor, la dicha y la felicidad, y los investigadores han demostrado que las emociones positivas están relacionadas con las respuestas saludables del sistema inmune.

"La formación de imágenes mentales es una técnica para eliminar las viejas y negativas creencias (las malezas) y reemplazarlas con nuevas y positivas creencias (semillas). Al convertirse en un jardinero de su propia realidad, la autosanación es posible".

Consejos de los sabios...

Meditación para las personas que no les gusta meditar

Hemos escuchado mucho sobre los beneficios de la meditación. Durante décadas, los estudios han demostrado que la meditación ayuda con la depresión, la ansiedad, la tensión, el insomnio, el dolor, la presión arterial elevada, la autoestima, el autocontrol, la concentración y la creatividad. Sin embargo, para muchas personas la meditación parece ser intimidante. Quizá resulte difícil sentarse quieto... despejar la mente... tomarse el tiempo... o seguir haciéndola durante el tiempo necesario.

La clave para el éxito: Elija una técnica que sea adecuada para su personalidad, su horario y su nivel de experiencia, y después hágala en forma habitual. *Veinte minutos o más diariamente es un buen objetivo, pero incluso cinco minutos es útil si lo hace todos los días...*

Si es un principiante...

Estos métodos son eficaces y suficientemente fáciles para un novato. Comience con solo unos pocos minutos, y aumente a partir de ahí.

➤ **Una tarea a la vez.** Nuestra sociedad de tiempos limitados fomenta la ejecución de múltiples tareas –así que lee sus cartas y mensajes electrónicos mientras habla por teléfono. Lo que quizá no sepa es que el simple hecho de enfocarse por completo en una única tarea es un ejercicio de meditación. Esto aumenta su capacidad de concentración, alivia el estrés y mejora el estado de ánimo al mejorar su apreciación del presente.

Intente: Una o dos veces al día, preste su atención completa a una sola actividad. *Ejemplo:* Cuando pliegue la ropa lavada, no encienda el televisor –simplemente disfrute las telas suaves y el ritmo del movimiento de las manos.

➤ **Respiración concentrada.** Siéntese en un lugar tranquilo, en el piso o en una silla, manteniendo la espalda erguida de modo que los pulmones puedan expandirse. Preste atención a su respiración. Sienta el aire moviéndose por las fosas nasales mientras lentamente inhala y exhala... sintiendo el abdomen subir y bajar. Luego elija uno de estos sitios (fosas nasales o abdomen) y concéntrese por completo en las sensaciones ahí. Pronto notará que su mente ha divagado. No se regañe –esto puede sucederle incluso a los meditadores experimentados. Simplemente haga volver su atención a la respiración.

➤ **Oración enfocada.** Elija una frase o una palabra que sea espiritualmente significativa para usted, como *Dios es amor* o *shalom*. Con cada respiración, dígala silenciosamente a sí mismo. Si sus pensamientos comienzan a desviarse, simplemente vuelva con calma a su oración.

Si detesta sentarse quieto...

Algunas personas no pueden dejar de retorcerse cuando tratan de meditar. *La solución:* meditación en movimiento..

➤ **Qigong, taichí o yoga.** Estas prácticas combinan movimientos específicos con un enfoque contemplativo en el cuerpo, de modo que usted hace ejercicios mientras medita. Muchos gimnasios, centros de educación para adultos y hospitales ofrecen clases de estas técnicas.

➤ **Comer prestando mucha atención.** Almuerce o cene solo, en silencio, saboreando la experiencia. Disfrute los colores y aromas de la comida. Mastique lentamente. ¿Cómo cambian el sabor y la textura? ¿Qué sensaciones percibe mientras traga? ¿Sabe qué? Usted está meditando. Siga comiendo cada bocado con tanta atención como pueda, sin apresurarse nunca.

Si no tiene tiempo disponible...

Algunos días quizá no tenga ni siquiera cinco minutos para meditar –pero puede concentrarse apenas un momento.

➤ **Tres respiraciones.** Cuando se siente tenso, respire tres veces en forma prolongada y profunda. Incluso unas pocas inhalaciones y exhalaciones conscientes lo calmarán. Use además indicios en su entorno como recordatorios habituales para enfocarse y respirar profundamente. *Ejemplo:* Respire lentamente cada vez que cuelga el teléfono o camina por una puerta.

➤ **Descubra la belleza en el momento.** Tres veces al día, mire a su alrededor y perciba algo encantador –la fragancia del perfume de alguna persona, el sonido alegre de niños jugando. Explore la experiencia con toda su atención. *Ejemplo:* una leve brisa está soplando. Observe la manera en que hace que la hierba se balancee... Escúchelo mientras se mueve a través de los árboles... sienta su roce suave. Perciba sus emociones de apreciación –y llévelas consigo durante el día.

Roger Walsh, MD, PhD, profesor de psiquiatría y de comportamiento humano en la facultad de medicina, y profesor de antropología y filosofía en la facultad de humanidades, ambas en la Universidad de California en Irvine. Ha realizado investigaciones extensas sobre los efectos de la meditación y sobre las filosofías y religiones asiáticas, y ha sido galardonado con más de 20 premios nacionales e internacionales. Es autor de *Essential Spirituality: The 7 Central Practices to Awaken Heart and Mind* (Wiley), con prólogo escrito por el Dalái Lama.

Consideraciones acerca de nuestros remedios

Nadie divulga o comparte un remedio que no surte efecto. Claro que sabemos que no todos los remedios darán buenos resultados en todas las personas, pero los remedios de este libro son fáciles de usar, económicos y no causan efectos secundarios. En otras palabras, aunque quizás no siempre sean de ayuda, ciertamente no lo perjudicarán. *Lo que nos trae a un punto muy importante...*

Un destacado médico ha examinado los remedios de este libro y los ha considerado SEGUROS. Pero el lector debe hacer un esfuerzo para lograr su propio bienestar –por favor consulte con un profesional de la salud en quien confíe antes de poner a prueba cualquier tratamiento de autoayuda, incluyendo los remedios de este libro.

Si está embarazada o amamantando, si tiene una alergia o sensibilidad a alimentos, o si se le ha diagnosticado una enfermedad grave o afección crónica –¡por favor!– hable con su médico, enfermera, partera, dentista, médico naturopático u otro especialista de la salud antes de poner a prueba uno de estos remedios. Y tenga en cuenta que la mayoría de estos remedios NO están pensados para niños. Por favor vea la sección "Niños y afecciones infantiles" (página 159) para sugerencias curativas apropiadas para sus pequeños.

Además, preste atención a toda "NOTA", "ADVERTENCIA" y "ATENCIÓN" en este libro, ya que nuestros remedios caseros no están científicamente comprobados y no deberían sustituir el tratamiento y la evaluación médica profesional. Algunos remedios pueden ser peligrosos para las personas que toman medicación recetada o padecen una enfermedad o afección específica.

Casi todas las afecciones que se mencionan en este libro se pueden tratar con atención médica tradicional, eficaz y comprobada. Es posible que necesite consultar con un médico por ciertas dolencias o síntomas persistentes. Nuestros remedios deberían usarse junto con –pero nunca como sustituto de– la asistencia médica profesional.

Usted debe entender que nosotras no poseemos instrucción médica formal y que no estamos recetando tratamientos. Somos escritoras que informan al lector sobre lo que les ha dado resultado a muchas generaciones de personas que han compartido sus remedios con nosotras. Por su propia seguridad, por favor consulte con su médico antes de poner a prueba cualquier tratamiento de autoayuda o remedio natural.

Afecciones de la A a la Z (*bueno*, hasta la V)

AFTAS (ÚLCERAS EN LA BOCA)

Un afta ("canker sore" en inglés) es una pequeña úlcera o llaga dolorosa de la membrana mucosa de la boca. No es grave, pero sí es dolorosa.

Alrededor de uno de cada cinco estadounidenses tiene aftas –la mayoría se encuentran entre los 10 y los 20 años, y dos de cada tres son mujeres– y nadie parece saber a ciencia cierta qué causa estos brotes de infecciones virales. *Estas son algunas razones posibles...*

- **Deficiencia de vitaminas,** específicamente B-12, hierro y ácido fólico; o intolerancia a la vitamina C.
- **Exceso de ácido de alimentos como tomates y vinagre.**
- **Alergias a alimentos como huevos, leche, col (repollo, "cabbage"), nabos ("turnips"), cerdo, café y té, frutas cítricas y nueces ("walnuts").**
- **Estrés emocional**
- **Lesión del tejido.**
- **Una superficie dental o un aparato dental afilado, como los de ortodoncia.**

NOTA: Después de un mes, si el afta no ha desaparecido, vaya al dentista.

Prevención de aftas

➤ **Con un cepillo de dientes.** Un experimento fascinante se realizó con personas que tenían aftas. Se hicieron pinchazos en la boca y ahí mismo fue donde se formaron las aftas –en los lugares exactos donde se hicieron los pinchazos.

Use un cepillo dental suave para cepillarse los dientes de modo que no se raspe ni perfore la parte interior de la boca donde se forman las aftas. Esto puede ayudar a disminuir las posibilidades de tener estas úlceras dolorosas en la boca.

➤ **Con pasta dental.** Verifique si su pasta dental tiene el ingrediente *laurisulfato sódico* ("sodium lauryl sulfate" o SLS, por sus siglas en inglés). Estudios demuestran que quienes sufren de aftas tienen hasta un 80% menos de probabilidades de tener un brote si usan pasta dental que no contenga SLS. Si su pasta dental contiene SLS, reemplácela de inmediato por un producto más puro. Nosotras usamos Tooth Soap (*www.toothsoap.com,* 503-723-6299) porque contiene ingredientes en los que confiamos.

Remedios para las aftas

➤ **Remedio de manzana.** Coma una manzana después de cada comida y deje que su potasio, pectina y otras propiedades que estimulan la curación mejoren su afta en tres o cuatro días. Si no tiene manzanas orgánicas, consulte "Consejos saludables", en la página 321, para saber cómo limpiar las frutas a fin de aprovechar los beneficios de la cáscara sin obtener ninguno de sus inconvenientes (ni pesticidas).

➤ **Alivie el dolor.** Enjuague cuidadosamente la boca con una mezcla de una cucharadita de bicarbonato de soda ("baking soda") en media taza de agua tibia. Este enjuague puede ayudar a neutralizar bacterias y aliviar el dolor.

➤ **Mirra admirable.** Los lectores de la Biblia están familiarizados con la mirra. Se vende en las tiendas de alimentos saludables y algunas farmacias, en polvo, en cápsulas y en una tintura (una solución alcohólica). Esta última parece ser la más eficaz para las aftas. Sumerja un hisopo de algodón (bastoncillo, "cotton swab") en la tintura y aplíquelo en el centro de la úlcera. Podría arderle por un momento, pero después el dolor quedará en el pasado, y la úlcera pronto también desaparecerá.

➤ **Acelere la curación.** Toque el centro de la úlcera con una barrita astringente (lápiz estíptico, "styptic pencil") para ayudar a acelerar la curación.

➤ **Mostaza poderosa.** Humedezca con agua la punta del dedo índice recién lavado. Métalo en mostaza seca en polvo ("dry mustard powder"). Luego mantenga el dedo sobre la úlcera por cinco minutos. Hágalo tres veces al día. Es un tratamiento doloroso, pero da resultado. El afta debería desaparecer en 48 horas. Si deja que un afta siga su curso normal, puede tardar hasta tres semanas para que desaparezca.

NOTA: Para poner mostaza en polvo en un afta, en vez de usar el dedo para mantener el polvo en el lugar, podría ser más fácil y más eficaz poner un poco de mantequilla de maní ("peanut butter") en un pequeño trozo de pan y luego poner la mostaza en polvo sobre la mantequilla de maní. Las hierbas y especias se adhieren a la mantequilla de maní mejor que a un dedo.

AFIRMACIÓN

Repita esta afirmación a primera hora por la mañana, a última hora por la noche y cada vez que el dolor punzante de un afta sea intolerable…

Libero ahora todos los pesares, y disfruto lo mejor de la vida.

ALERGIAS Y FIEBRE DEL HENO

Lo que hemos llegado a conocer como "fiebre del heno" es, en la mayoría de los casos, una alergia al polen y las esporas del moho en el aire. En la primavera del hemisferio norte hay polen de los árboles y el césped; a partir de mediados de agosto, hay polen de ambrosía ("ragweed") y otras hierbas, junto a esporas del moho de cebada ("barley"), trigo y maíz (especialmente en la región central de Estados Unidos).

El índice de polen en el aire es mayor desde el amanecer hasta las 10 a.m., así que permanezca adentro durante esas horas tanto como le sea posible.

Si tiene césped, manténgalo muy corto –no más de una pulgada (2 cm) de altura. Limitará así su exposición al polen del césped.

Protección y prevención

➤ **Use una mascarilla.** Use una mascarilla sobre la boca y nariz cuando esté trabajando en el jardín para evitar muchísimo polen. En interiores, use la mascarilla siempre que use la aspiradora para evitar inhalar el polvo que se esparce. Las mascarillas se pueden comprar en las ferreterías.

Inmunización previa a la estación

➤ **Polen de abeja ("bee pollen").** Cuatro meses antes del comienzo de la estación de la fiebre del heno, tome polen de abeja para desarrollar una inmunidad al polen en el aire. Si no tiene un apicultor en su localidad, puede obtener polen de abeja en tiendas de alimentos saludables o consultar "Recursos", página 350, para leer nuestra recomendación.

Puede poner el polen de abeja en todo –jugo, agua, yogur, cereal– o simplemente disolverlo en la boca o tragarlo.

Es un remedio increíblemente eficaz. Además, el polen de abeja es uno de los alimentos perfectos de la naturaleza, que contiene todos los nutrientes necesarios para mantener la vida. Es una de las pocas cosas que no se puede duplicar en un laboratorio.

ADVERTENCIA: Algunas personas son alérgicas al polen de abeja. Comience muy lentamente –con un par de gránulos durante los primeros días. Luego, si no tiene ninguna reacción alérgica, vaya aumentando gradualmente hasta que tome una cucharadita o más al día –hasta una cucharada dependiendo de cómo se sienta. Los asmáticos NO deberían usar polen de abeja.

➤ **Té de semillas de fenogreco ("fenugreek").** Una taza diaria de té de semillas de fenogreco (disponible en tiendas de alimentos saludables), comenzando tres meses antes de la época de la fiebre del heno, puede insensibilizarlo. El nombre significa "heno griego". ¿Coincidencia? No nos parece.

➤ **Levadura de cerveza ("brewer's yeast").** Dos meses antes de que se presente la época de la fiebre del heno, tome tabletas de levadura de cerveza. Lea la etiqueta para saber cuál es la dosis recomendada.

Estimuladores de la inmunidad

➤ **Flores de trébol rojo ("red clover blossoms").** Disponibles en las tiendas de alimentos saludables, fueron de las preferidas por los herboristas medievales y ahora están ganando popularidad nuevamente. No es de extrañarse. Tres o cuatro tazas de té de trébol rojo al día pueden ayudar a producir una inmunidad a las alergias.

➤ **Ajo y rábano picante ("horseradish").** Dosis diarias de ajo y rábano picante también pueden ayudar a aumentar su resistencia a las alergias. Pique finamente un diente de ajo y póngalo en jugo de naranja o agua y bébalo. Agregue un cuarto de cucharadita de rábano picante al jugo de verduras o mézclelo en una ensalada. Ambos son fuertes y puede requerir un esfuerzo acostumbrarse a ellos. Si lo ayudan a respirar más fácilmente, minimizar los síntomas de la alergia y quizá hasta inmunizarlo contra las alergias, ¡vale la pena comenzar a acostumbrarse a ellos!

ADVERTENCIA: Consumir ajo con el estómago vacío puede causar náuseas. Siempre consuma algo antes de consumir ajo o tomar cápsulas. Además, tenga cuidado con el ajo si padece gastritis.

Alivio instantáneo

➤ **Remedio de panal de abejas** ("honeycomb") de Lydia. He obtenido alivio instantáneo de los ataques de la fiebre del heno mascando un cuadrado de una pulgada (dos cm) de panal de abejas (disponible en tiendas de alimentos saludables). Es delicioso. Trague la miel y siga mascando la goma cerosa por unos 10 minutos. Asegúrese de que el panal es de su zona del país –cuanto más cerca, mejor.

ADVERTENCIA: Si sospecha que tiene sensibilidad a los productos de abejas, NO masque panal. Además, los asmáticos NO deberían consumir panal.

➤ **Ortiga.** La ortiga mayor ("stinging nettle"), una planta común, parece actuar como un antihistamínico natural y brinda alivio rápido para los ataques de la fiebre del heno. Según numerosos médicos naturopáticos (naturistas), un extracto liofilizado (deshidratado por congelación, "freeze-dried") de las hojas tomado en forma de cápsulas es mejor. Para controlar los síntomas de la fiebre del heno, tome de una a dos cápsulas cada dos a cuatro horas.

Más alivio para la fiebre del heno

➤ **Dormir con alergias.** Corte una cebolla en rodajas justo antes de cenar y déjelas estar en un vaso de agua. Cuando esté listo para acostarse, beba el agua de cebolla. Debería ayudarlo a conciliar el sueño y respirar más fácilmente mientras duerme.

➤ **Nariz tapada.** Cuando la nariz esté tapada, frote las orejas enérgicamente hasta que sienta como si se estuvieran quemando. Por alguna razón extraña, debería mejorar la nariz tapada causada por una alergia.

➤ **Aromaterapia.** Se afirma que las esencias (aceites esenciales) de hisopo ("hyssop"), lavanda ("lavender") o manzanilla ("chamomile") alivian todos los síntomas de la fiebre del heno. Cuando tenga goteo nasal, ojos lacrimosos y esa sensación de estar congestionado, ponga una o dos gotas de cualquiera de estas esencias en la parte interna de la muñeca o en un pañuelo, y huela el aroma cada pocos minutos.

➤ **Cura del chihuahua.** Recibimos una carta de una señora que nos informó acerca de tres casos diferentes que conocía en los cuales los chihuahuas eliminaron las alergias graves de sus dueños. La más espectacular de las tres historias era acerca de una joven muchacha que había estado sufriendo de fiebre del heno por varios años y había probado de todo sin suerte. Como último recurso, su tío le compró un chihuahua. La familia pensó que era una locura, pero su sobrina estaba feliz de tener este nuevo amigo pequeño y adorable. Pues, el último ataque de fiebre del heno que la joven experimentó en su vida fue el día anterior a que recibiera el perro.

Información sobre las alergias a los alimentos

➤ **Los principales culpables.** Los alimentos que con más frecuencia causan reacciones alérgicas son: huevos, maíz, leche de vaca, trigo, gluten, frutas cítricas, tomates, azúcar de caña, mariscos, nueces y chocolate.

➤ **Chocolate.** Si es alérgico al chocolate y realmente quiere seguir comiéndolo, pruebe chocolate blanco. No tiene *teobromina*, la cual puede ser la sustancia del chocolate oscuro que causa su reacción alérgica.

La algarroba ("carob") es un popular sustituto del chocolate. A algunas personas les llega a gustar tanto o más de lo que anteriormente les gustaba el chocolate.

➤ **Síntomas de la alergia a la ambrosía ("ragweed").** Si su fiebre del heno se debe a la ambrosía, quizá experimente los mismos síntomas que lo hacen sentir miserable después de comer melón chino ("cantaloupe") o "honeydew", sandía, calabacines "zucchini" o pepino ("cucumbers"). Estas frutas y verduras contienen proteínas que producen reacciones alérgicas que son muy similares a las de la ambrosía, así que téngalo en mente. Si consume uno de esos alimentos y tiene una reacción, sabrá que debe evitarlo en el futuro.

➤ **Alerta sobre los camarones** ("shrimp"). Si es alérgico a los camarones, claro que ya sabe que no debe comerlos. Lo que quizá no sepa es que no debería siquiera ir a la cocina cuando están siendo preparados. Respirar el vapor que sale hacia el aire mientras los camarones están hirviendo puede ser suficiente como para ocasionar una reacción alérgica.

➤ **Alergia al gluten.** Consulte "Enfermedad celíaca", página 103.

Otras alergias

➤ **Pesticidas y conservantes.** Si sus alergias son causadas por pesticidas o conservantes en las frutas y verduras, pruebe los alimentos orgánicos. Además, consuma alimentos ricos en selenio como salvado ("bran"), bróculi ("broccoli"), cebollas, atún en agua, tomates y nueces del Brasil (castañas del Brasil, "Brazil nuts"). (Consulte "Consejos saludables", página 321, para conocer las mejores maneras de limpiar las frutas y verduras). Y complemente su dieta usando tabletas de selenio ("selenium", disponibles en tiendas de alimentos saludables) siguiendo las dosis recomendadas en el envase. El selenio también podría ayudar a proteger contra la contaminación del aire.

➤ **Alergia a las joyas.** La alergia al *níquel* es la alergia de contacto más común entre las mujeres. El pin de metal que se usa por las primeras tres a seis semanas después de que las orejas son perforadas contiene cantidades mínimas de níquel.

Las personas que tienen las orejas perforadas con más de un agujero en cada oreja tienen el doble de alergias. Visite *www.simplywhispers.com* para buscar pendientes (aretes) hipoalergénicos.

Por cierto, el níquel se encuentra en la plata, el platino y el oro de alta calidad, y también en las variedades económicas de fantasía. Ese níquel puede hacer que usted sea vulnerable a una reacción alérgica cuando usa cualquier tipo de joya o incluso botones, broches, monturas de lentes, relojes de pulsera y cremalleras.

En el Nickel Solution Kit, una botella prueba la presencia de níquel, mientras que la otra botella proporciona protección temporal cuando usted usa la joya que contiene níquel. Para averiguar más acerca del kit, visite el sitio web de National Allergy en *www.natlallergy.com* y escriba "Nickel Solution Kit" en la casilla "Site Search" en el lado derecho o llame al 800-522-1448.

➤ **Alergia al teléfono celular, sí, al teléfono celular.** Si pasa mucho tiempo hablando por un teléfono celular, y tiene un sarpullido en la mejilla o la oreja, o si envía muchos mensajes y tiene un sarpullido en los dedos, podría tener lo que la asociación británica de dermatólogos llama "dermatitis del teléfono celular".

Algunos teléfonos celulares, pero no todos, contienen níquel. En general, los modelos que tienen níquel son los más novedosos con detalles metálicos, en vez de los que no son tan elegantes. ¿Cómo se sabe cuál lo tiene y cuál no? Haga una prueba de níquel para evitar que la piel tenga que pasar por eso. Para aprender más y para solicitar una prueba de níquel, consulte la información bajo "Alergia a las joyas" más arriba.

➤ **Alergia a las telas.** Si sospecha que es alérgico a un tipo de tela, tome un pedazo de esa tela –una muestra será suficiente–, póngala en un frasco con tapa y déjela al sol por cinco horas. Luego abra el frasco e inhale el aire en el mismo. Si estornuda, respira con dificultad, se sonroja, transpira o manifiesta cualquier reacción alérgica, ¿sabe qué?… usted es alérgico a esa tela.

ADVERTENCIA: Si padece asma, NO haga esto.

Mayor información: Para averiguar mucho más y buscar un grupo de apoyo en su zona, póngase en contacto con la Asthma and Allergy Foundation of America (*www.aafa.org*) o llame a su línea directa al 800-7-ASTHMA (727-8462).

AFIRMACIÓN

Repita esta afirmación al menos 10 veces, comenzando a primera hora por la mañana, cada vez que se vaya de un lugar, incluyendo su casa, y cada vez que entre en un nuevo lugar, incluyendo su carro o transporte público, su oficina, el supermercado –donde sea. Luego, repítala otras 10 veces a última hora por la noche.

Todo está sucediendo por mi bien. Tengo seguridad y tengo libertad para disfrutar la vida.

Consejos de los sabios…

Cómo curar alergias de manera natural: tres pasos sencillos

Las alergias estacionales se asocian más comúnmente con la primavera. Pero los brotes que ocurren en el verano pueden ser igual de malos –si no peores– debido a las molestias adicionales causadas por el calor y la humedad.

Nuevo dato interesante: Los síntomas de las alergias podrían estar durando aun más debido a las estaciones más largas de polen a causa de cambios en el clima, según un análisis reciente.

Ésa es la razón por la que es más importante que nunca que los 40 millones de estadounidenses que sufren de alergias estacionales usen las terapias más eficaces –con la menor cantidad de efectos secundarios.

Las buenas noticias: No tiene que llenar su botiquín con medicamentos poderosos que solo alivian temporalmente los síntomas de su alergia, y que posiblemente causen efectos secundarios tales como dolor de cabeza, somnolencia y dificultad para respirar. En su lugar, obtenga alivio con los remedios naturales a continuación.

La raíz del problema

La mayoría de los médicos tratan las alergias con un régimen que incluye antihistamínicos orales, como *loratadina* (Claritin) o *cetirizina* (Zyrtec), para bloquear la liberación de histamina de modo que el goteo nasal y la comezón en los ojos se reduzca… o esteroides inhalados, como *triamcinolona acetonida* (Nasacort) o *flunisolida* (Nasalide), para reducir la inflamación, la producción de mucosidad y la congestión nasal.

Problema: Aparte de los efectos secundarios que pueden causar estos medicamentos, muchas personas que sufren de alergias experimentan un "efecto de rebote" –cuando el efecto del medicamento pasa, explota la histamina que se ha bloqueado, causando una reacción alérgica incluso mayor.

Importante: Para efectuar la transición del medicamento al régimen natural que se menciona aquí, primero tome el remedio natural con la medicación, y luego lentamente deje la medicación en el curso de varias semanas.

Tres métodos naturales sencillos…

ADVERTENCIA: Consulte con un médico antes de probar este régimen si está embarazada o tiene alguna afección médica.

Paso 1: Suplementos

La Madre Naturaleza tiene herramientas que trabajan con el organismo para detener los síntomas de las alergias. Las siguientes sustancias naturales causan pocos efectos secundarios y frecuentemente son tan eficaces como los medicamentos recetados y de venta libre para las alergias.

Mi consejo: Pruebe la quercetina, y luego agregue aceite de pescado en los casos graves.

➤ **La quercetina ("quercetin")** es un *bioflavonoide* que inhibe las células que producen histamina. Se encuentra en las frutas cítricas, manzanas y cebollas, pero no en cantidades suficientes como para aliviar los síntomas de la alergia. Para un alivio óptimo, pruebe tabletas de quercetina.

La dosis usual: hasta 600 mg diariamente dependiendo de la gravedad de sus síntomas.

La quercetina también puede tomarse como prevención durante la época de las alergias. Consulte con su médico sobre la dosis. La quercetina es generalmente segura. Entre los poco comunes efectos secundarios podrían incluirse dolor de cabeza y malestar estomacal. Las personas con enfermedad de los riñones no deberían tomar quercetina –podría empeorar la afección.

Las marcas buenas: Quercetone, 800-228-1966, *www.thorne.com*... Quercetin 300, 800-545-9960, *www.allergyresearchgroup.com*.

➤ **Aceite de pescado ("fish oil").** La misma poderosa fuente de ácidos grasos omega-3 que es tan popular para la prevención de la inflamación que conduce a la enfermedad del corazón, también ayuda con las alergias. Fíjese en las palabras "pharmaceutical grade" (potencia farmacéutica) y "purified" (purificado) o "mercury-free" (sin mercurio) en la etiqueta. Elija una marca que proporcione al menos 500 mg de *ácido eicosapentaenoico* (EPA, por sus siglas en inglés) y 250 mg de *ácido docosahexaenoico* (DHA, por sus siglas en inglés) por cápsula.

Dosis usual: 2.000 mg de aceite de pescado al día. Consulte con su médico si toma un anticoagulante.

Las marcas buenas: aceites de pescado Nordic Naturals Arctic Omega, 800-662-2544, *www.nordicnaturals.com*... VitalChoice, 800-608-4825, *www.vitalchoice.com*.

Paso 2: Limpieza nasal

La inflamación de los conductos nasales debido a alergias impide que los senos nasales drenen y puede causar una infección de los mismos.

La autodefensa: La limpieza nasal una vez al día durante la época de las alergias reduce la cantidad de polen a la que usted se expone y puede prevenir la reacción alérgica en primer lugar.

ADVERTENCIA: La limpieza nasal puede ser irritante para algunas personas. Si experimenta cualquier irritación, interrumpa el tratamiento de inmediato.

Una opción: Limpie los conductos nasales con un rinocornio ("neti pot"). Un rinocornio se parece a una tetera en miniatura con un pico alargado (disponible en farmacias por entre $8 y $30). Agregue una cucharada de gel de áloe vera y una pizca de sal al agua tibia destilada que ponga en el rinocornio.

Qué hacer: Mientras está de pie junto a un lavabo, incline la cabeza horizontalmente, con la oreja izquierda hacia el techo, y suavemente inserte el pico en la fosa nasal izquierda. Mientras lentamente vierte la mezcla dentro de la fosa nasal, ésta circulará a través de los conductos nasales y saldrá por la fosa nasal derecha. Continúe por 10 segundos, respirando por la boca, y luego deje que el exceso de agua drene. Repita en la otra fosa nasal. Asegúrese de desinfectar su rinocornio con jabón y agua caliente después de cada uso.

Alternativa: Si usar un rinocornio le parece incómodo, pruebe una pera de goma ("syringe bulb")... o ahueque la mano y ponga agua tibia (mezclada con sal y áloe) y aspírela lentamente o use un irrigador nasal.

Se recomienda: Grossan Nasal Irrigator, desarrollado por el médico especializado en otorrinolaringología Murray Grossan, 800-560-9007, *www.hydromedonline.com*, $97... o SinuPulse Elite Advanced Nasal Irrigation System, 800-305-4095, *www.sinupulse.com*, $97.

Paso 3: Acupresión o acupuntura

La acupuntura y la acupresión pueden aliviar las alergias estimulando ciertos puntos de presión para provocar el flujo de sangre, reducir la inflamación y liberar compuestos químicos analgésicos naturales conocidos como *endorfinas*.

➤ **Acupresión.** Por 30 a 60 segundos, empuje (con suficiente presión como para mantener la cabeza sobre los dedos) cada pulgar en la zona donde cada ceja se encuentra con la nariz. Luego, presione los pulgares justo debajo de las cejas y deslícelos a lo largo de los bordes. Finalmente, presione bajo ambos pómulos, moviéndose hacia fuera con ambos pulgares hacia las orejas. Haga esta secuencia tres veces diariamente.

➤ **Acupuntura.** Aunque la acupresión puede ayudar a aliviar los síntomas de la alergia, la acupuntura es generalmente más eficaz. Nosotras recomendamos de seis a 10 sesiones durante la época de las alergias.

Otros remedios

➤ **Inyecciones contra las alergias y gotas para las alergias Estos métodos tradicionales tienen algunos aspectos naturales.** Se inyectan pequeñas cantidades del extracto de un alérgeno. Después de cierta cantidad de tratamientos, la persona desarrolla una resistencia natural al alérgeno. Las gotas para las alergias (puestas bajo la lengua) son una alternativa a las inyecciones contra las alergias y actúan del mismo modo.

➤ **Espeleoterapia y haloterapia.** Estos tratamientos, que se han usado por siglos en Europa, están ganando popularidad en Estados Unidos. Con la *espeleoterapia* ("speleotherapy"), los pacientes pasan tiempo en cuevas de sal. La *haloterapia* ("halotherapy") usa habitaciones de sal que simulan cuevas construidas por humanos. Los iones de sal en combinación con el aire no contaminado parecen mejorar la función de los pulmones en quienes tienen dolencias respiratorias y sinusales, además de alergias.

Las minas de sal y las habitaciones de sal no son siempre fáciles de encontrar. Busque en Internet bajo "salt therapy" (terapia de sal).

Se recomienda: En la época de las alergias, entre cuatro y 12 sesiones de espeleoterapia o haloterapia podrían ser útiles. Una sesión de 45 a 60 minutos típicamente cuesta entre $10 y $15.

Richard Firshein, DO, director del Firshein Center for Comprehensive Medicine, en Nueva York, *www.drfirshein.com*. Es autor de *Reversing Asthma* (Grand Central) y *The Vitamin Prescription* (Xlibris). El Dr. Firshein es el fundador del sitio web de red social sobre la salud, *www.healeos.com*.

AMPOLLAS

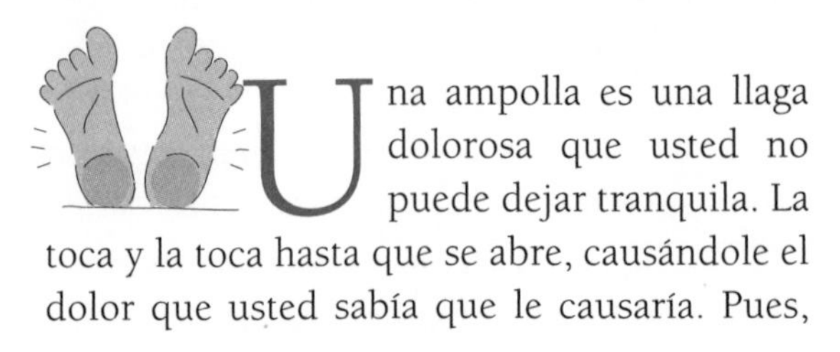

Una ampolla es una llaga dolorosa que usted no puede dejar tranquila. La toca y la toca hasta que se abre, causándole el dolor que usted sabía que le causaría. Pues,

¿ahora está dispuesto a dejarla tranquila? Muy bien, deje que el aire le llegue y la seque naturalmente. Algunas personas afirman que untarlas con maicena (fécula de maíz, "cornstarch") podría ayudar. *El secreto verdadero está en...*

Prevención de las ampollas

➤ **Lubrique.** Cuando va a estar caminando mucho o usando zapatos nuevos, lubrique las áreas del pie donde sea más probable que le salgan ampollas. Use vaselina ("petroleum jelly") o cualquier ungüento espeso para ayudar a evitar una ampolla. O unte clara de huevo y deje que se seque por completo antes de ponerse las medias y zapatos.

➤ **Use medias (calcetines) de acrílico.** Estas medias tienen capas y absorben la fricción mientras camina, de modo que protegen los pies de las ampollas.

➤ **También puede usar la lana de oveja ("lamb's wool").** Las bailarinas de ballet la usan para envolver los dedos de los pies para suavizar el impacto, y prevenir las ampollas que podrían aparecer al pararse en la punta de los pies. Los mochileros también la usan por esta misma razón.

Si se pregunta por qué usar la costosa lana de oveja y no el económico y absorbente algodón, es porque la lana de oveja (disponible en farmacias y tiendas de artículos de danza) es maravillosamente suave y robusta. El algodón absorbente no se mantiene unido y no ofrece protección adecuada. Si una ampolla ya se ha formado o se ha abierto, asegúrese de poner una tirita (curita, "Band-Aid") sobre la zona antes de usar la lana de oveja. No puede dejar que las fibras de la lana de oveja entren en contacto con la ampolla.

➤ **Llantén ("plantain plant").** Escoja hojas de llantén y póngalas en sus zapatos. Deberían prevenir las ampollas. También se dice que secarán las ampollas que ya tiene.

Según la leyenda, el llantén brotó del cuerpo de una doncella que estaba sentada al costado del camino esperando que volviera su amante. Ésa es la razón por la que supuestamente el llantén crece al borde del camino. Usted los habrá visto seguramente cientos de veces. Visite el sitio web *www.prairielandherbs.com/plantain.htm* para ver una excelente foto de la planta. Una vez que la vea, será como ver un viejo amigo... ¡que es verde y tiene espigas con semillas!

APENDICITIS

Si usted piensa que el dolor que siente es causado por gases, pero no está seguro, y teme que podría tratarse de su apéndice, tenemos una prueba sencilla...

Póngase de pie, recto, alce la rodilla derecha hacia el pecho, deteniéndose en la cintura. Luego, rápidamente, extienda la pierna derecha hacia delante como si pateara algo que tiene enfrente. Si siente un dolor agudo e insoportable en algún lugar de la zona abdominal, es posible que su apéndice esté inflamado. Si ése es el caso, *¡busque atención médica de inmediato!*

ATENCIÓN: Este examen NO sustituye un diagnóstico profesional –especialmente si el dolor persiste por más tiempo de lo habitual cuando el dolor ha sido causado por gases.

Prevención de la apendicitis

El boletín médico británico *BMJ* (anteriormente llamado el *British Medical Journal*) informó sobre los descubrimientos de estudios que se realizaron en la Universidad de Southampton en Inglaterra. Parece que el consumo abundante de tomates y verduras puede disminuir la posibilidad de padecer apendicitis.

Se cree que estos alimentos contienen un tipo de fibra que ayuda a prevenir la inflamación del apéndice.

ARTRITIS

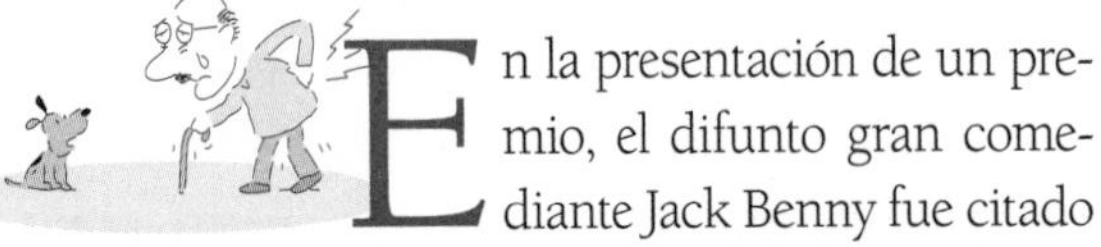

En la presentación de un premio, el difunto gran comediante Jack Benny fue citado diciendo que "yo no me merezco este premio, pero tengo artritis y tampoco me la merezco".

Nadie se merece la artritis, pero según los Centros de Estados Unidos para el control y la prevención de enfermedades (CDC, por sus siglas en inglés), se estima que 50 millones de estadounidenses informaron que sus médicos les dijeron que tenían artritis –y se calcula que 3,1 millones de adultos hispanos en Estados Unidos la padecen (*www.cdc.gov/spanish*).

Existen al menos cien tipos diferentes de artritis –algunos afectan el tejido conjuntivo, la mayoría causa inflamación de una o más articulaciones y prácticamente todos causan dolor.

A excepción de los remedios para la gota, resulta difícil saber qué remedios da mejores resultados para cada tipo de artritis.

Siga sus instintos. Lea la lista de remedios que figuran a continuación y espere hasta que la voz interna le diga: "Sí, sí, ¡qué bueno!" Entonces consulte a su médico para que verifique que el remedio no sea peligroso para usted. Ya que algunos médicos no creen en la eficacia de los remedios caseros, tal vez el médico le responda con un encogimiento de hombros. Eso también vale.

Remedios para la artritis

➤ **Remedio de alfalfa.** Las semillas y los brotes de alfalfa ("alfalfa sprouts") contienen microminerales ("trace minerals") que parecen carecer en las personas con algunos tipos comunes de artritis. Muela semillas de alfalfa (disponibles en tiendas de alimentos saludables) en una licuadora o un molinillo de café ("coffee grinder") y consuma una cucharada de las semillas molidas con cada comida. También se venden tabletas de alfalfa, pero debería tomar entre 15 y 20 tabletas al día para igualar la eficacia de las semillas molidas.

➤ **Las hojas de col eliminan el dolor.** Para el alivio del dolor, cocine al vapor unas pocas hojas de col (repollo, "cabbage") por 10 minutos, hasta que estén mustias. Mientras las hojas de col se cocinan, frote ligeramente un poco de aceite de oliva en la zona dolorida. Tan pronto como sea posible, sin quemarse, coloque las hojas tibias de col en la zona aceitada. Cubra con una toalla gruesa para mantener el calor. Repita el proceso una hora más tarde con nuevas hojas de col.

➤ **Cartílago de tiburón.** El Dr. I. William Lane, en su libro *Sharks Don't Get Cancer* (Avery), informa que investigadores han descubierto que el cartílago de tiburón ("shark cartilage", disponible en tiendas de alimentos saludables) ha reducido el dolor en alrededor del 70% de los casos de osteoartritis y el 60% de los casos de artritis reumatoide.

El Dr. Lane afirma: "La experiencia sugiere que el dolor de la artritis puede aliviarse mediante la ingestión diaria de un gramo (1.000 mg) de cartílago seco de tiburón por cada 15 libras (7 kg) de peso corporal. Los investigadores han descubierto que es más eficaz cuando se divide en tres dosis iguales, tomadas unos 15 minutos antes de cada comida".

■ **Receta** ■

El asombroso remedio de las pasas remojadas en ginebra

Hemos recibido más comentarios positivos sobre este remedio que de todos los demás remedios incluidos en nuestros libros. Los lectores nos han comentado: "Probé este remedio como el último recurso –y me dio resultados". Nos envían mensajes electrónicos que dicen cosas como: "Mi esposa me preparó un frasco de pasas, y pensé que si lo tomara la alegraría. Pero no puedo creer lo bien que me hizo".

Es un remedio tan eficaz que no hay remedio –tenemos que publicarlo otra vez más.

Ingredientes

1 paquete de pasas de uva blanca ("Golden Raisins") –o una libra (450 g) de pasas de uva blanca que se venden sueltas en las tiendas de alimentos saludables

Ginebra ("gin"), aprox. 1 pinta (½ litro)

Bol grande de vidrio (puede ser de Pyrex, pero no de cristal)

Frasco de vidrio con tapa para guardar las pasas

Preparación

Distribuya las pasas de uva uniformemente en el fondo del bol de vidrio y vierta suficiente ginebra sobre las pasas para que queden completamente cubiertas. Deje reposar hasta que la ginebra sea absorbida por las pasas lo más posible. Tardará unos cinco o siete días, dependiendo de la humedad de la zona donde vive. (Puede cubrir el bol con una toalla de papel para evitar el polvo y las moscas). Para asegurarse de que todas las pasas absorban ginebra, revuélvalas de vez en cuando con una cuchara, de manera que las pasas que están por encima queden en el fondo del bol.

En cuanto la ginebra se absorba, transfiera las pasas al frasco, tape y mantenga cerrado. NO REFRIGERE. Todos los días, coma nueve pasas –ni una más ni una menos– ¡EXACTAMENTE NUEVE PASAS AL DÍA! La mayoría de las personas las consumen más fácilmente con el desayuno.

ATENCIÓN: Joe Graedon, autor de *The People's Pharmacy* (St. Martin's), hizo analizar el contenido alcohólico de las pasas –solo quedaba una gota de alcohol en nueve pasas. Aun así… consulte con su profesional de la salud para asegurarse de que este remedio no interactúe con algún medicamento que toma, y de que no sea un problema para su salud, en especial si tiene demasiado hierro en su organismo. Además, las personas que se recuperan del alcoholismo deberían evitar este remedio.

Una amiga nuestra recomendó a sus padres este remedio para sus dolores de espalda y articulaciones. Siguieron las indicaciones al pie de la letra. Un día, mientras la mezcla se marinaba, se dieron cuenta de que les faltaban pasas para un pastel de manzana. Bueno, pues así desapareció el remedio. Pero fue el mejor pastel que jamás habían preparado. Ah, espere un segundo –la historia continúa. Compartieron el remedio con un vecino esquiador quien estaba por someterse a una cirugía de rodilla. Preparó el remedio y lo tomo a diario. Lo último que supimos es que el vecino ya no tuvo más dolor de rodilla y había postergado la cirugía.

Algunos han logrado resultados notables después de menos de 7 días, mientras que otros han tardado un mes o dos en lograr resultados. Como todos los remedios, este no da resultados para todos. Pero ya que es un remedio fácil, barato y delicioso, vale la pena hacer la prueba. Sea constante –coma las pasas todos los días. Espere un milagro… pero tenga paciencia.

Reduzca la dosis a un gramo por cada 40 libras (18 kg) de peso corporal cuando el cartílago comience a surtir efecto.

Según el Dr. Lane, "Si no nota un alivio importante después de 30 días de uso continuo y correcto, el cartílago probablemente no surtirá ningún efecto en su organismo ni mejorará su problema".

Busque cartílago de tiburón no adulterado ("unadulterated") y 100% puro. Es costoso, pero si surte efecto, vale la pena.

ATENCIÓN: Según el Dr. Ray Wunderlich, Jr., apreciado médico y fundador del Centro Wunderlich de medicina nutricional (*www.wunderlichcenter.com*), los niños, atletas y personas con circulación problemática deberían ser cautelosos con el uso prolongado de cartílago de tiburón. Asegúrese de consultar con su profesional de la salud antes de comenzar este programa de autoayuda.

➤ **Alivio con las algas marinas.** Los estadounidenses no estamos acostumbrados al sabor de las algas marinas ("seaweed"). Pero si padece artritis, es buena idea aficionarse a las algas. Pueden ser muy, pero muy benéficas. Comience con media cucharadita de kelp en polvo (se encuentra disponible en tiendas de alimentos saludables o mercados asiáticos) en una taza de agua tibia. Bébala todas las noches al acostarse. Gradualmente, agregue kelp, en trozos, a su comida –sopa, guiso (estofado), ensalada. Las píldoras de kelp también están disponibles. Siga las instrucciones de la etiqueta.

➤ **Prepare un elixir.** Debido a que la artritis es un desafío importante, y no todos los remedios le dan resultados a todas las personas, queremos proporcionar una variedad de remedios, especialmente aquellos sobre los cuales hemos recibido comentarios positivos. Un buen ejemplo es esta receta de té de jengibre ("ginger") que apareció en nuestro libro en inglés, *Household Magic* (editado por Bottom Line).

En marzo de 2009 recibimos una carta de Martha, quien vivía en Texas y cuidaba de su esposo, que padecía artritis en las manos y no podía cerrar un puño, y de su hermana, que sentía dolor intenso y no podía caminar sin bastón.

Martha preparó el té de jengibre para ellos diariamente, y en tres semanas, su esposo tenía movilidad y nada de dolor en las manos, y su hermana ya no necesitaba un bastón y casi no sentía dolor. Martha escribió: "Mi hermana dice que quiere gritarle al mundo acerca de lo mucho mejor que se siente".

Para dar crédito a quien lo merece, obtuvimos este remedio de Bruce Fife, ND, médico naturopático y director del Coconut Research Center, en Colorado Springs, Colorado (*www.coconutresearchcenter.org*).

Use tanto jengibre fresco (disponible en verdulerías y en la sección de frutas y verduras de la mayoría de los supermercados) como desee. De hecho, cuanto más jengibre, mejor –pues ayuda a reducir la inflamación.

Para preparar el té, haga hervir una media taza de agua. Corte el jengibre en rebanadas finas, agréguelas al agua caliente y deje hervir a fuego lento por cinco minutos. Quite la cacerola del fuego y descarte el jengibre. Agregue, revolviendo, un cuarto de cucharadita de cúrcuma ("turmeric") en polvo y una cucharada de gelatina sin sabor ("unflavored gelatin") –ambas disponibles en los supermercados. Vierta una cucharada de aceite de coco (disponible en tiendas de alimentos saludables), y siga revolviendo hasta que la gelatina se disuelva. Luego agregue entre media y una taza de jugo de naranja enriquecido con calcio ("calcium-enriched orange juice"). Beba este té una o dos veces al día.

ATENCIÓN: El jengibre actúa como un anticoagulante, así que consulte con su médico antes de usarlo si toma un anticoagulante recetado. Además, deje de usar el jengibre tres días antes de una cirugía.

➤ **Néctar hawaiano.** Algunos nutricionistas creen que la enzima que contiene la piña (ananá, "pineapple"), *bromelaína*, puede ayudar a disminuir la inflamación de las articulaciones en algunas afecciones artríticas. Si no está preocupado por consumir demasiados carbohidratos, y no es alérgico a la piña, beba un vaso de jugo de piña después del almuerzo y después de la cena. El jugo fresco es mejor; en segundo lugar se encuentra el jugo embotellado sin aditivos ni conservantes.

ADVERTENCIA: La bromelaína NO se recomienda para las personas que tienen alergia a la piña, padecen gastritis o tienen úlcera gástrica activa o péptica. Además, las personas que toman medicamentos anticoagulantes como warfarina deberían consultar con su médico antes de tomar bromelaína.

Si se toma la bromelaína con comida, actuará más como una enzima digestiva que como un antiinflamatorio.

NOTA: Entérese del poder antiinflamatorio y calmante de las cerezas en el capítulo "Le hace bien al cuerpo", página 269.

➤ **Un gato al rescate.** Haga que un gato se siente en las rodillas, o donde sea que usted siente dolor artrítico. Así como se afirma que un perro chihuahua ahuyenta las alergias de su dueño (consulte la página 6), también se afirma que un gato elimina la artritis de su dueño, según la tradición popular alemana. Si padece artritis y tiene un gato... ¡llámelo y acarícielo mucho!

➤ **Pruebe un té de hierbas.** Ciertos tés de hierbas pueden ayudar a aliviar el dolor. Nuestros cuatro favoritos son el té de milenrama (aquilea, "yarrow"), té de corteza del sauce ("willow bark"), té de diente de león ("dandelion") y té de bardana ("burdock") –raíces u hojas. Todos se pueden comprar en tiendas de alimentos saludables y herboristerías ("herb shops"). Deje remojar una cucharadita colmada de estas hierbas en una taza de agua recién hervida por 10 minutos. Cuele y beba dos o tres tazas al día.

NOTA: El té de milenrama tiene un sabor inusual, por lo que le sugerimos que le agregue miel.

➤ **Acabe con el café y la cafeína.** Incluso el té con cafeína. La cafeína parece agudizar el dolor en algunas personas (no todas) que sufren de artritis.

➤ **Condimente con pimienta de cayena ("cayenne pepper").** Llamada por Cayena, la región de la Guyana francesa en Sudamérica donde originalmente crecía, la pimienta de cayena es roja, picante y eficaz.

Parece haber un gran beneficio con este tratamiento, pero hay que pagar un precio. El tratamiento precisa de tiempo y paciencia, y el dolor empeora antes de mejorar o desaparecer por completo. Aun así, informamos sobre este remedio porque creemos que vale la pena el esfuerzo.

Consulte con su médico antes de comenzar este tratamiento y hágalo bajo su supervisión. Tome una o dos cápsulas de pimienta de cayena tres o cuatro veces al día, todos los días, en forma habitual. Recuerde que al principio el dolor probablemente aumentará por un breve periodo y luego disminuirá en forma considerable, incluso por completo.

Las cremas tópicas de pimienta de cayena ("topical cayenne creams") de venta libre también están disponibles y pueden ser muy eficaces.

ATENCIÓN: NO use cápsulas de pimienta de cayena si tiene acidez estomacal ("heartburn"), gastritis, úlceras o esofagitis.

➤ **Tónico de apio.** Se sabe que el apio neutraliza el ácido úrico y otros ácidos en exceso en el organismo. Consuma apio fresco, beba jugo de apio o té de semillas de apio todos los días. Cuanto más, mejor... dentro de lo razonable. Ah, y tenga en cuenta que el apio es un diurético natural, así que asegúrese de tener acceso a un baño cercano.

➤ **El sexo lo puede mantener flexible.** Hay buenas noticias y *más* buenas noticias. Las buenas noticias son que el sexo puede aliviar el dolor artrítico por hasta seis horas cada vez. La teoría es que la estimulación sexual aumenta y libera la producción de cortisona. La otra buena noticia es que la autoestimulación actúa tan bien como tener relaciones sexuales en pareja.

➤ **Solución aceitosa.** Caliente una cucharada de aceite de maní (cacahuates, "peanuts") y, cuando se haya enfriado lo suficiente, frote las articulaciones inflamadas con el aceite. Hágalo varias veces al día y deje pasar algunos días para que surta efecto.

➤ **Mala sal.** La sal causa retención de agua e inflamación, así que es lógico que podría ejercer más presión sobre las articulaciones y aumentar el dolor. Limite su consumo de sal. Si no puede vivir sin sal, considere la sal cristalina del Himalaya (*www.himalayancrystalsalt.com*). Si agrega sal *después* de preparar la comida en vez de durante, necesitará sólo la mitad de la cantidad sin perder el sabor (consulte la página 217 para encontrar sustitutos de la sal).

➤ **El ajo al rescate.** El ajo –en dosis diarias en cualquier forma– puede fortalecer su sistema inmune, librarlo del dolor, quizá incluso curar su afección artrítica –y hacer que a usted lo conozcan como quien tiene "aliento a salame".

En realidad, si pica finamente un diente de ajo y lo coloca en jugo de naranja o agua y la bebe sin masticar el ajo, el olor no quedará en su aliento.

Complemente el ajo crudo con una cápsula potente. Existen muchas cápsulas de ajo *inodoras* en el mercado que, según informes, son tan eficaces como los suplementos que causan que el olor a ajo quede en su aliento.

ADVERTENCIA: Consumir ajo con el estómago vacío puede causar náuseas. Siempre consuma algo antes de consumir ajo o tomar cápsulas. Además, tenga cuidado con el ajo si padece gastritis.

➤ **Mitigue el dolor.** Muchos médicos tradicionales, médicos naturopáticos (naturistas) y el legendario sanador clarividente Edgar Cayce han recomendado compresas de aceite de ricino ("castor oil") para aliviar el dolor artrítico.

Debido a que la preparación de este remedio requiere cierto esfuerzo, parece ser un tipo de prueba para verificar si realmente quiere librarse de su afección. Hummm, eso debería darle a usted algo para pensar. Mientras piensa, siga leyendo acerca de las compresas de aceite de ricino.

Para este remedio necesitará...

- **Una bolsa de agua caliente ("hot water bag") o una bolsa de maíz ("microwaveable feed corn heating bag") apta para el microondas.** Para comprar una bolsa de maíz, visite el sitio web *www.microwavecornbags.com*.
- **Un pedazo de franela ("flannel cloth") de lana blanca** (una franela de algodón también servirá)) lo suficientemente grande como para cubrir la zona afectada cuatro veces.
- **Dos pedazos de plástico blando** – uno para poner bajo el cuerpo y proteger las sábanas y otro para la zona afectada.

- **Una toalla gruesa**
- **Una botella de aceite de ricino ("castor oil")**
- **Una toallita ("wash cloth")**
- **Bicarbonato de soda ("baking soda")**

Una vez que tenga todos los ingredientes, comience por doblar la franela en cuatro y empápela con aceite de ricino. Coloque el plástico sobre su cama y acuéstese sobre el mismo. Ponga la franela aceitada directamente sobre la piel, donde tenga el dolor. Luego, ponga el otro pedazo de plástico sobre la franela, y coloque la bolsa de agua caliente o la bolsa de maíz sobre el plástico. Ponga la toalla encima de todo y permanezca así por una hora o dos. Debería sentirse muy relajado a medida que la hora o dos parezcan pasar volando.

Una vez que retire la compresa, prepare una mezcla de una cucharadita de bicarbonato de soda en una pinta (½ litro) de agua a temperatura ambiente, sumerja la toallita en la mezcla y úsela para quitar el aceite de ricino de la piel.

Usando la misma franela (empapándola con aceite de ricino cada vez que la use), aplique la compresa cuatro noches sí –a más o menos la misma hora cada noche– y tres noches no, cuatro noches sí, y tres noches no. ¿Nota que se está formando algún patrón aquí? Note también cómo su dolor disminuye.

➤ **Antiguo estandarte del Dr. Jarvis.** Seguimos recibiendo cartas de personas que nos dicen cómo este famoso remedio de Nueva Inglaterra (vinagre de sidra de manzana y miel) del difunto médico rural D.C. Jarvis (1881-1966) los ha dejado como nuevos, usualmente en un mes.

Mezcle dos cucharaditas de miel pura sin procesar ("raw honey") y dos cucharaditas de vinagre de sidra de manzana ("apple cider vinegar") en un vaso de agua tibia y beba la mezcla antes de cada comida y al acostarse.

El dolor podría desaparecer, y no se sorprenda si adelgaza un poco mientras sigue este tratamiento.

ADVERTENCIA: NO use este remedio de miel y vinagre de manzana si tiene acidez estomacal ("heartburn"), gastritis, úlceras o esofagitis.

➤ **Prevención de la rigidez matinal.** Duerma en un saco de dormir. No hay necesidad de hacerlo en el piso duro. Ponga el saco de dormir *sobre* su cama, métase en el mismo y cierre la cremallera del saco. Su propio calor corporal se distribuye en forma uniforme y parece ser mucho más saludable que una manta eléctrica o una almohadilla de calor ("heating pad"). Además de ahorrar en gastos de electricidad, debería notar más facilidad de movimiento por la mañana.

➤ **Terapia con gemas.** Cuando Connie Barrett (*www.rainbowcrystal.com*) era la propietaria de una tienda de gemas en Nueva York, solía ver gente que entraba, miraba y, con dedos artríticos, instintivamente trataba de agarrar una cornalina ("carnelian"). Connie cree que simplemente siguiendo nuestros instintos encontramos lo que necesitamos. Y sí, la cornalina es una de las piedras para quienes sufren de artritis, ya que representa fluidez en todo sentido, incluyendo fluidez de movimiento.

Otra piedra que es usada con éxito por quienes padecen artritis es la calcita ("calcite") verde. Esta piedra barata ayuda a liberar la rigidez mental que, por su parte, libera la rigidez física.

La autora y profesora clarividente Barbara Stabiner aconseja que colocar un pedazo de coral en la bañera (bañadera) a su lado cuando se dé un baño, podrá ayudar a aliviarle el dolor artrítico. Un buen baño tibio también puede lograr el mismo resultado.

➤ **Visualización.** Al levantarse y a la hora de acostarse, siéntese en la cama (si lo prefiere, siéntese en una silla con respaldo duro) y cierre los ojos para visualizar durante dos o tres minutos.

Comience por exhalar todo el aire de los pulmones, y luego inhale lentamente. Mientras exhala, visualice la inmensa marquesina de un teatro con luces brillantes que hacen destellar tres veces el número "3". Respire hondo lentamente otra vez y, mientras exhala, visualice el número "2" destellando tres veces. Respire hondo lentamente una vez más y, cuando exhale, visualice el número "1" destellando tres veces.

Ahora que se encuentra completamente relajado, visualícese entrando a un laboratorio de alta tecnología. Mire los equipos sofisticados a su alrededor. Mientras mira descubre una máquina que tiene su nombre. Diríjase hacia la misma y vea que se trata de una aspiradora inmensa. Observe la manguera. Se ramifica de modo que hay dos tramos de manguera. Sígala hasta donde comienza y vea que la abertura de cada manguera tiene la forma de un pie. Acerque una silla, siéntese y adhiera cada manguera a la planta de los pies. Ahora estire el brazo y presione el botón "Encender" ("ON"). La aspiradora está funcionando. Visualice cada área de su cuerpo mientras la aspiradora retira todos los desperdicios y todos los depósitos cristalizados que causan el dolor. Una vez que sienta que su cuerpo está completamente libre de toxinas, presione el botón "Apagar" ("OFF").

Cuente lentamente de uno a tres. Al abrir los ojos, estírese y siéntase renovado.

Para mayor información: Visite el sitio web de la Arthritis Foundation, *www.arthritistoday.org*, y suscríbase al boletín electrónico *Arthritis Today*. Contiene la más reciente información, percepción e inspiración, y es gratis.

Si tiene preguntas sobre artritis, o quiere encontrar la sucursal de la Arthritis Foundation en su zona, llame al número gratuito 800-283-7800.

AFIRMACIÓN

Repita esta afirmación a primera hora por la mañana, y a última hora por la noche... y cada vez que se encuentra con una persona durante el día...

Dejo desvanecer la ira y la reemplazo con comprensión, compasión y amor. El amor me es devuelto y me siento muy amado.

Consejos de los sabios...

Una hierba china alivia el dolor de las articulaciones

En un estudio, los pacientes con artritis reumatoide tomaron 60 mg, tres veces al día, de un extracto de la hierba *Tripterygium wilfordii Hook F* (TwHF)... un grupo de control tomó la dosis típica de 1.000 mg, dos veces al día, del medicamento antiinflamatorio *sulfasalazina*. Después de 24 semanas, el 65% de quienes tomaron TwHF y el 33% de quienes tomaron el medicamento tuvieron un 20% o más de mejoría de los síntomas. Pero muchos productos de TwHF no están estandarizados en su concentración –así que sólo úselo bajo la supervisión de un médico.

Raphaela Goldbach-Mansky, MD, MHS, jefa interina de enfermedades autoinflamatorias translacionales del National Institute of Arthritis and Musculoskeletal and Skin Diseases, en Bethesda, Maryland, y líder de un estudio de 62 personas.

ASMA

Un ataque de asma podría ser causado por una alergia, infección, estrés o alguna combinación de estas causas. Preste mucha atención a sus hábitos para tratar de averiguar exactamente lo que provoca un ataque. Ése es un gran paso para aprender a controlar la afección.

Cómo encontrar la causa

Si el ataque de asma suele comenzar cuando se acuesta en la cama, es posible que la causa sea una alergia a su detergente, suavizante de tejidos u otros productos de lavandería usados para lavar la ropa de cama.

O quizá se ha acostado demasiado pronto después de comer. El reflujo ácido del estómago puede provocar un ataque en algunas personas. Si piensa que tiene un problema con el ácido estomacal, no coma inmediatamente antes de acostarse. Use una almohada adicional de modo que esté casi sentado en la cama.

Otro causante de problemas nocturnos para algunos asmáticos es una chimenea o fogón ("fireplace") en funcionamiento. Si está en una habitación en la que se está usando una chimenea a leña, abra algunas ventanas –no debería inhalar las partículas liberadas por la leña que se está quemando en la chimenea.

Claro, la mayoría de nosotros no tenemos una chimenea en el dormitorio. ¿Pero cuántas personas encienden velas? Con *cualquier cosa* que se esté quemando, partículas microscópicas se liberan al aire, y ahí está usted, luciendo muy bien a la luz de las velas, respirando esas partículas, además del monóxido de carbono. Eso no es bueno para nadie; especialmente no es bueno para los asmáticos.

Cambie el ambiente romántico por un sueño sin asma.

ATENCIÓN: Los síntomas dramáticos y agudos del asma deben ser tratados con medicamentos recetados para lograr un alivio inmediato. Los síntomas leves del asma pueden ser tratados con remedios más moderados como los siguientes.

Al comenzar los síntomas de asma

➤ **Jugo de arándanos agrios ("cranberry juice").** Beba un par de cucharadas de jugo de arándanos agrios concentrado (disponible en tiendas de alimentos saludables). También puede preparar su propia mezcla. Hierva una libra (450 g) de arándanos agrios en una pinta (½ litro) de agua hasta que los arándanos agrios estén muy blandos. Envase y refrigere la mezcla. Al primer indicio de un ataque de asma, deje que se caliente un poco y consuma dos cucharadas.

➤ **Agua fría.** Ponga las manos en un recipiente con agua helada. Si siente que esto lo está ayudando, deje las manos en remojo por hasta 15 minutos.

➤ **Ajo.** Al primer indicio de un ataque de asma, pele y pique finamente un diente de ajo, agréguelo a una cucharada de miel pura sin procesar ("raw honey") y tráguelo. La combinación de ajo y miel puede aminorar un ataque.

ADVERTENCIA: Consumir ajo con el estómago vacío puede causar náuseas. Siempre coma algo antes de consumir ajo o tomar cápsulas de ajo. Además, tenga cuidado con el ajo si padece gastritis.

Prevención de los síntomas del asma

➤ **Aloe Vera.** Beba jugo de áloe vera (disponible en tiendas de alimentos saludables) –una onza (30 g) después de cada comida.

ALGO ESPECIAL

¡Que haya luz!

Si tiene asma y le gusta cenar a la luz de las velas, la alternativa saludable pudieran ser las velas que funcionan a pila (batería). Para ver una enorme selección, visite el sitio web *www.batteryoperatedcandles.net* o llame al número gratuito 800-879-0537.

➤ **Salsa Tabasco.** Según el Dr. Isadore Rosenfeld, profesor de medicina clínica de la facultad de medicina Weill de la Universidad Cornell, beber un vaso de agua que contenga entre 10 y 20 gotas de salsa Tabasco en forma habitual reducirá la frecuencia y gravedad de los ataques. (La misma bebida además elimina los síntomas de la bronquitis crónica y el resfriado).

ADVERTENCIA: NO use este remedio de salsa Tabasco si tiene acidez estomacal ("heartburn"), gastritis, úlceras o esofagitis.

➤ **Vitamina B-6.** Estudios demuestran que la vitamina B-6 (entre 100 mg y 150 mg diarios) puede ayudar a prevenir los ataques de asma.

ADVERTENCIA: NO tome más de 150 mg de vitamina B-6 al día, ya que puede ser tóxica.

➤ **Jugo de zanahoria y jengibre.** La combinación de jugo de zanahoria y jengibre logra maravillas en la prevención de los ataques de asma y en la eliminación de la mucosidad. Prepare o compre jugo de zanahoria fresco. Ralle jengibre fresco, póngalo en una estopilla y exprima una cucharada de jugo de jengibre. Agréguelo a seis onzas de jugo de zanahoria y bébalo por la mañana y siempre que se sienta congestionado.

ATENCIÓN: El jengibre actúa como un anticoagulante, así que consulte con su médico antes de usarlo si toma un anticoagulante recetado. Deje de consumir jengibre tres días antes de cualquier cirugía.

Más ayuda para aliviar el asma

➤ **Fortalecedor de la respiración.** Comience a tocar un instrumento de viento. Los instrumentos de viento incluyen el clarín, el clarinete, la flauta, la trompa, la flauta dulce, el saxofón, el trombón, la trompeta y la tuba, y también la chicharra y la armónica. Aparte de la chicharra, la armónica es la más barata y la más fácil de aprender. Impóngase la disciplina de practicar todos los días por al menos media hora. Es benéfico para todos los problemas respiratorios. La Hohner Harmonica Company nos envió cartas que han recibido durante los años de personas cuyas afecciones han mejorado mucho como resultado de tocar la armónica. Sí, efectivamente, la música tiene encantos que alivian el pecho asmático.

➤ **Despejo de la mucosidad.** El té de fenogreco ("fenugreek") –disponible en tiendas de alimentos saludables– parece despejar la mucosidad provocada por el asma. Beba una taza de té a primera hora por la mañana, después de cada comida y al acostarse.

➤ **Terapia con gemas.** Se sabe que la rodocrosita ("rhodochrosite") puede aliviar la ansiedad, relajar los músculos de la zona del diafragma y llevar oxígeno al sistema –todo directamente relacionado al asma.

Un niño de cinco años y su madre entraron a Crystal Gardens, una tienda de gemas que estaba situada en Nueva York. El niño agarró un trozo de rodocrosita y dijo: "Mamá, cómprame esta piedra". La madre le dijo a su hijo que dejara la gema y que esperara afuera. Luego le dijo al propietario de la tienda: "Necesito algo para mi hijo. Tiene un caso terrible de asma". Como seguramente ha adivinado, la piedra más adecuada para el niño era la que él había agarrado.

Los dueños de la tienda cuentan esta historia para hacer hincapié en que deberíamos seguir nuestros instintos y elegir las piedras a las que nos sentimos atraídos.

El citrino ("citrine") es una hermosa piedra amarilla de la que también se dice que ayuda a controlar los ataques de asma.

AFIRMACIÓN

Repita esta afirmación 10 veces, a primera hora por la mañana y cada vez que tome una decisión, sin importar lo insignificante que esta sea...

Le doy la bienvenida a este día como un día de independencia. Es una opción correcta para mí. Ahora puedo respirar sin problema.

ASTILLAS

Intentar quitar cualquier astilla usando pinzas ("tweezers") puede empeorar el problema. Las pinzas pueden empujar la astilla más profundamente bajo la piel o partirla y dejar parte de la misma incrustada bajo la piel. *Deje la pinza para las cejas y considere los siguientes métodos sencillos y más seguros para quitar astillas ...*

➤ **Cómo sacar una astilla fácil de extraer.** Cuando la astilla está sobresaliendo, no está profundamente incrustada, y si usted no quiere arriesgar partirla al tirar de la misma, tome un pedazo de cinta –Scotch-tape o adhesiva– y póngala sobre la astilla. También puede usar una capa delgada de pegamento blanco del tipo escolar extendida sobre la zona de la astilla. Trate de averiguar la dirección en la cual la astilla se encuentra para poder tirar de la cinta o la capa de pegamento según la dirección. Si no funciona la primera vez, pruebe una segunda o una tercera vez.

➤ **Cómo sacar una astilla difícil de extraer.** Envuelva una tira de tocino (panceta, "bacon") crudo alrededor de la zona con la astilla y cubra el tocino con un pedazo de tela. Manténgalo durante la noche. Por la mañana, cuando quite el tocino, es probable que también quite la astilla.

➤ **Qué hacer con una astilla muy, pero muy difícil de extraer.** Mezcle una cucharadita de fenogreco ("fenugreek") molido (disponible en la mayoría de las tiendas de alimentos saludables) con suficiente agua para hacer una pasta. Colóquela sobre la zona de la astilla y envuelva con gasa. Mantenga durante la noche. Por la mañana, cuando quite el fenogreco, la astilla debería haber salido a la superficie y puede rasparla o sacarla con cinta. (Vea las instrucciones a la izquierda).

ATRAGANTAMIENTO

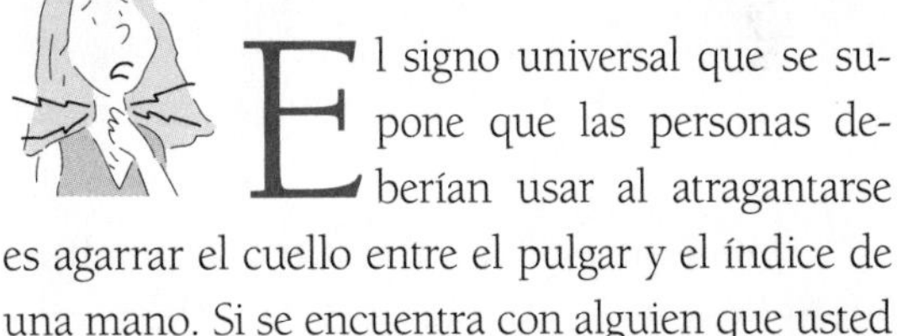

El signo universal que se supone que las personas deberían usar al atragantarse es agarrar el cuello entre el pulgar y el índice de una mano. Si se encuentra con alguien que usted piensa que podría estar atragantando, pero que no usa el signo, esto es lo que debería hacer...

Indicios de que alguien se está atragantando

- **La persona súbitamente no puede hablar, respirar ni toser.**
- **La persona sacude la cabeza frenéticamente y, aterrada, se levanta rápidamente de la mesa.**
- **La persona se pone azul o se desploma.**

Maniobra de Heimlich para ayudar a alguien que se está atragantando

➤ **Maniobra de Heimlich.** Si la persona no puede hablar, respirar ni toser, pídale a alguien que llame al 911 de inmediato, mientras usted hace lo siguiente...

Paso 1: Párese detrás de la persona y pase los brazos por alrededor de su cintura. Deje que la cabeza de la persona y la parte superior de su cuerpo cuelguen hacia delante.

Paso 2: Cierre el puño de una mano. Agarre el puño con la otra mano, colocando el lado del pulgar del puño cerrado contra el abdomen de la persona –apenas por encima del ombligo y bajo la caja torácica.

ADVERTENCIA: Asegúrese de que su puño esté por debajo de la caja torácica o usted podría traerle más problemas a la persona quebrándole las costillas.

Paso 3: Con un rápido empujón hacia dentro y arriba, presione el puño contra el abdomen de la persona. El trozo de comida atascada debería salir de repente. De no ser así, repita esta acción una segunda vez.

➤ **Maniobra de Heimlich autoadministrada.** Si usted está solo, y se le atascó comida en la garganta...

Paso 1: Cierre el puño de una mano y coloque el lado del pulgar contra el abdomen.

Paso 2: Con la otra mano, agarre el puño y presiónelo hacia dentro y arriba en movimientos súbitos y fuertes.

Otro método es presionar su abdomen enérgicamente contra el respaldo de una silla o contra un cerco o barandal, forzando aire fuera de los pulmones para que el objeto sea expulsado.

Mayor información sobre los atragantamientos

➤ **Autoayuda para una espina de pescado atascada.** Si se encuentra solo en su casa y una espina de pescado se atasca en la garganta, ¡tranquilícese! (Claro, es fácil para nosotras decirlo). Corra hasta la cocina, saque un huevo crudo del refrigerador, pártalo y tráguelo. Ahora no es el momento para preocuparse por el colesterol, ya que el huevo crudo hará que la espina de pescado se deslice. Tampoco es el momento de preocuparse acerca de los riesgos de comer un huevo crudo. Se dice que uno de cada 30.000 huevos tiene la bacteria de la *salmonela* que puede causar una enfermedad de transmisión alimentaria. Lo más probable es que usted no consuma ese huevo de los 30.000. ¡No se demore más, trague el huevo y deshágase de la espina de pescado!

ADVERTENCIA: Algunas espinas de pescado atascadas en el esófago requieren atención médica.

➤ **Prevención de los atragantamientos.** Corte la carne en pequeños trozos del tamaño de un bocado. No ría ni hable mientras tenga comida en la boca. El alcohol embota los reflejos, así que si va a beber y comer, beba *después* de haber comido.

Intente esto: Cuando esté comiendo solo en su casa, coma como si hubiera salido en una primera cita con la persona de sus sueños, o como si fuese la estrella de un "reality show" en la televisión y la cámara lo esté enfocando. En otras palabras, coma lentamente y mastique bien cada bocado antes de tragarlo. Es una manera saludable de comer, en cuanto a la digestión y el control del peso, y minimizará su riesgo de atragantarse.

BEBIDAS ALCOHÓLICAS Y SUS PROBLEMAS

Alcoholismo

Si tiene problemas con la bebida y aún no conoce las agencias gubernamentales y privadas que ofrecen orientación, consulte la página 26 para encontrar información de contacto. Mientras tanto, le ofrecemos sugerencias para ayudarlo a dominar las ansias, junto a nuestros mejores deseos para que se recupere.

Limitadores de las ansias

➤ **Té de hierbas.** La raíz y las hojas de angélica (disponibles en tiendas de alimentos saludables) contienen *glutamina*, un aminoácido del que se dice que inhibe las ansias por el alcohol. Prepare té de angélica vertiendo una taza de agua recién hervida sobre una cucharadita de angélica. Deje en remojo por 10 minutos. Cuele y agregue miel y limón a gusto. Beba tres tazas al día.

➤ **Cápsula de hierbas.** El chaparro (jarrilla, "chaparral") es una hierba muy curativa, originalmente usada por los indígenas americanos, y se encuentra disponible en tiendas de alimentos saludables en forma de cápsula. Tome una cápsula después de cada comida. Puede ayudar a desintoxicar el hígado y a dominar las ansias.

➤ **El poder de los alimentos.** Cambios en su dieta diaria pueden aumentar su capacidad de resistirse a beber un trago. Haga que las frutas, las verduras y los cereales integrales tomen el lugar de la harina blanca, el azúcar y todos los productos de azúcar. Mejore la comida con vitaminas del complejo B agregando germen de trigo ("wheat germ") y levadura de cerveza ("brewer's yeast") a sopas, guisos (estofados) y cereales.

➤ **Chupe un clavo.** Mantenga un clavo de olor ("clove") entero (del tipo que se usa al preparar jamón) en la boca, mezclándolo con la saliva, para deshacerse de las ansias de beber un trago. No es una cosa placentera de hacer, pero se sabe que da resultados, y puede ser mucho más placentero que beber demasiado.

AFIRMACIÓN

Siempre que piense en un trago, repita las siguientes oraciones una y otra vez...

Soy fuerte. Soy valiente y estoy en control. Estoy cada vez mejor y mejor.

Beber socialmente

Prevención de la embriaguez

➤ **De los filósofos.** En las palabras del filósofo griego Aristóteles, "Aliméntese bien con col (repollo, 'cabbage') poco antes de salir a una velada especial". En caso de que los romanos demandaran igualdad, ésta es una cita de Catón, quien dijo que "Si desea beber mucho en un banquete, antes de la cena moje col en vinagre y consuma tanto como desee. Cuando haya cenado, corte cinco hojas. Comer col hará que esté tan satisfecho como si no hubiera comido nada y podrá beber tanto como desee".

Lo que parece que todo esto significa es que debe comer ensalada "coleslaw" o col en alguna forma, antes de beber y entonces no se emborrachará. Nuestro consejo es que consuma col en vez de beber y es seguro que no se emborrachará.

➤ **Almendras.** Coma un puñado de almendras ("almonds") crudas con el estómago vacío y estas –supuestamente– evitarán que llegue a un estado de embriaguez.

Desintoxíquese

➤ **La gran toronja.** Comer lentamente una toronja (pomelo, "grapefruit") pequeña debería ayudarlo a desintoxicarse.

➤ **Jugo fresco para recobrar la sobriedad.** Exprima rábanos ("radishes") frescos y beba lentamente medio vaso de jugo de rábanos.

Resacas

Si es lo suficientemente tonto como para beber tanto que se despierta con una resaca, aquí lo armamos con métodos de prevención, calmantes para los síntomas e información y pautas en los que pueda consolarse...

➤ **Problema doble.** Los cigarrillos y el alcohol contienen el mismo ingrediente que causa la resaca, el *acetaldehído.* Así que cuando beba y fume al mismo tiempo, ¡puede esperar una resaca infernal!

➤ **Cuándo beber.** Si va a beber, asegúrese de comer antes. Beber con el estómago lleno hace más lenta la absorción del alcohol por parte del cuerpo; cuanto más lenta sea la absorción, menos cantidad de alcohol llegará al cerebro.

➤ **Beba mientras bebe.** ¿Qué? Permítanos que nos expliquemos. Beba el doble del volumen de bebidas no alcohólicas que de bebidas alcohólicas como ayuda para evitar la deshidratación de las células del cuerpo. Además, cuanto más se llene de bebidas sin alcohol, menos espacio tendrá para las bebidas fuertes.

➤ **Mala bebida.** Si pensáramos que está interesado en datos técnicos, le diríamos acerca de los subproductos de la fabricación llamados *congéneres* que causan todos esos desagradables efectos secundarios de la bebida. En su lugar, se lo diremos directamente...

Éstas son las *peores* bebidas que causan una resaca –bourbon, brandy, champán, coñac, ron, vino tinto, whisky, whisky de centeno y whisky escocés. Hablando de champán, cualquier bebida alcohólica burbujeante, o incluso el alcohol mezclado con una bebida gaseosa (por ejemplo, ginebra con tónica), llegará al torrente sanguíneo mucho más rápido debido a las burbujas.

Éstas son menos malas que las peores bebidas en causar una resaca –vodka, ginebra (sin tónica) y vino blanco.

➤ **Beba más lento.** El cuerpo promedio quema el alcohol al ritmo de alrededor de una onza (30 ml) por hora. Si se controla manteniendo en la mano sus bebidas, no se sentirá como si necesitara que le dieran una mano por la mañana.

➤ **Haga lo correcto.** Considerando que el cuerpo quema el alcohol al ritmo de alrededor de una onza por hora, por cada onza de alcohol que usted beba, tardará al menos una hora hasta que tenga sus facultades completas como para conducir. Así que, si ha bebido cuatro onzas (120 ml) de alcohol a las 8 p.m., no debería sentarse al volante de un carro hasta –como muy temprano– la medianoche. Seamos realistas: es posible que no deje de beber a las ocho. Sea inteligente. Respete su vida y las vidas de todos los demás. Al salir de fiesta, asigne un conductor que no beba.

➤ **No haga caso a la presión de las amistades.** No le siga el ritmo a un amigo trago a trago. Su amigo puede ser dos veces más grande que usted y beber dos veces más sin tener que afrontar las consecuencias. Piense con la mente clara y no beba nada.

➤ **Sólo para mujeres.** Si bebe justo antes de menstruar, cuando el nivel de estrógeno es bajo, se embriagará más rápido y tendrá resacas más graves que durante cualquier otro momento de su ciclo.

Por cierto, según investigadores en el centro médico Mount Sinai, en Nueva York, las mujeres absorben alrededor de un tercio más de alcohol en la sangre que los hombres. Se embriagan más rápido y permanecen así por más tiempo.

➤ **Minimizador de la resaca.** Tome una tableta de vitaminas del complejo B (50 mg) antes de comenzar a beber y otra *mientras* esté bebiendo. El alcohol agota las vitaminas B del cuerpo, y al reponerlas, usted casi puede prevenir la resaca.

➤ **Prevención de la resaca.** Cuando haya terminado de beber y esté listo para acostarse, mezcle una cucharada de azúcar en un vaso de jugo de naranja y bébalo.

Este remedio lo recibimos de una mujer que cuidó a un alcohólico durante años. Ella decía que siempre prevenía que él tuviera una resaca a la mañana siguiente.

La fructosa de la bebida ayuda al cuerpo a quemar el alcohol rápidamente.

➤ **Alivio para los síntomas de la "mañana siguiente".** Frote el lado jugoso de un cuarto de un limón en cada axila. Aunque parezca repugnante, nos han dicho que alivia los síntomas de una resaca.

NOTA: Esto podría arder si se ha afeitado recientemente bajo los brazos.

Recomendamos este remedio en nuestro libro anterior. Cuando entregamos el manuscrito del libro, el editor le dio las páginas a un doctor en medicina. Éste revisó todos los remedios para asegurarse de que fueran seguros. En los márgenes de cada capítulo escribió comentarios como "esto es escandaloso" y "deben estar bromeando". Obviamente, el médico no era aficionado de los remedios tradicionales. Eso es, hasta que llegó al "limón en las axilas para la resaca". En el margen, al lado de este remedio escribió: "¡Esto es lo mejor! Me ayudó a pasar por la escuela de medicina". Éste fue nuestro primer remedio tradicional aprobado por un médico.

➤ **Ayuda para la resaca.** La deshidratación es uno de los efectos secundarios de la bebida. Es importante reponer el agua perdida la noche anterior. También debe reponer los electrolitos (nutrientes esenciales como el potasio) que fueron *expulsados* del cuerpo.

Beba tanta agua como sea posible antes de acostarse. Por la mañana, consuma o beba uno, dos o tres de los siguientes...

- **Jugo de tomate–** rico en fructosa que acelera el proceso del cuerpo que quema alcohol.
- **Jugo de mandarina ("tangerine")–** también ayuda a aliviar la garganta seca.
- **El líquido de la cáscara de banana que se ha hervido en agua–** coma también la banana, ya que es una buena fuente de potasio.
- **Sandía ("watermelon").**
- **Diez fresas (frutillas, "strawberries")** – alivian el dolor de cabeza causado por la resaca.
- **Una o dos manzanas–** alivia el dolor de cabeza causado por la resaca.
- **Té de raíz de jengibre ("gingerroot")–** haga hervir en agua cuatro trozos de raíz de jengibre fresca del tamaño de veinticinco centavos estadounidenses. Deje hervir a fuego lento entre 15 y 20 minutos, y luego cuele y beba. Este té es especialmente bueno para el malestar estomacal causado por las bebidas alcohólicas.

ATENCIÓN: El jengibre actúa como un anticoagulante, así que consulte con su médico antes de usarlo si toma un anticoagulante recetado. Además, deje de usar el jengibre tres días antes de cualquier cirugía.

- **Jugo de "sauerkraut" (col agria)–** tiene mejor sabor de lo que suena.
- **Sopa de col (repollo, "cabbage").**
- **Sopa de pollo.**
- **Sopa de remolacha (betabel, "beets") –borscht.**

• **Sopa de tripa (mondongo , "tripe")**– si no está familiarizado con la tripa y tiene que preguntar por la receta, entonces créanos, no debería probarla... con o sin resaca.

• **Sopa de clavo** –hierva una docena de clavos de olor ("cloves") en una pinta (½ litro) de agua.

• **Gazpacho** (para las resacas del verano).

• **Una cucharada de miel** (una gran fuente de fructosa).

➤ **Alivio de los síntomas.** Agregue media cucharadita de sal a ocho onzas (235 ml) de agua con gas ("club soda"). Con una pajilla (popote, "straw") entre los dientes –horizontalmente, de mejilla a mejilla– beba la mezcla. No sorba el agua salada con gas con la pajilla, el líquido debería pasar por afuera de la misma en su camino a la garganta. (No pregunte por qué; no sabemos la respuesta, pero la persona que nos contó juró que había dado resultado).

➤ **Un trago para curar la resaca.** Si las bebidas alcohólicas causan una resaca, es difícil de creer que más de lo mismo la aliviará. Pero seríamos descuidados si no incluyéramos uno de los más conocidos remedios que incluyen un trago para curar la resaca...

Beba una o dos onzas (30 ó 60 ml) de Fernet Branca, por si solo. (Como no bebemos alcohol, cuando vimos por primera vez el remedio escrito así, pensamos que "solo" indicaba al lector borracho que ya no bebiera con sus amigos. Claro, la mayoría de la gente sabe que "por si solo" significa "sin diluir").

Aunque el globalmente elogiado Fernet Branca tiene una graduación alcohólica de alrededor del 80% (y se encuentra disponible donde se venden bebidas alcohólicas, como en licorerías y bares), también contiene varios extractos maravillosos como áloe, genciana, ruibarbo, angélica, mirra, manzanilla ("chamomile"), cardamomo, azafrán y menta piperita ("peppermint"), con una base de alcohol destilado de uvas y colorante de caramelo.

La etiqueta de Fernet Branca indica que es un "estimulante amargo del apetito". Nos han dicho que es amargo y que quienes lo prueben por primera vez deberían tragar de una sola vez una o dos onzas (30 ó 60 ml)... o tal vez no.

Más información

➤ **National Clearinghouse for Alcohol and Drug Information (NCADI).** Esta agencia gubernamental es la mayor fuente del mundo de materiales e información actualizada concerniente al abuso de sustancias. Especialistas en esta información pueden recomendar publicaciones, carteles y videos apropiados; efectuar búsquedas personalizadas para usted; y remitirlo a las organizaciones adecuadas. Se encuentran disponibles de lunes a viernes, de 8 a.m. a 8 p.m. (hora del Este). Llámelos al 800-729-6686, o visite su sitio web *http://ncadi.samhsa.gov.*

➤ **Alcohólicos Anónimos (AA).** Se trata de una asociación de hombres y mujeres que comparten sus experiencias, fortalezas y esperanzas, de modo de poder resolver sus problemas comunes y ayudar a otros a recuperarse del alcoholismo. El único requisito para ser miembro es el deseo de dejar de beber. No hay cuotas que pagar para ser miembro. AA no está asociado a ninguna secta, religión, política, organización o institución. El objetivo principal de los miembros es permanecer sobrios y ayudar a otros alcohólicos a lograr la sobriedad.

Si está interesado en echarle un vistazo, visite *www.aa.org* o llame a la oficina de A.A. World Services en Nueva York al 212-870-3400.

➤ **Journey Healing Centers.** Además de proporcionar tratamiento y rehabilitación para superar las adicciones al alcohol y drogas, tienen una línea telefónica confidencial con un consejero capacitado en crisis que puede guiarlo al tratamiento, programa o institución que puedan ser apropiados para usted. El número gratis, disponible las 24 horas, es el 866-677-7207. Para ver un directorio de recursos para la recuperación, visite el sitio web *www.journeyrecoverycenters.com*.

Consejos de los sabios...

¿Conoce a alguien que bebe demasiado? Estas son las señales de advertencia... y qué hacer

Tal vez usted conoce a alguien que esté bebiendo demasiado o que tenga mucha dependencia de las drogas, ya sean legales o ilegales. O quizá se pregunte si usted mismo tiene un problema. Alrededor del 15% de la población desarrolla un problema de abuso de sustancias en algún momento de la vida, e incluso las personas que no tienen un problema grave podrían encontrarse con que el estrés los inclina a consumir más de lo que es saludable. Ya sea que echen mano al alcohol, sustancias narcóticas recetadas o drogas de la calle, el abuso de sustancias puede transformarse en una estrategia para sobrellevar el estrés.

Una clave para la recuperación es aprender otras estrategias. *Las señales de advertencia y qué hacer a continuación...*

Preguntas para hacer

¿Ha ocurrido lo siguiente más de una vez en los últimos 12 meses...?

1. **¿Le ha causado la bebida o el uso de drogas no poder cumplir con una obligación,** como una fecha de entrega en el trabajo o ir a buscar a un niño a la escuela?
2. **¿Ha estado alguna vez bajo la influencia de alcohol o drogas mientras conducía un automóvil** o en cualquier otra circunstancia en que necesitaba estar completamente alerta? *Ejemplos:* Mientras operaba maquinaria, andando en bicicleta o estando solo en un lugar desconocido.
3. **¿Ha la bebida o el uso de drogas perjudicado sus relaciones personales?** *Ejemplos:* Perder una amistad o provocar discusiones con su cónyuge.
4. **¿Le ha causado la bebida o el uso de drogas un problema legal,** como un arresto por beber y conducir?

Contestar "sí" a una o más de esas preguntas indica abuso de sustancias.

El abuso de sustancias puede llevar a la dependencia –un problema más grave. Es posible que usted tenga dependencia si contesta "sí" a tres o más de estas preguntas...

1. **¿Está usando la sustancia con más frecuencia** o en mayores cantidades?
2. **¿Está pasando más y más tiempo pensando en la sustancia,** obteniéndola y usándola?
3. **¿Tiene síntomas físicos cuando deja de usar la sustancia,** como sentirse "con resaca" o agitado?
4. **¿Necesita más de la sustancia que antes para obtener el efecto deseado,** de modo que si se mantiene con las cantidades anteriores se siente insatisfecho?
5. **¿Desearía poder disminuir el uso o terminarlo,** o lo ha intentado y fallado?
6. **¿Ha abandonado o disminuido actividades "buenas",** como hacer ejercicios o hacer un esfuerzo de más en el trabajo?
7. **¿Ha continuado con la sustancia aunque está perjudicando su salud,** por ejemplo, empeorando la depresión o causando problemas en el estómago?

Beber mucho

Las personas frecuentemente se sorprenden al darse cuenta de que beben más de lo que es seguro. Beber "a bajo riesgo" consiste en no más de siete tragos a la semana (no más de tres en cualquier día dado) para la mayoría de las mujeres, y no más de 14 a la semana (no más de cuatro en cualquier día dado) para los hombres. Además, la mayoría de las personas encuentran sorprendente que "un trago" es más pequeño de lo que piensan –cinco onzas (150 ml) de vino, 1,5 onza (45 ml) de licor con una graduación alcohólica del 40% o 12 onzas (350 ml) de cerveza. Para algunas personas, como las que tienen un historial familiar de alcoholismo, el único límite seguro es no beber.

Alrededor del 30% de los estadounidenses beben más que los límites del bajo riesgo y se considera que están "en riesgo". Esto significa que tienen posibilidades de desarrollar un problema de abuso de sustancias o podrían ya tener uno. El beber mucho también aumenta el riesgo de padecer muchos problemas de salud, incluyendo la enfermedad hepática y el cáncer, además de los accidentes de auto.

Dejar de beber

Si piensa que tiene un problema, hay varias maneras de reducir su uso o de dejar de beber. Algunas personas dejan de beber de repente... otras hacen reducciones graduales. Sin embargo, si sospecha que tiene un problema grave de abuso de sustancias, es importante consultar a un médico antes de dejar de beber. Dejar el hábito puede ser peligroso. *Ejemplo:* Si tiene una dependencia del alcohol, unas pocas horas después de su último trago usted podría experimentar temblores, sudores, náuseas y dolor de cabeza. Después de seis a ocho horas, podría experimentar alucinaciones y convulsiones, lo que puede provocar un ataque al corazón o al cerebro ("stroke") fatal. Un médico puede recomendar que ingrese a un hospital. Visite *www.samhsa.gov* para ver una lista gubernamental de instalaciones hospitalarias, o llame al 800-662-4357.

Nuevas maneras de enfrentar el problema

Una vez que haya decidido ocuparse de un problema de abuso de sustancias, adopte nuevos métodos para hacerle frente...

➤ **Note todos sus "pensamientos sobre el uso de sustancias", y planifique su refutación.** ¿Qué pasa por su cabeza antes de beber un martini de más o tomar una píldora más de lo que le recetaron? Elabore una contrarrespuesta eficaz. *Ejemplos:* En vez de "Puedo hacer lo que quiero", dígase: "Beber lastima a las personas en mi vida". En vez de "Este sentimiento nunca se irá a menos que beba un trago", dígase: "Se irá". En vez de "No me importa el futuro", pregúntese: "¿Cómo me sentiré más tarde?".

➤ **Practique enraizamiento ("grounding"),** la técnica de enfocarse hacia fuera cuando lo golpean fuertes emociones o ansias. Esto minimiza el tirón de su estado interior, evitando que se sienta abrumado e impotente. El enraizamiento puede ser mental o físico. Experimente con diferentes estrategias hasta que encuentre las que le dan resultado. Pruebe leer en voz alta, contar hasta 10 o repetirse una frase a usted mismo. Haga correr agua fría sobre las manos, o cierre y abra los puños. Si necesita enraizamiento físico en situaciones públicas, lleve un objeto, como un trozo de hilo o una piedra, en su bolsillo y tóquelo cuando esté estresado. Alíviese recordando un lugar pacífico o pensando en cosas preferidas.

➤ **Háblese compasivamente.** Muchas personas son demasiado críticas de sí mismas.

Esfuércese por prepararse en los desafíos con bondad y comprensión. *Ejemplo:* Dígase "No me fue bien en esa entrevista de trabajo porque necesito practicar las entrevistas". No se diga: "Idiota, nunca conseguirás un empleo".

También puede anotar algunas afirmaciones compasivas y leerlas con regularidad. *Ejemplos:* "Has sufrido mucho y has superado muchos desafíos". "Aun cuando bebías mucho, siempre les demostraste a tus hijos que los amabas".

➤ **Sea honesto.** Los secretos y las mentiras son parte del problema. La honestidad puede ser liberadora. Elija la verdad –dentro de sí mismo y con las personas en las que puede confiar. Tenga en cuenta de que a veces la honestidad puede generar una reacción negativa. *Ejemplo:* Un amigo de copas siente que usted lo ha abandonado porque ya no va a los bares. Pero ser honesto lo ayuda a formar nuevas relaciones que lo apoyen.

➤ **Pida ayuda.** Algunas personas se enfrentan a demasiado, aumentando su tensión. Haga pedidos razonables a amigos y familiares, siendo específico y adaptando las solicitudes a sus capacidades. La ayuda puede ser emocional o práctica. *Ejemplos:* Pídale a un amigo que lo llame o lo visite. Pídale a un familiar que cuide a su hijo una vez a la semana. Pedir ayuda lo hace a usted más fuerte –aumenta sus recursos y le permite dedicarse a sus necesidades.

Lisa M. Najavits, PhD, profesora de psiquiatría de la facultad de medicina de la Universidad de Boston, dicta clases en la facultad de medicina de la Universidad Harvard. Ha sido elegida presidenta de la sección de adicciones de la American Psychological Association y es autora de *Seeking Safety: A Treatment Manual for PTSD and Substance Abuse* (Guilford) y *A Woman's Addiction Workbook* (New Harbinger). Para mayor información, vaya al sitio web *www.seekingsafety.org.*

CABELLO Y SU CUIDADO

Algunos datos interesantes y divertidos acerca del cabello que quizá no conozca...

• **Alrededor del 65% tenemos cabello lacio,** mientras que el 25% tenemos cabello ondulado, y sólo el 10% tenemos cabello rizado.

• **En promedio, el cabello crece media pulgada (un cm) cada mes–un poco menos en febrero, por supuesto.** El cabello crece más rápido cuando está enamorado, probablemente porque sus hormonas están saltando de alegría.

• **Cortar el cabello no influye en su crecimiento.**

• **En cualquier momento dado, el 90% del cabello del cuero cabelludo está creciendo,** mientras que el 10% está en reposo.

• **La persona promedio pierde aproximadamente entre 70 y 100 pelos al día** –más si está enfermo, anémico, desnutrido o el amor de su vida lo ha abandonado. El lavado frecuente no aumenta la pérdida de cabello.

• **Cuando las mujeres llegan a la menopausia,** el 40% tendrá pérdida de cabello de patrón femenino (hereditaria).

• **Hablando de la pérdida del cabello...** uno de cada cinco hombres no perderá el cabello, mientras que uno de cada cinco hombres comenzará a perder el cabello a un ritmo rápido entre los 20 y los 29 años. Los restantes tres de cada cinco hombres quedarán calvos lentamente.

• **Se dice que cuanto más cabello tiene un hombre en el pecho cuando tiene 30 años,** menos cabello tendrá en la cabeza cuando llegue a los 40 años. Las hormonas que son responsables por el cabello en el pecho también causan la calvicie de patrón masculino.

Claro, esas estadísticas son interesantes, pero no lo ayudarán a cuidar el cabello. Las sugerencias a continuación sí podrían ayudarlo...

Para combatir la caspa

➤ **Jengibre ("ginger").** Ralle una onza (30 g) de jengibre fresco y tome una onza de flores de manzanilla ("chamomile", disponibles en tiendas de alimentos saludables) y envuélvalas en un pedazo de estopilla ("cheesecloth") y átelo. Ponga esta bolsa de estopilla en un galón (cuatro litros) de agua mineral y hierva por 10 minutos. Cuando el líquido se enfríe, viértalo en botellas. Etiquételas y ciérrelas. Para usarlas, después de aplicar champú, masajee su cabello con entre media onza y una onza (15 ml a 30 ml) del líquido. No es necesario enjuagar el cabello.

➤ **Áloe Vera.** Si tiene caspa, obtenga una planta de áloe vera o compre una hoja grande de áloe vera. Es posible comprarla en una tienda que venda frutas y verduras orgánicas como Whole Foods. La noche antes que vaya a aplicar champú a su cabello, corte un trozo de la hoja más baja de la planta de áloe. Quítele la piel a la hoja y exprima el gel en el cabello masajeando el cuero cabelludo. Envuelva la cabeza en un pañuelo y duerma así. La mañana siguiente, cuando lave el cabello, no use champú. Haga espuma con el gel de áloe. Es bueno para el cabello y puede eliminar su caspa rápidamente.

Si no tiene una hoja de áloe vera, compre gel de áloe vera en una tienda de alimentos saludables. Asegúrese de que sea orgánica al 100% . Una versión rápida del remedio anterior es distribuir el gel por todo el cabello y masajear con el mismo el cuero cabelludo. Déjelo así por 15 minutos, y luego quite el gel enjuagando el cabello. Repita este procedimiento durante los siguientes días, y cuando deje de hacerlo, es posible que su caspa haya desaparecido.

➤ **Vinagre de sidra de manzana ("apple cider vinegar").** Caliente un poco de vinagre de sidra de manzana –lo suficiente como para saturar el cabello y el cuero cabelludo. Una vez que lo haya hecho, cubra la cabeza con un gorro para la ducha y permanezca así por una hora. Luego enjuague el cabello con agua corriente. Hágalo dos veces a la semana hasta que la caspa haya desaparecido.

➤ **Aceite de maní (cacahuate, "peanut").** Caliente una onza (30 ml) de aceite de maní, o la cantidad necesaria para masajear el cuero cabelludo. Luego aplique jugo de limón fresco. Después de mantener el aceite y el limón en la cabeza por 15 minutos, quítelo lavándose el cabello con champú. Ya que las fuertes sustancias químicas del champú pueden causar caspa, lea las etiquetas y compre un champú suave. Pídale una recomendación al gerente de la tienda de alimentos saludables de su localidad.

Para mantener el cabello saludable

➤ **Algas marinas ("seaweed").** Incluya algas marinas en su dieta diaria. Pueden lograr grandes resultados benéficos en su nivel de energía, deseo sexual, sistema nervioso, sistema digestivo, estrés mental, receptividad sensorial, memoria, dolores y, sí, claro, también pueden ayudarlo a mantener su cabello saludable.

Pruebe diferentes tipos de algas marinas –dulse, kelp, hijiki, arame, wakame, nori– para hallar las que más le gusten. Busque un restaurante macrobiótico en su vecindario, o consiga un buen libro de cocina y experimente.

Si simplemente no le gustan las algas marinas, puede tomarlas en forma de cápsula.

Para lograr cabello más abundante y más brillante

➤ **Polen de abeja ("bee pollen").** Tome una dosis diaria de polen de abeja (disponible en la mayoría de las tiendas de alimentos saludables o consulte "Recursos", página 350).

ADVERTENCIA: Algunas personas son alérgicas al polen de abeja. Comience muy lentamente –con un par de gránulos el primer día o dos. Luego, si no tiene ninguna reacción alérgica, vaya aumentando gradualmente hasta que tome una cucharadita o más al día –hasta una cucharada dependiendo de cómo se sienta. Los asmáticos NO deberían tomar polen de abeja.

➤ **Yoga.** Al menos una vez al día, párese de cabeza (la postura de pino). Quizá necesite la ayuda de un amigo confiable. Cuando recién empiece este ejercicio de yoga, hágalo por 15 segundos cada vez. Luego aumente otros 15 segundos cada semana, hasta que llegue a una postura de pino de tres minutos.

Esta postura o asana se conoce como el "Rey de las asanas" porque usted puede obtener muchos beneficios de la misma. Además de fomentar el crecimiento y el brillo del cabello, la postura de pino puede mejorar la función cerebral debido al aumento de la circulación hacia el cerebro, y dar alivio al nerviosismo, la tensión, la falta de sueño y la fatiga. También se afirma que estimula cuatro de las más importantes glándulas endocrinas (la pituitaria, la pineal, la tiroides y la paratiroides) que son responsables de nuestra existencia.

ADVERTENCIA: Este remedio de yoga NO es para todos. Es sólo para quienes saben que pueden hacerlo sin riesgos, cuidadosamente y sin dolor. Además, NO haga este ejercicio si tiene presión arterial alta o baja.

➤ **Para darle brillo al cabello oscuro.** Prepare un té fuerte de romero ("rosemary") usando una cucharada colmada de romero (disponible en herboristerías y tiendas de alimentos saludables) en una pinta (½ litro) de agua recién hervida. Cubra y deje remojar por 15 minutos. Cuele y lleve el líquido con usted a la ducha. Lave con champú su cabello, enjuáguelo con agua corriente y luego enjuáguelo nuevamente con el té de romero. (Esto no debería aplicarse al cabello claro o canoso si usted desea que permanezca de ese color).

Para suavizar el cabello áspero

➤ **Yogur de sabor natural ("plain yogurt").** Lave con champú su cabello y séquelo con una toalla. Luego tome una pinta (235 ml) de yogur de sabor natural y vuélquelo sobre el cabello, distribuyéndolo de forma uniforme. Permanezca así por 15 minutos antes de enjuagar el cabello con agua tibia para quitar el yogur.

Para acondicionar el cabello

➤ **Mayonesa.** Unte mayonesa sobre su cabello y cuero cabelludo, envuelva la cabeza en una toalla y déjela así por media hora. Luego lave para sacar la mayonesa.

➤ **Puré de banana (plátano) y aguacate (palta, "avocado").** Si tiene una banana demasiado madura por ahí o un viejo aguacate reblandecido, mezcle las pulpas y unte la mezcla sobre su cabello y cuero cabelludo. Para evitar ser atacado por las moscas de la fruta, envuelva la cabeza en una toalla y permanezca así por media hora. Luego lave el cabello con champú. Asegúrese de no atascar la cañería de la bañera, la ducha o el lavabo. Use un "colector de cabello" ("hair catcher"), el cual es económico y se encuentra disponible en ferreterías y tiendas de descuentos.

Para puntas partidas y quebradas

➤ **Aceite de ricino ("castor oil").** Peine suavemente el cabello usando media taza de aceite de ricino o aceite de oliva tibio, asegurándose de que el aceite llegue a las puntas. Con el aceite ya en su lugar, envuelva la cabeza con una toalla caliente y húmeda (escurrida) y permanezca así por media hora. Luego agregue una yema de huevo a su champú y lave el cabello. Agregue media taza (120 ml) de vinagre de sidra de manzana ("apple cider vinegar") a un galón (cuatro litros) de agua y con eso haga su enjuague final.

Cómo preparar productos caseros para el cabello

La mayoría de los geles comerciales para el cabello proporcionan protección contra los fuertes rayos ultravioleta del sol. Eso es una buena noticia. La noticia no tan buena es que esos geles están llenos de sustancias químicas que pueden no ser tan buenas para usted y su cabello. Si quiere preparar su propio gel, éstas son dos recetas fáciles:

➤ **Gel rápido y fácil.** Disuelva alrededor de una cucharadita de gelatina en una taza de agua tibia. Eso es todo. Como no tiene conservantes, manténgalo en el refrigerador. Debería durar alrededor de una semana.

➤ **Gel con ingredientes saludables.** Este gel sin olor y suave al tacto es especialmente eficaz para domesticar los rizos del cabello crespo.

En una pequeña cacerola, haga hervir una taza de agua. Agregue revolviendo dos cucharadas de semillas de lino ("flaxseed") enteras y deje hervir a fuego lento hasta que se espese (lleva unos 10 minutos). Revuelva todo el tiempo.

Una vez que esté espesa, retire las semillas vertiendo la mezcla a través de un colador ("strainer") fino en un frasco. Deje enfriar.

Cuando se haya enfriado, agregue una parte de gel de áloe vera y tres partes del gel de semillas de lino y revuelva bien la mezcla. El áloe vera impedirá que el gel reseque el cabello.

Tape el frasco y refrigérelo. Debería mantenerse bien alrededor de una semana. Úselo como usaría un gel comercial que se compra en una tienda.

➤ **Laca natural para el cabello.** Tome un limón grande o dos pequeños, córtelos en pequeños trozos y ponga los trocitos en una cacerola de vidrio o esmalte ("enamel"). Agregue dos tazas de agua y haga hervir. Tan pronto como comience a hervir, baje el fuego y cocine hasta que el líquido mengüe a alrededor de la mitad de la cantidad –debería llevar entre 15 y 20 minutos. Luego, cuele el líquido. Puede apretar los trozos de limón para asegurarse de que todo el jugo salga. Ponga la laca de limón para el cabello en un recipiente atomizador y refrigérelo. Si no lo usa con frecuencia, ponga una onza (30 ml) de vodka en el mismo para conservarlo.

NOTA: Experimente con la laca casera para el cabello y todos los otros consejos de esta sección únicamente cuando no tenga que ir a un evento especial y desea lucir excepcional.

➤ **Fijador del cabello.** No le tomamos el pelo: cuando necesita un fijador del cabello, una cervecita le conviene –con tal que haya perdido la efervescencia. Simplemente peine el cabello con cualquier marca de cerveza sin burbujas y el cabello quedará fijo. No se preocupe del olor de la cerveza, el cual debería desaparecer cuando haya terminado de fijar el cabello.

Cabello rizado

Sus hijos con el cabello rizado siempre quisieron tener el cabello lacio, ¿verdad? Bueno, pues, esperamos que usted haya descubierto lo maravilloso que es tener rizos. Estos consejos a continuación deberían ser motivo de una celebración del cabello rizado...

➤ **Secado del cabello.** Reemplace la toalla de tela de rizo ("terry cloth") con toallas de papel y seque el agua de más para minimizar o eliminar el encrespamiento. Seque su cabello al aire, o si prefiere usar un secador de cabello, sólo use uno que tenga un difusor para obtener rizos sedosos que usted pueda dominar.

➤ **Aplicación de gel.** Para mantener sus rizos bellamente flexibles, no aplique gel a las puntas del cabello porque eso hará que el peso las aplaste.

Si el encrespamiento representa un verdadero desafío para usted, unte gel en una toalla de papel y ponga ésta sobre la cabeza. Déjela ahí por algunos minutos, hasta que sienta que el cabello ha absorbido el gel, y luego distribúyalo por todo el cabello. Debería ayudar.

NOTA: Consulte "Gel rápido y fácil" en la página anterior.

➤ **Cómo cortar los rizos.** Cuando esté lista para un corte de cabello, pida que se lo corten estando seco. Sí, seco. Piénselo. Para hacerse cortar el cabello exactamente de la manera que lo quiere tener, el cabello debería estar en la manera que lo luce... ¡es decir, seco!

Prevención de la caída del cabello

Si su cabello está raleando y disminuyendo, y si está seguro que no se encuentra entre el 90% que puede atribuírselo a factores hereditarios, estas sugerencias podrían ayudar...

➤ **El azufre ("sulfur")** es un mineral que nutre los folículos del cuero cabelludo. Coma alimentos ricos en azufre –col (repollo, "cabbage"), coles de Bruselas ("brussels sprouts"), col rizada ("kale"), berros ("watercress"), nabos ("turnips"), coliflor ("cauliflower"), chirivías (pastinaca, "parsnips"), frambuesas ("raspberries") y arándanos agrios ("cranberries"). Lo mejor es comer las frutas y verduras crudas; lo segundo mejor es comerlas cocidas al vapor.

Tome además una vitamina del complejo B. La combinación de los dos (alimentos ricos en azufre y vitaminas B) debería producir como consecuencia más cabello y cabello más saludable.

➤ **Un remedio asiático.** Este remedio requiere hervir una libra (450 g) de caracoles ("snails") en agua (disponibles en mercados gourmet y asiáticos de pescado). Una vez que el agua se enfríe, lave el cabello con la misma. Se afirma que previene la caída del cabello. Bueno, quizá a usted aún se le caiga el cabello, pero al paso de un caracol.

➤ **Beba agua de cebada ("barley") en forma diaria.** Para prepararla, ponga dos onzas (55 g) de cebada en una cacerola con seis tazas de agua. Hiérvala hasta que quede la mitad de la cantidad de agua. Cuele y beba. (Agregue miel sólo si necesita que sea más apetecible).

Ah, y si acaso el raleado y la disminución de su cabello le ha dado una úlcera, ¡el agua de cebada también se encargará de esa afección!

➤ **Un lavado con salvia ("sage").** Quizá le convenga lavar su cabeza con té de salvia todos los días. Prepare el té usando dos cucharadas de salvia en una pinta (medio litro) de agua recién hervida. Cuele la mezcla y empape el cuero cabelludo con el líquido. Se afirma que puede detener la caída del cabello. (¡Por favor no nos pregunte quién lo dice!)

Crecimiento de cabello nuevo

Hay dos versiones de este remedio chino. Ambas incluyen jengibre fresco, y ambas deberían hacerse en forma diaria.

➤ **Versión Nº 1.** Ralle finamente un trozo de jengibre ("ginger") y caliéntelo apenas un poco. Luego espárzalo por la zona calva y cúbrala con un gorro para la ducha ("shower cap") por media hora antes de enjuagarlo.

➤ **Versión Nº 2.** Exprima el jugo del jengibre (ralle el jengibre o use un procesador de alimentos y exprima usando una estopilla o "cheesecloth") y agregue alcohol para frotar ("rubbing alcohol") –una parte de jengibre y 10 partes de alcohol. Sumerja una bolita de algodón en la solución y masajee la zona calva con la misma. Después de media hora, enjuague la cabeza con agua tibia.

CIÁTICA

La ciática es una inflamación o lesión del nervio ciático (o una inflamación/lesión de los músculos que lo rodean), causando dolor, sensibilidad u hormigueo. El dolor profundo y fuerte puede tener tanta extensión como el nervio, el cual comienza en la base de la columna vertebral y baja por las nalgas y las piernas hasta los pies.

A veces el dolor del nervio ciático podría ser causado por una desalineación en el cuerpo. Si ése es el caso, se necesitaría ayuda profesional, como un acupunturista o lecciones de la técnica Alexander, para alinear bien el cuerpo.

Para tratar la ciática generalmente se recomienda reposo en la cama y calor por medio de una almohadilla de calor ("heating pad"), además de masajes y compresas de aceite de oliva o aceite de ricino ("castor oil") tibio.

Tenemos algunas sugerencias adicionales para intentar después de que haya consultado a su profesional de la salud...

➤ **Cataplasma de lúpulos ("hops").** Una cataplasma ("poultice") de lúpulos puede brindar alivio rápido para quienes sufren de dolor del nervio ciático. Sí, es el mismo lúpulo que se usa para hacer cerveza. De hecho, se le llama también *"flores de cerveza"*. Tenga presente que no tiene el olor de las flores ni el de la cerveza. En realidad, el olor es bastante desagradable. *Pero alivia el dolor...*

La cataplasma que va a preparar se coloca directamente sobre la zona dolorida, así que va a tener que usar su juicio para saber cuánta hierba usar, según la extensión de la zona dolorida. Podría comenzar dejando en remojo tres cucharadas de lúpulos en una taza de agua recién hervida. Después de 10 minutos, cuele el líquido, pero no lo descarte. Luego ponga los lúpulos húmedos y calientes en una estopilla, envolviéndolos para formar una cataplasma. Colóquela sobre la zona dolorida y manténgala ahí hasta que se enfríe. Cuando esto suceda, caliente el agua de lúpulos y viértala sobre la cataplasma, volviendo a humedecerla y calentarla. Aplique una vez más la cataplasma caliente –tan caliente como la pueda soportar sin quemarse la piel. Siga haciendo esto hasta que sienta alivio.

➤ **Mezcla para masajear.** Ralle un pedazo de jengibre ("ginger") –es más fácil rallarlo si lo mantiene en el congelador–, o hágalo pasar por un procesador de alimentos. Ponga la pulpa en un pedazo de estopilla (gasa, "cheesecloth") o un colador fino y exprima el jugo en un recipiente. Mezcle una cantidad igual de aceite de ajonjolí ("sesame oil") con el jugo de jengibre, y luego masajee las zonas doloridas con la mezcla. Es posible que sienta una sensación de ardor causada por el jengibre. Si piensa que es demasiado fuerte, simplemente agregue más aceite de sésamo. Si parece brindar alivio, repita el proceso algunas horas más tarde.

ALGO ESPECIAL

¡Protectora de la espalda!

Si lleva una billetera rebosante en el bolsillo de su pantalón, podría estar presionando el nervio ciático al sentarse, y causando dolor de espalda. Si ése es el caso, considere la Back Saver Wallet. Es entre un 50% y un 60% más pequeña que una billetera común, pero puede contener todo lo que necesite y siempre queda plana al doblarla.

La billetera Back Saver Wallet está hecha de cuero de buena calidad, lo que la hace extremadamente fuerte y duradera.

Mayor información: Visite *www.coreproducts.com* o llame al 877-249-1251. Además, consulte la página 96.

➤ **Vitamina E.** Tome 400 unidades internacionales (IU, por sus siglas en inglés) de vitamina E diariamente. Ha sido bastante eficaz para mucha gente con ciática. Debería notar resultados en un par de semanas.

ATENCIÓN: Debido a las posibles interacciones entre la vitamina E y varios medicamentos y suplementos, además de otras consideraciones de seguridad, consulte con su médico antes de tomar vitamina E.

➤ **Té de apio ("celery").** Beba una taza de té de apio antes de cada comida y a la hora de acostarse. Se sabe que ha aliviado el dolor, y además, en algunas personas, efectivamente ha curado la afección. El apio seco se encuentra disponible en tiendas de alimentos saludables. Use una cucharadita colmada en una taza de agua recién hervida y deje remojar 10 minutos. Cuele y beba.

➤ **Acupresión.** Masajee enérgicamente la pequeña prominencia en la base del dedo meñique, en el mismo lado del dolor del nervio ciático. Siga haciéndolo por al menos seis minutos. Puede aliviar bastante el dolor.

➤ **Aromaterapia.** Se sabe que el jazmín, considerado el símbolo de la sensualidad, ha aliviado el dolor del nervio ciático. Mezcle media cucharadita de esencia de jazmín ("jasmine oil") con dos cucharaditas de lecitina ("lecithin") líquida (ambos disponibles en tiendas de alimentos saludables) y masajee la zona dolorida. La lecitina aumenta la absorción en la piel.

AFIRMACIÓN

Repita esta afirmación al menos 15 veces al día, antes y después de cada comida y durante cualquier tipo de tratamiento –cuando beba té de apio, masajee la base del dedo meñique, use una cataplasma de lúpulos, etc...

Marcho por la vida con dicha y tranquilidad, haciendo en forma segura lo que me plazca.

CIGARRILLOS: CÓMO ABANDONAR EL HÁBITO

Deje de fumar ahora mismo y puede reducir muchos riesgos graves para su salud. Después de tan sólo 72 horas sin fumar, los conductos bronquiales se relajan, haciendo que la respiración sea más fácil. Dentro de los tres meses posteriores de haber dejado la nicotina, su circulación mejora y la función pulmonar aumenta en hasta un 30%. Deje de fumar por al menos cinco años y el riesgo de sufrir un ataque al cerebro ("stroke") disminuirá a casi la misma probabilidad que la de un no fumador.

Ésas son las buenas noticias. Y si acaso eso no es estímulo suficiente para que se decida a dejar de fumar, estas son algunas de las cosas extremadamente desagradables que las 4.000 sustancias químicas peligrosas que los cigarrillos contienen podrían estar haciéndole cada vez que fuma...

- **Los fumadores sufren de acidez estomacal ("heartburn")** con más frecuencia que los no fumadores y de más indigestión, úlceras y estreñimiento.
- **Los fumadores sufren de insomnio** con más frecuencia que los no fumadores.
- **Los fumadores suelen tener manos y pies fríos** ya que fumar disminuye el flujo de sangre a las extremidades.
- **Los fumadores suelen tener sequedad en la garganta.**
- **La complexión de un fumador es generalmente más seca,** más curtida y el tono de la piel es más apagado que la **complexión** de los no fumadores.
- **Es probable que un fumador tenga 10 veces más arrugas** que los no fumadores, especialmente alrededor de los ojos y los labios.
- **Si un fumador se somete a un estiramiento facial,** los vasos sanguíneos podrían estrecharse y afectar el proceso de curación.
- **Los hombres que fuman tienen un conteo de espermatozoides más bajo,** menos motilidad de los espermas y más espermas anormales que los hombres que no fuman.
- **Las mujeres que fuman tienen un porcentaje más alto de abortos espontáneos** que las que no fuman.

• **El asqueroso olor a cigarrillo es un verdadero desaliento.** La organización Action on Smoking and Health (ASH) tenía una calcomanía que decía: "Besar a un fumador es como lamer un cenicero".

Puede ser que *usted* no lo huela (fumar embota sus sentidos), pero todos a su alrededor lo huelen en su aliento, su cabello, su ropa, su carro y su hogar, desde las alfombras hasta las cortinas, y en todos los muebles que se encuentran entre éstos.

¿Necesita un poco más de incentivo? Aparte de salvar su vida y la de las personas afectadas por el humo pasivo de sus cigarrillos, piense en el dinero que ahorrará. *Bueno, pues, es hora de abandonar el hábito...*

Cómo abstenerse de fumar sin dolor

Éste es un proceso eficaz que funciona si usted lo permite. Aproveche TODAS las sugerencias, para que sea más fácil –sí, fácil– reducir, reducir, reducir, hasta que elimine los cigarrillos de su vida por completo.

➤ **Un tónico especial.** Mezcle media cucharadita de crema tártara ("cream of tartar", disponible en las secciones de productos horneados o especias de los supermercados) en ocho onzas (235 ml) de jugo de naranja y bébalo antes de acostarse. La crema tártara ayuda a despejar la nicotina de su organismo.

Cada cigarrillo que fuma le roba al cuerpo unos 25 mg de vitamina C. El jugo de naranja ayudará a reemplazar esa vitamina C.

Una vez que haya decidido dejar de fumar y comenzar este régimen, ¡sea constante! Tome esta bebida todas las noches sin falta. Al día siguiente, cuando esté a punto de encender un cigarrillo, piénselo dos veces. Pregúntese: "¿Puedo prescindir de este cigarrillo?". Es posible que usted decida no fumar ese cigarrillo. Durante este proceso, mantenga un diálogo interno. Lo ayudará a prevenir que recurra a su viejo hábito de fumar irreflexivamente, agarrando un cigarrillo en cualquier momento sin pensarlo.

Al disminuir el número de cigarrillos que fume cada día, debería ser capaz de ir disminuyéndolos por completo (y sin torturarse) al final de un mes, si no antes.

Consejos diarios

Siga estos consejos para dejar de fumar más fácilmente.

➤ **Marcas.** A medida que va reduciendo los cigarrillos que fuma, cada vez que compre un paquete de cigarrillos, cambie de marcas a las que les parezcan menos atractivas. Reducirá el placer de fumar y puede afectar la reacción de la química sanguínea, haciendo que usted se sienta aliviado al abandonar el hábito.

➤ **Compre una cajetilla a la vez.** No compre cartones de cigarrillos para ahorrar dinero. Compre una cajetilla a la vez y sólo después de haber terminado la cajetilla anterior.

➤ **Su primero.** Cada día, espere una hora más que el día anterior antes de encender su primer cigarrillo.

➤ **Distracción.** Cuando tenga un verdadero antojo por un cigarrillo, dígase que puede fumarlo en unos cinco minutos. Mientras tanto, haga algo absorbente, algo que ocupe toda su concentración y que lleve más que cinco minutos.

➤ **El cambio es bueno.** Sea consciente de cuáles son sus momentos preferidos para fumar y evítelos. Por ejemplo, si siempre fuma mientras conduce un carro, use el transporte público hasta que haya eliminado el hábito.

➤ **Más cambios.** Es una buena idea pasar tiempo en lugares donde está prohibido fumar y con gente que no fuma y se moleste si usted fuma.

Sustituto del cigarrillo

Éstos son alimentos que puede consumir y cosas que puede hacer para ayudarle a resistir la tentación de fumar...

➤ **Semillas de girasol ("sunflower").** En vez de echar mano a un cigarrillo, agarre un puñado de semillas de girasol crudas, sin cáscara ni sal. Proporcionan el mismo estímulo psicológico que se obtiene de los cigarrillos y el efecto de calmar los nervios del tabaco. Las semillas de girasol además ayudan a nutrir el sistema nervioso. ¡Son muy buenos sustitutos del cigarrillo!

➤ **Raíz de jengibre ("gingerroot").** Tome un pequeño trozo de raíz de jengibre fresca y mastíquela. Es fuerte y arde. Es esa cualidad ardiente que hace que sea un buen sustituto de los cigarrillos. Al contrario de fumar un cigarrillo, el jengibre hará que la boca se sienta limpia y fresca.

ATENCIÓN: El jengibre actúa como un anticoagulante, así que consulte con su médico antes de usarlo si toma un anticoagulante recetado. Además, deje de usar el jengibre tres días antes de cualquier cirugía.

➤ **Jugo de rábano ("radish").** Extraiga el jugo de un rábano o daikon (rábano japonés disponible en las secciones de verduras de la mayoría de los supermercados) fresco, rallándolo o poniéndolo en un procesador de alimentos y luego exprimiendo el jugo de la pulpa rallada a través de una estopilla ("cheesecloth"). Agregue miel a gusto y beba el jugo. También puede poner el rábano rallado en una ensalada.

➤ **Clavo de olor ("cloves").** Chupe un clavo de olor. No es divertido hacerlo, pero en cierto modo insensibiliza la boca y disminuye el deseo por un cigarrillo.

➤ **Acupresión.** Reprima el ansia de encender un cigarrillo presionando el punto de acupresión que se encuentra en el medio del esternón, directamente entre los pechos. Presiónelo tres veces seguidas, por 12 segundos cada vez.

➤ **Alcalino.** Se piensa que hay una poderosa relación entre la química corporal ácida y el antojo por la nicotina. Si usted disminuye los alimentos ácidos que consume y aumenta los alimentos alcalinos, puede reducir sus antojos por la nicotina. Entre los alimentos alcalinos se encuentran manzanas, bayas ("berries"), pasas de uva ("raisins"), batatas (boniatos, camotes, papas dulces, "sweet potatoes"), zanahorias, apio ("celery"), champiñones (hongos, setas, "mushrooms"), cebollas, guisantes (arvejas, chícharos, "peas"), habas blancas ("lima beans") y almendras ("almonds").

➤ **Respiración.** Al menos una vez al día, en vez de encender un cigarrillo o consumir uno de estos alimentos o bebidas sustitutos, resista el antojo inhalando 10 veces en forma lenta y profunda. No se sorprenda si las inhalaciones profundas lo dejan completamente satisfecho. Esto también es bueno para los pulmones.

➤ **Té de hierbas.** Algunas tazas de té de corteza de olmo norteamericano ("slippery elm") al día pueden ayudar a ahogar las ansias por fumar. Usted podría alternar con té de paja de avena, té de mejorana ("marjoram") y té de corteza de magnolia ("magnolia-bark") –todos disponibles en la mayoría de las tiendas de alimentos saludables.

➤ **Sostenga algo.** Para reemplazar la presencia física de un cigarrillo en la mano, sostenga un lápiz, un bolígrafo o un cigarrillo artificial. Si realmente quiere algo con lo que jugar, tuerza un sujetapapeles ("paper clip") o compre unas bolas chinas para ejercicios ("Chinese exercise balls", disponibles en algunas tiendas asiáticas, tiendas de alimentos saludables y por catálogos New Age que aparecen en "Recursos", página 349).

➤ **Pruebe con un yoyó.** Jugar con un yoyó puede ayudar a distraer la atención y aliviar el estrés de la abstinencia. Alan Amaral, el fundador de Yomega, comenzó a jugar con un yoyó como ayuda para dejar su hábito de fumar, y luego fundó la Yomega Corporation.

Para información acerca de la línea de productos de Yomega, incluyendo el yoyó Brain, visite el sitio web *www.yomega.com*. Para hablar con un representante de atención al cliente, llame al 800-338-8796.

Nuestros pensamientos finales acerca de fumar

Lo respetamos mucho por querer dejar de fumar y le enviamos los mejores deseos para que tenga éxito.

Mayor información: Action on Smoking and Health (ASH) es una organización estadounidense sin fines de lucro exenta de impuestos de gestión judicial antitabaco que ha estado únicamente dedicada a los muchos problemas de fumar por más de 40 años. ASH además sirve como defensora del movimiento por los derechos de los no fumadores.

Para todo tipo de información útil y saludable, y para aprender más acerca del trabajo de ASH, visite el sitio web *www.ash.org* o llame al 202-659-4310.

AFIRMACIÓN

Repita esta afirmación comenzando a primera hora por la mañana, cada vez que coma, beba o haga algo en vez de fumar un cigarrillo, y a última hora por la noche...

Estoy orgulloso de las decisiones que tomo. Mi premio es la buena salud y la felicidad.

COLESTEROL

La gente obtiene colesterol de dos maneras. El cuerpo, principalmente el hígado, produce cantidades varias –usualmente unos 1.000 mg al día– y también se puede obtener colesterol al comer alimentos de origen animal (carne, aves, mariscos, productos lácteos y huevos).

Para su información: Los alimentos que provienen de las plantas (frutas, verduras, granos, nueces y semillas) no contienen colesterol.

La American Heart Association recomienda limitar el consumo promedio diario de colesterol a menos de 300 mg. Si tiene problemas con el corazón, limite su consumo diario a menos de 200 mg.

Ya que el colesterol se encuentra en todos los alimentos de origen animal, sea concienzudo con los tamaños de las porciones, y si come carne, asegúrese de que sea magra. Si come aves, quíteles la piel. Si consume productos lácteos, seleccione las variedades sin grasa ("fat-free") o con poca grasa ("low-fat") Considere además sustituir las fuentes de proteínas de origen animal por fuentes de origen vegetal, como frijoles (habas, habichuelas, etc.) y productos de soja ("soy", tofu).

Cómo disminuir el colesterol "malo" LDL

➤ **Aceite de oliva.** El aceite de oliva puede efectivamente disminuir el colesterol "malo" LDL. Ojo, esto no quiere decir que usted puede atiborrarse. La clave es la moderación. El aceite de oliva extra virgen es el aceite que se cree que contiene la mayor cantidad de sustancias químicas que protegen el corazón.

Para ganarse el título de "extra virgen", las aceitunas deben primero procesarse en frío mediante un proceso mecánico de extracción del aceite de las mismas. No deben emplearse solventes químicos ni otras técnicas de extracción para producir el aceite.

➤ **La col (repollo, "cabbage") y sus parientes.** Varias veces a la semana, coma coles de Bruselas ("brussels sprouts") y otros miembros de la familia de la col.

➤ **Si no le gustan las legumbres,** ay, ¡qué pena! Una o más porciones de frijoles al día pueden contribuir mucho para reducir el colesterol. Y existe una gran variedad para elegir: fabas ("fava beans"), frijoles negros y rojos ("kidney beans"), garbanzos ("chickpeas"), guisantes (chícharos, "split peas"), habas blancas ("lima beans"), habichuelas pintas ("pinto beans"), judías de careta (guisantes de carita, "black-eyed peas"), lentejas, porotos e incluso habichuelas cocidas ("baked beans") enlatadas.

Las porciones de las legumbres deberían ser determinadas por usted y su profesional de la salud, según sus niveles de colesterol, tamaño y necesidades alimentarias.

➤ **Las cebollas** son ricas en potasio, vitamina A y *pectato de calcio* –todos combatientes del colesterol "malo" LDL. Agréguelas a su dieta diaria.

➤ **Cereal de avena ("oatmeal").** Una porción de avena o de salvado de avena ("oat bran") es una muy buena manera de comenzar el día. El betaglucano en la avena ayuda a disminuir el colesterol.

➤ **Consuma frijoles de soja ("soybeans") y productos de soja ("soy")** varias veces a la semana... al menos. ¡No ponga esa cara fea! Existen alimentos de soja deliciosos que se parecen a la carne que a usted le pueden beneficiar mucho, especialmente si considera que los estará comiendo en lugar de carne. Sea aventurero y explore sus opciones en la tienda de alimentos saludables de su localidad.

La lecitina, un derivado de frijoles de soja, viene en diferentes formas –gránulos, cápsulas y líquido. Los gránulos tienen un sabor y una textura interesantes. Como dijimos antes, sea aventurero.

➤ **Se afirma que comer berenjenas ("eggplants")** elimina el colesterol del cuerpo antes de que pueda ser realmente absorbido por el cuerpo. ¿Llegó la hora de preparar el guiso francés "ratatouille"?

➤ **Coma toronja (pomelo, "grapefruit") como una naranja.** Pélela, sepárela en secciones y disfrútela. Ahora que lo pensamos, coma naranjas también. El recubrimiento blanco alrededor de estas frutas cítricas y la membrana que separa las secciones contienen pectina, un ingrediente que baja el colesterol.

ATENCIÓN: Las toronjas y las naranjas amargas ("Seville oranges") podrían tener graves interacciones con varios medicamentos. Si toma medicación, consulte con su profesional de la salud o su farmacéutico acerca de cualquier interacción con medicamentos. La clínica Mayo (*www.mayoclinic.com*) tiene una muestra de medicamentos que se sabe que tienen interacciones negativas con estas frutas cítricas.

➤ **Una o dos manzanas al día.** La cáscara de las manzanas contiene pectina, así que asegúrese de limpiarlas bien antes de comerlas. (Consulte "Consejos saludables", página 321, para métodos de limpieza).

➤ **Un aguacate al día.** Según dos estudios, comer un aguacate ("avocado") diariamente puede bajar los niveles de colesterol tanto como lo hacen algunos medicamentos. Si a usted le preocupa el alto contenido de grasa de los aguacates, ¡pues, no se preocupe más! Los aguacates contienen el mismo tipo de grasas buenas que se encuentran en el aceite de oliva. Por lo tanto, ¡disfrute de la salsa guacamole!

➤ **Arroz de levadura roja ("red yeast rice").** Las estatinas (*inhibidoras de la HMG-CoA reductasa*) son un grupo de medicamentos que disminuyen el colesterol cuyos nombres genéricos terminan todos en "astatina". Este grupo incluye *lovastatina* (Mevacor), *pravastatina* (Pravachol), *simvastatina* (Zocor), *atorvastatina* (Lipitor) y *rosuvastatina* (Crestor).

Las estatinas pueden causar efectos secundarios debilitantes, lo que explica por qué se estima que el 40% de quienes toman estatinas dejan de tomarlas dentro del año después de comenzar a hacerlo.

ALGO ESPECIAL

¡Amy (y su cocina) al rescate!

La comida podría ser la clave más importante para disminuir sus niveles de colesterol. Bueno, entendemos que no quiere pasar el día preparando comidas. Pero incluso si le gusta cocinar, lo más probable es que los alimentos que usted sabe preparar sean los responsables por sus altos niveles de colesterol.

Opte por la solución más fácil y deje que Rachel y Andy Berliner y su negocio familiar, "Amy's Kitchen", preparen para usted comidas sin colesterol.

Mayor información: Consulte la sección "Peso: cómo controlarlo", página 182, o visite *www.amys.com* para enterarse de estas maravillosas comidas ya preparadas que podrían estar tan cerca de usted como los estantes del supermercado.

Presentamos: **El arroz de levadura roja.** Por más de 4.000 años, el arroz de levadura roja –arroz que ha sido fermentado por el hongo *Monascus purpureus*– se ha usado como un medicamento tradicional en China para mejorar la circulación y reducir los lípidos (sustancias grasas) en la sangre.

En 1977, un investigador de Tokio descubrió una sustancia natural en el arroz de levadura roja –*monacolina K*– que inhibe la síntesis de colesterol en el hígado. Las investigaciones adicionales determinaron que el arroz de levadura roja contiene naturalmente al menos ocho monacolinas relacionadas, todas inhibidoras de la HMG-CoA reductasa, la enzima que controla la producción de colesterol en el hígado.

En el pasado, escuchamos y leímos que el arroz de levadura roja es una alternativa eficaz para bajar el nivel de colesterol de las personas que dejaron de tomar estatinas o que no querían comenzar a tomarlas.

También escuchamos y leímos que el arroz de levadura roja estaba contaminado debido a condiciones de cultivo no adecuadas, y que la agencia federal Food and Drug Administration (FDA) estaba investigando marcas específicas del arroz de levadura roja, las cuales fueron con el tiempo sacadas del mercado porque los fabricantes del suplemento estaban agregando compuestos farmacéuticos a sus productos. Toda esa mala prensa nos hizo quedar alejadas del arroz de levadura roja.

Pero nos enteramos acerca de Sylvan Bio, una empresa que dedicó varios años a la investigación y desarrollo y ahora es capaz de cultivar, producir y envasar un suplemento 100% natural de arroz de levadura roja. Sylvan Bio controla todo el proceso, combinando los ingredientes más puros con los estándares de producción más altos. Venden su arroz de levadura roja a empresas de suplementos que quieren comercializar un producto en el que se pueda confiar.

Nos impresionó saber que el arroz de levadura roja de Sylvan Bio fue seleccionado por los cardiólogos Dr. David Becker y Dr. Ram Gordon para ser usado en su reciente estudio clínico, reportado en la edición de junio de 2009 de *Annals of Internal Medicine*.

En los últimos 30 años, los resultados de muchas investigaciones y varios estudios (incluyendo este estudio de Becker y Gordon) apoyan la eficacia del arroz de levadura roja para ayudar a bajar el nivel de colesterol "malo" LDL y el de colesterol total, y a reducir la incidencia de ataques al corazón.

Después de hablar con Gary Walker, el presidente de Sylvan Bio, y escuchar que ellos son los únicos que producen arroz de levadura roja que ha logrado el certificado de producción orgánica del departamento de agricultura de Estados Unidos USDA (y también el certificado de Star-K Kosher), tuvimos la confianza suficiente como para escribir acerca del arroz de levadura roja, sabiendo que el de Sylvan Bio se encuentra disponible para los consumidores.

La dosis típica recomendada es de 2.400 mg diarios. Cuando seleccione una marca de arroz de levadura roja, fíjese si la etiqueta tiene las palabras "Certified Organic" junto al logo de "Quality Assurance International". Si lo tiene, es probable que la etiqueta diga además "Manufactured by Sylvan Bio, Inc. –Produced and Bottled in the USA".

Posible bono adicional: Según Sylvan Bio, investigaciones recientes indican que el arroz de levadura roja podría proporcionar otros beneficios, como restaurar la pérdida ósea y hacer más lenta la aparición de la osteoporosis.

Sugerencia: Haga una copia de esta página para mostrar a su médico y, después que él/ella la lea, pídale su consentimiento y recomendación de dosis.

ADVERTENCIA: NO use arroz de levadura roja si está embarazada, podría quedar embarazada o está amamantando, se ha sometido a un trasplante de órganos o tuvo una cirugía importante dentro de las últimas seis semanas, es menor de 20 años, actualmente padece enfermedad hepática o un historial de enfermedad hepática, consume más de dos bebidas alcohólicas al día o toma estatinas. Hágase analizar las enzimas del hígado dos meses después de empezar con el arroz de levadura roja ya que puede causar estrés en el hígado.

Además, mientras tome arroz de levadura roja, evite la toronja (pomelo, "grapefruit") y el jugo de toronja. Y, debido al efecto similar al de las estatinas del arroz de levadura roja, podría agotar la coenzima Q10 (CoQ10), la coenzima que ocurre naturalmente en el cuerpo. Sería acertado tomar un suplemento diario de CoQ10 de 100 mg a 200 mg mientras se usa arroz de levadura roja.

Cómo aumentar el nivel de colesterol "bueno" HDL

➤ **Consuma ajo –mucho ajo.** El ajo crudo es mejor, pero los suplementos también son buenos.

➤ **Coma cebollas –muchas cebollas.**

➤ **Tome vitamina B-6 (100 mg diarios).** La vitamina B-6 es extremadamente benéfica para los fumadores que tienen un bajo nivel de colesterol "bueno" HDL.

ADVERTENCIA: NO tome más de 150 mg de vitamina B-6 al día, ya que puede ser tóxica.

Cómo aumentar el colesterol "bueno" HDL y disminuir el colesterol "malo" LDL

Beber un vaso de jugo de col rizada ("kale") todas las mañanas puede hacer maravillas para aumentar el colesterol "bueno" HDL y disminuir el colesterol "malo" LDL, según un estudio reciente, informa el doctor Robert J. Rowen, MD, conocido internacionalmente por su trabajo en medicina complementaria, alternativa e integrativa (*www.secondopinionnewsletter.com*).

Al final del estudio de 12 semanas, el jugo de col rizada aumentó el colesterol "bueno" HDL en un 27%, mejoró la razón entre HDL y LDL en un 52% y disminuyó el colesterol "malo" LDL en un 10%. El *índice aterogénico* (una medida del riesgo vascular) disminuyó en un 24%.

El Dr. Rowen afirma que la col rizada es uno de sus alimentos saludables preferidos. "Está cargada de maravillosos bioflavonoides que pueden proteger los ojos y la circulación. Es rico en las vitaminas A y C, calcio y hierro. Y ahora sabemos que disminuye el colesterol".

COMEZÓN

Qué podría causar picazón en la piel? Sequedad, calor, alergias, lociones, ungüentos, cremas, medicamentos y otras 1.354 afecciones médicas, según *www.wrongdiagnosis.com*, un proveedor de información médica sobre salud en Internet. La mayoría de las comezones van y vienen antes de que usted pueda darse cuenta de la causa.

Claro, es fácil para nosotras decirlo, pero trate de no rascarse donde le pica, porque rascarse puede causar una infección. Además, al resistir el impulso de rascarse, le dará tiempo para sanar la zona que le pica. Si permanece roja, en carne viva o supura, y si empeora con el tratamiento en vez de mejorar, busque atención médica profesional.

Mientras tanto, piense en cualquier cosa nueva que haya aplicado a la piel, alimentos que haya comido, ropa que haya usado o detergentes para lavar que haya empleado. Piense en lo que está pasando en su vida –altibajos emocionales. *Mientras trata de determinar con precisión lo que provoca la comezón, intente algunos de estos consejos…*

Remedios para el alivio de la comezón

➤ **Sumerja una toallita blanca en leche,** estrújela y colóquela sobre la zona que le pica.

➤ **Humedezca con agua la zona que le pica.** Luego tome una pizca de sal (sal gruesa kosher es preferible) y frótela sobre la misma zona. Deténgase cuando se detenga la comezón –probablemente en unos pocos minutos.

➤ **Consuma alimentos que sean ricos en hierro** –verduras de hojas verdes, pescado, frutas secas, germen de trigo ("wheat germ") y jugo de cerezas ("cherries").

➤ **No se vista con colores llamativos, brillantes o fuertes** como rojo, rosado estridente, fucsia o naranja. Éstos parecen estimular la comezón. El azul puede en realidad ayudar a detener la comezón.

Comezón en la zona del recto

La irritación de la piel alrededor del ano –el canal que es la salida del recto– a menudo causa comezón. Rascarse puede causar más irritación, dolor y hasta ardor.

Mientras trata de descubrir la causa y la cura posibles, alivie los síntomas usando almohadillas húmedas en vez de papel higiénico después de mover el vientre.

Causas posibles de comezón en la zona del recto

➤ **Cafeína.** Reduzca en forma considerable la cafeína, o elimínela por completo. Esto significa el consumo de café, bebidas cola, aspirina y chocolate. Si la comezón desaparece en dos días, es probable que usted sea sensible a la cafeína y mediante ensayo y error –es decir, ensayo y comezón– descubrirá la cantidad de cafeína que su cuerpo tolerará.

➤ **Tomates, jugos cítricos y cerveza** también pueden causar comezón en la zona del recto. Es muy fácil averiguarlo. Simplemente elimine el alimento o la bebida sospechosa de su dieta por dos o tres días. Si la comezón termina... ¡acertó!

➤ **El crecimiento excesivo de hongos** es una causa común de comezón en la zona del recto. Comience una dieta sin levadura ("yeast") –esto implica leer las etiquetas de todos los alimentos procesados que consuma para buscar la levadura como un ingrediente– y observe los resultados.

Remedios para la comezón en la zona del recto

➤ **En vez de jabón,** use vinagre blanco diluido para lavar la zona del recto.

➤ **Unte yogur de sabor natural ("plain yogurt") sobre una toalla higiénica sanitaria ("sanitary napkin") y colóquela sobre la zona que le pica.** Cambie la compresa cada dos horas.

Picazón en la zona genital ("jock itch")

Esta infección de la ingle causada por hongos es contagiosa. No se rasque –puede propagarla a otras partes del cuerpo, incluyendo el cuero cabelludo (en cual caso se llama "tiña del cuero cabelludo" o "ringworm").

➤ **Aceite de ajo.** Aplique el aceite de cápsulas de ajo tres veces al día a las áreas con hongos hasta que mejore por completo. Para eliminar las condiciones ideales para el crecimiento de los hongos, use ropa interior suelta de algodón para mantener el aire adentro y la humedad afuera.

ADVERTENCIA: Ya que el aceite de ajo puede ser irritante para el tejido de la piel sensible, haga una prueba en un área pequeña antes de aplicarlo a un área mayor.

Consejos de los sabios...

Tres tratamientos naturales favoritos para la comezón

Remedios caseros que delicadamente –pero eficazmente– tratan las causas comunes de la comezón...

➤ **Té de manzanilla ("chamomile").** Para la comezón causada por picaduras de insectos, eccema, urticaria o hiedra, roble o zumaque venenosos, use dos bolsitas de té por cada 12 onzas (350 ml) de agua y deje remojar seis minutos. Empape gasa ("gauze") estéril o tela limpia de algodón en el té y aplique compresas a la zona que le pica por 15 minutos, varias veces al día.

➤ **Ungüento de caléndula y consuelda ("comfrey").** Estas plantas son ingredientes comunes en bálsamos tópicos que con frecuencia incluyen las vitaminas A y E en una base de aceite de oliva. Este bálsamo funciona mejor para los sarpullidos secos y escamosos causados por la dermatitis de contacto, hongos o eccema. Para un sarpullido húmedo con comezón que supura un fluido transparente o amarillo, use un preparado de tintura o té de caléndula solamente. Aplique el té en una compresa o vierta o rocíelo en la zona.

➤ **Cereal de avena ("oatmeal").** Es mejor para la comezón causada por urticaria o picaduras de insectos. Llene una bolsa de algodón o muselina con una taza de avena arrollada ("rolled oats") cruda. Ate la bolsa al caño de su bañera (tina) y deje que el agua fluya por la bolsa mientras llena la bañera con agua tibia (no caliente). Permanezca en el agua de cereal de avena entre 20 y 30 minutos, varias veces al día, hasta que la comezón haya desaparecido. Un producto para baño de cereal de avena, como Aveeno, también puede usarse. Para hiedra, roble o zumaque venenosos, use una compresa con el agua del cereal de avena.

Jamison Starbuck, ND, médica naturopática (naturista) con práctica familiar en Missoula, Montana. Fue presidenta de la American Association of Naturopathic Physicians y editora colaboradora de *The Alternative Advisor: The Complete Guide to Natural Therapies and Alternative Treatments* (Time Life).

CONGESTIÓN DE LOS SENOS NASALES

Las afecciones de los senos nasales podrían ser causadas por cambios en el estado del tiempo, aire acondicionado, una habitación excesivamente calefaccionada, alergias –casi cualquier cosa, incluyendo polvo que se acumula en el bigote. Depende de usted descubrir lo que provoca su congestión. Depende de nosotras darle sugerencias que podrían ayudarlo a aliviar los síntomas de los senos nasales.

➤ **Panal de abejas ("honeycomb").** Durante un ataque de sinusitis, mastique un cuadrado de una pulgada de panal de abejas (disponible en la mayoría de las tiendas de alimentos saludables). Después de que ingiera la miel, siga masticando la goma cerosa por unos 10 minutos. Puede ayudar a detener los estornudos, mejorar la congestión y darle además un impulso a su energía.

ADVERTENCIA: Si sospecha que tiene sensibilidad a los productos de abejas, NO masque panal. Además, los asmáticos NO deberían consumir panal.

➤ **Té de semillas de fenogreco.** Un viejo remedio tradicional para disolver la mucosidad es el té de semillas de fenogreco ("fenugreek", disponible en tiendas de alimentos saludables). Cuando los senos nasales necesiten drenarse, prepare el té hirviendo una cucharadita de semillas de fenogreco en agua. Deje remojar entre 15 y 20 minutos, y luego cuele.

➤ **Hojas de ginkgo.** En Asia, las hojas del árbol de ginkgo biloba se han usado como medicina por más de 2.800 años. Ahora que los resistentes árboles de ginkgo son populares en Estados Unidos, estamos descubriendo el valor medicinal de sus hermosas hojas, similares a un abanico. Pueden ayudar a aliviar la congestión de los senos nasales. Triture un puñado de las hojas, hiérvalas y cuidadosamente inhale el vapor. Si no tiene las hojas frescas, puede comprar el ginkgo en forma de cápsulas. Consulte con su médico antes de tomar cápsulas de ginkgo.

➤ **El hielo es bueno.** Según el Dr. Nicholas Murray de la Universidad de Melbourne, en Australia, una compresa de hielo aplicada en el caballete de la nariz y a lo largo de los pómulos disminuye los tejidos inflamados.

➤ **Coctel "picante".** En una cacerola, combine una taza de jugo de tomate, una cucharadita de ajo fresco finamente picado, entre una cuarta cucharadita y media cucharadita de pimienta de cayena ("cayenne pepper") –según su tolerancia a las especias picantes– y una cucharadita de jugo de limón. Caliente la mezcla hasta que esté tibia. Viértala en un vaso de 10 onzas (300 ml), y bébala. Tenga cuidado con el ajo y la pimienta de cayena si tiene problemas con el estómago.

➤ **Una irrigación de agua salada (salina).** Inhalar agua salada es el clásico remedio tradicional para los problemas de los senos nasales. Ha existido por cientos de años simplemente porque da resultados. Gracias a la tradición del ayurveda y el yoga tenemos el rinocornio ("Neti pot"). Es una vasija de cerámica de forma interesante que da la impresión de que al frotarla aparecerá un genio. Una versión más sencilla y moderna del sistema de autoirrigación salina es Nasaline. Tanto el rinocornio como Nasaline pueden comprarse en farmacias y tiendas de alimentos saludables, y vienen con instrucciones. Las investigaciones afirman que estas prácticas de irrigación nasal son una forma eficaz de aliviar los síntomas sinusales –y podrían disminuir la necesidad de atomizadores y antibióticos.

Si no tiene ningún sistema de irrigación de marca comercial, ésta es una versión casera...

Primero, disuelva un cuarto de cucharadita de sal (algunas personas prefieren usar sal marina) en una taza de agua destilada o agua mineral tibia. (El agua del grifo puede contener contaminantes, como cloro, que pueden empeorar su afección sinusal).

El objetivo de esto es inhalar la solución de agua salada a través de las fosas nasales –un lado por vez–, hacerla que baje hacia la garganta y escupirla por la boca en vez de tragarla. Esto no es placentero al principio, pero seguramente se acostumbrará.

Puede verter el agua salada en la mano ahuecada, cerrar una de las fosas nasales e inhalarla por la fosa nasal abierta, o puede usar un cuentagotas medicinal o una pequeña taza con un pico diseñada especialmente con este fin, disponible en tiendas de alimentos saludables. Sea cual sea el caso, tiene que inclinar la cabeza y luego escupir la solución por la boca. Después de que haya inhalado por ambas fosas nasales algunas veces, suénese suavemente la nariz.

Es posible que tosa las primeras veces que lo haga, pero debería hacerse mucho más fácil con la práctica. Puede incluso llegar al punto en que le den ganas de hacerlo. Para la congestión y los tejidos inflamados, hágalo una o dos veces al día.

Si tiene una infección de los senos nasales, use este tratamiento con agua salada de dos a cuatro veces al día para acelerar la curación.

ADVERTENCIA: La limpieza nasal puede ser irritante para algunas personas. Si experimenta cualquier irritación, interrúmpala de inmediato.

➤ **Cebollas escalonias ("scallions").** Si apenas puede respirar y ya casi no lo soporta más y está dispuesto a probar este remedio, el nivel de sufrimiento de la nariz tapada se encuentra probablemente más alto que nunca, y se merece que esto funcione.

Necesitará dos cebollas escalonias (también llamadas cebollas de verdeo, "green onions" o "spring onions"). Una vez que haya leído el resto de este remedio, sabrá el tamaño de las cebollas escalonias que debe comprar. Corte la mayoría de las hojas, dejando una o dos pulgadas (dos a cinco cm), y corte las raíces del bulbo blanco. Coloque suavemente cada bulbo en cada fosa nasal... sólo un poquito hacia dentro. (Ahora sabe por qué el tamaño del bulbo es importante). En uno o dos minutos, la nariz comenzará a gotear. Muy bien. Quite las cebollas escalonias, suénese la nariz y disfrute de volver a respirar.

➤ **Reflexología.** Use la mitad superior de la parte de adentro del pulgar, o una cucharita para aplicar presión sobre el paladar. Este remedio de la reflexología puede ayudar a que su dolor de cabeza desaparezca al disolver la congestión.

➤ **Acupresión para todos los síntomas de los senos nasales.** Masajee enérgicamente la parte de atrás de los tres dedos más pequeños de los pies. En minutos, debería sentir que los conductos sinusales se abren. Una vez que esto suceda, finalice el tratamiento masajeando la base de los dedos gordos de los pies por dos o tres minutos.

AFIRMACIÓN

Repita esta afirmación comenzando a primera hora por la mañana, a última hora por la noche y cada vez que tome un pañuelo de papel...

Me quedo tranquilo sabiendo que me rodea energía positiva, sentimientos curativos y personas que me aman.

CORAZÓN SALUDABLE

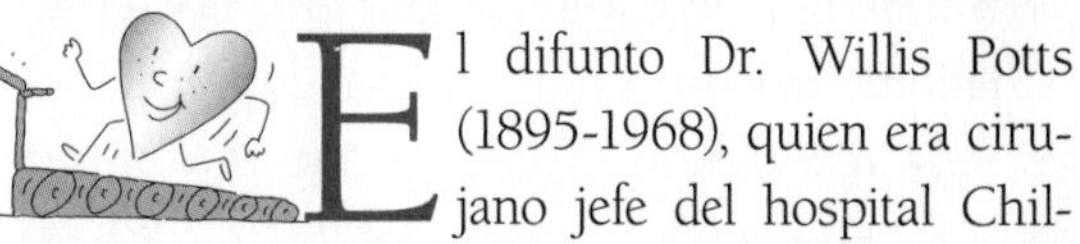

El difunto Dr. Willis Potts (1895-1968), quien era cirujano jefe del hospital Children's Memorial y profesor de cirugía en la facultad de medicina de la Universidad Northwestern, ambos en Chicago, afirmó: "El corazón es un órgano fuerte. Un organismo maravilloso que, generalmente sin reparación, brindará servicio hasta cien años".

Estas sugerencias pudieran ayudarlo a llegar a los cien años de edad...

ATENCIÓN: Por favor consulte con su profesional de la salud antes de intentar cualquiera de estos remedios caseros, ya sea que tenga o no un historial de problemas del corazón.

NOTA: No se pierda el capítulo "Le hace bien al cuerpo", página 261, para más información sobre cómo fortalecer y salvar el corazón, especialmente las secciones acerca de donar sangre (página 275) y consumir los ácidos grasos omega-3 (página 287).

➤ **Prevención de la ateroesclerosis.** Evite las grasas de origen animal. Si consume alimentos grasos –especialmente carne grasa– coma también cebolla y ajo crudos. O tome un par de píldoras de ajo/cebolla diariamente. Sin importar la cantidad de ajo y cebolla que consuma, igualmente debe reducir su consumo de grasa de origen animal en forma significativa para ayudar a prevenir la ateroesclerosis, que está específicamente relacionada a depósitos de grasa en las arterias.

ADVERTENCIA: Consumir ajo con el estómago vacío puede causar náuseas. Siempre consuma algo antes de tomar cápsulas de ajo. Además, tenga cuidado con el ajo si padece gastritis.

En partes de Asia, las nueces ("walnuts") se han usado con fines médicos por mucho tiempo. Un herborista chino nos dijo que comer un puñado de nueces al día puede ayudar a prevenir la ateroesclerosis. Coma las nueces con una dieta sensata y segura para el corazón, y haga ejercicio en forma habitual.

➤ **Prevención de la enfermedad del corazón.** Si le gusta la comida picante y condimentada, esto lo hará feliz. Consuma dos cucharaditas de chiles jalapeños todos los días. Los chiles (ajíes) pueden estimular la función corporal que disuelve los coágulos de sangre, ayudando así a prevenir la enfermedad del corazón. Agregue también ajo crudo a su dieta diaria. Machaque o pique un diente de ajo y agréguelo a la comida después de que ha sido cocinada y justo antes de comerla.

ADVERTENCIA: NO use este remedio de chiles o ajo si padece acidez estomacal ("heartburn"), gastritis, úlceras o esofagitis.

➤ **Palpitaciones.** Si siente dolor en el corazón o tiene palpitaciones, ¡consulte a su médico de inmediato! Si le ha comentado a su médico recientemente acerca de palpitaciones ocasionales, y éste le aseguró que no era nada de mucha importancia, entonces podría intentar éstos...

• **Té.** Prepare una taza de té de romero ("rosemary") o té de corteza de cerezo silvestre ("wild cherry bark") –ambos se pueden comprar en tiendas de alimentos saludables. Beba tres tazas todos los días como prevención; y una taza siempre que las palpitaciones comiencen.

El té de corteza de cerezo silvestre tiene el poder de calmarlo rápidamente. El té de romero ayuda a fortalecer el corazón. Es una buena idea turnarse para beber cada uno de estos tés de hierbas.

• **Aromaterapia.** Relájese y disipe las palpitaciones dándose un baño caliente con seis gotas de esencia de la flor del naranjo (azahar, "orange blossom oil"), también llamado nerolí (disponible en la mayoría de las tiendas de alimentos saludables).

➤ **Ejercicios para fortalecer el corazón.** ¿Así que usted quiere ser el líder de una banda? ¡Muy bien! –es un ejercicio fabuloso para el corazón. Un estudio concluyó que los directores de orquesta viven siete años y medio más que la persona promedio. No es de extrañarse. Dirigir es un verdadero entrenamiento que ayuda a fortalecer el músculo del corazón y tonificar el sistema circulatorio.

Consiga una batuta en una tienda de música, o use un lápiz o un palillo de comida china. Elija música que le levante el ánimo. Dé golpecitos en el atril –pues, ya está listo para comenzar.

Tal vez tendrá que comenzar lentamente e ir aumentando el tiempo hasta 10 minutos al día, o 20 minutos tres veces a la semana. Consulte con su médico antes de hacer su debut. Es un ejercicio realmente divertido, pero extenuante.

➤ **Después de un infarto,** ¡consiga una mascota! Los estudios demuestran que la mayoría de las personas que han sufrido un ataque al corazón y que tienen mascotas se recuperan más rápidamente y disfrutan una tasa de supervivencia más alta que los pacientes de infarto sin mascotas.

➤ **Angina –cómo prevenir los ataques nocturnos.** Levante la cabecera de su cama unas pulgadas (unos 10 cm, por ejemplo). Ponga bloques de madera bajo las patas de la cabecera de su cama. Según un célebre cardiólogo, dormir así apoyado puede ayudar a detener los ataques nocturnos de angina.

➤ **La hierba para un corazón más saludable.** Las bayas del espino blanco ("hawthorn berries") se ganaron nuestros corazones. Según John B. Lust, naturopático (naturista), herborista y autor, el espino blanco puede ayudar a regular la acción del corazón y normalizar la presión arterial. Es además bueno para el músculo del corazón debilitado por la edad, inflamación del músculo del corazón, ateroesclerosis y problemas de corazón nervioso.

Se puede beber té de bayas del espino blanco, tomar cápsulas de extracto de espino blanco liofilizado (deshidratado por congelación, "freeze-dried") o tintura ("tincture") de espino blanco. La dosis depende de su afección y la medicación que esté tomando. Discútalo con su profesional de la salud (médico o nutricionista) y tómelo bajo su supervisión. Debería ser monitoreado, especialmente si toma medicación, ya que a medida que el espino blanco mejore su afección, tal vez podría reducir su medicación.

➤ **La vitamina para un corazón más saludable.** Según investigaciones recientes, la vitamina C puede ayudar profundamente a prevenir el daño a las arterias, lo cual, a su vez, provoca ataques al corazón y al cerebro ("stroke").

Consuma alimentos ricos en vitamina C –frutas cítricas y verduras de hojas verdes– y complemente su dieta con al menos 250 mg de vitamina C diarios.

➤ **La oración para sanar el corazón.** Se realizó un estudio con dos grupos de personas criadas en la misma religión. Un grupo tenía una firme creencia en Dios, y practicaba las tradiciones de su religión en forma diaria; el otro era un grupo no practicante. El grupo observante sufrió menos ataques al corazón que el grupo no observante.

Al analizar estos resultados, los investigadores afirmaron: "La fuerte creencia en un Ser Superior y el papel de la oración podrían por sí mismos ser protectores".

Lectura recomendada

➤ ***The New Heart Disease Handbook: Everything You Need to Know to Effectively Reverse and Manage Heart Disease*** por Christopher P. Cannon, MD, y Elizabeth Vierck (Fair Winds Press). Este libro del Dr. Cannon, cardiólogo, lo ayudará a desarrollar un estilo de vida saludable para el corazón. Sirviéndose de su experiencia, investigación y los resultados de estudios clínicos, el Dr. Cannon cubre todos los aspectos de la salud del corazón –cuidado, tratamiento, prevención, reducción de los riesgos, alimentos buenos para el corazón, exámenes, procedimientos quirúrgicos y cómo sacar el mayor provecho a las consultas con sus médicos.

AFIRMACIÓN

Repita esta afirmación 12 veces, comenzando a primera hora por la mañana, cada vez que suspire, cada vez que niegue con la cabeza y a última hora por la noche...

Elijo quererme y querer mi vida. Encuentro bondad y belleza en todo mi alrededor.

CORTADURAS Y HERIDAS

ADMITTING

Si una cortadura o una herida sangra profusamente, aplique presión directa sobre el lugar con una gasa estéril, o la toallita más limpia que tenga disponible –y reciba asistencia médica profesional de inmediato.

Si tiene un corte leve, primero enjuáguelo con agua, límpielo con peróxido de hidrógeno y luego detenga el sangrado aplicando cualquiera de los siguientes...

Remedios para cortaduras y heridas

➤ **Pimienta de cayena ("cayenne pepper")** –sí, sabemos que le arderá, pero también detendrá el sangrado.

➤ **Hojas de té o bolsita de té húmedas.**

➤ **Gel de la hoja de áloe vera.**

➤ **Pulpa de papaya.**

➤ **Hojas trituradas de geranio ("geranium")**

➤ **Cuando la ayuda no está cerca.** Un amigo de Massachusetts, Selwyn P. Miles, nos contó sobre un joven que estaba cortando leña en una granja. El hacha se le resbaló y lo hirió en el pie entre el dedo gordo y el segundo. Su padre recogió un poco de miel de una vasija en la cocina y la untó por todo el pie del muchacho. El sangrado se detuvo de inmediato, seguido por una curación total en un breve periodo con casi ninguna cicatriz. ¡Viva el poder curativo de las enzimas en la miel pura!

Curación sin cicatrices

➤ **Máscara de huevo.** Rompa cuidadosamente la cáscara de un huevo crudo y quite la piel que hay dentro de la cáscara. Ponga el lado húmedo de la piel del huevo sobre el corte para una curación rápida sin cicatrices.

➤ **Cápsula de vitamina E.** Una vez que la herida se cierra, pinche una cápsula "softgel" de vitamina E y exprima el aceite por encima de la zona cicatrizada todas las mañanas, a la hora de acostarse y con más frecuencia de ser posible. Tenga paciencia. Podría llevar un tiempo para que la cicatriz desaparezca.

➤ **Pasta especial de limón.** Durante un viaje a México, la talentosa artista Barbara Wasserman salió despedida por el parabrisas de un carro. Se cortó la cara en varios lugares. Considerando todos los puntos que fueron necesarios para cerrar los cortes, Barbara estaba segura que quedaría con cicatrices para toda la vida. Afortunadamente, mientras convalecía en México, tenía un ama de llaves local que había sido criada con remedios tradicionales. El ama de llaves tomó una gran y hermosa concha de abulón ("abalone"), puso el jugo de un limón en la misma y la dejó afuera durante la noche a la luz de la luna. Por la mañana, se había formado una pasta con el jugo de limón mezclado con la parte perlada de la concha.

El ama de llaves aplicó suavemente la pasta sobre las heridas. Esa noche, agregó más jugo de limón a la concha, una vez más la dejó afuera durante la noche, y luego aplicó la pasta resultante sobre las heridas. Este procedimiento fue repetido diariamente. Cada dos semanas, cuando la parte perlada de la concha se había consumido, una nueva concha la sustituía, hasta que las heridas estuvieron completamente curadas y no había ni rastro de una cicatriz en la cara.

Cuando Barbara habló con nosotras, recientemente había ayudado a un amigo que se había sometido a una cirugía a corazón abierto. Después de un mes de poner la pasta de abulón y jugo de limón en su incisión, sólo quedaba una cicatriz muy delgada y apenas visible. "Y esa hubiera desaparecido completamente –dijo Barbara– si mi amigo no fuese demasiado perezoso para hacerlo él mismo".

Barbara dijo además que no es necesario poner la concha afuera a la luz de la luna. Un armario oscuro durante la noche es adecuado.

Nosotras experimentamos con conchas y jugo y descubrimos que podría tardar dos noches para que el jugo atraviese la capa superior de la concha para formar una pasta que se pueda usar.

ATENCIÓN: Si tiene una incisión nueva que ha producido una cicatriz y quiere usar este remedio, lo urgimos a que consulte con su profesional de la salud y tome todas las precauciones para evitar una infección.

CUELLO RÍGIDO O DOLOROSO

Si tiene el cuello rígido debido a un accidente de automóvil, es hora de que consulte a un médico. Si tiene el cuello rígido acompañado de fiebre, ganglios inflamados ("swollen glands"), dolor de cabeza y náuseas, es hora de que consulte a un médico. Si el cuello rígido está acompañado de hormigueo o dolor agudo que baja hasta los dedos, ¡es hora de que consulte a un médico!

Pero... si se despertó con el cuello rígido –sin ningún accidente ni otros síntomas– es probable que haya dormido con la cabeza y el cuello en un ángulo extraño, y estas sugerencias pueden ser de ayuda...

➤ **Aumente el calor.** Comience el día dándose una larga ducha caliente. Deje que el agua caliente baje en cascada por el cuello. Por la tarde y nuevamente por la noche, ponga una almohadilla de calor ("heating pad") en el cuello por unos 20 minutos cada vez. Si no tiene una almohadilla de calor (térmica), empape una toalla en agua caliente, escúrrala y envuélvala alrededor del cuello.

NOTA: Hay una gran selección de bolsas de calor de maíz para calentar en el microondas ("microwaveable corn heating bags") en el sitio Web *www.microwavecornbags.com.*

ADVERTENCIA: Si el cuello rígido es el resultado de una lesión reciente, NO use calor en el cuello. No lo ayudará y puede incluso empeorar el dolor.

➤ **Permita que el movimiento sea su remedio.** "El movimiento y el estiramiento suave pueden ayudar a restablecer la flexibilidad de un cuello rígido", afirma Tab Blackburn, fisioterapeuta y vicepresidente de Clemson Sports Medicine and Rehabilitation. "Si puede mover el cuello suavemente cuatro o cinco veces al día, es literalmente como verter loción en el mismo". Tab Blackburn recomienda doblar cuidadosamente la cabeza de un lado a otro. Mire por encima del hombro derecho mientras cuenta hasta cinco, y luego mire por encima del hombro izquierdo mientras cuenta hasta cinco. Haga este movimiento de un lado a otro tres veces. Repita el ejercicio completo durante el día y la noche, hasta llegar a un total de cuatro o cinco veces.

➤ **Cataplasma de rábanos ("radishes").** Para proporcionar calor húmedo al área dolorida, prepare una cataplasma ("poultice") poniendo rábanos rallados en una estopilla (gasa, "cheesecloth") que tenga doble grosor o un pañuelo blanco grande de algodón. Obviamente, no podemos decirle cuántos rábanos usar; depende del tamaño de los mismos y el tamaño de la zona del cuello. Asegúrese de que la cataplasma –rábanos rallados envueltos en una tela– sea lo suficientemente larga como para pasar alrededor del cuello y lo suficientemente ancha como para llegar a apoyarse en la espalda y hombros. Para mantener el "calor" de los rábanos una vez que estén sobre el cuello, ponga papel plástico ("plastic wrap") alrededor de la cataplasma y deje que quede así por media hora. Durante esa media hora, puede repetir la afirmación (en esta página) una y otra vez.

➤ **Acupresión.** Masajee en forma enérgica la zona que está apenas por debajo de la base de la parte de atrás del dedo pequeño del pie. Masajee por al menos cinco minutos y debería sentir menos dolor y rigidez en el cuello. Es ideal que alguien masajee ambos pies al mismo tiempo. Aunque el cuello se sentirá mejor después del primer masaje, siga masajeando tres veces al día por un par de días.

Prevención del cuello rígido

➤ **"Baby, it's cold outside!" Mantenga las ventanas de su dormitorio cerradas si hace frío afuera.** Si se acurruca en la cama para mantenerse caliente arriesga despertarse con el cuello rígido.

AFIRMACIÓN

Repita esta afirmación comenzando a primera hora por la mañana y cada vez que asiente con la cabeza y recuerde la rigidez...

Estimulo los dones que tengo en mí y los uso para enfrentar todos los desafíos. Yo soy un verdadero ganador.

Consejos de los sabios...

No más dolor de cuello, espalda o pierna: el sencillo secreto sin medicación

Millones de personas sufren de dolor crónico de espalda, cuello y pierna. Es probable que los médicos diagnostiquen artritis o un problema de discos –pero en muchos casos, ese diagnóstico está equivocado. En mi trabajo como fisioterapeuta, he descubierto que buena parte del dolor de articulaciones y músculos puede en cambio deberse a *desequilibrios musculares*, creados cuando un grupo de músculos trabaja en exceso y se vuelve grueso y más corto. Un músculo debe tener la longitud óptima para contraerse en forma adecuada, por lo que un músculo desproporcionado no es sólo débil... sino que además afecta el músculo opuesto, el cual compensa volviéndose excesivamente largo.

Estos músculos débiles y desequilibrados tiran de las articulaciones cercanas (y de otros músculos) hasta desalinearlos, y eso puede producir inflamación e irritación dolorosas. Esto ocurre comúnmente con los músculos del muslo, afectando la parte inferior de la espalda y las rodillas, y los músculos de la parte superior de la espalda y los hombros, afectando el cuello. Al volver a poner estos músculos en equilibrio, usted puede realinear estas articulaciones y aliviar el dolor crónico.

Cómo obtener alivio

Para aliviar el dolor en las áreas más comunes donde lo siente, haga los ejercicios para la parte inferior o superior del cuerpo descritos en la página siguiente, dos o tres veces a la semana, según sus necesidades.

O haga todos los ejercicios –para asegurarse de que su postura mejorará y se sentirá más fuerte y más ágil. Estos ejercicios usan pesas para manos ("hand weights") y bandas de resistencia ("resistance bands"), las cuales se pueden comprar en tiendas de artículos deportivos y en Internet. Elija suficiente resistencia de modo que los músculos se sientan cansados después de 10 repeticiones.

NOTA: Consulte siempre con su médico antes de comenzar cualquier programa nuevo de ejercicios.

ALGO ESPECIAL

¡El poder de las almohadas!

Core Products es una empresa establecida después de que su fundador, Phil Mattison, consultó a un quiropráctico por un dolor en el cuello. Esa visita condujo al desarrollo de su primera almohada ortopédica, hace más de 20 años. Core Products tiene ahora una vasta gama de productos puestos a prueba y aprobados por profesionales para ayudar a eliminar el dolor en el cuello, incluyendo almohadas para cama y viaje.

¡Nuestra experiencia con dos estilos de almohadas Core (Tri-Core y Double Core) hizo que nos diéramos cuenta de la diferencia que hace una almohada! Es un placer dormir muy bien por la noche y despertar sin dolor en el cuello.

Las almohadas ortopédicas de Core son hipoalergénicas, lavables en lavadora y diseñadas para resolver o prevenir los problemas ortopédicos relacionados con el cuello y la columna vertebral, ofreciendo apoyo y comodidad para la cabeza y el cuello mientras se disfruta de buen sueño.

Su almohada más vendida es la Tri-Core Pillow, la cual alinea la columna vertebral y sostiene el cuello en su posición natural, ya sea que usted duerma de espaldas o de costado. Al sostener y preservar la curvatura natural del cuello y la columna vertebral, la almohada ayuda a corregir la disfunción nerviosa, fomentar la curación de las lesiones y disminuir otros problemas.

Los empleados de Core Products nos dicen que los usuarios experimentan una diferencia positiva en pocos días de dormir con la almohada (así fue para nosotras dos), y a algunas personas las ayuda a aliviar las obstrucciones de las vías respiratorias, que es una causa importante de los ronquidos.

Mayor información: Vaya al sitio Web *www.coreproducts.com* y comience mirando su línea de almohadas ortopédicas. Si no puede decidir qué producto de Core es apropiado para usted, llame al 877-249-1251 y un representante lo ayudará, guiándolo hacia el producto que mejor le convenga para sus necesidades específicas.

Una cosa más... Core Products garantiza su satisfacción con todos los productos que compre.

Dolor en la parte inferior de la espalda y dolor de rodilla

Frecuentemente, los médicos atribuyen el dolor en la parte inferior de la espalda a los problemas de discos, pero en la mayoría de los casos la causa es que hacemos trabajar los músculos delanteros de los muslos (cuádriceps) mucho más que los músculos en la parte posterior del muslo ("hamstrings" en inglés) y los músculos glúteos (nalgas, "buttocks"). Como resultado, los músculos delanteros de los muslos se vuelven más grandes y más cortos. Esto tira de la parte delantera de la pelvis hacia abajo, causando que la parte inferior de la espalda se arquee. Con el tiempo, esto causa que los músculos de la parte inferior de la espalda se vuelvan cortos y débiles, dejándolos susceptibles a espasmos y esguinces dolorosos. Los cuádriceps más cortos además conducen a dolor crónico de la rodilla debido a que tiran de la rótula hacia arriba, causando fricción entre las superficies de los huesos e inflamación en la articulación de la rodilla.

Solución: Estire los cuádriceps y fortalezca los músculos en la parte posterior del muslo y los músculos glúteos. Esto alargará y fortalecerá los músculos de la parte inferior de la espalda y les quitará presión a las rodillas.

Cómo estirar los cuádriceps: Primero, pase un cinturón que no se estire (como uno de cuero) alrededor de un tobillo. Luego permanezca acostado sobre la espalda a lo largo del borde de la cama, de modo que la pierna con el cinturón alrededor del tobillo cuelgue fuera de la cama. La otra pierna debería estar doblada con el pie plano sobre el colchón. Tire del cinturón hacia las nalgas de modo que se doble la rodilla. Siga tirando hasta que sienta un estiramiento placentero en la parte delantera del muslo. Mantenga entre 20 y 30 segundos, suelte y luego repita el estiramiento dos o tres veces.

Cómo estirar los músculos en la parte posterior del muslo y los glúteos: Sosteniendo una pesa en cada mano, párese con los pies un poco más separados que los hombros, con las piernas rectas. (Practique el movimiento primero sin las pesas. Luego, cuando pueda hacer el ejercicio en forma adecuada, agregue unas pesas que sean lo suficientemente pesadas como para que note el trabajo de los músculos en la parte posterior del muslo). Con las palmas de las manos frente a los muslos, lentamente haga correr la pesa por delante de las piernas, hasta la rodilla, la mitad de la canilla o el tobillo, hasta que sienta una tensión placentera en los músculos en la parte posterior del muslo. Mantenga la espalda recta y la cabeza alineada con la espalda. Vuelva lentamente a la posición inicial. Haga tres series de 10.

Dolor de cuello y dolor de cabeza

La mayoría del dolor y rigidez de cuello ocurre debido a que los músculos del pecho, la parte delantera de los hombros y los bíceps trabajan en exceso y se acortan. Mientras tanto, los músculos opuestos en la parte superior de la espalda y la parte de atrás de los hombros se estiran excesivamente y se vuelven débiles, creando una postura encorvada, con los hombros hacia delante. Esto dejará los músculos que sostienen la cabeza demasiado débiles para hacer su trabajo, causando dolor de cuello y dolor de cabeza.

Solución: Fortalezca los músculos entre los omóplatos y los músculos de los hombros (deltoides posteriores). Esto tirará de los hombros hacia atrás, acortando y fortaleciendo los músculos que sostienen la cabeza.

Cómo estirar los músculos entre los omóplatos: Tome una banda de resistencia ("resistance band") y haga un nudo en el medio de la misma. (Practique el movimiento primero sin usar una banda, y luego elija una banda lo suficientemente fuerte). Ponga el nudo sobre la parte de arriba de una puerta, luego cierre la puerta de modo que el nudo quede atrapado del otro lado y los extremos de la banda cuelguen rectos como agarraderas (manijas, "handles"). Ponga una silla enfrente a la puerta, lo suficientemente cerca como para que cuando usted se siente, pueda tomar un extremo de la banda en cada mano con los brazos extendidos delante de usted. Agarre los extremos de las bandas y, manteniendo los brazos a la altura de los hombros, doble los codos y tráigalos hacia atrás, de modo que los omóplatos se aprieten uno hacia el otro. Vuelva a la posición inicial. Realice tres series de 10.

Para fortalecer los deltoides posteriores: Párese con los pies separados un poco más que el ancho de los hombros, sosteniendo una pesa en cada mano frente a los muslos. Doble las rodillas y los codos levemente. Levante lentamente ambos brazos a sus lados hasta que estén a unas seis pulgadas (15 cm) al costado de los muslos. Deténgase justo antes de que los omóplatos comiencen a apretarse uno hacia el otro. Vuelva lentamente a la posición inicial. Haga tres series de 10.

Mitchell Yass, fisioterapeuta ("physical therapist") y fundador y director de PT2 Physical Therapy & Personal Training en Farmingdale, estado de Nueva York, *www.mitchellyass.com*. Es autor de *Overpower Pain: The Strength-Training Program That Stops Pain Without Drugs or Surgery* (Sentient).

CULEBRILLA (HERPES ZÓSTER)

El mismo virus que produce la varicela en los niños causa culebrilla en los adultos. Los centros nerviosos infectados e inflamados están usualmente acompañados por áreas de ampollas y dolor intenso, afectando mayormente el pecho, el abdomen o la cara.

Estas sugerencias pueden brindar alivio instantáneo del dolor y la comezón, y pueden incluso curar por completo la afección…

➤ **Apiterapia.** Cuanto más investigamos los beneficios de la apiterapia –los tratamientos que utilizan los productos de las abejas– más impresionadas estamos con los resultados.

Para deshacerse del dolor de la culebrilla y ayudarlo a curar sus lesiones, unte propóleos de abejas en forma líquida sobre la zona dolorida algunas veces durante el día. Use un cepillo suave de repostería o maquillaje. El propóleos líquido se encuentra disponible en algunas tiendas de alimentos saludables y mediante el distribuidor de productos de abejas en "Recursos", página 350.

Otro producto de abejas que es extremadamente curativo es la miel sin procesar ("raw honey"). Gaste unos pocos centavos más si puede para obtener la miel sin procesar. Como con el propóleos líquido de abejas, unte la miel sobre la zona dolorida algunas veces durante el día, y espere que desaparezca el dolor y las lesiones comiencen a curarse.

ADVERTENCIA: Si sospecha que tiene sensibilidad a los productos de abejas, olvídese de esto y pase a otro remedio.

➤ **Véndela.** Si tiene culebrilla en el pecho, sujete suavemente la zona afectada con una venda de algodón elástica ("Ace bandage"), en particular antes de irse a acostar. La pequeña cantidad de presión de la venda puede aliviar el dolor sin obstaculizar su respiración.

➤ **Puerro ("leek").** Si tiene un extractor de jugos o un procesador de alimentos, prepare jugo fresco de puerro y aplíquelo directamente en las áreas con ampollas para obtener alivio inmediato de la comezón.

ADVERTENCIA: NO ponga jugo de puerro sobre las lesiones abiertas, ya que podría quemar o irritar el tejido de la piel.

➤ **Té de flor del saúco ("elderflower").** Prepare té de flor del saúco, disponible en la mayoría de las tiendas de alimentos saludables, agregando una cucharadita de la hierba seca a una taza de agua recién hervida. Cubra la taza y deje remojar entre cuatro y seis minutos, y luego cuele y beba. La herborista Ann Warren-Davis afirma: "Bébalo tres o cuatro veces al día. Sé que ha curado la culebrilla en uno o dos días".

➤ **Aceite de vitamina E.** Durante el día, pinche cápsulas de vitamina E y exprima el aceite sobre las ampollas. Detiene la comezón y, en algunos casos, proporciona una curación completa.

➤ **Áloe Vera.** La culebrilla es una de las muchas afecciones que se pueden aliviar con el gel de la planta de áloe vera. Cuando use la planta, comience con las hojas de abajo; son las más viejas. Pele la capa superior de la piel de la hoja y unte el gel sobre la piel o corte un pedazo de hoja y exprima el gel. Para muchos, el áloe proporciona alivio instantáneo.

AFIRMACIÓN

Repita esta afirmación a primera hora por la mañana, a última hora por la noche e inmediatamente después de aplicar cualquier remedio a las lesiones doloridas...

Estoy relajado y rodeado de energía positiva mientras mi cuerpo se cura a sí mismo.

DEPRESIÓN

La depresión a veces es llamada el resfriado de las enfermedades mentales. En un año dado, se estima que las afecciones depresivas afectan a 18,8 millones de adultos estadounidenses. ¡Eso sí que es deprimente!

La depresión no discrimina. Afecta a los ricos y famosos así como a los pobres y desconocidos.

En 1841, cuando Abraham Lincoln era el líder parlamentario del partido de los Whig, se lo citó diciendo que "Si lo que siento se distribuyera equitativamente entre toda la familia humana, no habría un solo rostro alegre sobre la Tierra". Sí, el Sr. Lincoln estaba pasando por una depresión. Finalmente la superó y llegó a ser el 16.° presidente de Estados Unidos.

Otro caso concreto –Winston Churchill. Sir Winston comenzó a pintar como ayuda para superar sus frecuentes depresiones.

Si la paleta de un artista no es de su agrado, podría considerar estas sugerencias como ayuda para superar un periodo de depresión...

ATENCIÓN: Para la depresión de largo plazo y la depresión frecuente y grave, es importante buscar ayuda profesional.

➤ **Una bebida.** Se afirma que la mirra ("myrrh") que ha existido desde los tiempos bíblicos, ahuyenta la depresión. Coloque media cucharadita de mirra en polvo (disponible en tiendas de alimentos saludables) en una taza de agua recién hervida. Deje que se enfríe y beba una taza dos veces al día.

Muchas personas que practican la parapsicología creen que quemar incienso de mirra ahuyenta la energía negativa.

➤ **¡Muévase! Bueno, pónganse todos de pie – uno, dos, tres, cuatro.** Sí, es verdad, el ejercicio puede reemplazar los medicamentos antidepresivos y tener el mismo efecto sobre las sustancias químicas del cerebro (las endorfinas) que le dan la sensación de bienestar... y sin ninguno de los efectos secundarios de los medicamentos. Y, como un bono adicional, usted quedará en muy buena forma.

Algunas sugerencias: Dé una caminata a un buen ritmo diariamente, llevando la cuenta de su propio récord. Alquile o compre un video para hacer ejercicios –asegúrese de que sea a su propio nivel de entrenamiento– y comience a hacer ejercicio. Inscríbase en un gimnasio o club deportivo y comprométase a hacer ejercicios diariamente. El ejercicio puede casi de inmediato aumentar su autoestima y lograr que esté más feliz con la vida en general.

➤ **Trabaje en el jardín.** Salga de una depresión leve saliendo y cuidando el jardín. La jardinería en interiores también es benéfica. Según la American Horticultural Therapy Association (*www.ahta.org*), los beneficios terapéuticos de los ambientes apacibles de los jardines han sido comprendidos desde épocas antiguas. En el siglo XIX, el Dr. Benjamin Rush, uno de los firmantes de la Declaración de Independencia de Estados Unidos y considerado el "Padre de la Psiquiatría estadounidense", informó que los ambientes de los jardines tenían efectos curativos para las personas con enfermedades mentales. Si el Dr. Rush tenía razón, entonces piense en lo benéfico que puede ser un jardín cuando se pasa por una depresión. Cultivar plantas y ver flores que se abren puede darle un nuevo aprecio por la vida y una oportunidad de enterrar su infelicidad. Si no tiene su propio jardín, halle un jardín comunitario en su vecindario.

➤ **Tome vitaminas y minerales.** Para algunas personas que se encuentran en un estado depresivo, la vitamina B-6 podría ser la respuesta. Se necesita magnesio para la absorción más eficaz de la vitamina B-6. El magnesio junto al calcio pueden calmar el sistema nervioso y ayudar a aliviar la depresión. Si está interesado en este remedio, preste mucha atención a los detalles. La dosis para una persona de tamaño promedio es de 75 mg de vitamina B-6, 100 mg de magnesio y 200 mg de calcio –todos dos veces al día.

ATENCIÓN: Consulte con su médico antes de probar este remedio y asegúrese de que las dosis sean adecuadas para usted. NO tome más de 150 mg de vitamina B-6 al día, ya que puede ser tóxica.

NOTA PARA LAS MUJERES QUE TOMAN LA PÍLDORA ANTICONCEPTIVA: El estrógeno en la píldora puede detener la absorción de la vitamina B-6 y de otras vitaminas y minerales. Esa malabsorción podría ser la causa de su depresión. Debería considerar otros métodos anticonceptivos. Consulte con su médico para saber cuáles son sus opciones.

➤ **Después de la pérdida de un ser querido.** Los indígenas americanos usaban borraja ("borage") para ayudar a consolar a los desconsolados "cuando el corazón llora de pena". Prepare un té remojando una cucharadita colmada de borraja (disponible en tiendas de alimentos saludables) en una taza de agua recién hervida por 10 minutos, y luego cuélelo y bébalo. Anticipe un sabor similar al del pepino. Beba tres tazas de este té durante todo el día como ayuda para aliviar la pena y el sufrimiento emocional.

➤ **Después de la pérdida de un ser querido o cualquier otro trauma importante.** Si no desea buscar ayuda profesional, realice su propia terapia comprando un cuaderno para usar como "diario emocional". Al menos una vez al día, anote sus sentimientos más íntimos. No se autocensure; escríbalo todo. La purga de sus pensamientos y emociones puede ayudar a acelerar el proceso de curación, asistir en el control de su pena y ayudar a prevenir que usted reprima todo lo que necesita liberar. Cuando haya completado el proceso y se esté sintiendo mucho mejor, podría parecerle que el proceso es lo suficientemente valioso como para continuarlo.

➤ **¿Se siente triste en el invierno?** El trastorno afectivo estacional (SAD, por sus siglas en inglés) es un tipo de depresión invernal que afecta a millones de personas entre septiembre y abril, principalmente durante diciembre, enero y febrero.

Éstos son los síntomas, según The National Organization for Seasonal Affective Disorder (*www.nosad.org*)...

- **Un deseo de seguir durmiendo y dificultad para mantenerse despierto,** pero en algunos casos, dormir muy mal y despertarse temprano por la mañana.
- **Fatiga e incapacidad de llevar a cabo las rutinas normales.**
- **Ansias por alimentos dulces y carbohidratos,** usualmente resultando en aumento de peso.
- **Sentimientos de tristeza, culpa y pérdida de autoestima**. Y a veces desesperanza, desesperación, apatía y falta de sentimientos.
- **Irritabilidad y deseo de evitar los contactos sociales.**
- **Tensión e incapacidad de tolerar cualquier tipo de estrés.**
- **Interés reducido en el sexo y el contacto físico.**

ALGO ESPECIAL

La planta de la risa

Pasar por un periodo de tristeza y depresión puede hacer que usted se vuelva supersensible, lo que no sirve para ayudarlo a alegrarse. Sabemos de algo que sí podría alegrarlo –la planta cosquillosa TickleMe Plant, cuyo nombre científico es *mimosa pudica*, y también es conocida como "mimosa sensible" o "vergonzosa".

Haga cosquillas a esta planta sensible y ella se mueve... realmente se mueve. Las hojas se contraen y las ramas se dejan caer. Es inevitable sonreír al mirar estas increíbles plantitas en acción.

Las semillas pueden brotar en entre tres y siete días a 70°F (21°C) –la planta no prospera en cuartos con aire acondicionado o alféizares fríos. Algunas semanas después de que brotan, se moverán al hacerles cosquillas. La planta debería crecer un pie (30 cm) o más de altura en un año. Las plantas adultas incluso pueden crecer unas hermosas flores rosadas (pero no todas lo hacen). Estas plantas pueden mantenerse adentro todo el año en una habitación cálida.

Si piensa que son una cosa para niños, sí, a ellos les encanta... y también le encantará a ese querido y dulce niño que está dentro de usted... el niño con el cual probablemente debería estar reconectándose en este momento.

Los hermanos Chipkin –Larry y Mark– se criaron alrededor de estas plantas que nunca dejaron de entretenerlos a ellos y a sus amigos.

Mark se hizo profesor de ciencia, y por 30 años continuó compartiendo la alegría de tener las plantas cosquillosas con sus estudiantes. Y ahora, los Chipkin están contentísimos de estar vendiendo TickleMe Plants.

Mayor información: Vaya al sitio Web *www.ticklemeplant.com* para ver una selección de paquetes de semillas, kits, invernaderos y más, incluyendo experimentos y consejos para el cultivo, o llame al 845-350-4800.

- **Y en algunas personas,** estados de ánimo extremos y breves periodos de hipomanía (hiperactividad) en la primavera y el otoño.

Si se ha fijado en los síntomas anteriores y piensa que quizá padezca SAD –un desequilibrio bioquímico en el hipotálamo debido al acortamiento de las horas de luz y la falta de luz solar en el invierno–, busque ayuda profesional para determinar la gravedad del problema y lo que debería hacer. Para los casos leves, el tratamiento recomendado es pasar más tiempo al aire libre en el invierno. (Sentarse adentro, cerca de una ventana, no es lo mismo). Para los casos graves, quienes sufren de SAD necesitan fototerapia –lámparas de espectro completo que puedan usarse en su casa. De ser ése el caso, visite la Circadian Lighting Association (*www.claorg.org*) para recibir orientación en la elección del producto adecuado para la fototerapia.

➤ **Visualización.** El Dr. Gerald Epstein, psiquiatra y director del American Institute for Mental Imagery (en *www.drjerryepstein.org*), ha desarrollado la visualización llamada "Hacer volar las nubes negras" para las personas que tienen una sensación general de tristeza. *Consulte lo siguiente...*

1. **Siéntese en una silla cómoda de respaldo duro y relájese. Dedique hasta un minuto para este proceso.**
2. **Cierre los ojos y vea nubes negras encima de usted.** Mientras está bajo estas nubes, imagínese haciéndolas volar hacia la izquierda dando tres soplos (en la visualización, no físicamente). Luego mire hacia a la parte superior derecha del cielo y vea el sol entrando al cielo encima de usted. Sepa que cuando termine, la depresión se habrá ido.
3. **Cuente lentamente hasta tres.** Abra los ojos, estírese y siéntase renovado y más feliz.

➤ **Terapia con gemas.** La clarividente Barbara Stabiner afirma que el zafiro ("sapphire") contribuye a la claridad mental, asiste en la percepción y el discernimiento, se usa para la protección y puede actuar como un antidepresivo.

AFIRMACIÓN

Esta afirmación del parapsicólogo José Silva se basa en las palabras de Émile Coué, un psicólogo francés que introdujo un método de psicoterapia y autosuperación basándose en la autosugestión optimista. Repítala a primera hora por la mañana, a última hora por la noche y cada vez que tenga un pensamiento negativo...

Todos los días en todo sentido estoy mejor, mejor y mejor.

Consejos de los sabios...

Los alimentos que elevan el espíritu

Los alimentos pueden ponerlo de buen humor. Cuando come, los nutrientes de los alimentos son absorbidos rápidamente al torrente sanguíneo. Un órgano que es muy afectado por estos nutrientes es el cerebro –lo cual es la razón por la que su estado de ánimo, su energía mental, su concentración y su memoria están todos directamente afectados por los alimentos que consume. Cuando se sienta abatido o indolente, piense en lo que ha consumido. Cuando come comida basura, se siente como basura.

Mis alimentos preferidos para ponerlo de buen humor son, en orden de importancia...

➤ **La leche descremada (sin grasa, "fat-free")** es una admirable combinación de carbohidratos y proteínas en un solo producto. La leche es naturalmente rica en *triptófano* y es una gran fuente alimentaria de vitamina D, la cual aumenta la *serotonina*. Recomiendo tres porciones de ocho onzas (235 ml) de leche diariamente.

Para quienes no pueden beber leche: Pruebe leche de soja ("soy milk") fortificada con calcio y vitamina D, aunque no contiene tanto triptófano como la leche. Si tiene problema para digerir la lactosa (el azúcar que se encuentra en la leche), pruebe usar proteína aislada del suero de leche ("isolated whey protein") en polvo, que contiene una proteína que está separada de la leche y contiene poco o nada de lactosa o grasa, pero es una fuente rica en triptófano. La proteína del suero de leche en polvo se puede comprar en tiendas de alimentos saludables. Mézclela en jugos, batidos o yogur.

➤ **El pescado** es otro alimento que nos hace sentir bien. El pescado de agua fría, como el salmón y la caballa ("mackerel"), contiene más ácidos grasos omega-3 y se sabe que ha mejorado el estado de ánimo. (Los métodos más saludables para cocinar son al horno y a la parrilla, pero no freír). El lenguado ("sole"), platija ("flounder") y bacalao ("cod") también contienen ácidos grasos omega-3 y pueden mejorar el estado de ánimo. En mi trabajo con atletas de categoría mundial los hago comer pescado cinco veces a la semana para mejorar su estado de ánimo y concentración. Si a usted no le gusta comer pescado, intente comer una porción de pescado a la semana. Luego aumente gradualmente la cantidad de comidas de pescado por semana. Y pruebe un suplemento de aceite de pescado ("fish oil"). Incluso mis clientes que comen pescado también toman un suplemento diario de aceite de pescado –uno que combina alrededor de 500 mg en total de *ácido eicosapentaenoico* (EPA, por sus siglas en inglés) y *ácido docosahexaenoico* (DHA, por sus siglas en inglés).

➤ **Los huevos** (con las yemas) son una fuente perfecta de proteína y otros nutrientes, incluyendo la vitamina D. Las yemas están llenas de *colina*, una vitamina del complejo B que es esencial para producir la *acetilcolina*, uno de los neurotransmisores más abundantes en el cuerpo. Usted necesita la acetilcolina para enviar mensajes a través de los nervios y mantener fuerte la memoria, entre otras cosas. Recomiendo un huevo al día (o hasta siete a la semana, pero no más de una yema diariamente). No se preocupe por el colesterol de los huevos. Los estudios demuestran que un huevo al día no tiene ningún efecto sobre los niveles de colesterol de las personas sanas.

➤ **El cacao ("cocoa")** envía al cerebro una buena mezcla de carbohidratos, proteína y triptófano que puede ayudar a mejorar su estado de ánimo y relajarlo para que pase una buena noche durmiendo. (No se preocupe por la cafeína del cacao. Hay sólo unos siete mg en una cucharada de cacao en polvo). Sugiero que use su tercera porción de leche del día para preparar el cacao.

Lo mejor: Prepare con cacao en polvo natural o el que no ha sido sometido al proceso alcalino ("alkaline-free"), lo cual debería indicarse en la etiqueta. Esta designación se refiere a una técnica de procesamiento de los granos de cacao que deja más de los antioxidantes llamados *flavonoles* en el cacao. Agregue leche descremada (sin grasa, "fat-free") y un endulzante. El azúcar está bien si no perturba su sueño y no está tratando de bajar de peso. El almíbar de agave (pita, "agave syrup") es una buena alternativa porque no sube los niveles del azúcar en la sangre. Si desea un endulzante sin calorías, stevia y Splenda son opciones sanas.

Susan Kleiner, PhD, RD, autora de *The Good Mood Diet: Feel Great While You Lose Weight* (Springboard) y *Power Eating* (Human Kinetics), con base en Mercer Island, estado de Washington. Es nutricionista y ha trabajado con atletas, equipos deportivos profesionales y ejecutivos de empresas, *www.goodmooddiet.com*.

DIABETES

La diabetes es una afección en la cual los niveles de la glucosa (azúcar) en la sangre son muy altos. La glucosa proviene de los alimentos que usted come y las bebidas que bebe. La insulina es una hormona que ayuda a la glucosa de la sangre a llegar a las células para darles energía.

Los dos tipos más comunes de diabetes son diabetes mellitus tipo 1 (dependiente de insulina), cuando el cuerpo no produce nada de insulina y diabetes mellitus tipo 2 (no dependiente de insulina) cuando el cuerpo no produce suficiente insulina o no usa bien la insulina.

Sin el uso adecuado de suficiente insulina, la glucosa permanece en la sangre. Tener demasiada glucosa en la sangre es lo que puede causar problemas graves, a menudo referidos como complicaciones debido a la diabetes.

Quién puede padecer diabetes

Cualquiera puede tener cualquier tipo de diabetes a cualquier edad. Es por esa razón que la American Diabetes Association (ADA, *www.diabetes.org*) cambió el nombre de "diabetes de comienzo juvenil" ("juvenile-onset") a "diabetes tipo 1", y de "diabetes de aparición en adultos" ("adult onset") a "diabetes tipo 2".

Según la International Diabetes Federation (*www.diabetesatlas.org*), alrededor de 285 millones de personas en el mundo actualmente padecen diabetes. Se incluyen en ese número sorprendente unos 28 millones de niños y adultos en Estados Unidos, de los cuales unos 20 millones ya han sido diagnosticados y 8 millones siguen sin ser diagnosticados. Los números siguen creciendo y las edades siguen bajando. No es de extrañarse, ya que aquí en Estados Unidos uno de cada seis adolescentes (entre los 12 y los 19 años) con sobrepeso padecen prediabetes cuando los niveles de glucosa en la sangre son más altos de lo normal pero no lo suficientemente altos como para ser diagnosticados como diabetes… aún).

ALERTA A LOS HISPANOS: Desgraciadamente, los hispanos en Estados Unidos corren casi el doble del riesgo de desarrollar la diabetes que las personas blancas no hispanas, según un estudio realizado por los Centros para el control y la prevención de enfermedades (CDC, por sus siglas en inglés). Además, los hispanos suelen desarrollar esta enfermedad grave a una edad menor.

Padecer diabetes sin saberlo significa no tomar los cuidados adecuados y correctos. Tales personas están en riesgo de las temidas complicaciones debido a la diabetes que afectan órganos vitales y todas las otras partes del cuerpo.

ATENCIÓN: Si la diabetes es de familia, o si tiene uno o más de estos síntomas –sed inusual, micción frecuente, visión borrosa, pérdida de peso inexplicable, fatiga constante– haga una cita para someterse a exámenes. Todo lo que necesita para determinar si tiene o no diabetes es un simple análisis de sangre en el consultorio de su médico.

Lo esencial para controlar la diabetes, según Joan Wilen

A lo largo de los años, desde que se me diagnosticó diabetes tipo 2, he hecho muchas lecturas, investigaciones, entrevistas, experimentos y he participado en grupos de diabéticos, queriendo desesperadamente eliminar o al menos controlar completamente esta afección. Nadie dijo que iba a ser fácil. ¡Y no lo es! Pero cada nuevo día trae nuevas maneras de controlar la diabetes más fácilmente.

Controlar la diabetes consiste de un plan de comidas, control del peso, ejercicios y posiblemente medicamentos recetados. Su médico puede escribir una receta, pero usted necesita hacer casi todo lo demás. *Éstos son algunos métodos para ayudarlo a encontrar "todo lo demás"…*

➤ **Consulte con los expertos.** Pídale a su médico/endocrinólogo que le recomiende un educador sobre diabetes o un dietista/nutricionista para aprender acerca de planes de alimentación. Consulte además con su empresa de seguros acerca de cobertura para un educador sobre diabetes o un nutricionista, y pídale recomendaciones en su zona.

➤ **Busque libros.** Vaya a la librería o la biblioteca de su localidad y eche un vistazo a los libros de la sección Salud/Diabetes para encontrar un régimen alimentario que le resulte conveniente. Para comenzar, consulte la "Lista de libros" al final de esta sección.

➤ **Halle un programa de ejercicios al que usted se pueda mantener fiel.** Si es una persona mayor, fíjese en las clases gratuitas de movimiento, danza y ejercicios en centros de su zona. Tome clases de yoga, taichí o la técnica Alexander. Evalúe cintas de video o DVD de ejercicios que pueda hacer en la comodidad de su casa, frente a su televisor.

Uno de los mejores, más fáciles y más benéficos ejercicios es caminar. Sencillamente caminar. Consiga buen calzado para caminar y un compañero de caminata por razones de seguridad... además, es más divertido caminar con alguien. Asegúrese de que su compañero sepa que usted padece diabetes y de que ambos tengan tabletas de glucosa en caso de que su nivel de azúcar en la sangre baje mucho. Para evitar una gran disminución del azúcar en la sangre, la mejor hora para caminar es después de comer. En un pequeño estudio realizado en la Universidad Old Dominion, en Virginia, las lecturas de la glucosa en la sangre posteriores a una comida eran más bajas cuando los caminadores daban un paseo de 20 minutos *después* de la cena que cuando caminaban antes de la cena.

Para obtener los mejores resultados, camine por al menos 10 minutos seguidos.

Considere además levantar pesas. Nuevos estudios indican que un programa de levantamiento de pesas puede bajar de manera espectacular los niveles de azúcar en la sangre. Como perdemos músculos con la edad, podemos reconstruirlos mediante entrenamiento con pesas. Halle un gimnasio o un centro para personas mayores con entrenadores profesionales que lo supervisen. Mientras tanto, ¡comience a caminar!

➤ **Mantenga un registro cuidadoso de su dieta diaria,** su rutina de ejercicios y sus medidas del azúcar en la sangre (con la ayuda de un glucómetro* que se puede comprar en farmacias o a través de su empresa de seguro de salud), y pídale a su profesional de la salud que controle sus resultados en forma habitual (aproximadamente cada tres meses), y juntos, hagan los ajustes necesarios para que todo funcione al óptimo. (Como ayuda consulte "Conozca su medida A1C" a continuación).

Conozca su medida A1C

Los exámenes que usted haga en su casa con un glucómetro y las tiras reactivas demuestran su nivel de azúcar en la sangre en ese momento. El examen A1C (también conocido como *HbA1C,* hemoglobina *glicada* o hemoglobina *glucosilada*) muestra su nivel promedio de azúcar en la sangre en los últimos dos o tres meses. Es la mejor manera de controlar su diabetes tipo 2.

Según un estudio realizado en Estados Unidos y publicado en *The Diabetes Educator,* sólo el 24% de los diabéticos sabían el resultado de su último examen A1C. Aquellos que sabían su nivel más reciente de A1C tenían un mejor conocimiento de cómo controlar el azúcar en la sangre que quienes no lo sabían.

Aproximadamente la mitad del puntaje proviene de los últimos 30 días. Si su A1C es

---

* *Consejos para los análisis de sangre:* El método tradicional para medir el azúcar en la sangre implica pinchar la yema del dedo con una aguja pequeña y puntiaguda (una lanceta). La gota de sangre resultante se transfiere a una tira reactiva que después se coloca en un glucómetro. Unos pocos segundos después aparece su nivel de azúcar en la sangre.

Aunque nuevos medidores permiten usar sitios alternativos para el examen –parte superior del brazo, muslo, base del pulgar– los niveles de azúcar en la sangre cerca de la yema del dedo cambian más rápidamente que en otros sitios, especialmente cuando el nivel de azúcar en la sangre cambia rápidamente, como después de una comida o de hacer ejercicios.

Para darle a las yemas de los dedos un descanso, pinche los lados de los dedos. Use el pulgar para presionar la parte carnosa del dedo de modo que ambos lados del dedo se hinchen un poco, y luego pinche con la lanceta.

Para hacer salir suficiente sangre a la superficie para el análisis, lávese las manos en agua tibia y séquelas frotándolas para mejorar la circulación. Si no se encuentra cerca de agua corriente, mejore la circulación agitando las manos hacia arriba y abajo.

ALGO ESPECIAL

A1C para el automonitoreo

Si tiene que esperar mucho tiempo para la próxima cita con su médico o si hizo cambios en su programa de control de la diabetes, puede hacerse un examen A1C en su casa.

El kit A1CNow Selfcheck de Bayer con dos exámenes es fácil de usar (vaya a *www.a1cnowselfcheck.com* para ver un video con instrucciones paso a paso) y lleva sólo cinco minutos para obtener un resultado tan preciso como el de un laboratorio.

Aunque esto no debería reemplazar su visita trimestral al médico, es una herramienta maravillosa para controlar su progreso entre visitas.

Mayor información: Puede encontrar el kit A1CNow Selfcheck en Walmart, Walgreens y CVS. Para encontrar otros puntos de venta y hacer preguntas acerca de los exámenes A1CNow llame su departamento de atención al cliente al 866-371-9044.

alto, es posible que usted y su médico necesiten hacer cambios en su dieta, ejercicios y medicación para ayudar a reducirlo, lo cual podría ayudar a bajar su riesgo de sufrir las temidas complicaciones debido a la diabetes. De hecho, se ha demostrado que una reducción del 1% en el A1C (por ejemplo, de 8% a 7%) disminuye el riesgo de sufrir complicaciones debido a la diabetes en alrededor del 40%.

La American Diabetes Association (ADA) recomienda fijarse el objetivo de tener un A1C de un 7% o menor. La American Association of Clinical Endocrinologists (AACE) recomienda un nivel de A1C de un 6,5% o menor. ¡Cuanto más bajo, mejor!

Los diabéticos con medidas diarias de azúcar en la sangre estables deberían someterse a un examen A1C cada tres meses. Si la medicación, la dieta o el tratamiento han cambiado, se recomienda un examen A1C después de un mes para controlar el efecto del nuevo programa en el azúcar en la sangre.

El examen A1C es usualmente efectuado por su médico durante una visita de rutina. Todo lo que se necesita es una gota de sangre. La sangre puede sacarse en cualquier momento. No es necesario estar en ayunas. Los alimentos consumidos ese día antes del examen no afectan el resultado del examen A1C.

Lo esencial para el cuidado de los pies

Toda la literatura acerca del control de la diabetes hace hincapié en el cuidado de los pies. *Siga estas sencillas precauciones…*

➤ **Nunca camine descalzo.**

➤ **Séquese.** Después de bañarse o ducharse, séquese bien los pies, en particular entre los dedos.

➤ **Inspeccione sus pies diariamente (por la mañana o por la noche).** Si tiene un corte, un moretón o una infección de cualquier tipo, consulte con un podólogo (podiatra) de inmediato.

➤ **Sométase a exámenes de podología para diabéticos al menos tres veces al año.**

➤ **¿Jimmy Choo? ¡Pu!… para los pies de los diabéticos.** Use zapatos que ayuden a proteger los pies. Haga que su prioridad sea la comodidad y la seguridad, no la moda. Compruebe si su empresa de seguro de salud tiene cobertura para zapatos para diabéticos y aparatos ortopédicos recetados. Algunas la tienen.

ALGO ESPECIAL

¡Crocs al rescate!

La empresa de calzados Crocs tiene una división médica, Crocs Rx –una línea asequible de zapatos diseñados con consideraciones específicas de podología médica y terapéutica, los tipos de consideraciones que se asocian con la diabetes y otros problemas de los pies.

La línea de zapatos Crocs Rx está fabricada con un material llamado Croslite que proporciona una superadherencia en superficies mojadas y no absorbe humedad, por lo que permanece sin olor e inhibe el crecimiento de bacterias y hongos. Todos los zapatos tienen aberturas para el aire en los costados, las cuales mantienen los pies frescos y secos (claro, a menos que camine por charcos). *Los siguientes son tres ejemplos de la línea Crocs Rx...*

- **Cloud** está específicamente diseñado para los pies de los diabéticos. Tienen una plantilla supersuave y amplio espacio para los dedos, lo que permite usar medias (calcetines) gruesas sin apretar ni producir puntos de presión en los pies. La puntera protectora y el borde elevado del talón protegen el pie de golpes en los dedos y moretones. Estos zapatos además pueden usarse con aparatos ortopédicos recetados por podólogos.
- **Silver Cloud** contiene todas las ventajas de la línea Cloud, más una infusión de iones de plata que es ideal para cualquier persona susceptible a agrietamiento de la piel, úlceras, hongos en los pies e infecciones.
- **Relief** está diseñado con una suela ultrablanda que absorbe los golpes y tiene amplio espacio para los dedos. Estos zapatos proporcionan alivio terapéutico para la fascitis plantar, los juanetes, el dolor en los talones y la artritis.

También puede probar las medias Orthocloud de Crocs. Tiene una suela de doble amortiguación –un relleno extra que protege los dedos, el talón y toda la planta del pie. Además, no tienen la irritante costura en la puntera, y sus fibras que controlan la humedad mantienen los pies frescos y secos.

Los zapatos y medias (calcetines) Crocs Rx se pueden comprar en Internet y por intermedio de podólogos.

Mayor información: Vaya al sitio web *www.crocsrx.com*, o llame al 877-238-4404.

➤ **El tipo correcto de medias (calcetines).** Use medias que no produzcan demasiada fricción y que permitan que la humedad se ventile adecuadamente. Investigadores en la Universidad de Missouri descubrieron que las medias de 100% de algodón eran las peores en cuanto a causar fricción y retener humedad. Se descubrió que las medias hechas de nailon y otros materiales sintéticos generalmente son las mejores.

➤ **Prevención de golpes en los dedos.** Prevenga los golpes en los dedos manteniendo una linterna sobre su mesita de noche y usándola si necesita ir al baño durante la noche. Alumbre con la linterna el piso delante de usted cuando camina al baño y vuelve a la cama.

Neuropatía

La neuropatía diabética es el daño a los nervios que afecta a alrededor del 50% y el 70% de los diabéticos. Esta afección desagradable usualmente impacta los miembros –las manos, brazos, pies y piernas. Los síntomas más comunes son hormigueo, pérdida de sensibilidad o sensación, debilidad muscular, molestia, dolor, inmovilidad y la infelicidad que acompaña cualquiera de esos síntomas.

Si su médico es como el típico médico de la diabetes, su objetivo en el tratamiento de la neuropatía diabética será prevenir la progresión aconsejándole a usted que mantenga bajos los niveles de azúcar en la sangre. Si usted se queja de dolor, podría recomendarle un analgésico de venta libre o recetarle un analgésico, los cuales tienen largas listas de posibles efectos secundarios.

Para su información: Los medicamentos para el dolor actúan reprimiendo las señales nerviosas, y pueden en realidad hacer que su neuropatía empeore con el tiempo (por no mencionar lo que los posibles efectos secundarios pueden hacer).

Sí, estamos pintando una imagen sombría pero realista de los métodos de tratamiento de la neuropatía diabética de la mayoría de los profesionales de la salud. Si usted puede identificarse con esto, entonces es hora de que se haga cargo.

ALGO ESPECIAL

Un plan de estímulo

Gracias al inventor Dr. David Phillips y su sistema ReBuilder 300 Neuropathy Treatment (*www.rebuildermedical.com*), tenemos un tratamiento que puede ayudar a aliviar el dolor, el entumecimiento y la decoloración, y podría realmente restablecer la sensación en los pies y las manos, restaurar el equilibrio y la movilidad y reducir o eliminar la necesidad de medicación para el dolor.

Desde la primera vez que escribimos sobre esto en nuestro libro en español anterior, *Remedios caseros curativos*, estamos contentísimas de divulgar la buena noticia de que la agencia federal Food and Drug Administration (FDA) aprobó el sistema ReBuilder, el cual ahora cuenta con la cobertura de Medicare. Para mayor información, consulte la página 291 del capítulo "Le hace bien al cuerpo".

No más amputaciones innecesarias

Según la American Diabetes Association, la cantidad de amputaciones, especialmente debido a la diabetes, está aumentando. Perry A~, como se hace llamar, cree que hay una solución sencilla, segura y económica que podría reducir la cantidad de amputaciones en un 50% o más.

Perry A~ explica: "Es un tratamiento tópico con arcilla de bentonita de calcio ('calcium bentonite clay'), una arcilla lo suficientemente fuerte como para expulsar infecciones, gangrena y tejido muerto fuera del cuerpo y estimular el flujo sanguíneo y el oxígeno a la zona para la reconstrucción de tejido saludable.

Durante millones de años la ceniza volcánica evolucionó hasta formar vetas de arcilla con partículas electromagnéticas supercargadas con carga iónica negativa con un pH alcalino. En forma de roca o polvo, la arcilla está latente… es un gigante dormido con grandes beneficios y propiedades curativas. Pero, cuando la arcilla absorbe agua, adopta la energía de una fuerza viva. Esta energía electromagnética estimula la circulación y el flujo sanguíneo, revitalizando así la energía latente de las células y acelerando el proceso de curación".

Para obtener mayor información sobre el uso de la terapia con arcilla, lea sobre la misma en el capítulo "Le hace bien al cuerpo", página 311.

Para obtener información acerca de la prevención de amputaciones, lea *Reversing Diabetes* de Julian Whitaker, MD (Grand Central Publishing), o visite el sitio web del Wellness Institute del Dr. Whitaker, *www.whitakerwellness.com*, o llame al 800-488-1500.

Suplementos acertados para la diabetes

El objetivo de esta entrada es que usted esté al tanto de los suplementos –hierbas y minerales– que se sabe que ayudan a disminuir los niveles de azúcar en la sangre. Su misión, si usted decide aceptarla, es hablar con su equipo para combatir la diabetes –el médico, el educador sobre diabetes, el nutricionista (debería tener al menos dos de estos tres)– para obtener comentarios y recomendaciones sobre la dosis adecuada. Si decide agregar uno o más suplementos como ayuda para controlar sus niveles de la glucosa, lleve la cuenta de los resultados muy cuidadosamente. Si el suplemento da buen resultado y las medidas del azúcar en la sangre bajan en forma consistente, es posible que tenga que reducir la dosis de su medicación. Es *vital* que le diga a su médico qué suplementos está tomando y cómo lo afectan, de modo que puedan hacerse ajustes a la medicación.

➤ **Ácido alfa-lipoico.** Este potente antioxidante ayuda con la utilización de la glucosa y provee apoyo al sistema nervioso periférico.

➤ **Picolinato de cromo o polinicolinato.** Este micromineral ("trace mineral") hace que la insulina actúe con mayor eficacia y facilita la asimilación de glucosa en las células.

Aunque puede obtener cromo de alimentos como bróculi ("broccoli"), pimienta negra, legumbres (frijoles, habas, habichuelas, lentejas) y cereales integrales, también debería tomar un suplemento de cromo.

➤ **Vitaminas del complejo B.** Según la Dra. Susan Lark, "Muchas de las vitaminas B son protagonistas importantes en la regulación de la insulina, los azúcares y las grasas en el torrente sanguíneo, así como en la protección de los sistemas de órganos". La Dra. Lark recomienda tomar un buen suplemento de vitaminas del complejo B que contenga entre 50 y 100 mg de B-1, B-2, B-3 y B-6; entre 500 y 1.000 mg de B-5; entre 500 y 1.000 mcg de B-12; 300 mcg de biotina; y entre 800 y 1.000 mcg de ácido fólico.

Otro consejo de la Dra. Lark es tomar vitaminas del complejo B durante el día, en vez de por la noche, ya que pueden ser muy estimulantes y podrían interferir con el sueño.

ADVERTENCIA: NO tome más de 150 mg de vitamina B-6 al día, ya que puede ser tóxica.

➤ **Magnesio.** Una cantidad adecuada de magnesio (comience con 150 mg, dos o tres veces al día con las comidas y aumente hasta llegar a entre 300 y 400 mg, dos o tres veces al día, si lo tolera bien) puede mejorar la resistencia a la insulina y el control del azúcar en la sangre. Según un estudio, el citrato de magnesio se absorbe bien. Complemente su suplemento comiendo alimentos ricos en magnesio como verduras de hojas verdes, legumbres, nueces ("nuts") y cereales integrales.

ADVERTENCIA: El magnesio puede causar diarrea. Reduzca la dosis si experimenta este efecto secundario. Además, a algunas personas que tienen problemas con el magnesio les va mejor con el óxido de magnesio ("magnesium oxide").

➤ **Gymnema Sylvestre.** A esta planta de la India se le ha atribuido el bloqueo de la absorción de azúcares simples, la ayuda en la prevención de los niveles elevados de glucosa y la regeneración de tejidos pancreáticos que producen insulina.

➤ **Hoja de banaba.** Esta planta asiática contiene *ácido corosólico*, del cual se dice que ayuda a afinar el receptor de insulina dañado que causa la diabetes con resistencia a la insulina. El ácido corosólico en la hoja de banaba activa el transporte de glucosa hasta las células, lo cual reduce el azúcar en la sangre.

➤ **Melón amargo ("bitter melon").** Según la empresa Herbal Provider (sitio web *www.herbalprovider.com*) el melón amargo es una hierba que ayuda a regular los niveles de azúcar en la sangre y mantiene las funciones corporales operando normalmente. Contiene *gurmarina*, un polipéptido que se considera similar a la insulina bovina, la cual ha demostrado en estudios experimentales que produce un efecto de regulación del azúcar.

➤ **Cardo mariano (cardo lechero, "milk thistle").** Generalmente vinculada al tratamiento de problemas del hígado, esta hierba floreciente parece estar transformándose en un remedio para la diabetes. El componente activo de la hierba, *silimarina*, puede ser útil para bajar los niveles de azúcar en la sangre y reducir la cantidad de azúcar ligada a la hemoglobina en la sangre de una persona diabética.

➤ **Salvia ("sage").** Se ha informado que esta hierba común es benéfica del mismo modo que el popular medicamento para la diabetes *glucofago* (Metformin). La salvia se usa además para los problemas de hígado. Si padece diabetes tipo 2 y quiere saber si la salvia le dará resultados, siga tomando sus medicamentos, y cada vez que beba una taza de té de salvia (hasta tres tazas al día), verifique su nivel de azúcar en la sangre. Si sus medidas parecen estar bajando en forma constante y significativa, colabore con su profesional de la salud para reducir la dosis de su medicación.

Para preparar té de salvia para todo el día, ponga tres cucharadas de hojas de salvia en una jarra y vierta tres tazas de agua recién hervida en la misma. Deje remojar 10 minutos. Cuele y beba una taza durante o después de las comidas. Si usa bolsitas (en vez de las hojas sueltas), use dos bolsitas de té de salvia para cada taza.

ADVERTENCIA: La salvia puede causar ataques en las personas epilépticas. Evite la salvia si tiene un historial de cualquier tipo de ataque.

➤ **Canela ("cinnamon").** Esta especia contiene un componente bioactivo que los científicos creen que tiene la posibilidad de ayudar a las personas con diabetes tipo 2. Al momento de escribir esto, no se sabe a ciencia cierta si la canela disminuye significativamente los niveles de glucosa en la sangre. Si quiere ponerla a prueba, consuma un cuarto de cucharadita de canela, dos o tres veces al día, mezclada en té, con alimentos o en cápsula. Puede tardar hasta 40 días para dar resultados.

➤ **Vitamina D.** Según una investigación en Italia, publicada en la revista *Diabetes Care*, alrededor del 61% de las personas con diabetes tipo 2 tienen deficiencia crónica de la vitamina D. El boletín *The New England Journal of Medicine* (julio de 2007) informó que estudios demostraron que el 40% de los niños y casi el 100% de los ancianos en Estados Unidos y Europa tenían deficiencia de la vitamina D. La carencia de la vitamina D perjudica el sistema inmune y la capacidad del organismo de producir y responder a la insulina.

NOTA: Es muy importante que su médico analice su nivel de vitamina D.

En su boletín sobre el tema, el doctor Ray D. Strand (*www.raystrand.com*) se refiere a la vitamina D como "el nutriente verdaderamente esencial". Afirma: "La investigación clínica de la vitamina D ha alcanzado el punto en el que podemos afirmar con confianza que cientos de miles de vidas en Estados Unidos podrían salvarse cada año si las personas complementaran sus dietas con 1.000 unidades internacionales (IU) de vitamina D. Comience por tomar al menos 1.000 IU de vitamina D hoy. Su cuerpo estará encantado".

"Este es el objetivo principal de la medicina nutricional. Destaca los verdaderos beneficios para la salud de complementar una dieta saludable con estos niveles óptimos, o aun mayores, de nutrientes –no los niveles del consumo diario recomendado por el gobierno estadounidense (RDA, por sus siglas en inglés)".

Pero NO lo haga solo por su cuenta. Colabore con un profesional de la salud experimentado que pueda examinarlo y controlarlo. Si necesita este tipo de persona, pida recomendaciones en la tienda de alimentos saludables o al grupo de apoyo para diabéticos de su localidad y su empresa de seguro de salud. Siga buscando hasta que encuentre la persona adecuada para usted.

Esté bien informado sobre alimentos

Con respecto a lo siguiente, no le estamos diciendo que compre pan o beba café, pero si lo hace, le sugerimos una manera de hacerlo que tenga en cuenta el azúcar en la sangre.

Dicho sea de paso, usted debería preparar una lista de compras para el supermercado mientras lee las siguientes páginas.

➤ **Pan.** Busque pan denso… del tipo de grano grueso en el que usted puede ver semillas. Debería sentirse pesado para su tamaño. Un pan hecho 100% de harina integral que está finamente molida y tiene la textura del pan blanco se digerirá casi tan rápidamente como el pan blanco y tendrá un efecto similar en su nivel de azúcar en la sangre. El pan denso tardará más tiempo en digerirse y aumentará el azúcar en la sangre más lentamente. Busque también un pan que tenga fibra agregada, lo que lo hace bajo en carbohidratos.

➤ **Dato sobre la fibra.** Consumir 25 gramos de fibra al día ayuda a bajar el colesterol y controlar los niveles de azúcar en la sangre.

➤ **Café.** Pruebas de laboratorio han demostrado que el *ácido clorogénico*, un compuesto en el café (el café con cafeína y también el descafeinado), disminuye el azúcar en la sangre. Las *quinides*, otro compuesto que se encuentra en el café, ayuda a que el cuerpo sea más sensible a la insulina.

Cuando vaya a tomar una taza de café, asegúrese de que sea *descafeinado*. Después de un pequeño estudio de pacientes, el investigador James D. Lane, PhD, de la Universidad Duke, informó que "la cafeína aumenta la glucosa en la sangre tanto como la medicación oral para la diabetes la disminuye. Parece que los efectos perjudiciales de la cafeína son tan malos como los efectos benéficos de los medicamentos orales para la diabetes son buenos".

Para los diabéticos, beber café o consumir cafeína en otras bebidas puede causar aumentos súbitos en el azúcar en la sangre al aumentar las hormonas del estrés que estimulan la liberación de la glucosa almacenada en el hígado.

➤ **Pescados y mariscos.** El boletín *American Journal of Kidney Diseases* publicó los resultados de un estudio de 22.000 personas inglesas. Después de que comieron pescado al menos dos veces a la semana, los niveles anormales de proteína en la orina bajaron. (Los niveles elevados de proteína son un indicio de enfermedad de los riñones). Esto llevó a la conclusión de que los diabéticos que comen pescado dos veces a la semana tienen un 75% menos de probabilidad de contraer problemas en los riñones. Comer pescado *de buena calidad* puede beneficiar a todos de muchas maneras.

Según los programas de selección de mariscos de la Environmental Defense Fund y Seafood Watch del acuario Monterey Bay, en California, estos son los pescados más saludables –ricos en omega-3, bajos en contaminantes y producidos de un modo que es seguro para el ambiente...

- **Salmón salvaje ("wild salmon") de Alaska** –fresco, congelado o enlatado.
- **Char del océano Ártico** –salvaje si lo puede obtener; de no ser así, de criadero está bien.
- **Caballa ("mackerel") del océano Atlántico.**
- **Sardinas ("sardines")** –enlatadas en aceite de oliva.
- **Bacalao negro ("sablefish, black cod")** –pescado en aguas de Alaska y Columbia Británica.
- **Anchoas ("anchovies").**
- **Ostras ("oysters")** de criadero.
- **Trucha arcoíris ("rainbow trout")** de criadero (debido a la contaminación moderada con PCB, limite el consumo de los niños a dos o tres comidas al mes).
- **Atún albacora ("albacore tuna")** de pesquerías estadounidenses o canadienses. (Los niños hasta los 6 años de edad deberían limitar el consumo a tres comidas al mes debido a la contaminación moderada con mercurio).
- **Mejillones ("mussels")** de criadero.
- **Hipogloso ("halibut")** de Alaska o del Pacífico, salvaje, pescado en el océano Pacífico.

➤ **Fruta.** Steve Hertzler, PhD, RD (dietista registrado acreditado), condujo un estudio en la Universidad Ohio State y descubrió que comer fruta una hora antes de una comida puede ayudar a mantener el azúcar en la sangre bajo control. Según el Dr. Hertzler, "Una vez que es absorbida por el hígado, la fructosa de la fruta activa una enzima llamada *glucocinasa*, la cual ayuda a extraer azúcar adicional de la sangre, manteniendo estable el nivel del azúcar en la sangre."

Si va a probar esto, comience con una manzana o una pera pequeña o entre siete y 10 cerezas ("bing cherries"). Mantenga las porciones pequeñas.

➤ **Ajo.** Nosotras escribimos un libro entero sobre el ajo, así que el lector puede imaginarse lo apasionadas que somos acerca de este supersanador de la naturaleza. Con respecto a la diabetes, estudios científicos indican que el ajo puede aumentar la secreción de insulina, lo cual disminuye el azúcar en la sangre. Además, cada diente de ajo está lleno de antioxidantes que ayudan a prevenir las complicaciones debido a la diabetes.

ADVERTENCIA: Ingerir ajo con el estómago vacío puede causar náuseas. Siempre consuma algo antes de comer ajo o tomar cápsulas. Además, tenga cuidado con el ajo si padece gastritis.

➤ **Mostaza ("mustard").** Dependiendo de la comida que acompañe, opte por mostaza en vez de salsa "kétchup". La mostaza no contiene azúcar ni carbohidratos y es baja en sodio. Fíjese siempre en las etiquetas para ver los detalles nutritivos y asegurarse de que no está comprando una mostaza con aditivos no deseados y carbohidratos innecesarios.

➤ **Nueces ("nuts").** Hemos escrito mucho sobre los beneficios para la salud de las nueces, y ahora vamos a agregar un par de líneas acerca de su valor con respecto a la diabetes. Son un fabuloso refrigerio que es fácil de llevar consigo, proporcionándole proteínas y grasas saludables. Además, pueden darle energía para sacarlo del bajón de las 4 de la tarde.

■ Receta ■

Salmón crocante con pan de salvado escandinavo

Por Rebecca Brown, departamento de desarrollo empresarial, GG Scandinavian Bran Crispbread

Ingredientes

4 filetes de salmón
Pimienta a gusto
Pimienta roja partida ("cracked red pepper") –opcional
3 cucharaditas de estragón ("tarragon") seco
2 cucharadas de mostaza Dijon
1 cucharadita de vinagre balsámico
3 cucharaditas de miel ("honey")
½ taza de galletas de marca "GG crackers" trituradas, o "GG Sprinkles"
¼ taza de queso parmesano, rallado
3 cucharadas de yogur de sabor natural ("plain yogurt") –lo mejor es sin grasa ("fat-free") o con 2% de grasa
1 clara de huevo
2 cucharadas de aceite de oliva o de girasol ("sunflower oil")

Preparación

1. Enjuague el salmón en agua fría, seque dando palmaditas en una toalla de papel, cubra con papel plástico ("plastic wrap") y deje aparte en el refrigerador.
2. En un bol para mezclar mediano bata ligeramente con un batidor manual de alambre todos los ingredientes húmedos y las hierbas hasta que se mezclen.
3. Agregue el salmón al bol y recubra bien todos los pedazos de salmón con la mezcla. Cubra el bol y deje enfriar en el refrigerador por lo menos por 2 horas. (Lo mejor es que el salmón se enfríe en la mezcla por 4 horas o más).
4. En un bol pequeño agregue, revolviendo, el queso y las galletas GG trituradas o los GG Sprinkles. Distribuya la mezcla seca uniformemente en un plato. Recubra bien el salmón frío dándole vueltas en la mezcla.
5. En una sartén lo suficiente grande para colocar los filetes, caliente sobre fuego mediano 2 cucharadas del aceite de oliva o de girasol. Agregue los filetes de salmón encostrados y saltee hasta que la costra esté crujiente – unos cinco minutos. Con una espátula y con cuidado, dé vuelta a los filetes y deje saltear unos pocos minutos más hasta que el otro lado esté crujiente.
6. Ponga los filetes crujientes en una bandeja para hornear ("cookie sheet") forrada con papel de aluminio ("aluminum foil") o papel pergamino ("parchment paper"), y hornee a 325°F (165°C) por unos 15 a 25 minutos, o hasta que estén bien cocidos.

NOTA: En lugar de los filetes de salmón, esta receta se puede preparar con filetes de pollo sin piel ni hueso o con filetes de pescado blanco.

Nosotras compramos nueces en los mercados Whole Foods y Trader Joe's... nueces de Castilla ("walnuts") crudas (una buena porción diaria consta de unas 14 mitades, equivalentes a una onza ó 30 g), anacardos ("cashews") crudos, pistachos, maní (cacahuates, "peanuts") y almendras ("almonds") crudas –todas sin sal ("unsalted").

Las almendras están llenas de la vitamina E, un antioxidante que puede proteger contra las complicaciones que afectan los riñones, ojos y nervios.

También compramos mantequilla de maní ("peanut butter") y de almendra ("almond butter") sin aditivos. Si su mercado de alimentos naturales tiene una máquina para hacer mantequilla de nueces, pida que le dejen probar la mantequilla de maní recién molida. Verá que sólo necesita un ingrediente. Si no puede obtenerla molida en la tienda, busque una marca que tenga maní ("peanuts") como su único ingrediente.

➤ **Cereal de avena ("oatmeal").** Un bol de cereal de avena es una buena manera de comenzar el día. Su índice glicémico* se encuentra en la franja baja, por lo que le lleva más tiempo ser absorbido por el torrente sanguíneo. Es bastante rico en fibra y lo mantiene sintiéndose satisfecho hasta su próximo refrigerio o comida.

* El índice glicémico (GI, por sus siglas en inglés) es un sistema de clasificación de alimentos que contienen carbohidratos, según lo rápido que aumentan los niveles de glucosa en la sangre. Un alimento con un valor glicémico alto aumenta la glucosa en la sangre más rápido y es menos benéfico para el control del azúcar en la sangre que un alimento con un índice más bajo.

El índice glicémico consiste en una escala del 1 al 100. Separa los alimentos que contienen carbohidratos en tres categorías generales: (1) alimentos con un alto índice glicémico (GI mayor a 70), que causan un rápido aumento del nivel de glucosa en la sangre; (2) alimentos con un índice glicémico intermedio (GI entre 55 y 69), que causan un aumento mediano del nivel de glucosa en la sangre; (3) alimentos con un bajo índice glicémico (GI de 54 o menos), que causan un aumento menor del nivel de glucosa en la sangre.

Para mayor información sobre el índice glicémico y una base de datos gratuita para consultar el índice glicémico de alimentos y el conteo de carbohidratos, vaya al sitio web *www.glycemicindex.com.*

La avena instantánea ("instant oatmeal") no es tan benéfica como la tradicional avena arrollada ("rolled oats") que se cocina lentamente. Aun mejor que esta, con un índice glicémico más bajo, es la avena cortada con acero ("steel cut oats") –granos integrales de la parte interior de la avena. Requiere un poco más tiempo para cocinarlos, pero podría valer la pena esperar porque esta comida para el desayuno puede ayudar a mantener sus niveles de azúcar en la sangre bajo control durante el resto del día... siempre y cuando usted siga comiendo alimentos ricos en fibra y bajos en carbohidratos.

Haga que el cereal de avena sea más sabroso y saludable agregándole canela ("cinnamon"), semillas de lino ("flaxseed"), nueces, almíbar de arce ("maple syrup") sin azúcar o incluso un diente de ajo picado.

➤ **Aceite de oliva.** El aceite de oliva es su amigo. El aceite de oliva extra virgen es su mejor amigo. El aceite de oliva extra virgen proviene del primer prensado de las aceitunas, haciéndolo el más puro, menos ácido y más sabroso.

En su libro *The World's Healthiest Foods* (*www.whfoods.com*), George Mateljan sostiene que las dietas ricas en aceite de oliva ayudan a prevenir la peligrosa acumulación de grasa en el vientre, la resistencia a la insulina y una caída del nivel de la *adiponectina* (una hormona producida por las células de grasa que aumenta la sensibilidad a la insulina). Debería mantener alto el nivel de adiponectina en la sangre porque eso ayuda a regular el metabolismo de la grasa y el azúcar, mejora la sensibilidad a la insulina y tiene efectos antiinflamatorios en las células que revisten las paredes de los vasos sanguíneos. ¿Demasiada información? La conclusión es que una dieta tipo mediterránea, rica en grasas monoinsaturadas de aceite de oliva extra virgen (y nueces), mejorará su sensibilidad a la insulina, bajará el nivel de azúcar en la sangre y ayudará a prevenir la acumulación de grasa alrededor de la cintura.

Los consejos de George Mateljan para consumir aceite de oliva extra virgen...

- **Ponga en la mesa un pequeño bol para condimentos lleno de aceite de oliva extra virgen** en reemplazo de mantequilla, para usar con pan, verduras, etc.
- **Para aumentar el sabor, agregue unas gotas de vinagre balsámico** o una pizca de sus especias preferidas al aceite de oliva.
- **Agregue aceite de oliva a las comidas inmediatamente después de cocinarlas** para obtener los mayores beneficios para la salud y el mayor sabor.

➤ **Tan dulce como el azúcar**, como decía Celia Cruz. Probablemente ya se ha enterado sobre stevia, un suplemento nutricional que está elaborado de un extracto intensamente dulce de hojas naturales de stevia (también conocida como yerba dulce), de la cual se dice que es 30 veces más dulce que el azúcar. Carece de sustancias químicas, tiene cero calorías, cero carbohidratos y un índice glicémico de cero. Aún si no ha usado estos paquetitos para endulzar sus bebidas o como reemplazo del azúcar al cocinar, es probable que haya comprado bebidas endulzadas con stevia. Y ahora, entra un nuevo personaje en escena... el xilitol.

Los estadounidenses están comenzando a ponerse al nivel de los europeos en cuanto al uso del xilitol, un sustituto del azúcar apto para diabéticos, del que se dice que es absorbido lentamente sin aumentar el azúcar en la sangre.

El xilitol además tiene algunos efectos secundarios únicos y benéficos. En Finlandia, donde el xilitol se descubrió en el siglo XIX, estudios han demostrado que su uso disminuye las caries de manera espectacular. Esto es así porque su estructura de alcohol y azúcar no puede ser usada por las bacterias que causan caries en la boca. Como resultado, todas las gomas de mascar finlandesas y algunas gomas de mascar sin azúcar ("sugarless gum") estadounidenses ahora se hacen con xilitol. Otra cualidad fascinante del xilitol es que parece inhibir el crecimiento de bacterias que causan infecciones en los oídos. Además, se está investigando y poniéndolo a prueba como tratamiento para la osteoporosis. Un grupo de investigadores finlandeses ha informado que el xilitol en la dieta puede prevenir el debilitamiento de los huesos e incluso mejorar la densidad de los mismos.

Busque el xilitol en las tiendas de alimentos saludables y naturales.

ADVERTENCIA: El xilitol puede causar gas y diarrea si se consume en cantidades excesivas. Además, es muy dañino para los perros. NUNCA permita que su mascota coma nada que contenga xilitol.

➤ **Dato sobre el azúcar.** En las etiquetas de los alimentos, bajo "carbohidratos", hay una lista de "azúcares" ("sugars") –se indica la cantidad de azúcar, por porción, en gramos. Cada cuatro gramos equivalen a una cucharadita de azúcar. Saber esto puede ayudarlo a reconsiderar algunas de sus compras en el supermercado.

Alimentos preferidos

Cuando se trata de alimentos, no nos complicamos. Fresco y crudo es mejor; orgánico siempre que sea posible y asequible. Los alimentos que preparamos son usualmente bajos en carbohidratos y ricos en fibra. Usamos una grasa "buena"–aceite de oliva o de coco. Condimentamos los alimentos con ajo, curry, pimienta y en raras ocasiones cuando necesitamos agregar sal a un plato, usamos Himalayan Crystal Salt (disponible en las tiendas de alimentos saludables y naturales y en el sitio web *www.himalayancrystalsalt.com*).

Si usted fuera a comprar alimentos con nosotras, tendría que tener algo de paciencia. Leemos todas las etiquetas, prestando atención en particular a las cantidades de carbohidratos, fibra, grasa y sodio, así como a la lista de ingredientes. Usted también debería hacerlo. Para saber exactamente lo que está comiendo, tiene que saber exactamente lo que está comprando.

Estos son algunos de los alimentos que aprueban nuestro examen de las etiquetas y complacen nuestro paladar...

➤ **El pan nuestro de cada día.** En 1930, el abuelo de Ed Mafoud comenzó a hacer pan "pita" de Siria horneado a la piedra en su panadería de Brooklyn, Nueva York. Al correrse la voz, la demanda aumentó, y ahora, 80 años y tres generaciones más tarde, la panadería Damascus Bakeries, la cuna de "America's Original Pita", tiene distribución a nivel nacional y es un sueño hecho realidad para los diabéticos.

Venden un pan "pita" de harina integral con 10 carbohidratos "netos" (17 carbohidratos; siete fibras). Tiene un bajo índice glicémico, poca grasa y es absolutamente delicioso. Increíble, un pan "pita" entero de harina integral por sólo 10 carbohidratos netos. Disfrútelo con guacamole, ensalada de huevos o de atún o cualquier relleno bajo en carbohidratos.

Aunque los panes "pita" son sabrosísimos, nuestros preferidos son los enrollados Damascus Roll-Ups. ¡Nos encantan! Son rectángulos de pan sin levadura ("flatbread wraps"), en una selección de sabores que incluye pimienta (ají, "pepper") roja, cebolla, centeno ("rye"), focaccia y semillas de lino ("golden flax") totalmente naturales. Sus cantidades de carbohidratos, fibra y grasa son extraordinarias. Con seis carbohidratos netos por un Flax Roll-Up de proporciones considerables, puede usarlo para preparar un enrollado delicioso y diferente todos los días de la semana.

Busque los productos de Damascus Bakeries en su supermercado o mercado de alimentos naturales, y si no los tienen, pídale al gerente que los solicite, o llame usted al 800-FOR-PITA (367-7482) para encontrar una tienda en su zona que los venda.

Este es un testimonio no solicitado: "No es frecuente que yo (Joan Wilen) encuentre un alimento apto para diabéticos que permita que la planificación y la preparación de las comidas sean sencillas y cómodas, a la vez que me inspira a ser creativa en la cocina. Los enrollados y panes 'pita' de Damascus Bakeries logran eso para mí".

Para ver la línea completa de Damascus Bakeries, visite *www.damascusbakery.com*.

➤ **Salba –el alimento (y suplemento) casi perfecto.** La salba es un antiguo cereal integral, redescubierto por el Dr. Vladimir Vuksan, profesor de endocrinología y ciencias nutricionales de la facultad de medicina de la Universidad de Toronto. La revista *Total Health* informa que los estudios del Dr. Vuksan fueron evidencia irrefutable de que el consumo de la salba tiene como consecuencias simultáneas la reducción de la presión arterial, de la inflamación del cuerpo y de la coagulación de la sangre, a la vez que equilibra el azúcar en la sangre después de comer. (Para mayor información acerca de la salba, consulte el capítulo "Le hace bien al cuerpo", página 298, y visite *www.salba.com* o llame al 888-899-3779.)

➤ **Comida rápida saludable.** Yves Potvin, chef y fundador de Gardein (Garden Protein) tiene una pasión y placer de toda la vida –brindarle a la gente alimentos saludables, innovadores y convenientes a base de plantas y similares a la carne.

Gardein proporciona dos líneas: alimentos frescos que se encuentran en las secciones de comida refrigerada, y alimentos congelados que se encuentran en (¡lo adivinó!) las secciones de comida congelada.

Estas comidas fáciles de preparar son ricas en proteínas vegetales y bajísimas en carbohidratos, fáciles de digerir y sin colesterol, productos animales ni lácteos. La mayoría son además una buena fuente de fibra y bajas en grasa... ah, sí, y son muy sabrosas.

Fíjese si su supermercado y su mercado de alimentos naturales tienen Gardein (en algunas zonas tiene el nombre "It's All Good"), o visite el sitio web *www.gardein.com* y haga clic en "where to buy" ("dónde comprar") o llame al 877-305-6777.

➤ **Galletas GG Scandinavian Bran Crispbread –un buen acompañamiento.** Desde los hornos de cocción lenta de Noruega llega el producto de mayor contenido de salvado ("bran") disponible, la galleta GG Scandinavian Bran Crispbread. Contiene pocos carbohidratos, mucha fibra, nada de grasa y es conocida como "la galleta que controla el apetito". Y ha sido aprobada por muchos expertos en diabetes.

Cada rebanada de la galleta Crispbread contiene tres gramos de carbohidratos, los cuales son neutralizados por sus tres gramos de fibra, y tan sólo 16 calorías. Es maravillosa como refrigerio –úntela con la salsa hummus, cómala con una ensalada, unte o derrita queso sobre la misma.

Ahora la línea de productos incluye galletas trituradas llamadas GG Fiber Sprinkles. Estas galletas trituradas pueden agregar fibra a la comida y hacerla crujiente, y pueden usarse en recetas como un reemplazo rico en fibra y bajo en carbohidratos de las migas de pan o el pan rallado, como en la receta a continuación.

Busque GG Scandinavian Bran Crispbread en su supermercado, tienda de alimentos saludables o de alimentos naturales. Para ver recetas o para hacer un pedido en Internet, visite el sitio web *www.brancrispbread.com*.

➤ **Posibilidades de pasta.** En general, la pasta es prohibida a quienes cuentan sus carbohidratos, aunque la pasta hecha con trigo duro ("durum", pasta de harina integral) se supone que tiene sólo un efecto moderado en los niveles de azúcar en la sangre. La única manera de saber si da resultado para usted es probando una pequeña porción. Además, existen dos pastas bajas en carbohidratos que podrían satisfacer un antojo por pasta sin hacer aumentar peligrosamente los niveles de azúcar en la sangre... si se consumen con moderación, por supuesto. Ambas tienen gran sabor y textura. Pruebe cada una y controle el azúcar en la sangre dos horas después de comerlas para ver cuál, o si ambas, le dan resultados.

- **Pasta FiberGourmet Light** –En la empresa Fiber-Gourmet la tecnología reemplaza los ingredientes como harina por fibra sin caloría alguna, lo que resulta en una reducción del 40% de calorías. Normalmente esto haría que la comida fuese fibrosa y no muy sabrosa, pero logran agregar toda esa fibra sin arruinar el sabor ni la textura, gracias a una fibra llamada *almidón resistente*, la cual la agencia federal Food and Drug Administration (FDA) clasifica como fibra. Es lo mejor de lo mejor –tiene el sabor del almidón, pero actúa como la fibra. Su cuerpo es además capaz de tolerar el almidón resistente mucho mejor que otras fibras. Mientras que la mayoría de las fibras a base de celulosa producen gas e hinchazón, el almidón resistente en todos los productos de FiberGourmet perjudica el estómago. Una porción satisface... lo que siempre es positivo, especialmente si desea bajar de peso.

Fíjese en la tienda de alimentos saludables o naturales de su localidad si tienen FiberGourmet, o visite *www.fibergourmet.com* para conocer la variedad de formas y sabores, y para hacer pedidos, o llame al 786-348-0081.

• **La pasta de marca Dreamfields** contiene cinco gramos de carbohidratos digeribles por porción (dos onzas de pasta seca –55 g– o aproximadamente entre una y 1 ½ **taza cocida).** Tiene además el doble de fibra y el índice glicémico 65% menor que la pasta blanca tradicional. Todo esto se traduce en un aumento menor de la glucosa en la sangre después de comer la pasta Dreamfields, en comparación con comer la misma cantidad de pasta blanca tradicional.

Fíjese en su supermercado y su tienda de alimentos naturales si tienen Dreamfields, o visite el sitio web *www.dreamfieldsfoods.com* o llame al 800-250-1917.

➤ **Chocolate.** Los diabéticos no tienen que perderse los muchos beneficios del chocolate oscuro, incluyendo la reducción del colesterol "malo" LDL y de la presión arterial y la prevención de los coágulos de sangre. Además de que la *serotonina* del chocolate oscuro es un antidepresivo natural que estimula el estado de ánimo, y que la producción de endorfinas induce el placer, no podemos ignorar el gran sabor del chocolate. La clave es –todos juntos a voz alta– *la moderación*. Asegúrese de que el chocolate oscuro que consuma tenga un mínimo de 70% de cacao.

• **YC Chocolate vende una línea de chocolate oscuro sin azúcar (70% de cacao)** desarrollada por una hija cuyo padre diabético tiene afición a los dulces. Tienen una maravillosa selección de barras, incluyendo nuestras preferidas –la barra de chocolate oscuro con almendras ("almonds") enteras tostadas y la barra de chocolate oscuro con trozos verdaderos de naranja. También ofrecen maravillosos regalos. Para mayor información, visite el sitio web *www.ycchocolate.com* o llame al 800-433-2462.

• **En la mayoría de los sitios donde se venden barras de chocolate,** incluyendo los supermercados, encontrará barras Lindt Excellence Extra Dark (entre 70% y 85% de cacao). Contienen un poco de azúcar, pero la cantidad de carbohidratos es bastante baja y el sabor es bueno. Opte por la barra con 85% de cacao y limite la cantidad que come a la vez.

➤ **Una comida de emergencia.** Para las noches cuando no puede ir al supermercado, llega a su casa más tarde de lo que pensaba y está hambriento, tenga siempre al menos una comida que pueda sacar del congelador, calentar rápidamente en el microondas y cenar en pocos minutos.

Nuestro plato de la desesperación es una comida de la India, Tandoor Chef's Kofta Curry (*www.deepfoods.com/Tandoor-Chef.asp*). Lleva cinco minutos preparar y se vende en algunos supermercados y mercados de alimentos naturales. Estas bolas de masa ("dumplings") de verduras hervidas a fuego lento en una salsa picante contienen pocos carbohidratos y combinan bien con coliflor (también lo tenemos en nuestro congelador) en lugar de arroz o puré de papas.

Si prefiere su propia comida casera, la próxima vez que prepare una, haga de más y congele una o dos porciones para guardar como su comida de emergencia.

Remedios caseros del Dr. Mao

El Dr. Maoshing Ni (conocido como Dr. Mao – *www.askdrmao.com*), doctor en medicina china, experto taoísta en antienvejecimiento (*www.taoofwellness.com*) y cofundador de la Universidad Yo San en Los Ángeles, gentilmente aceptó compartir algunos consejos para comer que son buenos para los diabéticos. Son de su libro, *Secrets of Self-Healing* (Avery)...

➤ **Calabaza "pumpkin" al horno.** Coma una rebanada de calabaza "pumpkin" al horno cubierta con aceite de oliva y romero ("rosemary") todos los días.

➤ **Sopa.** Hierva media col (repollo, "cabbage") mediana picada, un ñame ("yam") cortado en cubitos y un tercio de taza de lentejas en ocho tazas de agua por entre 30 y 45 minutos. Condimente ligeramente con hierbas y especias y coma como sopa para la cena. Coma este plato de dos a tres veces a la semana durante un mes.

➤ **Jugo.** Extraiga el jugo de un rábano japonés "daikon", tres tallos de apio ("celery"), un pepino ("cucumber") y un atado de espinacas. Beba dos vasos al día.

Terapia con gemas

En su libro *Gifts of the Gemstone Guardians* (Golden Age Institute), Michael Katz, autoridad principal en gemas terapéuticas, informa sobre la medicina energética. Este nuevo campo usa la energía liberada por las gemas para curar, nutrir e iluminar todos los aspectos de nuestras vidas.

Según Michael Katz, las gemas para ayudar con la diabetes son...

- **Cornalina ("carnelian")**
- **Citrino ("citrine")**
- **Venturina verde oscuro ("aventurine")**
- **Venturina verde claro**
- **Esmeralda ("emerald")**

Esto es mucho más complicado que simplemente andar con un trozo de la piedra apropiada. Gemisphere, fundada en 1988 por Michael Katz, se considera un proveedor de clase mundial de gemas de calidad terapéutica. Visite su sitio web (*www.gemisphere.com*) para obtener mucha información útil acerca de cómo elegir y usar las gemas, o llame al 800-727-8877 para obtener una consulta gratis con un consejero sobre gemas.

Sitios web que valen la pena visitar para diabéticos

➤ **Nutrition Data** (*www.nutritiondata.com*) puede ayudarlo a analizar su dieta, desarrollar recetas y planificar comidas según su manera específica de comer. Este sitio web lo ayudará a calcular todo lo que tenga que ver con comida. Por ejemplo, usted puede generar una lista de alimentos bajos en carbohidratos. Hay además una sección especial sobre diabetes con consejos y herramientas para un mejor control del azúcar en la sangre.

➤ **Carbs Information** es un sitio extraordinario (*www.carbs-information.com*). Cuando entre al sitio, prepárese para pasar tiempo explorando todo lo que proporciona. Cubre todo lo relacionado con carbohidratos –dietas bajas en carbohidratos, consumo de carbohidratos, control del azúcar en la sangre, fibra alimentaria y mucho más.

➤ **¡Únase a la conversación!** Forme parte de una comunidad sobre diabetes en Internet. Los tableros de discusión sobre la diabetes del Joslin Diabetes Center (*www.joslin.org*) le ofrecen una oportunidad de comunicarse con otros diabéticos y sus familias y también con el personal clínico del centro Joslin. Ahí usted puede aprender más acerca de la diabetes, encontrar apoyo y descubrir nuevas maneras de enfrentar los muchos desafíos que presenta la diabetes.

➤ **The Partnership for Prescription Assistance** (*www.helpingpatients.org*) ayuda a los pacientes sin cobertura de medicamentos recetados a obtener los medicamentos que necesitan gratis o casi gratis. Su misión es aumentar la conciencia sobre los programas de asistencia a los pacientes y estimular la inscripción de quienes reúnan los requisitos.

➤ ***DiabetesHealth*** (*www.diabeteshealth.com*) es una revista cuyo lema es "Investigar, informar, inspirar". Échele un vistazo.

➤ **Diabetes Action: Research and Education Foundation** (*www.diabetesaction.org*). ¿Tiene una pregunta? Pregúntele a su "Educador sobre diabetes".

➤ **dLife for Your Diabetes Life!** (*www.dlife.com*) es el sitio web del programa de televisión *dLifeTV*. Contiene una gran cantidad de buena información, miles de recetas aptas para diabéticos, recursos y más.

➤ **DiabetesMonitor** (*www.diabetesmonitor.com*) proporciona información, consejos, recursos y apoyo para los diabéticos y sus familias, así como para educadores sobre diabetes y otros profesionales de la salud.

➤ **Children with Diabetes** (en *www.childrenwithdiabetes.com*) es un sitio premiado que ayuda a los niños diabéticos y sus familias a aprender acerca de todos los aspectos de la enfermedad. Incluye ensayos escritos por jóvenes con diabetes y "Pregunte al equipo de la diabetes", que permite a los usuarios hacer preguntas a expertos y recibir respuestas personales.

➤ **Nick Jonas, de los hermanos Jonas,** se ha unido a la empresa farmacéutica Bayer para ayudar a combatir la diabetes de comienzo juvenil (tipo 1). Si bien el sitio web de Nick (*www.nickssimplewins.com*) contiene información sobre diabetes y alguna información sobre los productos de Bayer, principalmente es una conexión con este popular joven famoso que está haciendo un gran trabajo en ser un modelo a seguir para los jóvenes diabéticos.

➤ **La American Diabetes Association** (*www.diabetes.org*) tiene una variedad de información para educar a los diabéticos y a los padres de niños diabéticos. Según su misión (prevenir y curar la diabetes y mejorar las vidas de todas las personas afectadas por la diabetes), la organización ofrece paquetes informativos gratuitos para los diabéticos recientemente diagnosticados y cajas gratuitas de herramientas educativas para los niños recién diagnosticados. Para solicitar un paquete, llame al 800-DIABETES (342-2383).

Lectura recomendada

Fíjese en esta lista de libros para tener una idea de la variedad de información, programas y orientación disponible para usted...

➤ ***Reversing Diabetes–Reduce or Even Eliminate Your Dependence on Insulin or Oral Drugs*** de Julian Whitaker, MD (Grand Central Publishing). En *www.whitakerwellness.com*, el Dr. Whitaker lo ayuda a tomar decisiones sobre su estilo de vida con un plan paso a paso y fácil de seguir para la diabetes tipo 2 que también lo ayudará a perder peso y disminuir el colesterol, la presión arterial y el riesgo de un ataque al corazón.

➤ ***Diabetes Survival Guide–Understanding the Facts About Diagnosis, Treatment, and Prevention*** de Stanley Mirsky, MD, y Joan Rattner Heilman (Ballantine Books). Este libro puede responder muchas de sus preguntas y darle sugerencias razonables y fáciles de seguir acerca de qué, cuándo y cuánto comer –incluyendo opciones sabrosas.

➤ ***Beat Diabetes Naturally–The Best Foods, Herbs, Supplements and Lifestyle***

Strategies to Optimize Your Diabetes Care de Michael Murray, ND, y Michael Lyon, MD (Storey). La meta de este libro es ayudarlo a equilibrar el azúcar en la sangre, perder libras de más, mejorar la eficacia de los medicamentos y reducir su riesgo de complicaciones.

➤ ***The 30-Day Diabetes Miracle*** de Franklin House, MD, Stuart A. Seale, MD, y Ian Blake Newman (Perigee Books). Este libro se basa en el programa del Lifestyle Center of America (*www.fullplatediet.org/stopping-diabetes*) para detener la diabetes, restaurar la salud y lograr una vitalidad natural. Los autores afirman que no hay mejor tratamiento que la modificación del estilo de vida.

➤ ***The Complete Idiot's Guide to Diabetes*** (segunda edición) de Mayer B. Davidson, MD, y Debra L. Gordon (Alpha Books). Odiamos el título, pero nos encanta el libro. Es una guía completa para las personas que padecen prediabetes y diabetes.

➤ ***Dr. Bernstein's Diabetes Solution*** (revisado y actualizado) de Richard K. Bernstein, MD (Little Brown and Company). Como diabético tipo 1 por más de 60 años, el Dr. Bernstein es una prueba viviente de que su programa sencillo, basado en una buena nutrición, ejercicio saludable y (de ser necesario) pequeñas dosis de medicación, puede detener los cambios bruscos del azúcar en la sangre y estimular la buena salud.

➤ ***The 30-Day Diabetes Cure*** de Stefan Ripich, ND, y Jim Healthy (Jim Healthy Publications). Un programa para revertir la diabetes comprobado por los pacientes que es el doble de eficaz que el medicamento principal para la diabetes tipo 2. Con este libro, fácil de leer y económico, muchas personas han bajado de peso y dejado de tomar su medicación.

DIARREA

Aunque sea difícil de creer, un ataque ocasional de diarrea puede ser algo bueno. La diarrea es la manera del cuerpo de limpiarse a sí mismo cuando obviamente lo necesita. Por esta razón, algunos profesionales de la salud piensan que se debería esperar entre seis y ocho horas antes de hacer algo para detener la afección. (¡Sí, claro, es fácil decirlo para ellos!).

La diarrea puede ser causada por una intoxicación alimentaria leve, intolerancia a la lactosa (una reacción alérgica a la leche), una infección bacteriana menor, fatiga, estrés, comer en exceso o comer estando disgustado o muy nervioso.

Sea cual sea la razón de esta afección, causa agotamiento y deshidratación. Durante un ataque de diarrea, usted pierde fluidos que contienen electrolitos –minerales valiosos incluyendo potasio, cloruro, sodio, magnesio y calcio. Es una buena idea comprar una de las bebidas para deportistas o agua embotellada que contenga electrolitos para reemplazar esos minerales perdidos y restablecer el equilibrio de sus nutrientes rápidamente. Fíjese en las etiquetas de la sección de agua embotellada del supermercado.

Además, asegúrese de beber mucha agua durante el ataque de diarrea y también después. Consuma alimentos ricos en los nutrientes perdidos –cereales integrales, papas con la cáscara, bananas maduras y verduras de hojas verde oscuro ligeramente cocidas.

Dele a su organismo una oportunidad de recuperarse –no lo ponga a prueba con alimentos grasos, azúcar y productos de azúcar, alimentos hechos con harina blanca, leche y otros productos lácteos.

Ahora que usted posee un entendimiento del problema, a continuación le ofrecemos una selección de remedios para ayudarlo a resolverlo.

ATENCIÓN: Si todavía tiene diarrea después de dos días enteros de tomar un remedio, consulte con su profesional de la salud para asegurarse de que no sea un síntoma de otra cosa que requiera asistencia adicional.

➤ **Destructor de bacterias.** Si piensa que la diarrea es causada por bacterias perjudiciales, beba una cucharada de vinagre de sidra de manzana ("apple cider vinegar") en un vaso de agua a temperatura ambiente antes de cada comida. Además, haga una cita con su médico.

➤ **Remedio clásico tradicional.** Prácticamente cualquier tipo de mora ("blackberry") es el ingrediente principal de un remedio para la diarrea que se remonta a la época bíblica. Tome una dosis cada cuatro horas de seis onzas (175 ml) de jugo de moras, o dos onzas (60 ml) de vino de moras, o una cucharadita colmada de mermelada de moras, o dos cucharadas de brandy de moras.

➤ **Consuma mucha pectina.** Las manzanas son maravillosas para detener la diarrea. Lave una manzana según las instrucciones del capítulo "Consejos saludables", página 321. Luego ralle la manzana y déjela a un lado hasta que se vuelva marrón. En otras palabras, está dejando que la pectina de la fruta se oxide, duplicando el ingrediente básico en algunos medicamentos populares de venta libre para la diarrea. Una vez que la manzana rallada se vuelva marrón, cómala.

La canela ("cinnamon") también es útil para detener la diarrea, y tiene buen sabor. Espolvoree un cuarto de cucharadita de canela en polvo sobre la manzana rallada.

Espere algunas horas y luego coma otra manzana rallada con o sin canela.

➤ **Algarroba ("carob").** La fibra insoluble en nuestra dieta ayuda a producir deposiciones más grandes, más blandas y de mayor volumen. La algarroba (frecuentemente usada como una alternativa al chocolate y para reemplazar el cacao al hornear) es una fibra insoluble. Es eficaz en el tratamiento de la diarrea porque los taninos de la algarroba se unen y desactivan las toxinas e inhiben el crecimiento de bacterias, pudiendo ser ambos la causa de la diarrea.

Mezcle una cucharada colmada de algarroba en polvo (disponible en tiendas de alimentos saludables) en un vaso grande de agua tibia y bébalo antes de cada comida. Para que la algarroba sea eficaz, es importante tomarla con mucha agua.

➤ **Acupresión.** Acuéstese, relájese y tome la base de la palma de la mano y póngala sobre el ombligo. Presione y, con un movimiento circular, masajee la zona por unos minutos. Debería ayudar a que se sienta mejor.

Diarrea del viajero

➤ **Prevención de la diarrea del viajero.** En los países extranjeros, siempre que sea posible, beba agua con gas embotellada en vez de agua sin gas embotellada. La gasificación ayuda a matar los microbios que causan infecciones y que pueden provocar diarrea o algo peor. Además, es una buena idea tomar probióticos cuando esté viajando para prevenir la diarrea.

➤ **Un remedio de las agencias de salud internacionales** Worldwide Health Agencies y la agencia estadounidense US Health Services para cuando está viajando fuera del país y tiene diarrea. Necesita dos vasos. En un vaso vierta ocho onzas (235 ml) de agua destilada y agregue un cuarto de cucharadita de bicarbonato de soda ("baking soda"); en el otro vaso vierta ocho onzas de jugo de naranja, o cualquier jugo de fruta, y agregue media cucharadita de miel y una pizca de sal. Beba un trago de un vaso, y luego del otro vaso. Siga bebiendo de uno y otro vaso hasta que termine el contenido de ambos, sabiendo que el alivio está por llegar.

AFIRMACIÓN

Repita esto cada vez que vaya al baño y justo antes de hacer una llamada telefónica...

Me acepto como la persona perfecta que soy. Mi mente y mi cuerpo están en armonía con el universo.

DIENTES, ENCÍAS Y BOCA

Julio César, Aníbal y Napoleón tenían algo original en común. Todos nacieron con un diente en la boca. ¿Se lo imagina? Un bebé de tres meses con un problema de placa. La probabilidad de que un niño nazca con un diente a la vista es de una en 2.000.

Un conjunto completo consiste de 32 dientes. El adulto promedio en edad de trabajar tiene unos 24 dientes. Y cuando ese adulto cumple 65 años, ha bajado a un promedio de 14 dientes. Más de la mitad de los mayores de 17 años están en las etapas tempranas de algún tipo de enfermedad de las encías. Pero estas son estadísticas que podemos controlar con el cuidado adecuado de los dientes y las encías.

NOTA: No se pierda "Limpieza interna con aceite" en el capítulo "Le hace bien al cuerpo", página 279. ¡No se olvide!

Los niños deberían someterse a una revisión dental cada seis meses; los adultos deberían visitar al dentista una vez al año. Mientras tanto, aquí tiene sugerencias hasta que vaya al dentista, incluyendo consejos sobre cómo cuidar los dientes y encías (tenga en cuenta que estos remedios no tienen el objetivo de reemplazar al dentista)...

Dientes

Alivio del dolor de dientes

Para aliviar el dolor de dientes mientras espera la cita con el dentista, puede intentar uno de estos remedios...

➤ **Lima (limón verde, "lime").** Sumerja una bolita de algodón ("cotton ball") en jugo de lima recién exprimido y póngala sobre el diente que le duele.

➤ **Esencia de canela ("cinnamon oil").** Masajee la zona dolorida con esencia de canela.

➤ **Mostaza ("mustard").** Ponga un poco de mostaza o espolvoree mostaza en polvo sobre una pequeña cantidad de mantequilla de maní ("peanut butter"). Coloque, con el lado de la mostaza hacia abajo, sobre el diente que le duele. La mantequilla de maní mantiene la mostaza en el lugar.

ADVERTENCIA: La mostaza puede quemar las membranas mucosas en la boca.

➤ **Enjuague bucal con semillas de ajonjolí.** Cuando tenga un dolor de diente y encías inflamadas, muela media taza de semillas de ajonjolí (semillas de sésamo, "sesame seeds") y póngala en una olla pequeña con una taza de agua. Hierva hasta que tenga alrededor de media taza de agua. Luego cuele y descarte las semillas, y use el líquido como enjuague bucal para aliviar el dolor y la hinchazón.

➤ **Áloe vera.** Exprima el gel de la hoja de una planta de áloe vera directamente sobre el diente. Siga haciéndolo hasta que el dolor desaparezca por completo, la planta desaparezca o sea la hora de ir al dentista.

➤ **Rábano picante o ajo.** Se afirma que este remedio inusual da resultado con rábano picante ("horseradish") o ajo. Ralle un trozo de dos onzas (55 g) de rábano picante fresco, envuelva cada onza por separado en pedazos dobles de estopilla ("cheesecloth") y póngalos en el pliegue del codo de cada brazo hasta que el dolor de diente desaparezca. Si prefiere ajo, pele y pique dos dientes de ajo y envuelva cada uno por separado en pedazos dobles de… pues, usted ya sabe el resto.

En realidad, un trozo de rábano picante o ajo colocado directamente sobre el diente problemático también puede aliviar el dolor.

ADVERTENCIA: El ajo puede quemar las membranas mucosas en la boca.

➤ **Cataplasma de milenrama (aquilea, "yarrow").** Deje en remojo una cucharadita colmada de milenrama (disponible en herboristerías o consulte "Recursos", página 350) en unas pocas onzas (digamos 100 ml) de agua recién hervida. Después de un minuto, cuele y descarte el líquido y con la hierba húmeda prepare una cataplasma ("poultice") diminuta en un pequeño pedazo de estopilla ("cheesecloth") para colocar sobre el diente dolorido.

Minimice el dolor del tratamiento dental y estimule la curación

La mala noticia es que necesita un procedimiento dental. La buena noticia es que hay varias cosas que puede hacer para ayudar a reducir el dolor y acelerar la curación…

ALGO ESPECIAL

¡Hablando con descaro!

Si es como nosotras, su madre lo amenazaba ocasionalmente con "¡Te voy a lavar la boca con jabón!". Si hubiéramos sabido entonces lo que sabemos ahora, le hubiéramos permitido hacerlo y luego le hubiéramos dicho: "Gracias, Mami".

Hace varios años, después de la primera vez que Joan se cepilló los dientes con jabón dental de marca Tooth Soap (Vitality Products), sus encías dejaron de sangrar. Esto hizo que ambas instantáneamente nos cambiáramos de la pasta dental común al jabón dental hecho con ingredientes puros y saludables.

Unas pocas gotas del líquido en su cepillo húmedo y en meros segundos estará haciendo espuma por la boca… ¡de una buena manera! Luego, después de enjuagarse un par de veces, los dientes y encías se verán y sentirán maravillosamente limpios y más sanos.

Vale la pena hacer la prueba, especialmente porque la empresa ofrece una garantía con devolución del dinero. Tooth Soap viene en varios sabores, y se vende en tiendas de alimentos saludables, y también en el sitio web *www.toothsoap.com* o llamando al 503-723-6299.

➤ **Antes.** Comenzando una semana antes del tratamiento inicial del dentista, tome 10 mg de vitamina B-1 (tiamina) diariamente.

➤ **Antes y después.** Tome 500 mg de bromelaína tres veces al día con el estómago vacío. La bromelaína, la enzima que contiene la piña (ananá, "pineapple"), es un poderoso agente antiinflamatorio que digiere proteínas y se usa para aliviar la inflamación y acelerar la curación del tejido.

ADVERTENCIA: La bromelaína NO se recomienda para personas con alergia a la piña, o con gastritis o úlcera gástrica o péptica activa. Además, las personas que toman medicamentos anticoagulantes como la warfarina deberían consultar con su médico antes de consumir bromelaína.

Si la bromelaína se toma con comida, actuará más como una enzima digestiva que como un antiinflamatorio.

➤ **Después.** Una vez que haya terminado el tratamiento dental o una cirugía oral importante, mezcle una cucharadita de clorofila ("chlorophyll") líquida en media taza de agua y suavemente enjuague la boca con el líquido. Tragar o escupir –la opción es suya. Realice este proceso de tres minutos seis veces al día para aliviar la incomodidad y acelerar la curación.

➤ **Después.** Masajee las encías con esencia de menta piperita ("peppermint oil"), cubriendo la zona del diente que fue tratado. Es posible que tenga que hacer esto cada pocas horas hasta que el dolor desaparezca.

Prevención de las caries

La siguiente información entra en la categoría de las cosas que no se saben desde el nacimiento... quizá en la categoría de las cosas que me pudieran haber dicho antes... bueno, al pensarlo bien, quizá se trate de la categoría de las cosas que preferiría no saber...

➤ **Cuidado con los cítricos.** No chupe un limón, ni ninguna otra fruta cítrica. Pueden gradualmente disolver el calcio de los dientes. Después de comer una naranja, toronja, limón o mandarina, o después de beber cualquier tipo de bebida cítrica, enjuague la boca con agua... y luego vuélvase a enjuagar.

➤ **Cuidado con las bebidas cola.** El esmalte de los dientes pierde minerales y se vuelve más blando a los cinco minutos de beber un refresco cola.

➤ **¡Las pasas de uva ("raisins") son peores que las golosinas!** El boletín *Journal of the American Dental Association* publicó los resultados de un estudio que afirma que las pasas de uva se pegan a los dientes y, por lo tanto, causan más caries que todos los otros refrigerios comunes, y más que el caramelo, "fudge", chocolate y galletitas. Por lo tanto, después de comer pasas de uva, asegúrese de cepillarse los dientes para prevenir caries.

➤ **Prevención de la formación de placa.** Las bacterias y las partículas de comida en la boca forman placa. La placa, si no se quita cepillando en forma habitual, se acumula y causa caries, problemas en las encías y mal aliento. *Aparte de cepillarse y usar hilo dental ("dental floss") asiduamente, aquí hay algunos repelentes de la placa que puede beber y comer después de las comidas...*

- **Coma una manzana.**
- **Consuma algunas fresas (frutillas, "strawberries")...** ¡no las bañadas en chocolate!
- **Coma quesos añejados,** especialmente después de consumir alimentos dulces o bebidas cola. El queso debe ser queso añejado ("aged") –queso "cheddar", suizo, "Monterey Jack" son los mejores. Comer media onza (225 g) es adecuado.
- **Beba té verde.** Es un gran antioxidante y benéfico de muchas maneras, incluyendo como repelente de la placa.
- **Mastique goma de mascar sin azúcar** ("sugarless gum") por al menos 10 minutos después de haber comido. Producirá saliva que compensará el ácido de la placa. Según investigadores

en la facultad de odontología de la Universidad de Indiana, las probabilidades de que se carien los dientes disminuyeron en un promedio del 72% cuando los pacientes masticaron goma de mascar después de comer.

Rechinamiento de los dientes

Cuando Kenneth R. Goljan, DDS, comenzó la práctica de odontología, el rechinamiento de los dientes (bruxismo, "teeth grinding") era un problema para los pacientes ancianos. Al pasar los años, los pacientes con el problema fueron cada vez más jóvenes. Ahora, casi 40 años más tarde, el rechinamiento de los dientes es un problema que prevalece entre los preadolescentes.

El dentista cree que este problema se relaciona con el estilo de vida actual de mucho estrés. Además, mirar las noticias en la televisión poco antes de acostarse alimenta nuestra inseguridad e incrementa nuestro estrés autogenerado.

Muchos expertos están de acuerdo con el Dr. Goljanen que el estrés podría ser la clave para determinar la causa del bruxismo.

El sistema "siete por siete" del Dr. Goljan puede ayudar a poner fin al problema. Ha sido comprobado, ajustado y usado con éxito durante muchos años. Sígalo exactamente como está escrito aquí.

En sus propias palabras, anote las respuestas a estas cuatro preguntas –haga que las respuestas sean sencillas...

1. **¿Cuál es el problema exactamente?** (*Ejemplo de respuesta:* "el rechinamiento de los dientes es malo para mí").
2. **¿Por qué es esto un problema?** (*Ejemplo de respuesta:* "Me causa dolor y me pone de mal humor").
3. **¿Qué va a hacer acerca del problema?** (*Ejemplo de respuesta:* "No rechinaré más los dientes").
4. **¿Por qué quiere hacer algo acerca del problema?** (*Ejemplo de respuesta:* "Esto hará que el dolor desaparezca y seré más feliz").

Estudie sus cuatro respuestas; analícelas, y cuando esté seguro de que no hay ningún doble sentido o significado oculto que su subconsciente pueda elegir y actuar en consecuencia, entonces memorícelas. Aquí es donde entra el "siete por siete". Usted debe decir sus cuatro respuestas siete veces seguidas, siete veces al día.

Según el Dr. Goljan, los mejores momentos para decir las respuestas: (1) el desayuno, (2) entre el desayuno y el almuerzo, (3) el almuerzo, (4) entre el almuerzo y la cena, (5) la cena, (6) entre la cena y la hora de acostarse, (7) la hora de acostarse.

La situación ideal es que usted esté en un ambiente cómodo y que diga las palabras en voz alta, con emoción. Si esto no es posible, entonces susurre las palabras. Si esto también es inconveniente, entonces haga lo mejor que pueda.

Siete por siete da resultados. (Muchos de los pacientes del Dr. Goljan han obtenido resultados positivos en cuestión de días). Debería repetir las cuatro respuestas por lo menos siete veces seguidas, siete veces al día; hacerlo más de siete veces podría lograr que sea aun más eficaz.

Una vez que deje de rechinar los dientes, puede abandonar el sistema siete por siete. Pero debe darse cuenta de que el patrón incorrecto siempre estará en su subconsciente. Si se da la oportunidad –durante condiciones estresantes, por ejemplo– este viejo patrón podría aparecer nuevamente. Es por esta razón que el Dr. Goljan sabiamente sugiere que haga uno o dos días de siete por siete cada dos semanas, o quizá una vez al mes para reforzar la nueva programación.

Si el sistema siete por siete del Dr. Goljan le da resultados, puede aplicarlo a todos los aspectos problemáticos de su vida.

Rechine menos los dientes, duerma mejor: A la hora de acostarse, masque dos tabletas masticables de calcio. Verifique que la etiqueta indique "chewable" (masticable). Asegúrese de contar este calcio como parte de su suplemento total de calcio del día.

Encías

Para beneficiar las encías, lea "Limpieza interna con aceite" en el capítulo "Le hace bien al cuerpo", página 279. *Además, intente estos remedios...*

Gingivitis

Gracias a los anuncios de la televisión, "gingivitis" se ha vuelto una palabra común para una afección aun más común. Si padece gingivitis –encías enrojecidas, inflamadas y sangrantes–, existen tratamientos que pueden ayudar. Todas las hierbas, tinturas y vitaminas que se mencionan a continuación están disponibles en tiendas de alimentos saludables. Para obtener resultados positivos, debe persistir diariamente –por la mañana, al mediodía (de ser posible) y por la noche...

➤ **Ajo y perejil ("parsley").** Existe una combinación de extractos de ajo y perejil en cápsulas. Tome dos cada cuatro horas por al menos tres días.

ADVERTENCIA: Consumir ajo con el estómago vacío puede causar náuseas. Siempre consuma algo antes de consumir ajo o tomar cápsulas. Además, tenga cuidado con el ajo si padece gastritis.

➤ **Caléndula.** Es una hierba curativa, relacionada con árnica, manzanilla ("chamomile") y milenrama (aquilea, "yarrow"). Agregue una cucharadita de tintura ("tincture") de caléndula a dos cucharadas de agua. Manténgala en la boca por tres minutos, y luego escúpala. Hágalo dos o tres veces al día, comenzando a primera hora por la mañana y a última hora por la noche.

➤ **Propóleos de abejas ("bee propolis").** Este compuesto milagroso es producido por las abejas al mezclar su saliva y enzimas digestivas con bálsamos y resinas reunidas de ciertos árboles. Use propóleos de abejas como pasta dental o disuelva cinco gotas de propóleos en medio vaso de agua y racione esta bebida lechosa durante todo el día.

ADVERTENCIA: Si sospecha que tiene sensibilidad a los productos de abejas, olvídese de este remedio y pruebe otro.

➤ **Vitamina C.** Además de cualquiera de los remedios anteriores, tome vitamina C (500 mg) dos veces al día.

Prevención del sarro dental

La placa, una película pegajosa e incolora de bacteria, se forma en los dientes durante el transcurso natural de la acción de comer. Para la mayoría de las personas, cepillarse y pasarse hilo dental ("dental floss") en forma habitual quita la placa antes de que se endurezca. El material endurecido se conoce como sarro dental ("tartar") y debe ser quitado por un profesional.

Para ustedes que cuidan mucho los dientes y encías –cepillándose siempre después de las comidas, usando hilo dental y masajeando las encías, además de evitar los alimentos dulces y consumir verduras y frutas crudas, firmes y fibrosas diariamente– pero igual tienen

TOME NOTA

El anuncio de un abogado en un periódico de Nueva York nos llamó la atención. El titular preguntaba: *¿Ha sufrido daños debido al zinc del fijador para dentadura postiza?*

Según el anuncio, cientos de personas han demandado a los fabricantes de fijador para dentadura postiza ("denture cream") por advertencias inadecuadas sobre los peligros del uso excesivo de zinc.

Intrigadas, rápidamente investigamos la historia... una historia que toda persona que use dentadura postiza debe conocer. Muchos fijadores para dentadura postiza aprobados por la agencia estadounidense Food and Drug Administration (FDA) contienen zinc. Con el uso constante durante un tiempo, el zinc puede disminuir los niveles de cobre en el cuerpo y eliminar otros minerales esenciales. Toda esta exposición al zinc puede causar *neurodegeneración* del sistema nervioso central y periférico. Según el anuncio del abogado, los síntomas del daño a los nervios son hormigueo en las manos, debilidad y entumecimiento en los brazos y piernas, dificultad al caminar y pérdida del equilibrio, y deterioro cognitivo o de la memoria.

Su profesional de la salud puede usar estos exámenes sencillos de sangre y orina para determinar si usted tiene un nivel alto de zinc –conteo de glóbulos rojos (RBC, por sus siglas en inglés) para zinc, RBC para cobre, prueba rápida de orina para zinc, prueba rápida de orina para cobre, análisis de sangre para ceruloplasmina.

Según una evaluación clínica detallada del grupo de pacientes de un estudio quienes tenían algunos de los síntomas causados por la exposición excesiva al zinc (y mencionados en el anuncio del abogado), los fijadores para dentadura postiza fueron la fuente del zinc en exceso. Todos tenían un historial de dentaduras postizas que no encajaban bien y requerían grandes cantidades de fijador.

La buena noticia es que los niveles de zinc y cobre se normalizaron después de que dejaron de usar el fijador para dentadura postiza que contenía zinc. Consulte "Algo especial –¡Ni piense en zinc!" en la siguiente página para mayor información.

acumulación de placa, aquí hay un consejo útil...

➤ **Píldoras de papaya (lechosa, fruta bomba).** Para ayudar a detener la formación del sarro dental que causa problemas, tome dos píldoras de papaya después de cada comida. Mantenga una píldora en cada lado de la boca y simplemente deje que se disuelvan. Pueden matar bacterias, eliminar el tejido muerto de las encías y también ayudar con la digestión.

Para las dentaduras postizas

➤ **Encías doloridas.** Masajee las encías doloridas con tintura de mirra ("myrrh tincture") disponible en las tiendas de alimentos saludables), o ponga media cucharadita de la tintura de mirra en una taza de agua tibia y úsela como un enjuague bucal.

➤ **Limpiador de dentadura postiza.** Mantenga su dentadura postiza limpia sumergiéndola durante la noche en una taza de vinagre

ALGO ESPECIAL

¡Ni piense en zinc!

Hemos encontrado un fijador para dentadura postiza que no contiene nada de zinc –Secure Denture Bonding Cream.

Funciona de una manera completamente distinta que otros fijadores para dentadura postiza, proporcionando una adhesión que no se quita lavando con agua. Produce una adherencia fuerte y duradera entre la dentadura postiza y las encías para prevenir deslizamientos y desprendimientos todo el día.

Esta marca no tiene ningún sabor y no altera el sabor de la comida. Además, como el adhesivo no se disuelve en agua, no experimentará la sensación desagradable de las partículas de adhesivo desprendiéndose de su dentadura y yendo al estómago. Debido a su potencia adhesiva, este fijador apenas se aplica, por lo que el tubo dura mucho tiempo. ¡Y no se olvide que no contiene nada de zinc!

Bioforce USA proporciona los más altos niveles de calidad, eficacia y seguridad disponibles en la actualidad. Seleccionan productos que ofrecen los mejores ingredientes naturales, desempeño excelente e investigación clínica como prueba de eficacia. Bioforce USA es el distribuidor exclusivo para Estados Unidos de Secure.

Mayor información: Para considerar la línea completa de productos, visite el sitio web *www.bioforceusa.com* o llame al 800-641-7555.

blanco destilado ("distilled white vinegar"). Enjuáguela bien antes de usarla.

➤ **Las dentaduras postizas y los gases.** Si tiene más gases de lo usual y no sabe por qué, verifique que las dentaduras postizas estén bien ajustadas. Las dentaduras postizas mal ajustadas pueden provocar que trague mucho aire, y de ahí provienen los gases adicionales.

➤ **Mantenga las dentaduras postizas bien ajustadas por más tiempo.** Después de usar la dentadura postiza por unos años, la mandíbula se encoge. Ese proceso de encogimiento puede alterar el ajuste adecuado de su dentadura postiza. Para hacer más lento y minimizar el encogimiento de la mandíbula, consuma alimentos ricos en vitamina D –harina de huesos ("bonemeal"), atún, sardinas, salmón, arenque ("herring"), bacalao ("cod"), leche y productos lácteos. Consuma también alimentos ricos en calcio –verduras verdes cocidas al vapor –berza ("collard greens"), diente de león ("dandelion"), y mostaza ("mustard")–, semillas de ajonjolí (de sésamo, "sesame seeds"), sardinas, queso "cheddar", queso suizo y algas marinas ("seaweed"). También puede complementar su dieta con vitamina D y calcio en cápsulas o en polvo. Pregúntele a su profesional de la salud acerca de la dosis adecuada para usted.

➤ **Cuándo debe ajustar la dentadura postiza.** Si la dentadura postiza no se ajusta bien, vaya al dentista. Podría ser algo tan sencillo como hacer que la dentadura sea revestida ("relined"). El revestimiento podría permitirle masticar cómodamente, lo cual mejorará la digestión, y sin duda usted disfrutará más de la comida.

Boca

Mal aliento

Si a usted le preocupa el mal aliento ocasional y sabe que no es un síntoma de indigestión, enfermedad de las encías ni ninguna otra cosa que no sea un mal aliento ocasional, estas sugerencias podrán ser de ayuda...

➤ **Perejil y vinagre.** Sumerja dos ramitas de perejil ("parsley") en vinagre blanco destilado ("distilled white vinegar") y mastique, mastique, mastique.

➤ **Esencia de menta piperita.** Mezcle tres gotas de esencia de menta piperita ("peppermint oil") en un vaso de agua tibia. Tome un trago, enjuague la boca y escúpalo. Tome otro trago, haga gárgaras y luego escupa. Siga haciéndolo hasta que termine con el vaso.

➤ **Semillas.** Masque bien algunas semillas de hinojo ("fennel"), de eneldo ("dill") o de anís ("anise"), y luego escúpalas o tráguelas.

➤ **Cepillado de la lengua.** Cada vez que se cepille los dientes, también cepille la lengua para quitar las bacterias, partículas diminutas de comida y toxinas. Use su cepillo de dientes o raspe la lengua con una cucharita o raspador comercial para la lengua ("tongue-scraper") que se vende en farmacias y tiendas de alimentos saludables. Una docena de cepilladas o raspadas desde el fondo hasta la punta deberían ser suficientes.

➤ **Yoga –simhasana (postura del león).** El yoga es una disciplina antigua que se originó en la India e implica ejercitar la mente y el cuerpo. Los ejercicios físicos se llaman *asanas*. En sánscrito, *simha* significa león y usted está a punto de aprender la *simhasana*, o sea el ejercicio de la "postura del león".

Tal vez debería realizar la simhasana en la privacidad de su propia casa. Aunque lo haga parecer feo, es muy benéfica.

Además de eliminar el mal aliento, también alivia la tensión en el pecho y la cara; ayuda a quienes balbucean o tartamudean; fortalece los músculos de la cara, la garganta y los ojos; alivia la vista cansada y ayuda a mantener la piel del cuello firme. ¿Pues, está listo para rugir como un león?

Paso Nº 1: Arrodíllese sobre el piso con las rodillas separadas entre seis y 12 pulgadas (entre 15 y 30 cm). Si tiene rodillas sensibles, arrodíllese sobre una manta o una colchoneta para hacer ejercicios ("exercise mat"). Si tiene problemas con las rodillas, siéntese en una silla y mantenga los pies planos sobre el piso bajo las rodillas.

Paso Nº 2: Si se pudo arrodillar, recuéstese con su perineo (trasero) descansando sobre los talones. Asegúrese de que la espalda y la cabeza estén erguidas.

Paso Nº 3: Presione las palmas de las manos sobre los muslos, cerca de las rodillas, y extienda bien los dedos.

Paso Nº 4: (Esto va a parecer complicado, pero no lo es. Hágalo lentamente la primera vez, de modo que pueda coordinar su respiración con la lengua, los ojos y un gran rugido). Inhale por la nariz, abra bien la boca, saque la lengua con la punta doblándose hacia abajo en dirección al mentón. Mientras hace esto, abra bien los ojos y fije la mirada en el espacio entre las cejas o en la punta de la nariz. Luego exhale por la boca, trayendo la respiración desde la parte de atrás de la garganta y dejando salir un fuerte sonido "raaaar", como el rugido de un león.

Paso Nº 5: Hágalo tres veces, luego descanse por un minuto, y si se siente con ganas, hágalo tres veces más.

Lo consultamos con varias fuentes y ninguna coincidió en el número de veces que se debe hacer la postura del león, o con cuánta frecuencia hacerla durante el día. Comience haciéndola dos o tres veces al día. Luego deje que su voz interna lo guíe. Es imposible tener una sobredosis de este ejercicio de yoga.

Boca seca

Éste es un problema incómodo para muchas personas. Lo que lo provoca más comúnmente es el uso de medicación, especialmente los antihistamínicos, y medicamentos para el tratamiento de la presión arterial elevada, la depresión y la enfermedad del corazón. Lea las etiquetas de los medicamentos recetados y de venta libre, y es probable que uno de los efectos secundarios posibles sea la boca seca. Si el medicamento que toma indica que la boca seca es uno de los posibles efectos secundarios y usted está experimentando boca seca, hable con su médico. Quizá el medicamento pueda cambiarse por algo tan eficaz como lo que está tomando, pero sin este problemático efecto secundario.

Mientras tanto, aquí tiene unas sugerencias para superar el problema de la boca seca...

➤ **Respiración por la nariz.** Haga un esfuerzo consciente por respirar por la nariz tanto como sea posible. Mientras se va quedando dormido, respire por la nariz y prográmese diciendo: "Dormiré con la boca cerrada y respiraré por la nariz".

➤ **Semillas.** Para humedecer la boca y ayudar a refrescar su aliento, masque las semillas que mencionamos en "Mal aliento" –hinojo ("fennel"), eneldo ("dill") y anís ("anise").

➤ **Goma de mascar.** Mastique goma de mascar sin azúcar edulcorada con xilitol. La clave es el edulcorante. Aparte de mantener la boca húmeda, el xilitol puede ayudar a disminuir la cantidad de bacterias que causan caries.

ADVERTENCIA: El xilitol puede causar gases y diarrea si se consume en cantidades excesivas. Además, es muy perjudicial para los perros. NUNCA permita que su cachorrito consuma ningún alimento que contenga xilitol.

➤ **Meriendas (refrigerios).** Estimule las glándulas salivales masticando tallos de apio ("celery"). Tienen alto contenido de agua y fibra buena –y pocas calorías.

➤ **Produzca saliva.** Muerda suavemente la lengua. En medio minuto debería ser capaz de producir suficiente saliva como para aliviar la sequedad.

➤ **Prohibidos.** El café y las bebidas alcohólicas son diuréticos y contribuirán a que la boca se seque. Redúzcalos o elimínelos por completo.

➤ **Enjuague bucal ("mouthwash").** La mayoría de los enjuagues bucales que se venden en las tiendas contienen alcohol como ayuda para eliminar las bacterias. Pero el alcohol es un agente secante que puede empeorar la boca seca. ¡Así que no use ningún enjuague bucal que contenga alcohol!

Prepare su propio enjuague bucal con hierbas. Haga hervir dos tazas y media de agua. Combine una cucharadita de romero ("rosemary") seco, una cucharadita de menta piperita ("peppermint") o menta verde ("spearmint") seca y una cucharadita de semillas de anís ("anise"). Agregue las hierbas al agua recién hervida. Tape y deje en remojo por 20 minutos. Cuele y vierta el líquido en un frasco de vidrio con tapa. Use como enjuague bucal o para hacer gárgaras.

DOLOR DE CABEZA

Un dolor de cabeza ocurre cuando pequeños vasos sanguíneos dentro del cráneo se dilatan y causan aumento de la presión. Esa presión es responsable de la sensación que conocemos como dolor de cabeza.

Hay dolores de cabeza tensionales, dolores de cabeza por sinusitis, dolores de cabeza por resaca, dolores de cabeza por "no quiero tener relaciones sexuales", dolores de cabeza causados por comer demasiado, estreñimiento, resfriado o gripe, tensión ocular, alergias, y todo lo demás que se le pueda ocurrir. ¡Helado! –sí, algunas personas incluso tienen dolor de cabeza cuando comen un helado muy frío. Ése es un dolor de cabeza fácil de prevenir para casi toda la gente. ¡No coma helado muy frío! Otra prohibición: absténgase de la goma de mascar. El movimiento constante puede tensionar los músculos, lo que puede causar un dolor de cabeza tensional.

Remedios para el dolor de cabeza

Con la ayuda de los siguientes remedios, podría ser capaz de deshacerse de un dolor de cabeza antes que pueda decir "ácido acetilsalicílico".

➤ **¡Póngase sexy!**, como canta Justin Timberlake. Si no quiere tener relaciones sexuales porque realmente tiene un dolor de cabeza, esto es lo irónico… tener relaciones sexuales con orgasmo libera *endorfinas* que pueden hacer que el dolor de cabeza desaparezca por completo.

➤ **Comience bebiendo un vaso de agua.** La deshidratación es una causa importante del dolor de cabeza. El agua es necesaria para el envío de vitaminas, minerales, azúcares, hormonas, enzimas y otras sustancias importantes a donde se necesitan en el cuerpo. Si no bebe suficiente agua, puede causar un desequilibrio porque su sistema de envío no es capaz de cumplir su tarea en forma eficaz, y eso puede provocar dolor de cabeza, y también fatiga y malestar en general.

No forme parte del 75% de los estadounidenses que están crónicamente deshidratados. Oblíguese a beber un vaso de agua cada dos horas. Así, el oxígeno y los nutrientes esenciales viajarán más fácilmente a través de su organismo, y eliminará toxinas y desperdicios más fácilmente –y puede que nunca más vuelva a atacarlo un dolor de cabeza.

➤ **Cataplasma de rábano picante.** Prepare una cataplasma ("poultice") de rábano picante ("horseradish") fresco rallado en una estopilla y ponga esta cataplasma sobre la nuca. Al mismo tiempo, coloque dos cataplasmas de rábano picante más pequeñas en cada pliegue de los codos. Mantenga las cataplasmas por al menos 30 minutos o hasta que desaparezca el dolor de cabeza.

➤ **Sienta el ritmo de las manos.** "Li Shou" significa "balanceo de manos" en chino. El balanceo de manos redirige el flujo de sangre fuera de la cabeza, aliviando la presión en las paredes de las arterias que se han contraído con tensión. El ejercicio además libera muchas endorfinas –la morfina natural del propio cuerpo–, ayudando a aliviar el dolor.

Según el psicólogo Dr. Edward Chang, así es como se debe hacer Li Shou…

- Siéntese, frote entre sí las palmas de las manos por algunos segundos hasta que se sientan calientes. Dé palmaditas a la cara, de la frente al mentón, unas 30 veces –siempre en la misma dirección.
- Póngase de pie, relájese y sonría. Los pies deberían estar separados por una distancia igual a la de los hombros, con los dedos apuntando hacia delante. Los brazos deberían estar colgando naturalmente a los lados. Permita que los ojos casi se cierren mientras mentalmente se enfoca en los dedos de los pies.
- Ahora extienda ambos brazos hasta que estén al nivel de la cintura. Relájese y deje que los brazos se balanceen naturalmente hacia atrás. Siga balanceando las manos hacia atrás

y adelante con un ritmo suave como el de un péndulo, al menos 100 veces.

- Mantenga la mente enfocada en lo que está haciendo. No permita que su atención se distraiga hasta que haya completado el ejercicio.

Bono adicional: Este ejercicio es además un gran reductor del estrés.

➤ **Que sea de menta.** Masajee dos gotas de esencia de menta piperita ("peppermint oil", disponible en tiendas de alimentos saludables) en las sienes. Si tiene una piel extremadamente sensible no use la esencia directamente sobre la piel. En su lugar, ponga la esencia sobre la capa superior de un pañuelo grande (de hombre) doblado y ate éste alrededor de la cabeza. Además, de ser posible, relájese en una bañera con agua caliente mientras bebe una taza de té de menta piperita.

➤ **Curación con una pinza para tender ropa.** Si tiene un dolor de cabeza sobre un ojo, tome una pinza para tender ropa y sujétela en el lóbulo de la oreja que está en el mismo lado del dolor de cabeza. Hemos recibido informes que afirman que este remedio con pinza para colgar ropa actúa muy rápido –¡y no estamos simplemente colgando palabras!

➤ **Masaje.** Los especialistas en dolor de cabeza de la Universidad de California creen que los dolores de cabeza tensionales son causados por el suministro inapropiado de sangre al cerebro debido a tensión en la base del cuello y los hombros. Su tratamiento preferido es el masaje para relajar los músculos tensos. Para eso están los amigos.

➤ **La cura de nuestra abuela.** Cada vez que visitábamos a nuestra abuela, ella tenía puesta una cinta para el cabello. Era el pañuelo blanco de mi abuelo, mojado en vinagre blanco destilado, escurrido, enrollado y atado alrededor de la frente. Lydia tenía 10 años cuando se dio cuenta que la abuelita Bubby no era una indígena americana... ni Willie Nelson disfrazado. Nuestra abuela solía tener dolor de cabeza y la cinta para el cabello con vinagre funcionaba como arte de magia para ella.

Los coreanos usan un remedio similar. Ellos atan un pañuelo (sin vinagre) bien fuerte alrededor de la cabeza, apenas por encima de las cejas.

➤ **Vinagre de sidra de manzana y miel.** Mezcle dos cucharaditas de vinagre de sidra de manzana ("apple cider vinegar") y dos cucharaditas de miel en un vaso de agua. Beba lentamente, y obtenga resultados en media hora.

Más remedios para el dolor de cabeza

➤ **Acupresión.** Ponga el dedo anular (el tercero) una pulgada (dos cm) por encima del caballete de la nariz en el centro de la frente. Sin levantar el dedo, masajee la zona con un movimiento circular. Hágalo entre siete y 10 minutos. Si no elimina el dolor de cabeza al pasar los 10 minutos, pruebe algo distinto.

➤ **Terapia con gemas.** Las amatistas ("amethysts") son los sedantes del mundo mineral. Cuando tenga un dolor de cabeza tensional, acuéstese y suavemente frote el lado liso de una amatista en la frente. Frotar una piedra activa su vibración curativa. Una vez que esté activada, deje que permanezca en la frente mientras se relaja. También puede repetir la afirmación que está al final de esta sección.

➤ **Visualización.** Según el Dr. Gerald Epstein, psiquiatra y director del American Institute for Mental Imagery (*www.drjerryepstein.org*), los dolores de cabeza están habitualmente relacionados al estado emocional de la persona.

Los dolores de cabeza tensionales implican preocupación, y reflejan la tensión que usted siente en su vida.

¿El remedio? Apague el teléfono, ponga un cartel que diga "no molestar" en su puerta y siéntese en una silla cómoda. Luego siga estas instrucciones para hacer lo que el Dr. Epstein llama el ejercicio del "lago del Cerebro" para visualizar cómo su dolor de cabeza tensional desaparece. Haga este ejercicio según lo necesite, cada cinco a 10 minutos, por hasta tres minutos cada vez.

Cierre los ojos y exhale tres veces. Imagine que está mirando hacia abajo a la parte superior de la cabeza. Levante la parte superior del cráneo como si estuviera quitando la parte de arriba de la cáscara de un huevo pasado por agua. Mire adentro. Observe el fluido del cerebro y las fibras nerviosas en movimiento que se parecen a plantas bajo el agua. Observe el fluido saliendo de la cabeza por completo y sienta el alivio de la tensión en la base del cráneo y la nuca, mientras nota el movimiento del fluido hacia abajo, por la columna vertebral hasta la base. Observe el fluido fresco moviéndose hacia arriba por la columna vertebral, pasando por el cuello, y llenando el cráneo, mirando a través del líquido transparente y limpio las fibras nerviosas debajo. Sienta el flujo de sangre fresca a través del cuello y hacia abajo hasta el resto del cuerpo. Ponga la parte superior del cráneo, exhale una vez y abra los ojos.

➤ **Dolor de cabeza por la mañana.** Si se levanta con un dolor de cabeza, puede ser que su dormitorio tenga aire viciado. La habitación siempre debería tener aire circulando por la noche, así que abra la ventana.

➤ **Dolor de cabeza los fines de semana.** Si bebe café. trabaja durante la semana y tiene dolor de cabeza en casa los fines de semana, preste atención.

Es probable que beba su primera taza de café antes de salir de casa hacia el trabajo por la mañana. Entonces probablemente bebe su segunda taza de café más o menos una hora después de llegar al trabajo. Cuando está en casa durante el fin de semana y no tiene que levantarse tan temprano como cuando sale hacia el trabajo, quizá beba su primera taza de café más tarde de lo que acostumbra. La diferencia de esas pocas horas puede causar abstinencia de cafeína y la dilatación de los vasos sanguíneos que aumentan la presión en el cráneo –¡y zas!– un dolor de cabeza.

Podría abandonar el café por completo o, si eso no es posible, beba su primera taza a la misma hora los fines de semana que los días de trabajo.

Dolor de cabeza temporal

El dolor de cabeza temporal se experimenta como un "martilleo en la cabeza" en el que se siente gran presión a ambos lados de la cabeza en la región de los huesos temporales (las sienes). Puede surgir cuando usted no se permite decir lo que piensa.

Según el Dr. Gerald Epstein, psiquiatra y director del American Institute for Mental Imagery (*www.drjerryepstein.org*), el estado emocional que habitualmente se relaciona con los dolores de cabeza temporales implica ira. La visualización del Dr. Epstein para los dolores de cabeza temporales se llama "La banda plateada".

Halle una silla cómoda donde no vaya a ser molestado y haga este ejercicio cada cinco a 10 minutos, por uno a dos minutos, hasta que el dolor de cabeza desaparezca.

Cierre los ojos. Exhale tres veces e imagine una banda plateada apretada bien fuerte alrededor del cráneo, desde un hueso temporal al otro hueso temporal, y levantada levemente en los extremos al apoyarse en los huesos.

Vea y sienta la banda apretándose alrededor del cráneo, con los extremos presionando contra los huesos temporales y luego rápidamente aflojándose; la banda y los extremos aprietan una vez más y luego se aflojan rápidamente; y nuevamente una tercera vez. Luego abra los ojos, sabiendo que el dolor se ha ido.

Migrañas

Según el neurólogo Dr. Lawrence C. Newman del instituto del dolor de cabeza en el hospital St. Luke's-Roosevelt en Nueva York, la mitad de todas las migrañas son causadas por alergias a los alimentos. Cualquier alimento puede ser culpable, pero los más comunes son los quesos añejados ("aged"), el chocolate, las frutas cítricas y el vino tinto. Los nitratos de sodio –que se encuentran en los perritos calientes (panchos, "hot dogs"), el jamón, el tocino (panceta, "bacon"), las carnes empaquetadas– y otros aditivos como glutamato monosódico (MSG, por sus siglas en inglés) también son responsables de muchas migrañas. Consulte con un profesional de la salud para determinar si tiene una alergia a los alimentos que esté causando sus migrañas.

Datos interesantes sobre las migrañas

• **Las alergias y las migrañas prevalecen más entre las personas que son zurdas.**

• **"Migraña" viene de una palabra del latín que significa "dolor en la mitad de la cabeza"**, aunque la migraña puede aparecer en más o menos que la mitad de la cabeza.

• **Veintiocho millones de estadounidenses viven con el dolor de migrañas.** El 25% de la población femenina y el 8% de la población masculina están afectados por migrañas.

• **Famosos sufridores de migrañas...** Edgar Allan Poe, Virginia Woolf, Rudyard Kipling, León Tolstoi, Lewis Carroll, Frédéric Chopin, Piotr Tchaikovski, Sigmund Freud, Charles Darwin, Julio César, Pedro el Grande, Thomas Jefferson, Ulysses S. Grant, Robert E. Lee, Karl Marx, Elvis Presley, Woody Allen, Whoopi Goldberg, Kareem Abdul Jabbar, Elle Macpherson, Carly Simon, Loretta Lynn, Elizabeth Taylor y Lisa Kudrow.

Como la desgracia compartida es menos sentida, pensamos que esta prestigiosa lista podría hacerlo sentirse mejor. Para sentirse muchísimo mejor, puede intentar...

Remedios para las migrañas

➤ **Agua caliente.** Ponga los pies en una palangana (cubeta, cuenco) con agua caliente y coloque una bolsa de hielo en la nuca. Este remedio nos llegó por medio de un guionista de California, y los guionistas saben mucho sobre el dolor de cabeza.

➤ **Bolsas de hielo** en la cabeza y en el cuello sin tener los pies en agua caliente (como en el remedio anterior) parece ayudar a algunas personas que sufren de migrañas.

➤ **Sandía ("watermelon").** Tome una tajada de sandía, coma la pulpa y ¡use la cáscara como venda! Asegúrese de que la cáscara se extienda a lo largo de la frente hasta las sienes y manténgala en el lugar con un pañuelo o una venda de algodón elástica ("Ace bandage"). Mientras espera que la cáscara de la sandía elimine el dolor, puede repetir la afirmación para el "Dolor de cabeza tensional" que se proporciona al final de esta sección.

➤ **Coma un puñado de almendras ("almonds") crudas.** Mastíquelas completamente antes de tragarlas. Si acaso tiene esencia (aceite) de almendras, unte un octavo de cucharadita de la esencia en una rebanada de pan y cómala lentamente, masticándola por completo.

➤ **La cafeína** parece estrechar los vasos sanguíneos en el cráneo. Esto generalmente elimina los bordes irregulares u otros trucos que los ojos le juegan al comienzo de una migraña. La cafeína también puede disminuir el dolor de cabeza. Prepare un café o té negro chino muy fuerte, o beba un refresco con cafeína, bebiendo lentamente para obtener un alivio rápido.

➤ **Visualización.** El Dr. Gerald Epstein asegura que las migrañas muy frecuentemente implican ira. Su ejercicio de visualización para las migrañas se llama "Ojos abiertos". Relájese en una silla cómoda en un lugar tranquilo, y haga el ejercicio según lo necesite cuando tenga un dolor de cabeza, por dos o tres minutos cada vez.

Con los ojos abiertos, levante la vista y mire hacia un lado del dolor de cabeza por dos a tres minutos sin interrupción. Luego vuelva a su mirada normal.

Prevención de las migrañas

➤ **Matricaria ("feverfew").** Esta hierba tiene una reputación de siglos como un asombroso remedio para las migrañas. Se encuentra disponible en forma de cápsula en tiendas de alimentos saludables. Siga la dosis recomendada en la etiqueta.

➤ **Té de milenrama.** Beba una taza de té de milenrama (aquilea, "yarrow") diariamente. Si compra la hierba suelta (disponible en tiendas de alimentos saludables) en vez de en bolsitas de té, use una cucharadita colmada en una taza de agua recién hervida. Cuele y beba lentamente.

NOTA: El té de milenrama tiene un sabor inusual, por lo que le sugerimos que le agregue miel.

➤ **Solamente para las mujeres.** Quede embarazada. Por alguna razón desconocida, las mujeres no tienen migrañas mientras están embarazadas.

AFIRMACIÓN

Repita esta afirmación a primera hora por la mañana, a última hora por la noche y al primer signo de tensión...

¡Soy maravilloso/a! Me quiero y me aprecio.

DOLOR DE ESPALDA

Se estima que el 80% de los estadounidenses tienen o tendrán en algún momento de la vida algún tipo de problema de espalda, que podría variar de un malestar ocasional a un dolor crónico de espalda.

Muchos profesionales de la salud creen que el desequilibrio neuromuscular que provoca la mayoría de los dolores crónicos de espalda podría ser un problema *emocional* en vez de uno *estructural.*

Los cambios positivos drásticos pueden ocurrir cuando se cambian la actitud y el estado de ánimo. Estudios demuestran, por ejemplo, que enamorarse puede hacer que el dolor de espalda desaparezca. *Bueno, pues, hasta que se enamore por completo, pruebe uno o más de estos sustitutos...*

• **Inscríbase a las lecciones de la técnica Alexander.** Aprenda sobre la misma en el capítulo "Le hace bien al cuerpo", página 309, y verá por qué la debe considerar. También échele un vistazo a la sección sobre el taichí en la página 301.

• **Diga afirmaciones, comenzando con la que está al final de esta sección.** Haga todo lo posible para expandir sus ideas, ampliar sus creencias, adoptar una perspectiva más optimista, ponerse en control de usted mismo y en definitiva logrará un equilibrio neuromuscular que eliminará su dolor de espalda.

Mientras tanto, las siguientes son algunas sugerencias adicionales que le pueden dar alivio en el proceso.

Para el alivio del dolor de espalda

➤ **Compresa de col.** Cocine al vapor unas hojas de col (repollo, "cabbage") por 10 minutos, hasta que estén mustias. Mientras las hojas cocidas de col se enfrían, frote ligeramente un poco de aceite de oliva en la zona dolorida de la espalda. Tan pronto como sea posible, teniendo cuidado de no quemarse, coloque las hojas calientes de col en la zona aceitada. Cubra con una toalla gruesa para mantener el calor, y quédese así por una hora. Luego, repita el proceso con nuevas hojas de col. Después de esas dos horas, debería sentir algo de alivio.

➤ **Cápsulas de hierbas.** Las cápsulas de corteza del sauce blanco ("white willow bark") –disponibles en las tiendas de alimentos saludables– contienen *salicilato,* que es el ingrediente activo antiinflamatorio de la aspirina. Siga las dosis recomendadas en la etiqueta y asegúrese de tomar las cápsulas inmediatamente *después* de las comidas.

ADVERTENCIA: NO use cápsulas de corteza del sauce blanco si tiene acidez estomacal ("heartburn"), gastritis, úlceras o esofagitis.

➤ **Baño de pies.** En Asia, se cree que poner los pies en remojo en un gran recipiente de agua caliente por 20 a 30 minutos puede aliviar el dolor de espalda y los espasmos. Si no tiene un gran recipiente, use dos cajas de zapatos plásticas (una para cada pie).

➤ **Relajación en el piso.** Cuando piense que la espalda está a punto de dolerle, es importante quitarle la tensión a esa parte del cuerpo. Busque suficientes libros como para llegar a una pila de unas siete pulgadas (18 cm) y cuidadosamente acuéstese en el piso. Apoye la cabeza sobre los libros y levante las rodillas de modo que los pies estén planos sobre el piso, separados por alrededor de un pie (30 cm). Ponga los talones tan cerca de las nalgas como sea posible. Relájese en esa posición por 15 minutos. Podría usar este tiempo para hacer una visualización o afirmaciones.

Cuando hayan pasado 15 minutos, póngase de pie girando hacia un lado y lentamente levantándose, dejando que los brazos y piernas hagan la mayor parte del trabajo, en vez de esforzar la espalda.

➤ **Reflexología.** Si el dolor de espalda parece deberse a la tensión (¿sabía usted que la mayoría de los dolores de espalda son causados por el estrés?) active el punto de reflexología que se conecta con la columna vertebral. Comenzando con el pie izquierdo, use los dedos pulgares para aplicar presión firme a lo largo de la parte interna de la planta desde el dedo gordo hasta el talón. Luego haga lo mismo con el pie derecho. Si el alivio no es instantáneo, repita el proceso otra vez, o hasta que cese el dolor.

➤ **Té de milenrama.** Agregue una cucharadita de milenrama (aquilea, "yarrow") a una taza de agua recién hervida. Déjela en remojo por 10 minutos. Cuele y beba una taza antes de cada comida y una taza al acostarse. Puede ayudar a que el dolor desaparezca.

NOTA: El té de milenrama tiene un sabor inusual, por lo que le sugerimos que le agregue miel.

➤ **Terapia de colores (cromoterapia).** Si tiene problemas en la parte inferior de la espalda, el azul le servirá. Representa el cielo y el agua y es un color calmante y antiinflamatorio. Use una camisa o una blusa azul. Rodéese de cosas azules: use ropa de cama azul, un mantel azul, una taza o un vaso azul. Si está dispuesto a permitirse el placer de tener un periodo de tranquilidad durante el día, consiga una bombilla azul, póngala en una lámpara y luego relájese completamente bajo la lámpara por 20 minutos. Considere decir una afirmación por al menos parte de ese tiempo.

Aléjese de las prendas rojas hasta que la espalda vuelva a la normalidad.

➤ **Terapia con gemas.** Connie Barrett, de Beyond the Rainbow (*www.rainbowcrystal.com*), tenía fuertes dolores en la parte inferior de la espalda. Visitó un quiropráctico, recibió un ajuste y se le dijo que volviera dos días más tarde. Estaba encorvada y apenas podía caminar para salir de su oficina. En el doloroso viaje hasta su casa, Connie decidió trabajar con piedras preciosas. *Ella usó…*

- **Cuarzo ahumado ("smoky quartz")**, el cual enseña a tener orgullo en nuestro cuerpo y nuestra existencia física. Es excelente para la depresión y el cansancio.

- **Venturina ("aventurine")**, la cual es considerada por muchos la mejor piedra curativa para todo propósito. Es especialmente buena para calmar las emociones y crear un sentimiento de equilibrio y bienestar.

- **Turmalina ("tourmaline") verde** alivia el estrés y fortalece el sistema nervioso.

ALGO ESPECIAL

¡Salve la espalda!

¿Qué pasa con los hombres y sus billeteras? Muchos guardan una billetera rebosante en el bolsillo trasero del pantalón. Esto podría estar desalineando su cuerpo y causándole dolor de espalda.

Considere la billetera Back Saver Wallet, la cual tiene una construcción exclusiva y puede contener todo lo imprescindible para usted, pero es entre el 50% y el 60% más pequeña que una billetera común, y siempre queda plana al doblarla. Puede llevar esta billetera que no se abulta en el bolsillo trasero o fácilmente guardarla en uno de los bolsillos delanteros del pantalón, la camisa o la chaqueta.

Dos compartimentos interiores y dos compartimentos exteriores tienen capacidad para hasta 24 tarjetas de crédito, y el clip con resorte guarda billetes con comodidad y seguridad sin ocupar espacio. Esto facilita organizar sus tarjetas y reducir el desorden en la billetera.

La Back Saver Wallet está hecha de cuero de muy buena calidad; por lo tanto es extremadamente fuerte y duradera.

Mayor información: Visite el sitio web *www.coreproducts.com* o llame al 877-249-1251.

- **Hematita ("hematite")**, la cual aumenta la autoestima y ayuda a cimentar a una persona. También ayuda a separar las emociones de una persona de las de los demás.

- **La piedra de Eilat ("Eilat stone"**, compuesta de azurita, crisocola, malaquita y turquesa) nos ayuda a mezclar pacífica y armoniosamente los varios elementos de nuestro ser.

De forma intermitente, Connie meditaba con las piedras y las mantenía sobre la espalda por cierto tiempo cada vez. Cuarenta y ocho horas más tarde, cuando volvió al quiropráctico, se paraba recta, sintiendo como si nunca hubiera tenido un problema. (Nos preguntamos por qué volvió al quiropráctico). Consulte "Recursos", página 349, para conocer empresas que venden gemas.

➤ **Ridículo, pero vale la pena intentarlo.** Para aliviar el dolor de espalda, duerma con un tapón de champán bajo su colchón. La persona que nos dio este remedio jura que es eficaz. Nos preguntamos si esa persona tiene la costumbre de vaciar la botella de champán antes de poner el tapón bajo el colchón.

Las reglas básicas del sentido común

➤ **¡Deje que los diseñadores de zapatos usen los tacones altos!** Use zapatos cómodos de tacón bajo o mediano (esto también vale para los hombres).

➤ **La mejor manera de levantar algo.** Si tiene que levantar algo pesado, doble las rodillas, mantenga la espalda recta y sostenga el objeto pesado cerca del cuerpo.

➤ **Empuje las cosas, no tire de ellas,** particularmente si son grandes y pesadas.

➤ **Duerma sobre un costado** en la posición fetal.

➤ **No duerma sobre el estómago con la cabeza sobre una almohada,** a menos que levante la espalda poniendo una almohada bajo el estómago.

➤ **No duerma sobre un colchón que se hunda en el medio.** Una lámina de madera contrachapada ("plywood") entre el colchón y el colchón de resortes ("box spring") puede prevenir los hundimientos.

➤ **No sostenga el teléfono en la curva del cuello durante conversaciones telefónicas prolongadas.** Puede causar tensión muscular que baje hasta la parte inferior de la espalda.

Un consejo útil

➤ **Cuidado cuando estornuda.** Si tiene problemas de espalda, prepárese cuando está por estornudar para evitar agravar el problema. Si está de pie, doble un poco las rodillas y ponga una mano en una mesa cercana. Si no tiene nada cerca, entonces coloque la mano sobre el muslo. Si está sentado, ponga la mano en una mesa o sobre el muslo. Bueno, pues ya está listo para el "¡achís!".

Lectura recomendada

➤ ***Healing Back Pain: The Mind-Body Connection*** de John E. Sarno, MD (Wellness Connection). Hemos recomendado este libro en sus varias encarnaciones durante años. ¡Es excelente! El Dr. Sarno cree que el dolor que usted siente es muy probablemente causado por emociones reprimidas. Es mucho para absorber y experimentar, pero puede dar resultados impresionantes... ¡como la eliminación del dolor! El Dr. Sarno ha ayudado a miles de personas a vivir sin dolor, incluyendo a nosotras dos.

AFIRMACIÓN

Repita esta afirmación al menos 12 veces al día –a primera hora por la mañana, antes de acostarse y cada vez que entregue dinero...

Dejo los temores y los reemplazo con un sentimiento de seguridad, sabiendo que todo lo que necesito está aquí ahora mismo.

Consejos de los sabios...

La cama adecuada puede aliviar el dolor de espalda

Las personas que tienen dolor de espalda frecuentemente piensan que un colchón muy firme es mejor, pero no es verdad. En un estudio publicado en la revista médica *The Lancet,* 313 personas con dolor en la parte inferior de la espalda durmieron sobre un colchón de resortes ("coil mattress") firme o medianamente firme. Después de 90 días, los participantes con los colchones medianamente firmes tenían menos dolor en la cama, al levantarse y durante el día, que quienes usaban colchones firmes.

ALGO ESPECIAL

¡Qué respaldo increíble!

El Dr. Alvin Bakst ha sido un cirujano torácico y cardiovascular por 40 años y es uno de los pioneros en la cirugía de corazón.

Al realizar miles de cirugías inclinándose sobre la mesa de operaciones, el Dr. Bakst desarrolló problemas de espalda que a veces lo incapacitaban. Después de haber rechazado la cirugía de espalda y dejado de tomar su medicación, el Dr. Bakst comenzó a investigar la posibilidad de un método no quirúrgico y sin medicamentos para aliviar el dolor.

Su investigación lo llevó a redescubrir la antigua técnica del Extremo Oriente de colocar estratégicamente fuertes imanes unipolares en áreas del cuerpo afectadas por el dolor y los malestares. Después de colocar y usar imanes de neodimio ("neodymium") en su propia espalda, el Dr. Bakst finalmente encontró alivio total para su dolor de espalda.

Luego diseñó y creó su primer cinturón magnético para la espalda. Basándose en su diseño, el Dr. Bakst solicitó y recibió una patente de Estados Unidos para la reducción de la sensación en una parte del cuerpo humano usando el magnetismo.

Magnatech Labs, Inc., fundada por el Dr. Bakst en 1994, se dedica a la investigación y el desarrollo de métodos eficaces para el alivio y la eliminación del dolor en el cuerpo sin usar medicamentos ni procedimientos médicos invasivos.

La línea de productos incluye un Apoyo Magnético para la Espalda ("Magnetic Back Support"), un Dispositivo Compacto ("Compact Back Device") y el (más caro) Súper Cinturón para la Espalda ("Super Back Belt"). Considere este último si tiene fuerte malestar en la espalda. El poder magnético o de "gauss" es más de ocho veces más fuerte que el de un cinturón común. Éste es el único cinturón en el mercado hecho con 28 imanes unipolares de neodimio de alto poder, estratégica y anatómicamente posicionados.

ADVERTENCIA: NO use estos imanes si tiene un marcapasos o cualquier dispositivo electrónico implantado. NO lo use si está embarazada. NO lo ponga cerca de tarjetas de crédito con una banda magnética. NO lo ponga sobre un televisor o una computadora.

Mayor información: Visite el sitio web *www.drbakstmagnetics.com* o llame a Magnatech Labs al 800-574-8111.

Otras ideas erróneas acerca de las camas y el dolor de espalda...

Idea equivocada: Quienes tienen dolor de espalda lo sienten cuando recién se despiertan, así que no se puede saber si el colchón es un problema o no.

Realidad: La mayoría de los dolores de espalda son más leves por la mañana, antes de levantarse y comenzar a moverse. Si se despierta entumecido y dolorido, su colchón quizá sea el culpable. Trate de dormir en otro colchón –en la habitación de huéspedes, en la casa de un amigo, en un hotel– y vea si nota alguna mejoría al levantarse.

Idea equivocada: Las personas más pesadas que tienen dolor de espalda necesitan camas blandas.

Realidad: Todos necesitamos suficiente soporte durante la noche para mantener la columna vertebral en una posición normal. Si la columna vertebral se hunde en una cama en la que se forma un pozo, los músculos estarán estirados. Las personas más pesadas y las que duermen sobre la espalda tienden a necesitar colchones más firmes. Las personas que duermen de lado y sobre el estómago necesitan camas más suaves.

Idea equivocada: Una colchoneta de espuma ("foam pad") o un colchón de espuma ayudan a aliviar el dolor de espalda.

Realidad: Hay dos tipos de espuma disponibles generalmente: espuma con forma de huevera y espuma viscoelástica. La espuma con forma de huevera crea una capa blanda pero no cambia el apoyo de abajo. La espuma viscoelástica es sensible a la temperatura y toma la forma del cuerpo. Sin embargo, no hay evidencia científica que alguno de estos tipos de espuma reduzca el dolor de espalda.

Idea equivocada: Las camas ajustables pueden aliviar el dolor de espalda.

Realidad: Algunas camas ajustables están rellenas de aire o agua que pueden bombearse hacia dentro o afuera. Otros tipos tienen uniones que permiten que partes de la cama puedan colocarse en diferentes ángulos. No hay estudios fidedignos que muestren que las camas ajustables ayuden a reducir el dolor de espalda.

Idea equivocada: No se puede saber en la tienda si el colchón es adecuado para usted.

Realidad: Probar un colchón en la tienda puede ayudar a determinar si es cómodo. Acuéstese en cada colchón por al menos cinco minutos. Comience sobre la espalda, sin almohada. Su mano debería quedar bien ajustada a la altura de los riñones en la espalda. Acostado sobre un lado, no debería notar presión importante sobre las caderas u hombros. Elija una tienda que le permita devolver un colchón si no es cómodo. Entre las mismas se incluyen Sleepy's y 1800Mattress.com. (Es posible que tenga que pagar un cargo por devolverlo).

Baljinder Bathla, MD, cofundador de Chicago Sports & Spine, un consultorio con especialización en el control del dolor. Está acreditado en medicina física, rehabilitación y control del dolor. Su sitio web es *www.chicagosportsspine.com*.

EMBARAZO

El embarazo es una experiencia muy personal. Lo que es cierto para una futura madre podría no serlo para otra. Por esta razón, es muy importante que consulte con su obstetra antes de adoptar cualquiera de estas sugerencias.

Mientras esté embarazada

➤ **Evite el riesgo de un aborto espontáneo.** ¡Deje de fumar! En las fumadoras, se estima que los abortos espontáneos ocurren en unos 25 de cada 100 embarazos.

➤ **Mercurio en pescados y mariscos.** Las mujeres que están amamantando o embarazadas o que podrían quedar embarazadas deberían leer y prestarle atención al informe emitido por las agencias federales Environmental Protection Agency (EPA) y Food and Drug Administration (FDA). *Aquí mencionamos algunas declaraciones del informe.*

Los pescados y mariscos son una parte importante de una dieta saludable. Contienen nutrientes esenciales y proteínas de alta calidad, son muy bajos en grasas saturadas y contienen los importantísimos ácidos grasos esenciales omega-3. Una dieta bien equilibrada que incluya una variedad de pescados y mariscos puede contribuir a la salud del corazón y el crecimiento y desarrollo apropiados de los niños. Por eso, las mujeres y los niños jóvenes, en particular, deberían incluir pescados o mariscos en sus dietas debido a los muchos beneficios nutricionales.

Sin embargo, casi todos los pescados y mariscos contienen pequeñas cantidades de mercurio. Para la mayoría de las personas, el riesgo del mercurio al comer pescados y mariscos no es una preocupación para la salud. Pero algunos pescados y mariscos contienen niveles más altos de mercurio que podrían perjudicar el sistema nervioso en desarrollo de un bebé que aún no ha nacido o un niño pequeño. Los riesgos del mercurio en los pescados y mariscos dependen de las cantidades que se comen y los niveles de mercurio en los mismos. Por lo tanto, la EPA y la FDA aconsejan a las mujeres que podrían quedar embarazadas, las mujeres embarazadas, las madres que están amamantando y los niños pequeños que eviten algunos tipos de pescados y que coman pescados y mariscos con niveles bajos de mercurio.

Al seguir estas tres recomendaciones para seleccionar y comer pescados o mariscos, las mujeres y los niños pequeños recibirán los beneficios de los mismos y tendrán la seguridad de que han reducido su exposición a los efectos nocivos del mercurio.

1. **No consuma tiburón ("shark"), pez espada ("swordfish"), caballa grande ("king mackerel") ni blanquillo ("tilefish")** porque contienen niveles altos de mercurio.
2. **Consuma hasta 12 onzas ó 340 g (dos comidas promedio) a la semana de una variedad de pescados y mariscos** que contengan un bajo nivel de mercurio.

• **Cinco de los pescados más comúnmente consumidos que contienen un bajo nivel de mercurio** son camarones ("shrimp"), atún oscuro ("light tuna") enlatado, salmón, abadejo ("pollock") y bagre ("catfish").

• **Otro pescado comúnmente consumido, atún albacora de carne blanca ("albacore tuna"), contiene más mercurio que el atún oscuro enlatado.** Así que, cuando elija sus dos comidas de pescados y mariscos, puede consumir hasta seis onzas ó 170 g (una comida promedio) de atún albacora a la semana.

3. **Consulte las advertencias locales acerca de la seguridad de los pescados capturados por familiares y amigos** en lagos, ríos y áreas costeras locales. Si no hay recomendaciones disponibles, coma hasta seis onzas ó 170 g (una comida promedio) por semana de lo que pesca en aguas locales, pero no consuma ningún otro pescado durante la semana.

Adhiérase a estas mismas recomendaciones cuando alimente a los niños pequeños, con pescados y mariscos pero sirva porciones más pequeñas.

ATENCIÓN: Algunos médicos aconsejan no comer pescado durante el embarazo y la lactancia y recomiendan en su lugar un suplemento de aceite de pescado. Consulte con su médico.

➤ **Prevenga las alergias en los bebés.** Durante su embarazo, no se exceda en ningún alimento. Durante al menos los últimos tres meses del embarazo, no consuma alimentos a los cuales usted es alérgica, a fin de tratar de evitar transmitir esas alergias al bebé. Incluso mientras esté amamantando, evite esos alimentos alérgenos.

➤ **Posición saludable al dormir.** Duerma sobre el costado izquierdo –mejorará el flujo de sangre a la placenta.

➤ **Minimice las estrías.** Frote aceite de ajonjolí ("sesame oil") sobre el cuerpo todos los días para permitir que la piel se estire a su propio ritmo y ayudar a prevenir estrías consecuentes.

➤ **Náuseas matutinas.** Las náuseas del embarazo usualmente comienzan alrededor de la sexta semana del embarazo, alcanzan su nivel máximo durante la octava o novena semana, y pierden intensidad después de la decimotercera semana. *Esto es lo que puede hacer al respecto...*

- **Papaya (lechosa, fruta bomba).** Mantenga jugo de papaya (sin aditivos) o extracto de papaya en el refrigerador. Un vaso del jugo o el extracto diluido puede hacer que se sienta mejor rápidamente.

- **Jengibre ("ginger").** Se han realizado muchas pruebas con jengibre en polvo para el mareo por movimiento. Los resultados han sido impresionantes. El jengibre en polvo es más eficaz que los principales medicamentos en el mercado –y con ninguno de los efectos secundarios.

El jengibre además parece ser muy eficaz para las náuseas matutinas. La dosis recomendada es de dos cápsulas de jengibre en polvo antes del desayuno. O simplemente prepare una taza de té poniendo a hervir en agua cuatro rebanadas de jengibre fresco del tamaño de una moneda de 25 centavos de dólar. Deje hervir a fuego lento por 15 a 20 minutos.

Nosotras mantenemos jengibre en el congelador y cuando queremos té, simplemente rallamos un trozo del mismo para prepararlo. No colamos para sacar los pequeños pedazos. Lo bebemos todo como una ayuda para la digestión después de la cena.

ATENCIÓN: El jengibre actúa como un anticoagulante, así que consulte con su médico antes de usarlo si toma un anticoagulante recetado. Además, deje de usar el jengibre tres días antes de cualquier cirugía.

- **Almendras ("almonds").** Si tiene náuseas durante el día cuando está fuera de casa, coma unas almendras crudas. Una almendra contiene más proteínas por gramo que un bistec, es rica en calcio, potasio, las vitaminas del complejo B, vitamina E y otras vitaminas y minerales. No salga de casa sin ellas. Entre seis y 10 almendras son un refrigerio saludable y pueden acabar con las náuseas. También hacen desaparecer la acidez estomacal en un abrir y cerrar de ojos.

El parto

➤ **Para un parto sin desgarros.** Para mejorar la elasticidad y disminuir las posibilidades de tener desgarros durante el parto, lubrique la abertura de la vagina todos los días durante el embarazo usando aceite de ajonjolí ("sesame oil").

➤ **Té para un parto más fácil.** Incluso algunos obstetras están actualmente recetando té de hojas de frambuesas ("raspberries"). Contiene las vitaminas A, C, B y E, además de calcio, fósforo, hierro y otras cosas buenas que pueden ayudar a aliviar los dolores y hacer el parto más fácil y rápido.

La preparación también varía en forma considerable. La receta que más nos gusta se usa en la medicina china. Vierta una pinta (½ litro) de agua recién hervida sobre dos cucharaditas colmadas de hojas de frambuesas secas (disponibles en tiendas de alimentos saludables y en herboristerías). Déjelas en remojo media hora. Cuele y beba el té durante el día. Cuando haga frío, puede calentarlo un poco antes de beberlo.

O pruebe "squawvine". El nombre en inglés sugiere una planta trepadora de indígenas norteamericanas. Después de beber el té, tal vez tenga ganas de ir a la pradera y allí tener su bebé. En serio, los herboristas están de acuerdo en que puede ayudar a hacer que el parto sea una experiencia rápida y sencilla.

La preparación y dosis de "squawvine" (disponible en herboristerías o consulte "Recursos", página 350) es la misma que para el té de hojas de frambuesas. De hecho, puede combinar las dos hierbas, una cucharadita colmada de cada una en una pinta (½ litro) de agua recién hervida, para preparar un té muy, pero muy benéfico.

ATENCIÓN: Consulte con su médico para saber si alguno de estos tés es apropiado para usted. SÓLO se usan durante *las últimas cuatro a seis semanas* del embarazo.

➤ **Estimuladores del vigor para un parto mucho más fácil.** Según la escritora británica sobre el parto Sheila Kitzinger, si consume ajo y cebollas en forma habitual, comenzando en su tercer mes, su vigor aumentará, y el parto será más sencillo. Si necesita una razón científica para justificar su aliento antisocial, los ácidos *linoleicos* tanto en el ajo como en la cebolla ayudan a producir *prostaglandinas* que ayudan a estimular el borramiento del cuello uterino y la dilatación.

Después del nacimiento

➤ **Cómo ponerse en forma.** La tradición asiática afirma que, después del parto, consumir una o dos porciones pequeñas de algas marinas –kelp y dulse– al día por un mes ayuda a que el útero vuelva a su tamaño original.

➤ **Cómo estimular su suministro de leche.** Se afirma que el té de alfalfa, el té de semillas de anís ("anise seeds") y el té de semillas de eneldo ("dill seeds") –disponibles en tiendas de alimentos saludables– ayudan a asegurar el suministro de leche en las madres que están amamantando. Para preparar el té, haga hervir en agua una cucharadita de una de estas hierbas. Deje hervir a fuego lento entre 15 y 20 minutos, cuele y beba antes de cada amamantamiento.

➤ **Mientras esté amamantando.** Consulte "Mercurio en pescados y mariscos" en la página 100. Consulte también "Mastitis", en la página 143.

ENFERMEDAD CELÍACA

La enfermedad celíaca es una afección digestiva crónica, hereditaria y autoinmune caracterizada por una reacción tóxica al gluten. El gluten es una proteína que se encuentra en el trigo, la cebada ("barley"), el centeno ("rye") y la avena ("oats") contaminada.

Según la National Foundation for Celiac Awareness (*www.celiaccentral.org*), uno de cada 133 estadounidenses padece la enfermedad celíaca. Debido a los muchos síntomas que se manifiestan de diferentes maneras en cada persona, el 95% de los celíacos no han sido diagnosticados o se les ha diagnosticado mal otra afección.

Como sabemos lo importante que es estar bien informado, hemos incluido esta entrada en nuestro libro, aunque no tenemos remedios para esta afección. En la actualidad, el único tratamiento existente para los celíacos es una dieta sin gluten alguno.

Sí ofrecemos un buen consejo y una recomendación. Primero el consejo –si tiene un historial de problemas digestivos, y sospecha que podría padecer enfermedad celíaca, el primer paso consiste en visitar a su médico y hacerse el panel celíaco ("celiac panel"). Es un análisis de sangre, y aunque no puede dar un diagnóstico concluyente de la enfermedad celíaca, puede descartar la enfermedad celíaca, o determinar dónde se encuentra usted en el espectro del riesgo.

Si la enfermedad celíaca no se descarta, su médico probablemente realizará una endoscopia y una pequeña biopsia de tejido.

Ahora la recomendación. Cualquiera que padezca la enfermedad celíaca, o esté en el proceso de ser diagnosticado, o cualquiera que quiera vivir sin gluten, debería leer *The G Free Diet: A Gluten-Free Survival Guide* de Elisabeth Hasselbeck (Center Street), copresentadora del programa *The View*. de la cadena ABC-TV.

Durante años, Elisabeth no sabía qué era lo que la hacía sentir enferma. Consultó con médicos y nutricionistas, pero nadie parecía tener una respuesta. Sus síntomas no desaparecieron hasta que fue una de las concursantes del "reality show" *Survivor* y pasó 39 días viviendo del campo en el interior de Australia. Elisabeth se dio cuenta de que había algo que ella estaba comiendo en su casa que hacía que se sintiera muy mal.

Cuando volvió a casa, estaba determinada a establecer exactamente cuál era el alimento que la hacía sentir enferma. Le ahorraremos los detalles de todo lo que sufrió. Por fin, en 2002, cinco años después de la aparición de sus síntomas, encontró accidentalmente información acerca de la intolerancia al gluten y la enfermedad celíaca, y se dio cuenta que ése era su problema –gluten, el elemento de cohesión que se encuentra en el trigo.

Después de eliminarlo de su dieta, ella disfruta de una vida completamente normal, activa y saludable.

Así, Elisabeth escribió un excelente libro fácil de leer, *The G Free Diet: A Gluten-Free Survival Guide*. Cuenta todo lo que es necesario saber para comenzar a vivir una vida sin gluten, incluyendo la definición de gluten, dónde se encuentra, cómo leer las etiquetas de los alimentos, identificación de productos sin gluten, creación de listas de compras, intercambio de recetas y organizarse para vivir sin gluten con la familia y los amigos.

Elisabeth afirma que cualquiera puede disfrutar de los beneficios para la salud de una dieta sin gluten –entre ellos, la pérdida de peso, el aumento de la energía e incluso el alivio de las afecciones del autismo.

ESTREÑIMIENTO

Considerando la selección de laxantes naturales que hay disponibles, nos parece que nadie debería tener que recurrir a productos comerciales que pueden a la larga, con el uso constante, *causar* estreñimiento.

En primer lugar, si padece estreñimiento, debería limitar su consumo de los siguientes alimentos que se sabe que lo han causado: leche, queso, helado, bananas (plátanos) verdes, alimentos muy salados y condimentados, chocolate, bebidas alcohólicas y productos hechos con harina blanca. Claro, ya sabemos, estos son sus preferidos. Con razón está leyendo esta sección.

Nuestra tarea es proporcionar remedios no químicos que puedan ayudarlo a *regularizarse*; su tarea es probarlos –uno por vez– usando el sentido común e, idealmente, con la aprobación de su médico. Nosotras sugerimos dosis. *Más* no siempre es mejor. Tenga siempre en cuenta su tamaño y características particulares. Comience con una cantidad moderada de lo que sea que le atraiga y experimente aumentando gradualmente la porción hasta que descubra lo que funciona mejor.

➤ **Alimentos para comenzar el día.** (Seleccione uno de estos, a menos que reciba instrucciones diferentes de un profesional de la salud).

- **Mezcle una cucharada de harina de maíz ("cornmeal") en un vaso de agua y bébala.**
- **Coma algunos higos o una banana bien madura.** Ambos le vendrían bien en un bol de cereales ricos en fibra.
- **Beba una cucharada de jugo de áloe vera** (disponible en tiendas de alimentos saludables) y otra cucharada antes de acostarse.
- **Beba un vaso de jugo de zanahoria recién exprimido.**
- **Beba un vaso de agua tibia con el jugo de un limón.** Agregue un poco de miel para que sea delicioso.
- **Coloque media docena de clavos de olor ("cloves") en una taza, agregue media taza de agua recién hervida y deje remojar durante la noche.** Luego, a primera hora por la mañana, cuele el agua y bébala.
- **Beba un vaso de jugo de verduras recién exprimido.** Use cualquier combinación apetecible de tomates, pepinos ("cucumbers"), rábanos ("radishes") blancos, apio ("celery"), col (repollo, "cabbage"), remolacha (betabel, "beet") o zanahoria. Es muy probable que si a usted le gusta exprimir jugos no necesite estos remedios para el estreñimiento.
- **Hornee y coma una manzana en el desayuno y otra antes de acostarse.** Coma manzanas crudas después de las comidas. Lávelas para quitar los pesticidas (las instrucciones se encuentran en "Consejos saludables", página 321) y coma la cáscara.

➤ **Alimentos que estimularán la regularidad durante todo el día.**

- **Coma un aguacate ("avocado") maduro** –macháquelo con un poco de cebolla picada, una cucharadita de limón y especias (curry o comino) a gusto. O córtelo en pedazos para hacer una ensalada. Es muy benéfico de muchas maneras, incluyendo como lubricante interno.
- **Espolvoree una o dos cucharadas de semillas de lino ("flaxseed") en polvo o salvado de avena ("oat bran") en la comida** –sopa, ensalada o guiso (estofado)– diariamente.
- **Coma algunas semillas de mostaza ("mustard seeds") blancas o negras diariamente.** Trague las semillas enteras, sin masticarlas.

■ Receta ■

Caramelo para moverse

Esta receta es un remedio dulce para el estreñimiento. Coma uno o dos pedazos a diario.

- **Mezcle en un procesador de alimentos o pique finamente ½ libra (225 g) de ciruelas secas ("prunes"),** ½ libra (225 g) de pasas de uva ("raisins") y ¼ libra (115 g) de albaricoques (damascos, "apricots").
- **Combine los ingredientes con ½ taza de salvado sin procesar ("unprocessed bran"),** ya sea de avena ("oat") o de trigo ("wheat"). Mezcle bien.
- **Distribuya en un molde cuadrado para torta ("cake pan")** de 8 pulgadas (20 cm).
- **Corte en trocitos cuadrados,** y envuelva cada cuadradito en papel plástico ("plastic wrap").
- **Refrigere.**

NOTA: Si no quiere preparar estos caramelos caseros, considere las Gnu Bars descritas en el párrafo "Estreñimiento" de la sección "Niños y afecciones infantiles", en la página 159.

• **Beba dos o tres tazas de té de arrayán ("bayberry") todos los días.**

• **Coma una ensalada.**

• **Pele y hierva una batata (boniato, camote, papa dulce, "sweet potato") en agua hasta que esté blanda.** Cómala de postre.

• **Como refrigerio por la tarde, coma una taza de col (repollo, "cabbage") cocida.** Es un alimento anticanceroso que contiene mucha fibra y pocas calorías, y puede ayudar a vencer el estreñimiento.

• **Solamente para hombres:** Mastique una cucharada de semillas de calabaza "pumpkin" crudas diariamente. También es estupendo para la salud de la próstata.

NOTA: Consulte también la sección "Salba" en el capítulo "Le hace bien al cuerpo", página 298.

➤ **Compresa.** Vierta con cuidado agua recién hervida sobre una toalla blanca. Cuando esté lo suficientemente fría al tacto, escúrrala y colóquela sobre el estómago. Para mantener el calor, ponga otra toalla sobre ésta. Ahora acuéstese y relájese así por media hora. Esto puede hacerse junto con algunas de las sugerencias anteriores.

➤ **Ejercicio –una ayuda a largo plazo.** Hay muchas razones para hacer ejercicios en forma habitual, y una de ellas es ayudar a prevenir el estreñimiento. Camine entre 10 y 15 minutos al día, dos veces al día.

Considere también tomar una clase de taichí o yoga, y hacer algo de estiramiento –todos estos movimientos disminuyen el tiempo que lleva para que la comida pase por el intestino grueso. Y eso es bueno porque limita la cantidad de agua absorbida de las deposiciones hacia su cuerpo. (Las deposiciones duras y secas son difíciles de eliminar).

El ejercicio aeróbico –caminar a un buen ritmo, trotar (hacer "jogging"), nadar o andar en bicicleta– acelera su frecuencia respiratoria y cardiaca, lo que ayuda a estimular las contracciones onduladas de los músculos intestinales que ayudan a mover las deposiciones hacia delante y afuera. (Esto es probablemente más de lo que usted quiere saber). Comience a hacer ejercicios y es probable que usted sea capaz de eliminar este problema incómodo e insalubre.

➤ **Régimen de limpieza del colon.** Usted debería ayudar a limpiar el colon en forma habitual comiendo sólo fruta una vez a la semana o una vez al mes –usted puede fijar el calendario según sus necesidades y después de consultar con su profesional de la salud.

Asegúrese de incluir mango, papaya o piña (ananá, "pineapple") maduros. Además, conforme a las reglas de la combinación de alimentos, melones (cantalupo, "honeydew", melón casaba, sandía, etc.) deberían consumirse solos para evitar la acumulación de gas.

O aproveche psilio ("psyllium"), la benéfica fibra que se usa en algunos laxantes comerciales, sin consumir los innecesarios aditivos de dichos productos. Pida cáscaras de semillas de psilio ("psyllium seed husks") en polvo en las tiendas de alimentos saludables y siga las instrucciones de la etiqueta.

ADVERTENCIA: Beba agua con el psilio y luego beba más agua inmediatamente después de ingerirlo. El psilio es mucilaginoso (absorbe agua y se aglomera) y puede causar obstrucción si usted no lo consume con una cantidad abundante de agua.

➤ **Ríase del problema.** En serio. Reírse con ganas –una risa sonora– masajea los intestinos. También alivia el estrés, una causa común de estreñimiento. Alquile un DVD gracioso, hable con un amigo divertido o lea chistes en Internet. Puede empezar en *www.chistes.com* (si prefiere en inglés vaya a *www.ahajokes.com*, *www.jokesclean.com* y *www.danggoodjokes.com*. Además, consulte la página 294 para averiguar más sobre los beneficios de la risa para la salud.

ESTRÉS, ANSIEDAD Y ATAQUES DE PÁNICO

Algunas mentes geniales de nuestra época han escrito acerca del estrés, la tensión y la ansiedad. Cuando lee lo que tienen para decir, no parece tan malo después de todo. De hecho, leer estas cosas en realidad nos calmaron, haciéndonos sentir mucho mejor.

Según Felix Morley, periodista galardonado con el premio Pulitzer, "De la tensión... todo el progreso humano brota".

"Es bueno recordarnos", afirma el Dr. Rollo May, psicólogo existencial, "que la ansiedad significa un conflicto, y mientras un conflicto exista, una solución constructiva es posible".

El difunto Dr. Stanley J. Sarnoff (1917-1990) del National Heart Institute afirmó que "El proceso de vivir es el proceso de reaccionar ante el estrés".

Así es como el Dr. Robert S. Eliot, profesor de cardiología en la Universidad de Nebraska, resume cómo lidiar con el estrés: "La regla número uno es: no preocuparse por tonterías. La regla número dos es que todas las cosas son tonterías. Y si no puede luchar ni puede escapar, no se preocupe, siga nadando con la corriente".

Estrés

Aquí hay algunas sugerencias para reducir el estrés, la tensión y la ansiedad...

➤ **Tés tranquilizadores.**

• **Manzanilla ("chamomile").** El clásico remedio tradicional para calmar los nervios y ayudarlo a relajarse es el té de manzanilla (disponible en tiendas de alimentos saludables). Deje remojar una cucharadita de la hierba en una taza de agua recién hervida. Después de cinco minutos, cuele y beba a sorbos lentamente.

• **Nébeda ("catnip").** Cuando necesite estar más tranquilo, prepare una taza de té de nébeda (disponible en tiendas de alimentos saludables) dejando remojar una cucharadita colmada de nébeda en una taza de agua recién hervida. Después de cinco minutos, cuele y beba. Si tiene un gato, asegúrese de poner la nébeda alejada en un lugar seguro, o su felino irá directamente hacia esta.

➤ **Jugo calmante.** Permita que el jugo de apio ("celery") calme sus nervios. Si no tiene un extractor de jugo, vaya a una tienda de alimentos saludables que tenga una barra de jugos y pida jugo de apio solo o mezclado con un poco de jugo de zanahoria. Tenga en mente que el apio es un diurético natural.

➤ **Terapia con vitaminas.** Los expertos están de acuerdo en que tomar diariamente un suplemento de las vitaminas del complejo B puede reducir las sensaciones de tensión y ansiedad.

➤ **Recurra al sésamo.** Cuando algo estresante sucede de pronto, el nivel de calcio en la sangre puede bajar, haciendo que la situación parezca peor. Recurra a un puñado de semillas de ajonjolí (de sésamo, "sesame seeds"), o cualquier otro alimento rico en calcio –queso duro, requesón ("cottage cheese"), sardinas, salmón, anchoas, almendras ("almonds"), tofu, frijoles de soja ("soybeans"), ruibarbo ("rhubarb"), espinaca, bróculi ("broccoli"), col rizada ("kale"), y hojas de berza ("collard greens") y de mostaza ("mustard greens"). El gran aumento de calcio puede ayudarlo a sobrellevar una agitación emocional no anticipada.

➤ **Relajación diaria.** Halle un lugar conveniente y cómodo para tomarse unas vacaciones diarias de una hora. Cuando se despierte por la mañana, haga una cita con usted mismo, nombre un lugar y una hora específicos y cumpla. Durante esa hora, haga lo que sea que lo relaja. Lea, mire televisión, haga un crucigrama, teja, escuche música (más sobre eso un poco más adelante) –lo que sea que le da placer.

➤ **Desahóguese.** El escritor Garson Kanin dijo: "Existen miles de causas del estrés, y un antídoto para el estrés es la expresión de las ideas propias. Eso es lo que me sucede todos los días. Mis pensamientos escapan, corren por mis brazos y terminan en mi cuaderno."

Sí, exprese sus pensamientos y póngalos en un cuaderno. Lleve un diario. Puede dedicar 10 minutos de su relajación diaria (vea el remedio anterior) a dejar todo escrito.

➤ **Máquina portátil contra el estrés.** El estrés está siempre con nosotros –durante el tránsito de la hora pico, al tratar de encontrar el teléfono celular, cuando nos dicen que la computadora no funciona después de esperar en la cola del banco.

Lo que realmente necesitamos, según Stuart F. Crump, Jr., es una máquina contra el estrés que sea portátil para poder llevarla con nosotros. Y él tiene una. Es un yoyó. En realidad, Stuart, también conocido como el "Profesor Yoyó", tiene 500 yoyós y ha escrito varios libros sobre el tema, entre ellos *Amazing Yo-Yo Tricks* (Publications International). Él afirma que jugar con un yoyó es una manera excelente de lidiar con el estrés durante el día, donde sea que uno se encuentre. La mayoría de nosotros lo hicimos siendo niños, y una vez que se sabe cómo hacerlo, nunca se olvida. ¡Así que comience a jugar con un yoyó y podrá tener el mundo pendiendo de un hilo!

Visite el sitio web de la Yomega Corporation en *www.yomega.com*.

TOME NOTA

El ejercicio 4-7-8 (de respiración relajante) del Dr. Andrew Weil

El Dr. Andrew Weil, médico y autor (*www.drweil.com*), es más conocido por sacar a luz el campo de la medicina integrativa –la feliz combinación de terapias médicas prevalecientes y terapias complementarias y alternativas para las cuales no hay evidencia científica en cuanto a seguridad y eficacia.

Este ejercicio de respiración que el Dr. Weil compartió con nosotras es uno que recomienda para relajarse y reducir el estrés...

"Este ejercicio es sencillísimo, casi no toma tiempo, no requiere equipamiento y puede hacerse en cualquier lugar. Aunque puede hacerlo en cualquier posición, siéntese con la espalda recta mientras aprende el ejercicio. Ponga la punta de la lengua contra la cresta de tejido que está justo detrás de los dientes superiores frontales, y manténgala ahí durante todo el ejercicio. Estará exhalando por la boca, alrededor de la lengua; trate de fruncir los labios un poco si esto le resulta incómodo.

- Exhale por completo por la boca, haciendo un sonido susurrante.
- Cierre la boca e inhale silenciosamente por la nariz mientras cuenta hasta **cuatro.**
- Contenga la respiración mientras cuenta mentalmente hasta **siete.**
- Exhale por completo por la boca, haciendo un sonido susurrante mientras cuenta hasta **ocho.**
- Esto es una respiración. Ahora inhale nuevamente y repita el ciclo tres veces más hasta un total de cuatro respiraciones.

"Note que siempre inhala silenciosamente por la nariz y exhala de forma audible por la boca. La punta de la lengua permanece en su posición todo el tiempo. La exhalación lleva el doble de tiempo que la inhalación. El tiempo absoluto que pasa en cada fase no es importante; pero el ritmo de 4:7:8 sí es importante. Si tiene problema para contener la respiración, acelere el ejercicio pero mantenga el ritmo de 4:7:8 para las tres fases. Con la práctica puede hacer todo más lentamente y acostumbrarse a inhalar y exhalar cada vez más profundamente.

"Este ejercicio es un tranquilizante natural para el sistema nervioso. A diferencia de los medicamentos, los cuales son a menudo eficaces cuando los toma por primera vez pero luego pierden su poder con el tiempo, este ejercicio es imperceptible cuando lo prueba por primera vez pero aumenta su poder con la repetición y la práctica. Hágalo al menos dos veces al día. Es imposible hacerlo con demasiada frecuencia. No haga más de cuatro respiraciones cada vez durante el primer mes. Más adelante, si lo desea, puede extenderlo a ocho respiraciones. Si se siente un poco mareado la primera vez que respire de este modo, no se preocupe; pasará.

"Una vez que desarrolle esta técnica practicándola diariamente, será una herramienta muy útil que siempre tendrá. Úsela siempre que algo que lo disguste suceda –antes de reaccionar. Úsela siempre que note la existencia de tensión interna. Úsela como ayuda para dormirse. Este ejercicio es altamente recomendado. Todos pueden beneficiarse del mismo".

Si lo practica al menos una vez al día, pronto será capaz de hacerlo rápida y eficazmente siempre que necesite tranquilizarse.

➤ **La música tiene encantos que calman.** Libere la tensión y la ansiedad escuchando música que calme. Hay una gran selección de casetes y CD en la mayoría de las tiendas de alimentos saludables y librerías. Seleccione instrumentales –no vocales– con ritmos lentos regulares que incluyan piano e instrumentos de cuerda –arpa, guitarra, violín y violoncelo. Evite los instrumentos de metal.

➤ **Caliente o frío.** Algunos dicen que una ducha o un baño frío son estimulantes y pueden convertir su tensión nerviosa en energía creativa. Otros piensan que una ducha o un baño caliente mejoran la circulación y estimulan la relajación del cuerpo. Lo que sea que le dé resultado. En cualquier caso, podrían ser los iones negativos liberados en la ducha los que lo ayudan a sentirse mejor. Consulte la siguiente entrada para averiguar más acerca de estos iones.

➤ **Iones negativos.** Los practicantes de chi kung (qigong), la antigua terapia china para la mente y el cuerpo, creen en el poder del agua que fluye porque libera iones negativos (moléculas cargadas) por el aire. Respirar aire cargado de iones negativos puede ayudarlo a sentirse tranquilo, relajado y mejorar su sensación de bienestar.

Si está abrumado por el estrés y la preocupación, reciba tanto aire fresco como sea posible. El aire bueno cargado de iones negativos se encuentra en ambientes naturales externos, especialmente alrededor de árboles de hoja perenne, junto a cascadas, en la playa y en el aire fresco antes, durante y después de las tormentas. Las mejores proporciones de iones negativos y positivos se encuentran alrededor de agua en movimiento –océanos, ríos, arroyos, fuentes y cascadas.

Si no puede ir a una playa o a un parque cercano, considere conseguir un purificador de aire que emita iones negativos.

Para un estímulo rápido, deje que el agua del grifo fluya sobre las manos por dos o tres minutos.

➤ **Tensar para relajar.** Este ejercicio fácil de hacer eliminará la tensión del cuerpo en un instante. De ser posible, acuéstese sobre el piso con los ojos cerrados. Si eso no es posible, siéntese con los ojos cerrados. Cierre el puño con ambas manos y tense los músculos en los dedos, muñecas y antebrazos. Permanezca así por cinco segundos, y luego libere la tensión, dejando que escape de los dedos, muñecas y antebrazos. Siga con el proceso de tensión y relajación con los hombros, el cuello y la cara, y luego las piernas, los pies y los dedos de los pies. Note la sensación de incomodidad cuando se pone tenso, y luego disfrute plenamente de la experiencia de relajarse por completo.

➤ **Meditación.** Elija una palabra que tenga una influencia calmante y edificante sobre usted. Si puede pensar en una palabra que termine con el sonido "m" o "n", hágalo. Algunos ejemplos son diversión, seducción, bombón, don, son, ovación.

Siéntese en una silla cómoda con los ojos cerrados y el cuerpo relajado. Dígase esa palabra repetidamente cada vez que exhale. Si la mente se distrae, inmediatamente que se dé cuenta de eso, vuelva a la palabra y dígala una y otra vez mientras exhala. Hágalo todos los días por 15 minutos. Si le parece una experiencia placentera y benéfica, puede meditar dos veces al día.

Esta forma de meditación puede lograr una gran diferencia en su sistema nervioso central. También puede bajar su presión arterial y hacer más lenta su frecuencia cardiaca.

➤ **Visualización.** Cuando esté estresado o si la tensión se está acumulando, dedique

10 minutos para reacondicionar su transmisión con este sencillo ejercicio de visualización.

Siéntese en una silla cómoda y cierre los ojos. Exhale todo el aire de los pulmones, y luego lentamente inhale. Mientras exhala, visualice la inmensa marquesina de un teatro con luces brillantes que hacen destellar tres veces el número "3". Respire hondo lentamente otra vez y, mientras exhala, visualice el número "2" destellando tres veces. Respire hondo lentamente una vez más y, cuando exhale, vea el número "1" destellando tres veces.

Ahora que está relajado, imagine el paraíso en la Tierra. ¿Cuál es o sería su lugar preferido en el mundo entero? ¿La playa? ¿Una cabaña en las montañas? ¿Un campo lleno de flores? Imagínese donde sea que se sentiría más feliz. Siéntase libre de disfrutar por completo la visita por algunos minutos.

Cuando esté listo para volver a la realidad, cuente lentamente de uno a tres. Abra los ojos, estírese y note lo renovado que está.

Esta pequeña escapada le da la posibilidad de liberarse del estrés, permitiendo que la energía curativa del cuerpo asuma el control.

Ataques de pánico

Apenas comience un ataque de pánico, dígase: "Esto es un ataque de pánico y terminará muy pronto. No me hará daño. Ahora me relajaré y comenzaré mi ejercicio de respiración controlada".

Mientras cuenta hasta cinco, inhale profundamente por las fosas nasales, contenga la respiración mientras cuenta hasta cinco nuevamente, y exhale por la boca mientras cuenta hasta 10. Siga concentrándose en el ritmo de respiración 5-5-10 y, antes de que pase mucho tiempo, esta sensación de pánico habrá desaparecido.

¿Ha consultado usted a un profesional de la salud acerca de sus ataques de pánico? Si no lo ha hecho, debería hacerlo. Un psicólogo puede ayudarlo a averiguar la causa de los ataques de pánico.

Una vez que la causa se haya determinado, el siguiente paso es superarla. Lo urgimos a que busque ayuda profesional.

Si a usted lo ha diagnosticado un profesional, y ambos están convencidos de que los ataques no son causados por un problema físico como hipoglucemia o síndrome premenstrual (PMS, por sus siglas en inglés), sino por estrés, considere estas sugerencias de sentido común que le harán muchísimo bien…

➤ **Enfrente las situaciones aterradoras** en vez de preocuparse acerca de las mismas.

➤ **No pierda tiempo imaginando todos los escenarios posibles.** En su lugar, vaya directamente a la fuente –póngase en contacto con la persona que tenga las respuestas que usted necesita.

➤ **Haga ejercicios diariamente,** incluso si es sólo una caminata a un buen ritmo por media hora.

➤ **Consuma una dieta bien equilibrada…** pero, claro, esto ya lo sabía. Además, evite las bebidas gaseosas, la cafeína y todo lo que contenga azúcar. Pues, lo lamentamos, pero nadie dijo que sería fácil.

➤ **Sea amable con su alma sensible.** Esto significa tratar de no leer, mirar ni escuchar las malas noticias. Cuando mire televisión, escuche la radio, vaya al cine o lea, elija cosas ligeras… que le levanten el ánimo. Opte por reír en vez de los nudos en la garganta, lo divertido en vez de lo funesto, lo que inspira alegría en vez de lo que provoca pánico.

Situaciones exasperantes

No sabíamos cuál sería el título para estos remedios, pero todo lo que tuvimos que hacer fue mencionar algunos ejemplos –dar un discurso, pedir un aumento, ir a una entrevista de trabajo– y pensamos en las palabras que lo resumían mejor: situaciones exasperantes.

Hablar en público está en el primer lugar en la lista de cosas que muchas personas temen hacer. La *glosofobia* (sí, hasta hay una palabra para el temor de hablar en público) puede superarse. El secreto está en planificar, preparar y practicar. Usted puede controlar todo eso. Haga lo que puede hacer antes del evento –como dijimos, planificar, preparar y practicar– y siga algunas de nuestras sugerencias el día de su presentación. Quizá hasta disfrute de la experiencia y esté esperando a que llegue su siguiente obligación de hablar en público.

➤ **Consejo sobre bebidas.** El día de su evento, limite su consumo de cafeína y de bebidas alcohólicas por al menos 12 horas antes de que deba hablar. Además, para mantener su voz en excelentes condiciones, no beba leche ni bebidas heladas dos horas antes de su presentación.

➤ **Aromaterapia.** El efecto de los olores en su mente es potente e inmediato. Así que, justo antes de su presentación, huela pimienta negra unas veces. No, no pimienta negra molida. Eso haría que estornudara. Hay inhaladores de aromaterapia disponibles en la mayoría de las tiendas de alimentos saludables y uno de ellos es de pimienta negra ("black pepper"). Inhalar el olor unas pocas veces puede aumentar su confianza y ampliar su valor. Esta confianza y valor, junto a la planificación, preparación y práctica, lo pueden convertir a usted en una estrella.

➤ **Reflexología.** Este remedio de la reflexología requiere el uso de las manos. Ponga las palmas de las manos juntas contra el pecho como si estuviera orando. Entrelace los dedos y permanezca así por unos cinco minutos, hasta que todo su cuerpo se sienta relajado. Asegúrese de que los pies estén planos contra el piso y los hombros bajos. Cerrar los ojos puede hacer que se sienta aun más relajado.

➤ **Terapia con gemas.** La rodocrosita ("rhodochrosite") es la piedra indicada para aliviar el estrés y la ansiedad. Úsela, o llévela.

➤ **Afírmese.** Piense en cuando hizo algo estupendo. Vuelva a vivir el sentimiento que sintió, sabiendo que era maravilloso y apreciado. Recuerde este sentimiento y recréelo justo en el momento en que pase a ser el centro de atención.

Cómo el estrés afecta su sistema inmune: ¡qué sorpresa!

Los psicólogos Suzanne Segerstrom, de la Universidad de Kentucky, y Gregory Miller, de la Universidad de British Columbia, investigaron el estrés durante 30 años. Descubrieron que el estrés moderno ocasiona reacciones complejas, además de la sencilla respuesta de pelear o fugar que causa que el corazón se acelere y la presión arterial suba.

Los doctores Segerstrom y Miller organizaron las situaciones estresantes modernas en grandes categorías. Una de sus categorías era hablar en público, considerado extremadamente estresante por muchos de nosotros.

Cuando a las personas de la prueba se les pidió que hablaran en público o que hicieran una operación mental, las tareas sorprendentemente activaron las respuestas de rápida acción del sistema inmune. Este es el sistema de defensa general del cuerpo para combatir infecciones y curar heridas. Las personas que participaban en esas situaciones estresantes a corto plazo tenían hasta el doble de células asesinas naturales en la sangre, listas para combatir las etapas tempranas de una infección.

Así que la próxima vez que usted experimente una situación estresante a corto plazo, donde haya un fin a la vista, puede relajarse, sabiendo que efectivamente *beneficia* a su sistema inmune.

Lectura recomendada

➤ ***The Superstress Solution*** de Roberta Lee, MD (Random House). La Dra. Lee, una médica integrativa renombrada mundialmente, tiene una solución para el superestrés que incluye reconocer, volver a equilibrar y proteger contra el estrés, ya sea grande o pequeño. Su programa para un estilo de vida y dieta de cuatro semanas lo ayudará a aliviar la ansiedad, dormir bien, restaurar su capacidad de relajarse y crear resistencia contra el estrés en el futuro.

Consejos de los sabios...

Sorprendentes aliviadores del estrés

Respirar profundamente da resultado –pero también existen otras maneras eficaces de eliminar el estrés. *Técnicas exclusivas...*

➤ **Prepare un kit personal para el alivio del estrés** que contenga cinco objetos preferidos, uno por cada uno de los sentidos –por ejemplo, una piedra suave para tocar, una bolsita perfumada para oler, goma de mascar sabrosa para saborear, una foto querida para mirar, un mantra para leer en voz alta.

Cuando el estrés agobie, concéntrese en uno o más de estos objetos como ayuda para sentirse centrado, sugiere la psicoterapeuta Leila Keen, LCSW, de Durham, Carolina del Norte.

➤ **Mantenga una botella de burbujas a mano** –soplar burbujas desahoga.

➤ **Hornee algo que requiera movimientos repetitivos** para estimular un estado mental meditativo –amasar, cortar manzanas en tajadas.

➤ **Cante *en voz alta*** cuando quede atascado en el tráfico.

➤ **Ríase.** Incluso si la risa es falsa al principio, se sentirá con más calma.

➤ **Vuelva a leer el capítulo final de una novela preferida** en la cual triunfa el bien.

Tamara Eberlein, editora del boletín electrónico *HealthyWoman*, editado por Bottom Line Publications de Boardroom Inc.

FATIGA

Recibimos cartas de tantas personas que nos dicen que están constantemente cansadas... que no tienen energía... que no tienen brío. Por lo general, sus días comienzan temprano por la mañana y terminan tarde por la noche, con todo tipo de responsabilidades, obligaciones y tensión en el medio. Para estas personas, podría ser hora de revaluar el estilo de vida que han adoptado y hacer algunos cambios.

Mientras está considerando su estilo de vida, y contemplando cambios que implican ser más amable con uno mismo, nosotras tenemos algunos luchadores contra la fatiga que son reanimadores instantáneos, estimuladores de la energía y eliminadores de la somnolencia.

➤ **Reanimador instantáneo.** Cuando esté sentado en una reunión y tema que va a quedarse dormido cuando necesita estar alerta y receptivo, presione los codos contra los costados, o presione las rodillas entre sí, ejerciendo mucha presión por unos pocos segundos. La circulación de la sangre aumentará, haciendo que se sienta reanimado.

➤ **El asombroso tónico energético del asombroso Kreskin.** Si alguna vez ha visto en escena al mentalista Amazing Kreskin, ha sido testigo de su tremendo nivel de energía. ¡Este hombre es un ciclón! *Cuando le preguntamos a Kreskin el secreto de su resistencia, él compartió amablemente su receta con nosotras...*

Combine seis onzas (175 ml) de jugo de arándanos agrios ("cranberries") no endulzado ("unsweetened") y dos onzas (60 ml) de jugo de naranja. Remátelo con una rodaja de lima (limón verde) fresca, agregue hielo, revuelva y beba.

Kreskin consume alrededor de un cuarto de su bebida energética diariamente. Eso parece ser un poco excesivo para una persona promedio que no tiene el ajetreado calendario del mundo del espectáculo de Kreskin, ni acceso inmediato a un baño portátil. Ocho onzas al día de esta bebida suena como un buen estimulante.

➤ **Más vale prevenir.** Muchas tardes casi nos hemos caído dormidas sobre el teclado de la computadora, hasta que descubrimos el secreto para permanecer despierto. Consuma un almuerzo ligero. ¿Hamburguesa con papas fritas? –¡No! ¿Ensalada? –¡Sí! Además, cuando el tiempo lo permita, una corta caminata después del almuerzo ayudará a mantenerlo completamente despierto y alerta por el resto del día.

➤ **Respirar "bien".** En conformidad con muchos que creen que la energía positiva se inhala a través de la fosa nasal derecha, ponga un pedazo de algodón en la fosa nasal izquierda y respire por la fosa nasal derecha por una hora. Si puede estar solo en un lugar tranquilo durante esa hora, sería mucho mejor para su revitalización.

➤ **Estimuladores de la energía**

- **Semillas de girasol.** En vez de tomar un descanso y beber café, coma un puñado de semillas de girasol ("sunflower seeds") crudas sin sal (disponibles en las tiendas de alimentos saludables). Este alimento de proteína de alta potencia hará maravillas por su nivel de energía durante todo el día.

- **Polen de abeja.** Cuanto más investigamos acerca del polen de abeja ("bee pollen"), más nos convencemos de que es un alimento milagroso. Puede darle energía y vigor. De hecho, hoy en día muchos atletas usan polen de abeja en lugar de esteroides u otros suplementos peligrosos.

■ Receta ■

Propulsores de energía del Dr. Kim

Ingredientes

Dátiles ("dates") sin carozos –unos 10

Pecanas ("pecans") crudas –aprox. 1 taza

1 cucharadita colmada de cacao en polvo ("cocoa powder") –ingrediente o cobertura opcional

Coco rallado ("shredded coconut") –cobertura opcional

Anacardos ("cashews") –cobertura opcional

Preparación

1. Coloque unos 10 dátiles en un bol.
2. Remoje los dátiles en agua. Si hace esto una hora o más por adelantado, puede usar agua a temperatura ambiente. Pero si tiene poco tiempo, use agua caliente. El objetivo es ablandar los dátiles para que se puedan mezclar fácilmente para formar una pasta.
3. Ponga una taza de pecanas crudas en un procesador de alimentos. Puede usar una licuadora fuerte, pero en esta receta, un procesador es mejor.

NOTA: Si tiene dificultad en digerir nueces, remójelas en agua durante la noche, cuele y seque con una toalla antes de procesar.

4. Procese las pecanas a velocidad lenta o pulseando ("pulse") hasta que estén algo molidas. (No es necesario moler tan finamente como para obtener mantequilla).
5. Añada una cucharadita colmada de cacao en polvo de buena calidad. Si no le apetece el chocolate, puede omitirlo.
6. Procese o pulsee por unos segundos más para mezclar las nueces molidas y el cacao en polvo.
7. Agregue a la mezcla seis dátiles empapados y ligeramente triturados. Es mejor verter un poco de agua para lograr la consistencia adecuada. Una buena manera de agregar la cantidad ideal es agitando los dátiles suavemente cuando los saca del bol de agua, luego apretándolos un poco con los dedos, y agregándolos –un poco húmedos– a las pecanas molidas.
8. Procese a velocidad lenta o pulsee hasta lograr la consistencia firme de masa para galletitas ("cookie dough"), lo que le permitirá desprender pedazos del tamaño de una cucharita y enrollarlos en las palmas de la mano. Si sea necesario, agregue uno o dos dátiles más, pero no se pase de mano al agregar los dátiles. No es conveniente que la mezcla sea demasiado húmeda, algo que es difícil de arreglar agregando más nueces.

   Cuando pueda desprender pedazos pequeños y enrollarlos en forma de bolitas que permanezcan intactas, ya sabrá que ha logrado la consistencia adecuada.
9. Después de haber enrollado los pedazos en forma de bolitas, decórelos a su gusto y creativamente. Deles vuelta para recubrirlos con coco rallado, o espolvoree cacao en polvo crudo por encima. Tenga en cuenta que si ya ha agregado cacao en polvo a las pecanas, la adición de una capa extra de cacao en polvo les provee a estas bolitas de energía un sabor intenso a chocolate oscuro. Si eso es lo que desea, ¡siga adelante!

   Para mayor variedad, puede insertar sus nueces o frutos secos favoritos en la cobertura de cada bolita de energía –resultan fabulosos un anacardo entero crudo o media nuez ("walnut").

Si le sobran algunos dátiles, nueces u otros ingredientes, colóquelos en el procesador de alimentos para ver lo que pasa. Hemos descubierto algunas de nuestras combinaciones favoritas de esta manera al azar. Un ejemplo de una buena mezcolanza consiste de dátiles, almendras ("almonds"), coco rallado y cerezas agrias secas ("dried tart cherries").

Por favor tenga en mente que cuando usa diferentes tipos de nueces, debe ajustar el número de dátiles para crear la textura de pasta para galletitas adecuada que se pueden enrollar en la forma de bolitas de energía. Por ejemplo, las almendras emiten menos aceites naturales que las pecanas, por lo que las bolitas de energía de almendras requieren unos nueve o 10 dátiles pequeños y empapados por cada taza de almendras crudas.

Una vez que ha preparado una hornada de bolitas de energía, usted y su familia pueden disfrutarlas enseguida. Si la hornada es solo para usted, coma una o dos bolitas y refrigere las restantes en un recipiente con tapa. Se mantendrán frescas al menos por varios días.

⚠ ***ADVERTENCIA:*** Algunas personas son alérgicas al polen de abeja. Comience muy lentamente –con un par de gránulos los primeros dos días. Luego, si no tiene ninguna reacción alérgica, vaya aumentando gradualmente hasta que tome una cucharadita o más al día –hasta una cucharada dependiendo de cómo se sienta. Los asmáticos NO deberían usar polen de abeja.

Puede obtener polen de abeja en las tiendas de alimentos saludables, o consulte "Recursos", página 350, para ver nuestra recomendación de compras por correo.

• **Acupresión.** Existen líneas de energía directamente conectadas a los órganos internos y funciones corporales que pasan por los lóbulos de las orejas. Siendo así, use los dedos índice y pulgar para frotar los lóbulos por unos 15 segundos. Debería despertar todo su sistema nervioso.

➤ **Bolitas de energía saludables, exquisitas y llenas de nutrientes.** El Dr. Ben Kim, editor de *www.drbenkim.com*, un sitio web que se dedica a proporcionar artículos, recetas y otros recursos que promueven la salud óptima, compartió su receta con nosotras. Consulte la receta de la página anterior.

Ya que estas bolitas de energía ("energy balls") están hechas con alimentos integrales ricos en fibra, comer sólo una o dos puede ser sorprendentemente satisfactorio –un gran contraste cuando se considera que la mayoría de las personas no tienen problema en comer seis o más minidonuts ("rosquillitas") de una vez.

➤ **Fatiga invernal.** Si nota que se siente particularmente cansado sólo durante los meses de invierno, podría deberse a un trastorno afectivo estacional (SAD, por sus siglas en inglés). Consulte la sección "Depresión", página 58, para leer sobre SAD y una solución.

➤ **Fatiga crónica.** Muchos creen que el cansancio crónico puede ser causado por deficiencias de vitaminas debido a una dieta desequilibrada. Consuma alimentos ricos en las vitaminas del complejo B –cereales integrales, levadura de cerveza ("brewer's yeast") y yogur– y complemente su dieta con una vitamina del complejo B.

Consuma también alimentos ricos en la vitamina C –frutas cítricas, verduras de hojas verdes, col (repollo, "cabbage") –y complemente su dieta con entre 500 y 1.000 mg de vitamina C espaciados durante el día.

Además, agregue a su dieta alimentos ricos en magnesio, como cereales integrales, frijoles (habas, habichuelas, etc.), verduras de hojas verde oscuro, productos de soja y nueces ("nuts").

➤ **Visualización para la somnolencia.** Siéntese, cierre los ojos y deje que salga todo el aire de los pulmones. Imagine una luz brillante blanca azulada entrando y llenando todo su cuerpo mientras usted inhala lentamente por las fosas nasales. Abra los ojos y siéntase renovado.

➤ **Aromaterapia para la somnolencia.**

• **Ponga una gota de pimienta de Jamaica ("allspice") o esencia de canela en la parte de adentro de la muñeca** y huela el aroma cada vez que los párpados comiencen a sentirse pesados.

• **Si padece un caso realmente fuerte de somnolencia,** pinche una cápsula de ajo y huela profundamente el aroma algunas veces. Eso debería despertarlo.

• **Si está en casa y necesita recobrar las energías para alguna actividad nocturna,** agregue seis gotas de esencia de limón, tomillo ("thyme") o menta piperita ("peppermint") al agua de su baño. Relájese en el baño por 15 minutos. Siempre tenga mucho cuidado al salir de la bañera, especialmente cuando ha usado incluso una pequeña cantidad de esencia.

ADVERTENCIA: Si existe alguna posibilidad de que se vaya a quedar dormido en la bañera, olvídese de este remedio. Intente otro.

AFIRMACIÓN

Repita esta afirmación una docena de veces siempre que se sienta desganado (poner música enérgica y repetir la afirmación mientras escucha la música es aún más eficaz)...

Estoy feliz, sano, despierto, inspirado y con muchas ganas de seguir adelante.

Consejos de los sabios...

Estimule su energía en ocho minutos o menos

Cuando se sienta somnoliento o desfallezca de fatiga, cualquier tarea parece monumental e incluso las actividades divertidas se sienten trabajosas.

Útil: Adopte un enfoque doble para el fortalecimiento –incluya técnicas instantáneas para un aumento inmediato de energía... y estrategias sencillas que llevan pocos minutos para hacer, pero que le dan un vigor de larga duración día tras día.

Estimule su energía...

➤ **Despierte la nariz –y el resto de su cuerpo se levantará.** La aromaterapia estimula el centro olfatorio del cerebro y agudiza la conciencia del entorno. Aplique una gota de esencia de romero ("rosemary essential oil") de grado terapéutico (en venta en tiendas de alimentos saludables) sobre los puntos de pulso detrás de ambas orejas, como lo haría con perfume... o empape un paño con agua fría, rocíelo con cuatro gotas de esencia de limón ("lemon essential oil") de grado terapéutico, y luego póngalo sobre la frente o la nuca por cinco minutos. No aplique directamente bajo la nariz esencias sin diluir –podrían ser demasiado fuertes.

➤ **Cante algunos compases.** Al cantar, usted inhala profundamente, llevando más oxígeno vigorizante a los pulmones y aumentando la circulación por todo el cuerpo... y exhala por la boca, expulsando eficazmente el producto residual dióxido de carbono ("carbon dioxide").

Bono adicional: Elegir una canción alegre preferida mejora el estado de ánimo.

➤ **Estírese ampliamente.** Estirarse abre el pecho, endereza la columna vertebral, expande los pulmones y alivia la tensión que agota la energía en los músculos de los hombros y el cuello. *Intente estos...*

Estiramiento sentado. Siéntese en una silla fuerte, con los pies planos sobre el piso y las manos estrechadas delante de usted. Mientras inhala, enderece los brazos y gradualmente levántelos sobre la cabeza, doblando las muñecas de modo que las palmas den hacia el techo. Suavemente presione los brazos tanto hacia atrás como sea posible, manteniéndolos mientras cuenta hasta cinco. Lentamente exhale, bajando los brazos a la posición inicial. Repita tres veces.

Estiramiento en una entrada. Párese en una entrada, algunas pulgadas detrás del umbral, con los pies a unas seis pulgadas (15 cm) de separación. Levante los brazos por los costados y doble los codos formando ángulos de 90 grados, poniendo las manos y los antebrazos a cada lado del marco de la puerta. Manteniendo la espalda recta, inclínese hacia delante levemente para sentir un estiramiento a lo largo del pecho. Mantenga por 15 segundos. Repita tres veces.

➤ **Dé 800 pasos.** Una caminata a paso moderadamente ligero –a un ritmo de unos 100 pasos por minuto– es una forma excelente de lograr que la sangre fluya al corazón y al cerebro. El ejercicio también provoca la liberación de *endorfinas*, las sustancias químicas del cerebro que hacen que usted se sienta alerta y enérgico. De ser posible, camine afuera –los rayos del sol activan la síntesis de la vitamina D que mejora el estado de ánimo.

➤ **Dé un respiro.** Lo bueno de esto es que puede hacerlo en cualquier momento, en cualquier lugar y sentirse instantáneamente más alerta.

Una buena técnica de respiración profunda: Inhale profundamente por la nariz, llenando los pulmones mientras cuenta hasta cuatro... sostenga la respiración mientras cuenta hasta siete... lenta y deliberadamente exhale por los labios fruncidos (para regular la liberación de aire) mientras cuenta hasta ocho. Respire tres veces normalmente, y luego repita el ejercicio de respiración profunda dos veces más.

La razón: Esta técnica tira del diafragma hacia abajo y produce una presión negativa que lleva más sangre hacia el corazón. Cuando el corazón bombea esta sangre por todo el cuerpo, todos los tejidos reciben más oxígeno vigorizante.

Evangeline Lausier, MD, directora de servicios clínicos de Duke Integrative Medicine y profesora clínica auxiliar de medicina en la facultad de medicina de la Universidad Duke, ambos en Durham, Carolina del Norte. Es internista especializada en la salud de la mujer y en las enfermedades complejas de múltiples sistemas, con un enfoque en el estilo de vida que promueve la prevención.

GARGANTA IRRITADA

La inflamación de la garganta puede disminuir su resistencia y dejarlo vulnerable a otras dolencias que atacan cuando la resistencia es baja. Pues, tratemos de cortar desde la raíz este dolor de garganta...

ATENCIÓN: Si su dolor de garganta no se ha ido después de tres días, consulte con un profesional de la salud y sométase a exámenes para verificar si padece o no inflamación (faringitis) estreptocócica ("strep throat").

Remedios clásicos para el dolor de garganta

➤ **Remedio clásico Nº 1.** Miel y limón era lo corriente en nuestra casa. Mamá exprimía el jugo de un limón en una gran taza de agua recién hervida y agregaba suficiente miel –de una a tres cucharadas– para que fuese delicioso.

O, en otra versión, mezclaba una cucharada de miel con el jugo de un limón... sin agregar agua. Tome cualquiera de éstos cada dos horas.

➤ **Remedio clásico Nº 2.** Mezcle dos cucharaditas de vinagre de sidra de manzana ("apple cider vinegar") en un vaso de agua tibia. Haga gárgaras con un buche y escupa, luego trague un buche. Nuevamente, haga gárgaras con un buche, escúpalo y trague un buche. ¿Nota un patrón? Hágalo hasta que no quede líquido en el vaso. Repita el proceso una vez cada hora. A la tercera o cuarta hora, el dolor de garganta usualmente ha desaparecido. (Este remedio siempre nos da buenos resultados).

➤ **Remedio clásico Nº 3.** Disuelva una cucharadita colmada de sal (sal kosher es mejor, pero la sal de mesa está bien) en un vaso de agua tibia y haga gárgaras con la misma. Si le ayuda, hágalo nuevamente en una hora. Si le pareció que no mejoró su dolor de garganta, intente uno de los otros remedios.

Más remedios para el dolor de garganta

Si ninguno de los anteriores remedios tradicionales le atrae, utilice uno de los siguientes y conviértalo en su propio remedio tradicional para el dolor de garganta...

➤ **Tajadas de piña (ananá, "pineapple").** Coma unas tajadas de piña fresca. Consumir una toronja (pomelo, "grapefruit") o beber un vaso de jugo de toronja también pueden ser eficaces.

ATENCIÓN: Si toma medicamentos, consulte con su médico o farmacéutico para asegurarse de que no haya interacción alguna entre el medicamento y la toronja.

➤ **Té de marrubio ("horehound").** Beba té de marrubio (disponible en tiendas de alimentos saludables) durante el día. Simplemente deje en remojo una cucharadita de la hierba en una taza de agua recién hervida, y tan pronto como se enfríe, cuele y beba.

➤ **El remedio del barman (camarero de barra).** En vez de chupar una pastilla para la tos para aliviar el dolor de garganta, chupe una aceituna. Quítele el carozo y mantenga la pulpa de la aceituna en la boca hasta que finalmente la mastique y la trague. Luego chupe otra aceituna.

➤ **Recibimos muchas cartas.** Pero debido al espacio limitado, no reproducimos las cartas de personas que amablemente comparten sus remedios con nosotras. *Claro que siempre hay alguna excepción y ésta es la excepción...*

Estimadas señoras:

Este es un remedio casero que usé hace 65 años. Es tan divertido como eficaz. No me pregunten cómo o por qué funciona, pero me dio resultado cuando tenía 10 años. Cuando mis hijas tenían la misma edad, les dio buenos resultados a ellas también.

Para un dolor de garganta, cuando se vaya a acostar, envuelva el cuello con una media (calcetín) sucia. Cuanto más sucia, mejor. Pensaba que sería el calor, pero una toalla no da resultado; ¡la media sí lo hace! ¡En serio!

Su servidora,

Selwyn P. Miles

NOTA: Para las personas que usen este remedio –ponga a hervir la media sucia con algunas tajadas de limón y quedará blanca y reluciente como nueva... claro, con tal que era una media blanca cuando era nueva.

➤ **Prevención de la reinfección.** Las bacterias pueden vivir en su cepillo de dientes y reinfectarlo. Mientras tenga dolor de garganta, sumerja su cepillo de dientes en agua recién hervida antes de usarlo. Tan pronto como su dolor de garganta haya desaparecido por completo, consiga un nuevo cepillo de dientes.

➤ **Acupresión.** Masajee llegando hasta el fondo de la zona entre el pulgar y el índice. Puede ayudar a aliviar la sensibilidad de una garganta inflamada.

➤ **Aromaterapia.** El aceite esencial de pino ("pine oil") tiene propiedades antisépticas. Agregue un par de gotas de la esencia de pino a una olla con agua recién hervida y cuidadosamente inhale el vapor. Durante el día, vuelva a calentar el agua con la esencia de pino e inhale el vapor.

AFIRMACIÓN

Siempre que mire cualquier reloj, es "hora" de alabarse a usted mismo repitiendo esta afirmación...

¡Soy de lo mejor que hay! Canto mis propias alabanzas fuerte y claro.

Inflamación estreptocócica

La faringitis (inflamación) estreptocócica ("strep throat") no debería tomarse a la ligera. Puede conducir a una enfermedad grave si no se trata como es debido. Un médico puede hacer un examen en busca de estreptococos en minutos. Perdón por la repetición, pero... si su dolor de garganta no desaparece en tres días, vaya al médico y sométase a exámenes.

Si tiene un perro o un gato y contrae faringitis estreptocócica con más frecuencia que lo usual, podría estar contrayendo los *estreptococos* del animal. Pídale al veterinario que revise la mascota. Cuando su mascota esté libre de la bacteria, usted probablemente también lo estará.

➤ **Remedio para la faringitis estreptocócica.** Si piensa que padece faringitis estreptocócica y no puede ir al médico a someterse a un examen, entonces tome cada hora tres tabletas de alfalfa y cada tres horas agregue 100 mg de la vitamina C. Comience este régimen por la mañana y siga hasta la hora de acostarse. Si no se encuentra mejor la mañana siguiente, hágalo un día más. Luego, ya no tiene más excusas: ¡vaya al médico!

Laringitis

¿Sostiene usted el auricular del teléfono entre el hombro y el cuello mientras habla por teléfono? Si eso es lo que hace, podría estar esforzando la laringe para poder producir sonidos cuando la cabeza está inclinada. Si esto es lo que está causando su laringitis, cuelgue el teléfono y salga a comprar audífonos o un casco auricular ("headset").

Si su laringitis no es causada por la inclinación de la cabeza al hablar por teléfono, intente uno o más de estos remedios...

➤ **Beba muchos líquidos.** Pero que no sean bebidas frías. Los líquidos fríos pueden empeorar el problema. Evite también la leche y otras bebidas lácteas.

➤ **¡No beba alcohol!** Ya que tiene que mantener la laringe húmeda, las bebidas alcohólicas –incluso las llamadas mezclas medicinales– están prohibidas. Las mismas simplemente resecan la laringe.

➤ **No se meta con menta.** Cualquier tipo de menta ("mint"), bebida mentolada o pastilla para la tos puede resecar las cuerdas vocales.

➤ **No haga gárgaras.** Las cuerdas vocales no necesitan el estrés causado al hacer gárgaras.

➤ **No susurre.** Susurrar también estresa las cuerdas vocales. De hecho, ¡cállese! Por uno o dos días, escriba en vez de hablar.

➤ **Beba té de corteza de olmo norteamericano ("slippery elm bark")**, disponible en tiendas de alimentos saludables. Beba tres o cuatro tazas al día para suavizar y proteger las cuerdas vocales y aliviar el dolor de una garganta maltratada.

➤ **Consuma castañas descascaradas.** Quite la cáscara de unas castañas ("chestnuts") crudas y mastique la pulpa de las mismas como si masticara goma de mascar. Se afirma que es bueno para curar la laringitis.

➤ **Beba té de salvia ("sage").** Prepare un té fuerte de salvia usando una cucharadita colmada de la hierba en una taza de agua recién hervida. Deje en remojo por 10 minutos, cuele y beba. La salvia no sólo ayudará a curar la laringitis, sino que además fortalecerá su voz. Beba tres tazas al día hasta que su voz vuelva a la normalidad.

GOTA

Si no fuese por la gota, quizá no hubiera ocurrido la Revolución estadounidense.

En vez de concurrir a sesiones fundamentales del Parlamento británico, William Pitt estaba en casa con gota. Como resultado de su ausencia, el Parlamento aprobó la *Ley del Timbre ("Stamp Act")* y el impuesto del té, lo cual condujo al motín del té de Boston. Y el resto es historia. O sea, el descanso por la gota cambió la historia.

Durante toda la historia ha habido famosos enfermos de gota: Benjamin Franklin, Sir Francis Bacon, Miguel Ángel, Dr. Samuel Johnson, Charles Darwin, Sir Isaac Newton, Kublai Khan, el rey Enrique VIII, Carlomagno, Martín Lutero, Oliver Cromwell, Galileo Galilei, Karl Marx, John Milton, Joseph Conrad y Theodore Roosevelt.

¿Notó que todas las personas arriba mencionadas son hombres? El noventa y tres por ciento de las personas que padecen gota son hombres mayores de 45 años. Para las mujeres el problema generalmente comienza después de la menopausia.

Bueno, entonces sabemos quién la ha padecido y quién se enferma. Pero, ¿qué es? La gota es una enfermedad metabólica, causada por la metabolización inadecuada de las purinas que se descomponen, produciendo *ácido úrico* como un subproducto. Es el ácido úrico el que causa el problema y el dolor. Si elimina los alimentos ricos en purina podría eliminar esta afección dolorosa.

Alimentos que se deben evitar

• **Carne** –la mayoría de las carnes contienen cantidades altas de ácido úrico, especialmente el pavo (guajolote, "turkey"), la ternera ("veal"), el tocino (panceta, "bacon") y el venado ("venison"). La carne de res, el pollo y el pato (ambos sin la piel) tienen cantidades moderadas de purina. Todas las carnes de órganos –hígado, mollejas ("sweetbreads"), riñones, corazón, sesos.

• **Pescado** –anchoas, arenque ("herring"), abadejo (eglefino, merlango, "haddock"), sardinas, trucha ("trout")–, aunque se recomiendan para personas con otras formas de artritis, no son buenas para las personas con gota.

• **Caviar.**

• **Mariscos** –especialmente las almejas ("clams"), las vieiras ("scallops") y los mejillones ("mussels").

• **Alimentos fritos.**

• **Alimentos suntuosos** –postres con harina blanca y azúcar.

• **Levadura de cerveza ("brewer's yeast") y levadura de panadería ("baker's yeast").**

• **Bebidas alcohólicas,** especialmente la cerveza (contiene levadura de cerveza).

• **Consomé, caldo y salsa marrón de carne ("gravy")** –todos ricos en purina.

• **Huevos.** Aunque los huevos contienen poca purina, causan que el cuerpo produzca ácido úrico, así que los ponemos en la lista "se deben evitar".

Alimentos que se pueden consumir

➤ **Su nuevo menú.** Tal vez se pregunte qué debe comer. No abandone los cereales, especialmente el arroz moreno ("brown rice"), las nueces ("nuts") y semillas, las frutas frescas y la mayoría de las verduras crudas. Pruebe tofu como una fuente de proteína. Tenga en cuenta que no es una dieta para siempre. Una vez que la afección mejore, puede agregar nuevamente algunos de sus alimentos preferidos (con moderación) a sus comidas diarias.

➤ **Un bol de cerezas.** El remedio clásico para la gota son las cerezas ("cherries"). Tienen una enzima que ayuda a neutralizar el ácido úrico. Coma unas cuatro onzas (115 g) de cerezas frescas todos los días entre las comidas. Si no es temporada de cerezas, puede beber jugo de cerezas embotellado (sin azúcar agregada) o comprar extracto de jugo de cerezas (disponible en tiendas de alimentos saludables) y tomar una cucharada tres veces al día. También puede comer cerezas congeladas, enlatadas o enfrascadas. Se han informado buenos resultados con todos los tipos de cerezas, incluyendo el extracto de cerezas y las cerezas en polvo.

NOTA: También consulte "Cerezas" en el capítulo "Le hace bien al cuerpo", página 269, para aprender acerca de las cerezas agrias ("tart cherries").

Mientras tanto, agregue fresas (frutillas, "strawberries") a su lista de compras. Éstas también son excelentes neutralizadoras del ácido úrico.

Remedios para la gota

➤ **Remedio de maíz.** Corte los granos de tres mazorcas frescas de maíz. Ponga las mazorcas sin granos en una olla y agregue agua –el doble de la altura de las mazorcas. Hierva a fuego lento por una hora, y luego vierta el líquido en una botella y manténgalo refrigerado. Diariamente, beba una taza de té de mazorca después de cada comida, hasta que la gota haya desaparecido.

➤ **Té neutralizador.** El té de milenrama (aquilea, "yarrow"), el té de semillas de apio ("celery seeds") y el té de diente de león ("dandelion") pueden neutralizar el ácido úrico y ayudar a eliminarlo de su organismo. A lo largo de cada día, beba tres o cuatro tazas de cualquiera o una combinación de dos o tres de estos tés.

NOTA: El té de milenrama tiene un sabor inusual –le sugerimos que le agregue miel.

➤ **Agua ayuda.** Beba al menos ocho vasos de agua diariamente. El consumo de agua durante el día ayudará a diluir la concentración del ácido úrico de la orina.

➤ **Controle los ejercicios.** El ejercicio enérgico aumentará la producción de ácido úrico, y eso no es bueno cuando padece gota. Hasta que la afección haya desaparecido, haga ejercicios con moderación.

Consejos de los sabios...

Evite los refrescos gaseosos

La gota es una enfermedad artrítica inflamatoria. El almíbar de maíz con alto contenido de fructosa ("high-fructose corn syrup"), usado para endulzar refrescos, aumenta los niveles de ácido úrico, que están vinculados a la gota. ¡Beber dos refrescos dulces al día aumenta el riesgo de la gota en un enorme 85%!

La autodefensa: Si tiene un historial familiar o personal de gota debería evitar los refrescos endulzados con azúcar. Los refrescos dietéticos no aumentan el riesgo. Las frutas ricas en fructosa, como las manzanas y las naranjas, y los jugos de frutas también pueden aumentar el riesgo.

Gary C. Cuhran, MD, ScD, profesor adjunto del departamento de medicina y epidemiología del laboratorio Channing del hospital Brigham and Women's, en Boston, y autor principal de un estudio de 46.983 hombres, publicado en el boletín médico *British Medical Journal.*

HEMORRAGIA NASAL

Cuando tenga una hemorragia nasal, primero evalúe su afección...

ATENCIÓN: Si fluye sangre de ambas fosas nasales o si es persistente o intensa, podría ser algo más serio que una simple hemorragia nasal. Busque ayuda médica profesional de inmediato.

Para la hemorragia nasal común con sangrado en una sola fosa nasal, siéntese, cálmese y haga lo siguiente...

Qué hacer primero

➤ **Taponar y apretar.** Suénese suavemente la nariz para sacar toda la sangre que pueda, así facilitando la coagulación. Luego tapone la nariz con una bolita de algodón ("cotton ball"). Puede usar una bolita de algodón seca, o puede humedecerla en vinagre blanco destilado o hamamelis (olmo escocés, "witch hazel") destilado. Una vez que la bolita de algodón esté en la fosa nasal, apriete entre sí las partes carnosas de la nariz –suave pero firmemente– y permanezca así entre seis y ocho minutos.

ADVERTENCIA: El vinagre podría irritar las membranas mucosas de la nariz.

Si la nariz aún está sangrando...

Haga el proceso de taponar y apretar una vez más, o pruebe uno de los siguientes...

➤ **Ajo.** Quite la capa externa de una cabeza de ajo, y luego machaque la cabeza de ajo para formar una pasta. Esculpa la pasta formando un panqueque del tamaño de un dólar de plata. Si la fosa nasal derecha está sangrando, ponga el panqueque de ajo en el arco de la planta del pie izquierdo. Si la fosa nasal izquierda está sangrando, ponga el panqueque de ajo en el arco de la planta del pie derecho. Manténgalo en el lugar con un pañuelo o venda de algodón elástica ("Ace bandage") y deje el pie elevado hasta que se detenga la hemorragia nasal, probablemente en 10 minutos.

ADVERTENCIA: El ajo puede irritar la piel. Diluya el ajo con aceite de oliva para minimizar este efecto. Además, no coloque ajo en áreas donde haya cortaduras.

➤ **Manos.** Sumerja las manos en agua caliente o levante las manos sobre la cabeza. O levante el brazo que está en el mismo lado que la fosa nasal que sangra. Mantenga el brazo rígido, ponga la mano contra una pared y luego apóyese contra la pared.

➤ **Pies.** Prepare un té de pimienta de cayena ("cayenne pepper") –un cuarto de cucharadita en una taza grande de agua caliente– y bébalo mientras empapa los pies en una palangana (cubeta, cuenco) –o dos cajas de zapatos plásticas– llena de agua caliente.

ADVERTENCIA: NO beba té de pimienta de cayena si padece acidez estomacal ("heartburn"), gastritis, úlceras o esofagitis.

➤ **Labio superior rígido.** Si está al aire libre cuando tiene una hemorragia nasal, limpie una hoja y póngala bajo el labio superior. Si no encuentra hojas, ponga una moneda de diez centavos de dólar bajo el labio o un pedazo de una bolsa de papel marrón.

Prevención de la hemorragia nasal

➤ **Milenrama (aquilea, "yarrow").** Se afirma que una taza diaria de té de milenrama (disponible en tiendas de alimentos saludables) lo mantendrá libre de hemorragias nasales. La mayoría de las hierbas tienen más de un nombre. La milenrama se conoce también como "plumajillo", "hierba de los soldados", "hierba de Aquiles", "hierba del carpintero" y –¿quién lo imaginaría?– "nosebleed" ("hemorragia nasal") en inglés.

NOTA: El té de milenrama tiene un sabor inusual, por lo que le sugerimos que le agregue miel.

Consejos de los sabios...

Consejos para las hemorragias nasales

La mayoría de las hemorragias nasales ocurren debido a resfriados o irritaciones menores causadas por hurgarse la nariz, tiempo seco y frío o sonarse la nariz enérgicamente. La nariz tiene muchos vasos sanguíneos pequeños que ayudan a mantener los conductos nasales templados y a humidificar el aire que respiramos. Aunque las hemorragias nasales raramente ponen en peligro la vida, ocasionalmente son un síntoma de otras afecciones médicas, como trastornos hemorrágicos o presión arterial alta. Si la nariz sangra por más de 15 minutos a la vez, pídale a su médico que le haga una evaluación.

Si tiene una hemorragia nasal, inclínese levemente hacia delante y, usando los dedos índice y pulgar, apriete suavemente las fosas nasales por al menos cinco minutos. Esta práctica es preferible a inclinar la cabeza hacia atrás durante una hemorragia nasal, ya que ayuda a prevenir que la sangre se filtre por la garganta.

Murray Grossan, MD, otolaringólogo del centro médico Cedars Sinai, en Los Ángeles.

HEMORROIDES

Las hemorroides son várices en el recto o alrededor del mismo.

Como imaginará, sentarse sobre un caballo cuando tiene hemorroides es realmente doloroso. Y así lo era para Napoleón, quien tenía un caso tan malo de hemorroides que no podía sentarse sobre su caballo para inspeccionar el campo de batalla y planificar sus próximas acciones. Por esta razón él permitió que quien lo seguía en el mando hiciera todas las planificaciones desde encima de su caballo. Hablando en términos generales, su lugarteniente no era un estratega militar tan brillante como Napoleón, y no pasó mucho tiempo hasta que Napoleón fue derrotado en Waterloo... y todo debido a sus hemorroides.

La historia podría haber sido diferente si Bonaparte hubiera sabido lo siguientes...

Remedios para las hemorroides

➤ **Elija usted.** Con un hisopo de algodón (bastoncillo, "cotton swab"), aplique cualquiera de los siguientes remedios varias veces durante el día. Luego, justo antes de acostarse, humedezca una bolita de algodón ("cotton ball") con uno de los líquidos de la siguiente lista y póngala contra el recto, manteniéndola en el lugar con cinta de papel (disponible en farmacias) o una tirita (curita, "Band-Aid") grande...

- **El aceite exprimido de una cápsula de vitamina E o aceite de germen de trigo ("wheat germ oil").**
- **Jugo fresco de limón** (sí, podría arder).
- **Hamamelis (olmo escocés, "witch hazel") diluido,** especialmente cuando haya sangrado (y sí, esto también podría arder).

• **Jugo de papaya (lechosa, fruta bomba) puro y sin aditivos.** Las píldoras de papaya también contienen papaína, la enzima curativa de la papaya. Son económicas y saben a caramelo. Tome cuatro oralmente después de cada comida.

• **Jugo o gel de áloe vera** (disponibles en tiendas de alimentos saludables). Tome también una cucharadita de áloe oralmente después de cada comida.

• **Prepare una cataplasma ("poultice") de pan blanco sumergida en clara de huevo** y póngala contra el recto.

➤ **Reflexología.** La parte de atrás de la pierna, una o dos pulgadas (entre tres y cinco cm) hacia arriba desde el hueso del tobillo, es la zona de reflejo que se relaciona con el recto. Masajee suavemente esa zona sensible y podría obtener alivio para las hemorroides.

AFIRMACIÓN

Repita esta afirmación al menos 12 veces, a primera hora por la mañana, a última hora por la noche y durante todo el día cada vez que se siente...

Me libero de ira y rencor, dejando lugar para que todas las cosas buenas me lleguen.

HERPES GENITAL

Según los Centros de Estados Unidos para el control y la prevención de enfermedades (CDC, por sus siglas en inglés, *www.cdc.gov*), los resultados de un estudio representativo de todo el país demuestran que, al menos 45 millones de personas mayores de 12 años en Estados Unidos, o sea, uno de cada cinco adolescentes y adultos, han tenido una infección causada por herpes genital. Es una infección viral de transmisión sexual que es dolorosa e impredeciblemente recurrente.

En términos conservadores, uno de cada cinco adultos activos sexualmente la tienen. De modo que usted no está solo. Pero, si estuviera solo, quizá no la padeciera.

Éstos no son remedios sino tratamientos para que se sienta más cómodo, para eliminar los síntomas y para ayudarlo a evitar que vuelvan.

Alivie la comezón

➤ **Botón de oro.** El botón de oro (hidraste, "goldenseal"), un regalo de hierbas de los indígenas cheroquí, puede ayudar a aliviar la comezón y secar las lesiones. Compre Botón de oro en polvo en una tienda de alimentos saludables, agregue suficiente agua como para preparar una pasta y suavemente úntela sobre las llagas.

Acelere la curación

Para permitir que el aire ayude a curar las llagas y ampollas, use ropa interior holgada de algodón. *Luego intente estos consejos...*

➤ **Áloe vera.** Desprenda una hoja de la planta de áloe vera, exprima el gel y aplíquelo directamente sobre las llagas.

➤ **Vitamina E.** Exprima el aceite de una cápsula de vitamina E y póngalo sobre las llagas. Nos dijeron que si usa el aceite inmediatamente cuando sienta los síntomas, puede en realidad prevenir que se desarrollen.

➤ **Arginina ("arginine").** Se afirma que este aminoácido estimula el crecimiento de este virus desagradable. Elimine los alimentos que sean ricos en arginina, como el chocolate, guisantes (arvejas, chícharos, "peas"), sopa de pollo, carne de ternera, carne de cordero, carne de res, salvado ("bran"), harina de alforfón ("buckwheat"), nueces ("nuts"), semillas, gelatina, cereales, bebidas cola y cerveza.

➤ **L-lisina ("L-lysine"),** otro aminoácido, parece desestimular a que el virus se establezca. La platija ("flounder") contiene mucha L-lisina. Comer platija al vapor –media libra (225 g), dos veces un mismo día, puede librarlo de los síntomas.

Otros alimentos con alto contenido de L-lisina son aguacates (paltas, "avocados"), pan negro ("pumpernickel"), habas blancas ("lima beans"), lentejas, papas, requesón ("cottage cheese") y camarones ("shrimp"). Usted puede complementar su dieta con tabletas de L-lisina, 500 mg antes del almuerzo y 500 mg antes de la cena. Si está embarazada o amamantando, consulte con su médico.

➤ **Mucha vitamina C.** Se ha demostrado que grandes cantidades de vitamina C también son eficaces para mejorar rápidamente los síntomas del herpes y, en algunos casos, para hacerlos que desaparecer para siempre. Tome 1.000 mg de vitamina C cada hora, 10 horas al día, por 10 días. Bueno, pues, ¡dijimos "grandes cantidades"! Sea constante con los 10.000 mg al día por los 10 días. Si nota cualquier efecto secundario desagradable de la vitamina C, deje de tomarla.

ATENCIÓN: ¡Consulte con su médico antes de tomar megadosis de cualquier cosa! Si tiene diarrea cuando toma mucha vitamina C, sabe que ha tomado de más.

➤ **Terapia con gemas.** Elija entre sodalita ("sodalite") y sugilita ("sugilite"). Se afirma que ambas piedras ayudan a liberar la culpa, despejar la mente de confusión emocional y ayudar a que una persona aproveche sus fortalezas internas. Piénselo. Piénselo *en serio.* ¿Es posible que la culpa, la confusión emocional y la falta de fortaleza interna se estén manifestando mediante erupciones de herpes? La sodalita o la sugilita pueden ser de ayuda. Consulte "Recursos", página 349, para encontrar empresas que venden gemas.

Mayor información: Visite la American Social Health Association (*www.ashastd.org*) para obtener información confiable sobre enfermedades de transmisión sexual, incluyendo herpes. Si no tiene acceso a Internet, llame al 919-361-8488 para hablar con un especialista en comunicaciones de salud.

AFIRMACIÓN

Repita la afirmación al menos 10 veces, a primera hora por la mañana, a última hora por la noche y durante todo el día, inmediatamente después de que tenga un pensamiento lujurioso. (Puede suceder con más frecuencia de lo que espera, así que esté preparado para decir la afirmación muchísimas veces).

Yo soy una persona especial. Parte de lo que hace que sea especial es mi sexualidad. Mi cuerpo me da placer sin culpa.

HERPES LABIAL

Aclaremos lo siguiente. Aquí nos referimos a herpes labiales (llagas en la boca, "cold sores"), no a aftas (úlceras en la boca, "canker sores").

Esta llaga fea es causada por el virus del *herpes simplex* que aparece súbitamente cuando la resistencia es baja debido a un resfriado, gripe, embarazo, quemadura del sol, estrés u otros factores que alteran el metabolismo, o puede transmitirse mediante besos u otro tipo de contacto personal cercano con una persona que ha tenido un herpes labial.

Usualmente tarda unas dos semanas para mejorar. *Pero nosotras tenemos algunas sugerencias que podrían acelerar el proceso de curación y prevenir que los herpes labiales vuelvan a presentarse...*

Ante el primer indicio

Hay una sensación característica de hormigueo, inmediatamente después que un herpes labial comienza a aparecer. Las personas que tienen herpes labiales saben exactamente lo que estamos diciendo.

➤ **Use el esmalte de uñas.** Inmediatamente después de sentir que comienza, saque esmalte de uñas incoloro y pinte la zona donde el herpes labial está por aparecer. El esmalte de uñas impide que la llaga brote. El esmalte se despega al poco tiempo.

Nuestra amiga que nos informó acerca de esta curación dijo que ella la usaba hace mucho tiempo y que no ha tenido una reaparición de herpes labial desde entonces. A propósito, nuestra amiga consiguió el remedio de su dermatólogo.

Si ya ha brotado

➤ **Congélelo.** Reseque el herpes labial aplicándole hielo. Ponga un cubito de hielo en un pañuelo blanco y sosténgalo sobre la llaga por cinco minutos cada hora. Bueno, si prefiere hágalo por media hora tres veces al día, o 10 minutos 10 veces al día. No hay problema. Simplemente mantenga el cubito de hielo por tanto tiempo como pueda, con tanta frecuencia como pueda. Informes de quienes han usado este tratamiento afirman que las llagas se resecan en unos dos días.

➤ **Reséquelo.** Aplique yogur o suero de leche ("buttermilk") a la llaga para ayudar a resecarla. Si después de la primera aplicación, parece que es de ayuda, entonces aplique más yogur unas horas más tarde.

Si pasearse con yogur en la cara no le parece una buena idea, reseque el herpes labial con hamamelis (olmo escocés, "witch hazel"). Úntelo con un hisopo de algodón ("cotton swab") que se ha humedecido en hamamelis. Repita unas seis veces durante el día y la noche.

➤ **Alivie el dolor.** Pinche una cápsula de vitamina E de 400 unidades internacionales (IU, por sus siglas en inglés), exprima el aceite y cubra la llaga con el mismo. Hágalo tres veces al día. Para la tercera aplicación el dolor debería haber desaparecido. Al día siguiente –a la sexta aplicación– el herpes labial debería ser notoriamente más pequeño. Siga con el tratamiento hasta que la llaga haya desaparecido del todo. Si el tratamiento con vitamina E no es adecuado para usted, use áloe vera en su lugar para ayudar a curar la llaga. Si no tiene una planta de áloe, compre gel de áloe vera en una tienda de alimentos saludables.

➤ **Vino tinto.** Si tiene una botella abierta de vino tinto, ponga una cucharadita del mismo en un platillo y déjelo ahí por unas horas. Luego trate de reunir los restos solidificados del vino y espárzalos sobre el herpes labial. Puede que no sea agradable de ver, pero el dolor debería desaparecer en unos segundos. El herpes labial demorará más en desaparecer... ¡probablemente más que el resto de la botella de vino!

Prevención y curación

➤ **Acidófilos** ("acidophilus"). Dosis diarias de acidófilos pueden ayudar a curar y, mejor aún, prevenir los herpes labiales. Usted puede tomar acidófilos en forma de píldora (siga la dosis de la etiqueta) o beber la leche con acidófilos. Si la puede obtener en su supermercado o tienda de alimentos saludables, tome al menos dos cucharadas diarias. El yogur con probióticos (como Stonyfield Farm, Activia y Yo-Plus) y suero de leche ("buttermilk") también proporcionan bacterias benéficas que combaten el virus del herpes. Como prevención, consuma yogur y beba suero de leche.

El virus del herpes prospera en la arginina, que es un aminoácido. Aléjese de los siguientes alimentos ricos en arginina –sopa de pollo, chocolate, bebidas cola, nueces ("nuts"), gelatina, cereales, guisantes (arvejas, chícharos, "peas") y cerveza.

➤ **L-lisina ("L-lysine")** es un aminoácido que puede inhibir el crecimiento del virus del herpes. Así que incluya en su dieta diaria estos alimentos ricos en L-lisina –papas al horno, levadura de cerveza y platija ("flounder") al vapor. Y qué sorpresa –esta lista no es tan apetitosa como la lista de prohibiciones.

Suplir su dieta con tabletas de L-lisina puede ser extremadamente eficaz para prevenir herpes labiales o, al menos, para hacerlos desaparecer rápidamente. Las dosis van de 500 mg a 4.500 mg al día. Consulte con un profesional de la salud (un nutricionista podría ser útil si su médico no lo es) para determinar la dosis.

ATENCIÓN: Si está embarazada o amamantando, quizá debería evitar la L-lisina. Consulte con su obstetra.

➤ **Prevención según el sentido común.** Como los herpes labiales pueden ser muy contagiosos, no abrace, bese ni dé la mano a alguien que tenga un herpes labial. Si tiene herpes labial, sea amable, pero no cariñoso.

Y recuerde: El virus del herpes prospera donde hay mucha humedad. Un lugar perfecto es el baño. El sitio preferido en el baño es su cepillo dental. Pueden vivir ahí durante días y volver a infectarlo. Debería mantener su cepillo dental en una habitación menos húmeda que el baño.

Tan pronto como piense que está por aparecer un herpes labial, tire a la basura el cepillo dental que ha estado usando y use uno nuevo. Si no logró darse cuenta a tiempo y el herpes brota, espere hasta que se cure, y luego asegúrese de comenzar a usar nuevamente un nuevo cepillo dental. Esto es importante.

Es también importante mantener el borde de su tubo de pasta dental lejos de su cepillo dental de modo que no transmita el virus al tubo e infecte su nuevo cepillo.

Limpie su cepillo dental antes de usarlo. Mezcle una cucharadita de peróxido de hidrógeno al 3% en una taza de agua y agite su cepillo en la mezcla. Luego enjuague el cepillo con agua, y ya está listo para cepillarse con un cepillo dental limpio.

Después de leer todo esto, tal vez pueda considerar invertir en un producto antiséptico para limpiar su cepillo dental. Zadro fabrica el Nano UV Disinfection Scanner cuya luz ha comprobado que mata el ADN viral y bacteriano después de escanear durante 10 segundos cualquier superficie. Se encuentra disponible en algunas farmacias o en el sitio web *www.zadro.biz*.

AFIRMACIÓN

Repita esta afirmación al menos 15 veces al día –a primera hora por la mañana, a última hora por la noche y cada vez que se mire en el espejo...

Soy fuerte. Soy libre. Yo irradio buena salud.

HIEDRA VENENOSA

Vivimos en Nueva York y jamás nos hemos preocupado por la hiedra venenosa. Sin embargo, al hablar a grupos en todo el país y estar en programas de radio y televisión, constantemente nos preguntan por remedios para la hiedra venenosa.

Urushiol es el aceite denso de la hiedra venenosa que causa una reacción alérgica. Las plantas que contienen urushiol crecen en todos los estados con excepción de Alaska y Hawái, así que no es de extrañarse que hasta 10 millones de estadounidenses al año sean afectados por estas plantas.

Cómo reconocer la hiedra venenosa

Antes de aventurarse en zonas que probablemente tengan hiedra venenosa, aprenda a reconocer la amenaza de las tres hojas. Visite el sitio web *http://poisonivy.aesir.com/view/pictures.html,* o vaya a la biblioteca de su localidad y busque un libro que tenga fotos de la hiedra venenosa. Tome nota de los delgados y pálidos tallos con tres hojas cada uno.

Elvin McDonald, una autoridad mundial en jardinería, compartió con nosotras este poema sobre la hiedra venenosa del folklore foliado: "Leaflets three; let it be" (si es de tres hojas: no la recojas).

➤ **La prueba del papel blanco.** Siempre lleve consigo un pedazo de papel blanco. Si piensa que una planta es hiedra venenosa pero no está seguro, haga la prueba del papel blanco. Sujete la planta con el papel y estruje las hojas. Si es hiedra venenosa, el jugo en el papel se volverá negro en cinco minutos.

Cómo deshacerse de la planta

Nunca trate de deshacerse de la hiedra venenosa quemándola. El aceite de la planta pasa al aire y puede ser inhalado. No debe dejar que el aceite de la hiedra venenosa llegue a los pulmones. Puede ser muy perjudicial. *En su lugar...*

➤ **Cave y seque.** Usando guantes de jardinero, arranque las plantas desde la raíz y déjelas en el suelo para que se sequen al sol.

➤ **Una solución húmeda.** Prepare una solución de tres libras ($1\frac{1}{3}$ kilo) de sal en un galón (cuatro litros) de agua con jabón. Rocíe las plantas de hiedra venenosa una y otra vez para asegurarse de que la solución cumpla su función.

NOTA: Las herramientas que se usan para arrancar las plantas de hiedra venenosa desde la raíz deben ser lavadas bien con la solución antes mencionada. Cuando haya terminado de destruir la hiedra venenosa y limpiado sus herramientas, sáquese cuidadosamente los guantes, volviéndolos del revés y desechándolos. Quizá también tenga que tirar su ropa a la basura, ya que el aceite de la hiedra venenosa podría no quitarse por completo lavando y quedaría activo por al menos un año.

Remedios para la hiedra venenosa

➤ **El antídoto de la naturaleza.** El antídoto natural es la balsamina ("jewelweed") (irónicamente conocida también en inglés como "Spotted Touch-Me-Not" o "no me toques"). Claro que, así como debería aprender a reconocer la hiedra venenosa, también debería saber cómo luce la balsamina. Visite *http://altnature.com/jewelweed.htm*, o vaya a la biblioteca de su localidad.

La balsamina casi siempre crece muy cerca de la hiedra venenosa –¡qué buena la Madre Naturaleza! *Hay varias maneras de usar la balsamina...*

• **Forme una bola con toda la planta y úsela para quitarse de la piel el aceite de la hiedra venenosa.**

• **Estruje las hojas y el tallo,** liberando los jugos, y aplíquelo al sarpullido cada hora durante todo el día.

• **Prepare una solución para tener a mano.** Recoja toda la planta y quiébrela en pequeños trozos. Cúbrala con al menos un cuarto de galón (un litro) de agua y deje que hierva hasta que el agua se vuelva naranja oscuro. Cuele el líquido en un frasco, cúbralo y refrigérelo hasta que lo necesite.

➤ **Agua fría –¡rápido!** Si se da cuenta que acaba de rozar la hiedra venenosa y obtiene agua fría en menos de tres minutos, puede enjuagar el peligroso aceite. No use jabón común. Una teoría afirma que el aceite del jabón puede encerrar el aceite de la hiedra venenosa.

Si no pone la zona expuesta bajo agua fría en unos pocos minutos, todavía puede salvarse del sarpullido que pica frotándose con detergente para lavar platos. Hágalo por 30 segundos, y luego enjuáguelo. Si no previene el sarpullido, al menos minimizará la inflamación y las ampollas. Según el Dr. Adam Stibich, director de la Dermatology Clinic en Alabama, el detergente para lavar platos, usado sin diluir, actúa dentro de las dos horas después de la exposición a la hiedra venenosa, ya que despoja la piel del aceite de la planta que causa el sarpullido.

➤ **Sandía ("watermelon").** Sí, sí, sandía –tanto la cáscara como la pulpa– y pásela una y otra vez por las partes del cuerpo cubiertas por el sarpullido. Deje que se seque naturalmente. En un día, la afección debería mejorar muchísimo.

➤ **Áloe vera.** Todo hogar debería tener una planta de áloe vera. Para ayudar a curar un sarpullido de hiedra venenosa, tome un trozo pequeño de la planta, exprima el gel y aplíquelo en las áreas afectadas.

➤ **Vitamina E.** Pinche una cápsula de vitamina E, exprima el aceite y aplíquelo al sarpullido.

➤ **Aceite de oliva extra virgen.** Hasta que recoja una planta de áloe vera o un frasco de vitamina E, aplique bastante aceite de oliva extra virgen al sarpullido.

➤ **Pasta para aliviar la comezón.** Prepare una pasta de maicena ("cornstarch") y agua, bicarbonato de soda ("baking soda") y agua, o cereal de avena ("oatmeal") y agua. Comience con el ingrediente seco y agregue suficiente agua para conseguir la consistencia de pasta. Póngala sobre el sarpullido para obtener un alivio temporal de la comezón.

➤ **Té para llevar y estar preparado.** Prepare un litro (cuarto de galón) de té fuerte de artemisa ("mugwort"). (La artemisa se encuentra disponible en tiendas de alimentos saludables). Embotéllelo y manténgalo en el refrigerador. Inmediatamente después de darse cuenta que ha entrado en contacto con la hiedra venenosa, saque el té de artemisa y enjuague la piel. Si se hace lo suficientemente rápido, se puede quitar el aceite que causa el sarpullido de la piel. Pero nunca use té de artemisa caliente, ya que abrirá los poros, permitiendo que el aceite penetre.

➤ **Suero de leche ("buttermilk").** Sumerja toallitas blancas en una pinta (½ litro) de suero de leche, con o sin una cucharada de sal mezclada, y aplique las toallas a las zonas afectadas. Siga mojando y volviendo a aplicar. Luego, después de la última vez, deje que se seque naturalmente. El suero de leche debería ayudar a reducir la hinchazón, detener las llagas supurantes y secar el sarpullido.

Prevención de la hiedra venenosa

➤ **Toallita con whisky.** Una mujer de la región central de Estados Unidos compartió esto con nosotras, afirmando que le da buenos resultados a su familia. Nosotras no lo hemos intentado, así que no lo podemos confirmar. Proceda con cuidado.

Humedezca una toallita con whisky, frote las partes del cuerpo expuestas con la misma antes de ir a lugares infestados por la hiedra venenosa, y el contacto con la hiedra venenosa no lo afectará.

➤ **Aumentador de la resistencia.** Se afirma que el consumo diario de lechuga romana ("romaine lettuce") durante dos semanas antes de exponerse a la hiedra venenosa ayuda a desarrollar una resistencia a la misma. Es una buena razón para comer ensaladas todos los días.

➤ **Inmunización.** Primero, consiga una cabra. Sí, lo decimos en serio, una cabra. Haga que la cabra paste donde haya hiedra venenosa. No le hará daño a la cabra. Después de que la cabra haya comido la hiedra venenosa, póngase guantes y, asegurándose de que todas las partes del cuerpo estén cubiertas, ordeñe la cabra. Descarte esa leche. La segunda vez que ordeñe –ésa es la que importa. Beba al menos una pinta (½ litro) de leche de la segunda vez que ordeñe y podría estar inmunizado por hasta un año... o tal vez no.

Roble venenoso ("poison oak")

El roble venenoso es a la costa oeste lo que la hiedra venenosa es a la zona este del país. La opinión consensual es que los remedios para la hiedra venenosa son también eficaces para quienes están afectados por el roble venenoso. Así que lea todo lo anterior.

HIPO

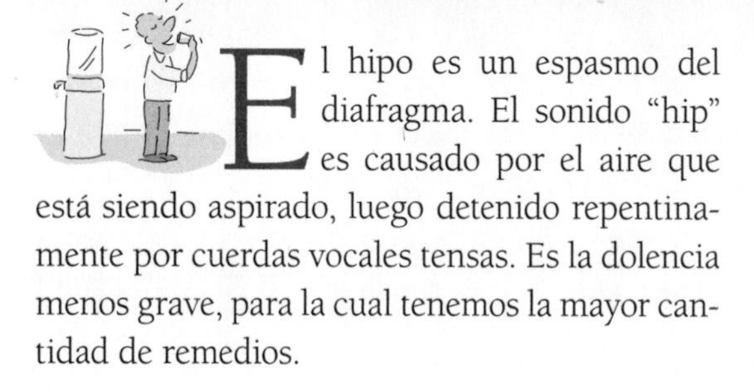

El hipo es un espasmo del diafragma. El sonido "hip" es causado por el aire que está siendo aspirado, luego detenido repentinamente por cuerdas vocales tensas. Es la dolencia menos grave, para la cual tenemos la mayor cantidad de remedios.

Remedios clásicos que probablemente ya conoce

➤ **Beba azúcar y agua.** O consuma una cucharadita de azúcar.

➤ **Contenga la respiración.** El preferido de Joan es contener la respiración y pensar en 10 hombres calvos.

➤ **Beba agua del lado más alejado del vaso.**

➤ **Vajilla en agua.** Ponga una pieza de la vajilla en un vaso de agua y beba el agua con el mango de la pieza apoyado o presionado contra la sien.

➤ **Beba agua a través de un pañuelo.** Coloque el pañuelo sobre un vaso de agua y beba.

➤ **Otra manera de beber.** Ponga los dedos índices en las orejas mientras alguien sostiene un vaso de agua para que usted beba.

Remedios que pronto serán clásicos y que podrían curar su hipo

➤ **Ejercicio con los dedos del pie.** Ponga una moneda de un centavo de dólar entre cualquiera de los dedos de un pie y transfiérala a cualquiera de los dedos del otro pie, sin dejar que la moneda toque el piso.

➤ **Presión en los ojos.** Siga la línea de los meñiques hacia el final de la palma de la mano, hasta llegar a los últimos montículos, justo antes de la muñeca. Use estos montículos para suavemente hacer presión sobre los globos oculares por no más de un minuto.

➤ **Aromaterapia.** Huela profundamente el aroma de la esencia de sándalo ("sandalwood oil").

➤ **Té.** Se ha llegado a un veredicto. El té de semillas de eneldo ("dill seeds") es el té más eficaz para el hipo. Haga hervir una cucharadita de semillas de eneldo en agua. Deje hervir a fuego lento entre 15 y 20 minutos. No pierda el tiempo –cuele y beba tan pronto como esté lo suficientemente frío.

➤ **Arrugue la nariz.** Un favorito entre los bármanes (camareros de barra) es rociar salsa Worcestershire sobre un gajo de limón. Billy Tull, maestro de utilería de la cadena NBC, recomienda amargo de Angostura ("bitters") sobre limón.

➤ **Una curación fría.** Algunos dicen que se debe poner una bolsa de hielo justo debajo de la caja torácica; otros dicen que la bolsa de hielo debería ir en la boca del estómago. Donde sea, manténgala ahí entre tres y cinco minutos.

➤ **La bolsa de papel.** ¿Recuerda el viejo remedio para el hipo que consistía en respirar varias veces dentro de una bolsa de papel marrón? Tenemos una actualización, con instrucciones específicas que hacen que sea una curación segura.

Estruje el cuello de una bolsa de papel marrón y forme un círculo alrededor de la boca, sin dejar que escape nada de aire. Ahora, aspirando en forma breve y fuerte, inhale y exhale 10 veces –nada más, nada menos. Cuando haya terminado, no se sorprenda si el rostro está sonrojado. Pero sorpréndase si aún tiene hipo.

➤ **Acupresión.** Masajee los pies entre cinco y 10 minutos. Los puntos de presión para el diafragma se encuentran en el medio de la planta de los pies, justo después del antepié. Este masaje profundo puede detener el hipo y también lograr que se sienta descansado. Piense en lo descansado que se sentiría si alguna persona le masajeara los pies. Eh, ¿para qué tenemos amigos?

Prevención del hipo

➤ **Nuez moscada ("nutmeg").** Se afirma que si lleva una nuez moscada alrededor del cuello, nunca tendrá hipo. Claro, si es verdad, piense en toda la diversión que se perdería al no intentar estos remedios.

INDIGESTIÓN

Según Mindfully.org, un sitio web de investigación sin fines de lucro, los estadounidenses consumen 815 mil millones de calorías en alimentos cada día –los cuales son aproximadamente 200 mil millones más de lo necesario. No es de extrañarse que tengamos indigestión. *Éstos son remedios para remediar esta sensación horrible...*

➤ **Beba té.** Vea lo rápido que cualquiera de los siguientes puede asentar el estómago –té de menta ("mint"), manzanilla ("chamomile"), jengibre ("ginger"), frambuesas ("raspberries"), salvia ("sage"), hinojo ("fennel"), alcaravea ("caraway"), anís ("anise"), eneldo ("dill"), perejil ("parsley") o moras ("blackberries"), todos disponibles en tiendas de alimentos saludables. Si compra té suelto en vez de en bolsitas, use una cucharadita colmada en una taza de agua recién hervida. Deje remojar entre siete y 10 minutos, cuele y beba lentamente.

➤ **Delicia tropical.** La papaya (lechosa, fruta bomba), la piña (ananá, "pineapple"), el mango y el kiwi contienen enzimas curativas. Si puede conseguir la fruta fresca madura, coma una porción de postre.

Si la fruta fresca no está disponible, beba jugo de papaya o piña. Asegúrese de que el jugo no tenga aditivos. Si no tiene jugo, tome cuatro píldoras de papaya después de la comida. La fruta, el jugo y las píldoras son los medicamentos más sabrosos que hay.

➤ **Ralladura de toronja.** Lave, seque y luego ralle la cáscara de una toronja (pomelo, "grapefruit"). Disperse las diminutas migas ralladas para que se sequen sobre toallas de papel. Luego póngalas en un frasco con tapa, etiquételo y póngalo en su botiquín (se conserva por bastante tiempo). Siempre que tenga un malestar estomacal, tome hasta una cucharadita de las migas de toronja. Mastíquelas, asegurándose de que las satura con su saliva. Adiós a los remedios de marca Tums. ¡Bienvenidas las migas amigas!

➤ **La dieta para recuperarse.** Ah, el glamour del mundo del espectáculo... viajar a lugares exóticos para filmar una película... comer la comida tradicional del lugar. La productora Jill Alman de California compartió con nosotras su remedio para el malestar estomacal que ocurre en el lugar del rodaje. Es la dieta BRAT (por las siglas en inglés de sus componentes) que también la podemos llamar la dieta TAMB en español. Por dos o tres días ella sólo come tostadas, arroz, manzanas y bananas (plátanos).

➤ **Reflexología.** Masajee enérgicamente el arco de cada pie. Comience en el centro, justo a continuación del antepié, y vaya avanzando hacia el borde externo. Debería tener un lugar particularmente sensible en cada pie. Esos lugares se corresponden directamente con el estómago. Una vez que los haya encontrado, ponga manos a la obra con el pulgar y nudillos mientras continúa el masaje profundo por siete minutos o más, si tiene la resistencia para seguir.

➤ **Terapia con gemas.** El peridoto ("peridot") es una piedra amarilla verdosa de la que se dice que ayuda a liberar la tensión emocional cuando se coloca en el plexo solar (la boca del estómago). La tensión emocional puede ser la causa de la indigestión y la piedra puede ayudar a la curación. Otra piedra sugerida por los gemólogos es el citrino ("citrine"). Tiene color dorado y es bueno para limpiar el sistema digestivo.

AFIRMACIÓN

Ante el primer signo de indigestión, relájese y repita esta afirmación al menos doce veces...

Dejo ir mis temores y me quedo con mis dones. Ahora estoy dispuesto a compartir mis dones con el mundo, y el mundo está dispuesto a aceptarlos.

Gases

A un vecino mayor le gusta decir que "Cuando yo era joven, la vida era a todo gas. Ahora, ¡los gases son mi vida!"

Esto podría entrar en la categoría de "demasiada información", pero para quienes son un poco curiosos acerca de esta función corporal desagradable y embarazosa, el Dr. Billy Goldberg de *The Body Odd* de la cadena MSNBC, publicó esta lista de datos fascinantes acerca de la flatulencia...

- **La mayoría de las personas eliminan gases alrededor de 14 veces al día.**
- **Las mujeres eliminan gases tanto como los hombres.**
- **Una persona produce alrededor de medio litro de gases al día..**
- **En promedio, un pedo está compuesto aproximadamente de 59% de nitrógeno, 21% de hidrógeno, 9% de dióxido de carbono, 7% de metano y 4% de oxígeno.** Menos del 1% de su composición hace que los pedos tengan mal olor.
- **El gas que hace que la flatulencia apeste es el sulfuro de hidrógeno.** Cuanto más rica en azufre sea su dieta, más apestarán sus gases. Entre los alimentos que causan gases realmente olorosos se incluyen los frijoles (habas, habichuelas, etc.), col (repollo, "cabbage"), queso, bebidas gaseosas y huevos.
- **La temperatura de un pedo en el momento de su creación es de 98.6°F (37°C).**
- **La flatulencia se ha cronometrado a una velocidad de 10 pies (3 metros) por segundo.**

Generalmente, los gases son causados por aire que se traga al comer –especialmente si se come rápido, y se comen alimentos que causen gases. Las dentaduras postizas sueltas pueden causar gases intestinales; también lo hace beber usando una pajilla (popote, "straw"), beber bebidas gaseosas, chupar caramelos, masticar goma de mascar, fumar y el estreñimiento.

Remedios para los gases

Éstos son algunos remedios sencillos que ayudan a aliviar esta afección incómoda...

➤ **Té de jengibre.** Corte tres o cuatro rodajas de jengibre ("ginger") fresco del tamaño de una moneda de 25 centavos de dólar. O mantenga el jengibre en el congelador y ralle un trozo. Haga hervir el jengibre en agua, luego deje que hierva a fuego lento entre 15 y 20 minutos. Cuele y beba inmediatamente después de una comida que provoque gases o en cualquier momento que sienta dolores causados por gases.

ATENCIÓN: El jengibre actúa como un anticoagulante, así que consulte con su médico antes de usarlo si toma un anticoagulante recetado. Además, deje de usar el jengibre tres días antes de cualquier cirugía.

➤ **Gel de áloe vera.** Tome una cucharada de gel de áloe vera después de cada comida o siempre que sienta burbujas de aire atrapadas en el estómago.

➤ **Para quienes hacen yoga.** Haga la postura de pino (si está acostumbrado a hacerla). Permanezca boca abajo por sólo un minuto. Este cambio temporal y drástico de postura puede ayudar a liberar los gases bloqueados.

➤ **Vitamina B-5.** El ácido pantoténico (vitamina B-5) tiene fama de ayudar a mantener un tubo intestinal saludable. Una dosis diaria de 250 mg también ha mejorado casos de gastritis.

➤ **Té de hierbas.** Después de comer, beba una taza de uno de estos tés de hierbas –menta piperita ("peppermint"), manzanilla ("chamomile"), milenrama (aquilea, "yarrow") o salvia ("sage").

➤ **Píldoras de papaya.** Las enzimas en las píldoras de papaya (lechosa, fruta bomba) pueden ayudarlo a digerir alimentos y eliminar gases. Mastique cuatro de las píldoras después de cada comida. Son ideales para llevarlas con uno al salir a comer afuera, así que no salga de la casa sin ellas.

➤ **Aceite de oliva extra virgen.** Beba una onza (30 ml) de aceite de oliva extra virgen tibio y dé una caminata, pero no muy lejos de un baño.

➤ **Frijoles (habas, habichuelas, etc.) –prevención de las repercusiones.** Cuando esté cocinando frijoles, agregue unos trozos de papas. Cuando los frijoles estén listos, saque las papas y los gases deberían irse con ellas.

Si come frijoles que no se prepararon de esta manera, coma un trozo de sandía ("watermelon") inmediatamente después de los frijoles –debería experimentar menos repercusiones.

➤ **Acupresión.** Masajee los arcos de la planta de los pies por unos 10 minutos. Debería ayudar a liberar los gases retenidos.

➤ **Aromaterapia.** Al primer signo de dolores causados por gases, ponga un par de gotas de esencia de geranio ("essential geranium oil") sobre la muñeca y huela profundamente el aroma unas pocas veces.

Prevención de los gases

➤ **Una solución sencilla.** Para poder digerir las proteínas, necesita mucho *ácido clorhídrico* ("hydrochloric acid"), el cual se encuentra en los jugos estomacales y ayuda al organismo a descomponer los alimentos. Las ensaladas no requieren este ácido. Cuando usted come una ensalada antes de su plato principal (proteínas), el ácido clorhídrico en el estómago se desperdicia en la ensalada. Luego cuando come sus proteínas –carne, pescado, pollo, queso, soja, frijoles– no hay suficiente ácido clorhídrico para digerirlas adecuadamente. Como consecuencia, tiene gases.

La solución sencilla es comer la ensalada con el plato principal, o inmediatamente *después* de terminar de comer la porción de proteína, pero no *antes.*

➤ **Semillas de mostaza.** Ponga media cucharadita rasa de semillas de mostaza ("mustard") en media taza de agua y beba sin masticar las semillas. Hágalo media hora antes del almuerzo y media hora antes de la cena. Puede lograr una gran diferencia.

AFIRMACIÓN

Al primer signo de dolor causado por gases, o una sensación de hinchazón, relájese y repita al menos siete veces...

Dejo que la confianza elimine los temores de mi cuerpo y estoy bendecido con bienestar.

Consejos de los sabios...

Gases, ¡váyanse!

Aunque la persona promedio expulsa gases unas 14 veces al día, a veces los gases quedan retenidos en el cuerpo, causando una incómoda hinchazón. *Lo que usted debería saber...*

• **La flatulencia ocurre cuando las bacterias fermentan carbohidratos sin digerir en el colon.** El ruido que lo delata es causado por las vibraciones del orificio anal. El olor depende de los alimentos que se hayan comido y los tipos de bacterias que estén presentes. Entre los alimentos que producen flatulencia se incluyen espárragos, frijoles (habas, habichuelas), salvado ("bran"), bróculi ("broccoli"), coles de Bruselas ("brussels_sprouts"), col (repollo, "cabbage"), maíz, cebollas, pasta, guisantes (arvejas, chícharos, "peas"), papas, ciruelas secas ("prunes") y trigo. Los alimentos lácteos causan gases en las personas que carecen de la enzima *lactasa* necesaria para digerir la lactosa, el azúcar de la leche. Llamada *intolerancia a la lactosa*, se hace más común con la edad.

Remedios de venta libre: Las tabletas de carbón o *simeticona* (Gas-X) podrían ayudar al disolver grandes burbujas de gases. Beano contiene una enzima que descompone la celulosa, un carbohidrato en las legumbres y las verduras crucíferas –tómelo justo antes de comer. Para ayudar a prevenir los gases, tome un suplemento diario que contenga el probiótico *Bifidobacterium infantis*, como la marca Align. Para la intolerancia a la lactosa, evite alimentos lácteos o pruebe suplementos de Lactaid, los cuales contienen lactasa.

• **Los eructos suceden después de que se traga aire.** Evite las bebidas con gas, la goma de mascar, comer muy rápido, tragar saliva, usar una pajilla (popote, "straw"), fumar. Otra causa es la ansiedad, la cual hace que las personas respiren rápidamente y traguen con más frecuencia.

Tranquilizante: Inhale por cinco segundos... contenga por cinco segundos... exhale por cinco segundos... contenga por cinco segundos... repita.

Consulte con su médico: Si tiene problemas por el exceso de flatulencia o eructos, su médico puede examinarlo en busca de algún problema gastrointestinal subyacente.

Douglas A. Drossman, MD, profesor en la división de gastroenterología y hepatología, y codirector del Center for Functional Gastrointestinal and Motility Disorders en la facultad de medicina de la Universidad de Carolina del Norte, en Chapel Hill. Ha escrito dos libros y más de 400 artículos acerca de las afecciones gastrointestinales.

Acidez estomacal

A pesar de su nombre en inglés, "heartburn", la acidez estomacal no afecta el corazón. Es una irritación causada por demasiado ácido que retrocede (refluye) del estómago hacia el esófago.

Es desagradable y generalmente causada por fumar, tomar cafeína (café, té con cafeína, chocolate, aspirina o bebidas cola), beber alcohol, comer grasas de origen animal, alimentos fritos y condimentados, productos con tomate y otros alimentos que producen ácidos, y quedarse dormido pronto después de haber comido. Otro factor importante es el estrés.

Cuando piensa en todas las cosas que consume o bebe que pueden causar acidez estomacal, ¿no le parece increíble que no la tenga más a menudo?

Remedios para la acidez estomacal

➤ **Tónico mágico de hierbas.** La corteza del olmo norteamericano ("slippery elm bark") –disponible en tiendas de alimentos saludables– neutraliza el ácido, absorbe los gases y también ayuda con la digestión. Ponga una cucharadita rasa de olmo norteamericano en polvo en una taza de agua recién hervida y deje en remojo cinco minutos. Cuele y beba lentamente. Puede lograr una gran diferencia en poco tiempo.

➤ **Pruebe una pizca de poso.** Coloque en la boca una pizca de poso de café ("coffee grounds"), deje que su saliva se mezcle con el mismo por uno o dos minutos, y escúpalo.

Pensamos que esto causaría acidez estomacal en vez de curarla, pero la mujer que nos dio este remedio insistió en que lo probáramos. En realidad, hicimos que algunos amigos lo probaran (nuestra madre no crió hijas tontas), y ellos nos dijeron que sí da resultados.

➤ **Licuado de lechuga.** Ponga dos hojas de lechuga "iceberg" (unas cuatro onzas ó 115 g) junto a seis onzas (175 ml) de agua fría en una licuadora y presione "puré". Vierta el líquido verdoso y espeso en un vaso y bébalo lentamente.

Cómo prevenir la acidez estomacal

➤ **No se acueste inmediatamente después de haber comido.** De hecho, espere dos o tres horas antes de ir a la cama, o esté preparado para asumir el riesgo de la acidez estomacal.

➤ **Goma de mascar.** Investigadores británicos alimentaron a la mitad de los participantes de su prueba con una comida con alimentos grasosos que típicamente provocaría reflujo ácido, y luego les dieron goma de mascar sin azúcar ("sugarless gum") para que masticaran por media hora. La otra mitad de los individuos de la prueba comieron la misma comida pero no recibieron la goma de mascar sin azúcar después de comer. El grupo que recibió la goma de mascar tuvo síntomas mucho más leves de acidez estomacal o ningún síntoma, en comparación con quienes no recibieron goma de mascar.

Según Zach Rosen, MD, director médico del centro médico familiar Montefiore en el Bronx, en Nueva York, "la goma de mascar estimula el flujo de saliva, lo cual neutraliza los ácidos estomacales. También hace que trague con más frecuencia, lo que provoca *peristalsis* –las contracciones musculares que ayudan al avance de la comida por el tubo digestivo".

➤ **Levante la cama.** Quienes sufren de acidez estomacal crónica podrían considerar levantar la cabecera de la cama colocando bloques de seis pulgadas (15 cm) bajo las patas. Procure que lo haga un carpintero o alguien que sepa cómo asegurar los bloques en forma adecuada.

Náuseas

Para lidiar más eficazmente con las náuseas, tiene que averiguar la causa.

¿Está "mal del estómago" por alguna situación o relación en su vida? Si ésa es la razón por la que se está sintiendo tan mal, entonces enfrente la causas y resuélvala. Un buen llanto también puede aliviar la tensión y las náuseas.

¿Está tomando alguna medicación? Puede causar náuseas. Consulte con su médico o nutricionista o farmacéutico.

Si tiene náuseas porque ha bebido demasiado alcohol, entonces se encuentra en la sección equivocada del libro. Puede consultar "Resacas" bajo "Bebidas alcohólicas y sus problemas", página 24.

¿Está embarazada? Consulte "Náuseas matutinas" en la sección "Embarazo", página 101.

¿Está sintiendo náuseas en un avión, tren o carro? Vaya a la sección sobre "Mareo causado por movimiento", página 142.

¿Comió de más o consumió alimentos que le sientan mal? ¡Siga leyendo aquí!

➤ **Jengibre ("ginger").** El clásico remedio para las náuseas es la gaseosa "ginger ale". Bébala a sorbos lentamente. O, incluso más eficaz es disolver media cucharadita de jengibre en polvo en una taza de agua tibia y beberla. Si prefiere lo que realmente vale la pena, ponga cuatro rebanadas de jengibre del tamaño de monedas de 25 centavos de dólar en agua y haga hervir. Deje hervir a fuego lento entre 15 y 20 minutos, y luego cuele y beba. O ralle un trozo de jengibre congelado, hiérvalo en agua, luego déjelo hervir a fuego lento y bébalo lentamente, con los pequeños pedacitos de jengibre rallado.

ATENCIÓN: El jengibre actúa como un anticoagulante, así que consulte con su médico antes de usarlo si toma un anticoagulante recetado. Además, deje de usar el jengibre tres días antes de una cirugía.

➤ **Menta piperita ("peppermint").** Una taza fuerte de té de menta piperita es relajante para el organismo y asienta el estómago. Si tiene hojas frescas de menta piperita, estrújelas y póngalas sobre el estómago –tocando la piel desnuda, por supuesto. Sujételas para que se queden en el lugar y permanezca sentado, en vez de acostado.

➤ **Cebada ("barley").** Si no sigue una dieta baja en carbohidratos, consuma un pequeño bol de cebada, aun si no tiene hambre. Es un alimento reconfortante, particularmente eficaz para los trastornos digestivos que causan las náuseas. Agregue salsa de soja ("soy sauce") baja en sodio ("low-sodium") para que la cebada sea más apetecible.

➤ **Pepino ("cucumber").** Si le resulta muy difícil consumir un bol de cebada, coma medio pepino pelado. Debería tener un efecto calmante y refrescante en su sistema digestivo.

➤ **Remedio tradicional de Nueva Inglaterra.** Usando un rallador de nuez moscada ("nutmeg grater"), ralle una nuez moscada hasta quedar con la mitad. Con la parte plana hacia arriba, ponga la mitad sólida de nuez moscada bajo el asador del horno ("broiler") hasta que escurra aceite de la misma. Tan pronto como la nuez moscada asada esté lo suficientemente fría como para tocarla, péguela con la parte plana hacia abajo sobre la boca del estómago. Una vez que todo el calor se haya ido de la misma, vuelva a calentarla y póngala nuevamente en el lugar, a menos que toda la náusea haya desaparecido. Mantenga la nuez moscada rallada en un recipiente cerrado para usar en la cocina.

➤ **En un hotel.** Si no quiere sentir más náuseas cuando vea la cuenta por el servicio de habitaciones del hotel por una gaseosa "ginger ale", entonces consiga un balde gratis de hielo de la máquina de hielo en el corredor. Chupar trozos de hielo puede curar las náuseas. No mastique los trozos de hielo, ya que puede causar problemas en los dientes.

➤ **Afuera.** Siempre llevamos con nosotras un par de pastillas de hierbas para la tos ("natural herb cough drops") de marca Ricola. Cuando estamos afuera, y una de nosotras siente náuseas –aunque no sucede muy frecuentemente–, desenvolvemos una pastilla Ricola y la ponemos en la boca. La menta piperita en la misma es bastante fuerte y alivia las náuseas y el malestar estomacal de inmediato. También da buenos resultados estando en casa.

➤ **Reflexología.** Hunda los dedos pulgares en la zona entre los segundos y terceros dedos de cada pie (el dedo gordo es el primer dedo) y masajee profundamente por al menos cinco minutos. Descanse y luego vuelva a comenzar. Si después de 10 minutos de masaje usted ya no siente náuseas, entonces funcionó.

AFIRMACIÓN

Ante la primera oleada de náuseas, relájese y repita una y otra vez...

No siento temor. Sé que estoy en el lugar apropiado, en el momento apropiado, y que estoy haciendo lo correcto.

Gorgoteo en el estómago

Esos embarazosos sonidos de gorgoteo que son más fuertes durante una entrevista de trabajo, y en lo que de otro modo hubiera sido un momento romántico, son causados por contracciones de las paredes intestinales y el movimiento de gases y líquido.

Si acaso se encuentra en el programa de TV *Jeopardy* y la respuesta es el término médico para los sonidos de gorgoteo, la pregunta es: "*¿Qué es el borborigmo?*".

Si le preguntan qué hacer para prevenirlo, éstas son algunas sugerencias...

➤ **Cambie sus hábitos alimentarios.** En vez de comer tres comidas al día, coma más de tres, pero coma mucho menos en cada comida.

➤ **Trate de no tragar aire.**

- **No engulla los alimentos.** Coma lentamente.
- **No beba bebidas muy calientes.** Causan que usted trague aire al intentar de enfriar la bebida.
- **Cuando beba, mantenga el labio superior en el líquido.** De ese modo, el aire no será tragado ni sorbido.
- **Evite los alimentos aireados** –las cosas que han pasado por una licuadora o han sido batidas de alguna forma.
- **Si todas estas sugerencias lo hacen suspirar, ¡no lo haga!** Suspirar también causa que usted trague aire.

➤ **Para ocasiones especiales.** Si tiene que dar una presentación o sentarse durante un largo rato en una reunión en el trabajo, no querrá que el gorgoteo en el estómago sea escuchado por su audiencia o sus compañeros de trabajo. Un productor de televisión nos dijo que ella comparte su remedio con todos sus invitados: "Para prevenir el gorgoteo en el estómago, coma una banana (plátano) justo antes de la hora del programa y beba un poco de agua". No se olvide de llevar la banana.

➤ **Acupresión.** Si no tiene una banana a mano y no ha podido comer nada, y no quiere que otras personas oigan el gorgoteo en su estómago... dibuje círculos diminutos con el dedo pulgar masajeando la zona a medio camino entre el esternón y el ombligo. Hágalo por unos 15 segundos. El punto que está estimulando es una conexión directa con el centro de control del apetito del cerebro (el hipotálamo). Debería darle una sensación de estar satisfecho, deteniendo el gorgoteo antes de que alguien pueda oírlo.

INTESTINO IRRITABLE

El síndrome del intestino irritable (SII o IBS, por sus siglas en inglés), a veces llamado colon espástico, es un problema común y desagradable con síntomas incómodos e impredecibles –diarrea o estreñimiento, dolor o calambres abdominales, gases e hinchazón, náuseas usualmente después de comer, fatiga, dolor de cabeza, deposiciones cubiertas de mucosidad, la urgencia de tener otro movimiento del vientre inmediatamente después de haberlo hecho, y depresión o ansiedad (bueno, ¿es de extrañarse?).

El intestino irritable no parece tener una causa específica. Muchas personas que piensan que tienen SII realmente tienen *intolerancia a la lactosa*. Sus cuerpos no pueden absorber lactosa, una enzima que se encuentra en la leche y otros productos lácteos. Pídale a su médico que lo examine para detectar la intolerancia a la lactosa, o deje de comer productos lácteos por una semana y vea cómo se siente.

Para muchas personas, los ataques de SII son causados por el estrés emocional. En dicho caso, decídase a hallar una manera de que su vida sea mucho menos estresante. Medite, tome clases de taichí, halle a un profesional que practique biorretroalimentación ("biofeedback")… haga lo que sea necesario para calmarse, de modo que pueda sobrellevar mejor lo que sea que lo estresa emocionalmente. Tiene sentido, ¿verdad?

Estas sugerencias alimentarias para ayudar a prevenir los síntomas del SII también tienen sentido. Quizá no le guste tener que hacer estos cambios en la dieta, pero si va a lograr que la calidad de su vida sea más cómoda, ¡HÁGALOS! Al efectuar cambios gradualmente, comida a comida, preste mucha atención a lo que le sienta bien y lo que no. Considere programar una cita con un nutricionista ("nutritionist"). Mientras tanto, quizá pueda determinar las posibles causas de sus síntomas y, de esa manera, controlar o completamente eliminar el problema.

Recomendaciones alimentarias

➤ **Fibra.** Agregue fibra no soluble a su dieta –cereales integrales, frutas y verduras. El salvado ("bran") y las semillas de lino ("flaxseed") son maravillosos, pero si ellos no han sido parte de sus comidas, agréguelos gradualmente de modo que su cuerpo pueda acostumbrarse a ellos. Demasiada cantidad y demasiado rápido puede causar gases y diarrea.

➤ **Agua.** Asegúrese de beber entre siete y ocho vasos al día, especialmente si está agregando fibra a su dieta. El agua ayudará a que los intestinos funcionen sin esfuerzo.

➤ **Gases.** Consuma con moderación o elimine los alimentos que son grandes causantes de gases como frijoles (habas, habichuelas, etc.), col (repollo, "cabbage"), coliflor ("cauliflower"), coles de Bruselas ("brussels sprouts") y cebollas. No beba a través de una pajilla (popote, "straw") y absténgase de productos con edulcorantes artificiales como sorbitol, manitol y xilitol (bebidas gaseosas, goma de mascar, caramelos).

➤ **Grasa.** Una dieta baja en grasa puede marcar la diferencia entre sentirse bien y el sufrimiento de las contracciones del colon. Puede empezar absteniéndose de los alimentos fritos y las salsas pesadas.

➤ **Café.** El café parece ser malo para quienes sufren de SII. Absténgase del mismo por una semana, o cambie a descafeinado y vea si se siente mejor.

➤ **Alimentos condimentados.** Esto es algo más para intentar. Elimine los alimentos condimentados de su dieta por una semana. Si se siente mejor durante esa semana, acostúmbrese a los alimentos desabridos mientras lentamente va agregando un poco de sabor fuerte a sus comidas nuevamente.

➤ **Cigarrillos.** ¿Fuma? ¡No lo haga más!… Pero no con la ayuda de nada que contenga nicotina, como goma de mascar. Podría ser la nicotina la que esté causando el problema. Consulte la sección "Cigarrillos: cómo abandonar el hábito", página 36, para conocer sugerencias que lo ayudarán a dejar de fumar.

➤ **Alcohol.** Si tiene que beber, no beba cerveza debido a sus carbohidratos complejos, ni vino tinto debido a su tanino. No nos culpe a nosotras; es el consejo de William J. Snape, Jr., MD, especialista en motilidad del centro médico California Pacific, en San Francisco.

Aliviadores de los síntomas

➤ **Esencia de menta piperita ("peppermint oil").** La menta piperita, a la que se llama "el medicamento más antiguo del mundo", es una eficaz ayuda para la digestión y también ofrece propiedades analgésicas (que reducen el dolor). En un estudio, investigadores italianos informaron que el 75% de los pacientes que tomaron cápsulas de esencia de menta piperita durante cuatro semanas tuvieron una importante reducción de los síntomas del SII.

Tome esencia de menta piperita en cápsulas "con recubrimiento entérico" ("enteric coated"). El recubrimiento entérico permitirá que las cápsulas lleguen a los intestinos antes de que se disuelvan. Si las cápsulas no tienen recubrimiento entérico, se descompondrán en el estómago, haciéndole menos bien y hasta quizá podrían causarle acidez estomacal.

➤ **¡Olé, ALE!** Pensamos que llamaríamos su atención usando el acrónimo de "artichoke leaf extract" –extracto de hoja de alcachofa (alcaucil). Se han realizado varios estudios con pacientes con SII a quienes se les dio ALE. Un estudio consistió de personas que habían tenido SII por unos tres años. Tomaron ALE por unas seis semanas y los resultados fueron bastante impresionantes con respecto al alivio de los síntomas del SII, incluyendo estreñimiento, gases, pérdida del apetito, calambres intestinales y náuseas.

El extracto de hoja de alcachofa viene en cápsulas. Asegúrese de que la etiqueta diga que el extracto está estandarizado para que contenga entre el 15% y el 18% de *ácido clorogénico* (también llamado *ácido cafeoilquínico*) o entre el 2% y el 5% de *cinarín*.

➤ **Haga ejercicios.** Mientras tonifique el cuerpo, tonificará los intestinos y también eliminará los gases. Además, una sesión breve de ejercicios puede aliviar el estrés. Y no olvide que el ejercicio libera *endorfinas* que ayudan a disminuir el dolor. No estamos hablando de entrenarse para competir en los Juegos Olímpicos ni en un maratón. Una caminata a un buen ritmo será suficiente. Consulte "Caminata con bastones" en el capítulo "Le hace bien al cuerpo", página 265.

Consejos de los sabios...

Acupuntura para el intestino irritable

En un descubrimiento reciente, las personas que recibieron seis tratamientos de acupuntura en un periodo de tres semanas experimentaron menos dolor abdominal, hinchazón, diarrea, estreñimiento y otros síntomas del SII que quienes no recibieron tratamiento. Se insertaron agujas en varios puntos, incluyendo cerca del estómago, el hígado, el bazo y el intestino grueso. Los investigadores creen que la acupuntura podría ayudar a equilibrar las hormonas y provocar una respuesta de relajación.

Mayor información: Para encontrar un acupunturista acreditado, visite *www.nccaom.org* –el sitio web de la National Certification Commission for Acupuncture and Oriental Medicine.

Anthony Lembo, MD, profesor auxiliar de medicina de la facultad de medicina de la Universidad Harvard, en Boston, y líder de un estudio de 230 adultos con SII, publicado en el boletín *The American Journal of Gastroenterology.*

MAREO CAUSADO POR MOVIMIENTO

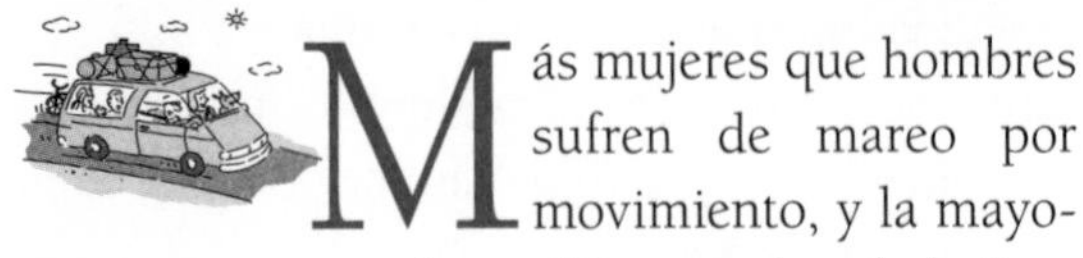

Más mujeres que hombres sufren de mareo por movimiento, y la mayoría tienen entre dos y 12 años de edad. Pero muchos adultos son aquejados por este problema. De hecho, el 75% de todos los astronautas experimentan alguna forma de mareo por movimiento.

Mientras tanto, para nosotros que estamos en la Tierra... aquí hay varias sugerencias para prevenir o dominar esta afección desagradable...

Prevención de los mareos por movimiento

➤ **Jengibre ("ginger").** Veinte minutos antes de subir a un avión o a cualquier otra forma de transporte, mezcle media cucharadita de jengibre en polvo en un vaso de agua y bébala. O tome dos cápsulas de jengibre en polvo.

Este remedio de jengibre fue comparado con el principal medicamento de venta libre para el mareo por movimiento, y resultó ser más eficaz que dicho medicamento... y sin ninguno de los efectos secundarios.

ADVERTENCIA: El jengibre actúa como un anticoagulante, así que consulte con su médico antes de usarlo si toma un anticoagulante recetado. Además, deje de usar el jengibre tres días antes de someterse a una cirugía.

➤ **Una moneda de un centavo de dólar.** Sí, eso es lo único que necesita para intentar este remedio que parece ser una locura, pero se afirma que da resultados. Antes de iniciar su viaje, pegue una moneda de un centavo de cobre en el ombligo. Una amiga nuestra nos dijo que siempre viaja usando ropa interior bonita en caso de que medidas inesperadas de seguridad exijan que se desvista. Su preocupación ahora es cómo explicar la moneda de un centavo en el ombligo.

➤ **Una bien fría.** Ponga una lata de cerveza bien fría detrás de la oreja izquierda, apoyada sobre el cuello. Bueno, pues, una lata bien fría de una gaseosa, jugo –cualquier cosa– también ayudará a prevenir el mareo por movimiento.

➤ **Aire acondicionado.** Ayude a prevenir el mareo por movimiento dejando entrar los buenos aires. En un avión, abra el conducto de ventilación encima de usted; en un carro, un tren o un autobús, abra una ventana; en un barco, permanezca en la cubierta.

➤ **Use un periódico.** Antes de salir de viaje, cubra los hombros con un periódico en blanco y negro como si fuera la capa de un salón de belleza. El olor del papel y la tinta debería ayudar, ya sea que se encuentre en un carro, un autobús o un tren.

➤ **Acupresión.** Tome los tres dedos del medio de una mano y póngalos sobre la parte interna de la muñeca de la otra mano, comenzando en el pliegue que separa la mano de la muñeca. El dedo mayor estará en el punto de presión que puede prevenir el mareo por movimiento. Si presiona ese punto mientras esa mano está relajada, los dedos deberían doblarse hacia dentro. Si eso sucede, sabrá que tiene el punto de presión correcto.

Para que este remedio dé resultado, tiene que ejercer presión constante en ese punto. Una manera de hacerlo es poniendo un botón en el punto de presión y una muñequera ("sweatband") en la muñeca para mantener el botón en su lugar. Para obtener un producto comercial similar en el mercado, fíjese en las tiendas de alimentos saludables, tiendas de navegación o Magellan's Travel Supplies (consulte "Recursos", página 350, para obtener su información de contacto).

➤ **El mejor lugar para sentarse.** En un avión, siéntese hacia el frente o sobre las ruedas. No se siente en la parte de atrás del avión. La cola se mueve más que el medio o el frente. En cualquier forma de transporte, siéntese siempre cerca de una ventana y mire hacia fuera; fije la vista en cosas lejanas, no en las cosas cercanas que pasan zumbando.

➤ **La mejor hora para viajar.** Viaje después de oscurecer para disminuir las posibilidades de sentirse mal. Cuando viaja por la noche, no puede ver el movimiento perturbador tanto como durante los viajes de día.

Cómo conseguir alivio donde sea que se encuentre

Cuando se está sintiendo mareado, en un avión o en tierra firme, el alivio se encuentra tan cerca como una cocina, un restaurante o un bar.

➤ **Jugo de frutas tropicales.** Beba un vaso de jugo de papaya (lechosa, fruta bomba) o piña (ananá, "pineapple").

➤ **Sopa con pimienta.** Consuma un bol de sopa de verduras con un cuarto de cucharadita de pimienta de cayena ("cayenne pepper") –media cucharadita si puede soportar que sea más picante.

ADVERTENCIA: NO use este remedio de pimienta de cayena si tiene acidez estomacal ("heartburn"), gastritis, úlceras o esofagitis.

➤ **Olvídese del martini.** Pero coma dos o tres aceitunas.

MASTITIS

La mastitis (inflamación del seno) es una benigna causa común de masa mamaria. Se ve con más frecuencia en las mujeres que amamantan después de dar a luz, pero también puede desarrollarse en las mujeres que no están amamantando. Las mujeres con una enfermedad crónica, diabetes, SIDA o un sistema inmune debilitado pueden ser más susceptibles. También puede ocurrir en las mujeres después de la menopausia.

Los dos tipos comunes son *mastitis aguda*, que implica infección bacteriana, y *mastitis crónica*, sin infección, sólo con sensibilidad y dolor.

Ésta es una afección por la que debería hacerse examinar por un profesional de la salud. Es posible que sea tratada con antibióticos. Si le recetan antibióticos, asegúrese de también tomar acidófilos ("acidophilus") disponibles en tiendas de alimentos saludables. Los antibióticos no discriminan –destruyen las bacterias buenas y también las malas, por lo que usted necesitará acidófilos para reemplazar las bacterias benéficas. Las cápsulas de acidófilos deberían tener entre uno y dos mil millones de células de acidófilos viables. Lea la etiqueta detenidamente.

NOTA: Tome acidófilos inmediatamente *después* de haber comido y al menos dos horas *antes* o dos horas *después* de tomar un antibiótico. Así no disminuirá la eficacia del antibiótico al mismo tiempo que obtendrá los beneficios de los acidófilos.

Remedios para la mastitis

Se sabe que estos remedios han logrado resultados maravillosos para muchas mujeres con mastitis...

➤ **Ajo.** El ajo es un potente antibiótico natural. Pique finamente uno o dos dientes de ajo y bébalos en un vaso de agua. Hágalo dos o tres veces al día. Además, hasta que la mastitis haya desaparecido, tome una dosis grande de vitamina C –entre 3.000 y 5.000 mg al día– para ayudar a estimular su sistema inmune de modo que su cuerpo (y el ajo) puedan combatir la infección.

El Dr. Chris Deatherage, médico naturopático (naturista) en Missouri, sugiere que sus pacientes con mastitis mezclen en una licuadora un gotero con tintura de equinácea ("echinacea tincture"), tres dientes de ajo crudo y entre cuatro y seis onzas (120 ml a 175 ml) de jugo de zanahoria, y que beban la mezcla cada dos horas durante todo el día. El Dr. Deatherage informa sobre muchas curaciones rápidas y permanentes.

ADVERTENCIA: Consumir ajo con el estómago vacío puede causar náuseas. Siempre consuma algo antes de consumir ajo o tomar cápsulas. Además, tenga cuidado con el ajo si padece gastritis.

➤ **Hojas de diente de león.** Si padece mastitis recurrente, el té de hojas de diente de león ("dandelion leaves") podría ser la respuesta de una vez para siempre. Beba tres tazas del té (disponible en tiendas de alimentos saludables) todos los días. Además, prepare una cataplasma ("poultice") con las hojas y póngala sobre el pecho una vez al día por al menos 20 minutos. Espere un mes para obtener resultados.

➤ **Vitaminas.** Un naturopático que conocemos receta 250 mg de vitamina B-6 diariamente y 400 unidades internacionales (IU, por sus siglas en inglés) de vitamina E dos veces al día. Como la vitamina B-6 puede ser tóxica, no debería tomar esta dosis por más de una o dos semanas. La dosis típica recomendada para la vitamina B-6 es de 150 mg o menos al día.

ATENCIÓN: Es importante que consulte con su médico antes de intentar cualquiera de estos tratamientos de autoayuda.

AFIRMACIÓN

Repita esta afirmación 10 veces, a primera hora por la mañana, cada vez que peine o cepille su cabello, y a última hora por la noche...

Me acepto como una mujer saludable y feliz, bendecida con funciones corporales naturales y normales.

MEMORIA: CÓMO MEJORARLA

Durante nuestras investigaciones para este libro, hablamos con mucha gente y parece que todos –sin importar la edad– piensan que están perdiendo la memoria. A nosotras nos parece que esto se debe a la sobrecarga de datos.

Con la televisión, la radio, los diarios, las revistas, Internet y todas las redes sociales (Twitter, Facebook, LinkedIn), recibimos tanta información día y noche que no es de extrañarse que entramos a una habitación y no podemos recordar qué fuimos a hacer, o los nombres de las personas en la habitación.

La mayoría de nosotros nos castigamos cuando no podemos recordar el nombre de alguien. Esto es algo a considerar... hace mucho tiempo, cuando nuestros cerebros estaban evolucionando, digamos hace unos 60.000 años, la mayoría de las personas vivían en pequeñas aldeas aisladas. ¿Cuántos nombres tenía que recordar cada persona? ¿Cien? ¿Ciento veinte, si eran realmente sociables? Nosotras personalmente tenemos cinco veces más de esa cantidad de gente en nuestro edificio de apartamentos.

¡Qué importa si no recordamos el nombre de alguien! Simplemente diga: "¿Podría decirme su nombre otra vez?". A esta altura, todos entienden este síndrome porque ellos lo experimentan también en forma habitual.

Un poco de información tranquilizadora: Al envejecer, sí perdemos neuronas, pero nuestro cerebro envejecido compensa por la pérdida de neuronas y en realidad aumenta las funciones cerebrales.

Por ejemplo, nuestra capacidad de entender y explicar aumenta al profundizarse la sabiduría y el juicio. De hecho, la capacidad de hablar y escribir mejora después de los 50 años; los filósofos no llegan a su nivel máximo hasta tener 70 u 80 años.

Entonces, ahora que hemos eliminado el envejecimiento como una razón para la pérdida de la memoria, fijémonos en tres causas comunes...

1. **Depresión.** Al estar deprimido, una persona no presta mucha atención a nada, dificultando su capacidad de crear y almacenar nuevos recuerdos.
2. **El abuso de alcohol** usualmente provoca la pérdida de la memoria.
3. **Medicación.** La pérdida de la memoria puede ser un efecto secundario de algunos medicamentos.

Si está teniendo problemas graves de memoria, preocuparse por ello no lo ayudará para nada. Consulte con su médico tan pronto como sea posible. Podría ser un desequilibrio químico que puede remediarse fácilmente.

James M. Barrie, el autor de *Peter Pan*, describía la memoria como "Lo que Dios nos dio para que pudiéramos tener rosas en diciembre". Lea las sugerencias en esta sección, adopte las que sean adecuadas para usted –y saque el florero para poner las rosas.

NOTA: Debe darles a los siguientes remedios al menos un mes, y a menudo dos, para obtener resultados perceptibles.

Cómo mejorar la memoria

➤ **Alimentos.** Eleanor Roosevelt tenía una memoria excepcionalmente buena. ¿Cuán buena era? ¡Era tan buena que los elefantes solían consultarla! *Pero hablando en serio...*

Nos dijeron que cuando la Sra. Roosevelt era bastante anciana, le preguntaron a qué atribuía ella su gran memoria. Su respuesta fue tres dientes de ajo al día. Se ha informado que la Sra. Roosevelt metía los dientes de ajo en miel o chocolate.

La manera más fácil de comer ajo crudo es picarlo finamente, ponerlo en agua o jugo, y luego beberlo de una vez. Si no mastica los pequeños pedazos, el olor del ajo no quedará en su aliento por mucho tiempo, si es que queda. No coma ajo con el estómago vacío. Además, tenga cuidado si padece problemas estomacales.

➤ **Ejercicios mentales.** Mire en la televisión programas de juegos y responda en voz alta antes de que lo hagan los participantes. Haga crucigramas y juegos de números como Sudoku. Arme rompecabezas. Tome un curso de educación para adultos todos los semestres. Escriba sus memorias. Empiece a pintar. Aprenda a tocar la armónica o la flauta dulce. No hay límite para los ejercicios mentales estimulantes y divertidos que están a su alcance ¡Use su creatividad para hallarlos!

➤ **Respiración profunda.** Inhale por la boca, y luego exhale por las fosas nasales. Siga inhalando por la boca y exhalando por las fosas nasales por dos minutos, cinco veces durante el día. Se afirma que este ejercicio respiratorio ayuda a convertir el malestar mental en días llenos de ideas.

➤ **Tés de hierbas.** Durante el día, beba dos o tres tazas de té de romero ("rosemary") o salvia ("sage"), disponibles en tiendas de alimentos saludables. Agregue una taza de agua recién hervida a una cucharadita colmada de cualquiera de las hierbas. Deje remojar, cuele y beba.

➤ **Olvídese del olvido.** El típico estadounidense pasa todo un año de toda su vida buscando objetos perdidos. Por fortuna se extiende en un periodo largo, pero usted puede reducir esa cantidad de tiempo, y ni hablar de la frustración. Escriba una lista de las seis cosas que pierde con más frecuencia –llaves, gafas, anteojos, reloj de pulsera.

Simplemente tome una foto imaginaria cada vez que ponga cualquiera de los objetos en algún lugar. Sostenga una mano sobre un ojo, haga un círculo como de una lente con la otra mano y mire a través del mismo con el otro ojo. Pestañee como si el ojo fuese una cámara tomando una foto del objeto. Una hora, un día o incluso una semana más tarde, cuando necesite ese objeto, será capaz de visualizar exactamente dónde está.

Si tiene un teléfono celular con una cámara, puede sacar una foto de los objetos que más pierde cada vez que los pone en algún lugar, a menos que su teléfono celular sea una de las cosas que pierde continuamente.

➤ **Cómo mejorar la memoria de corto plazo.** Cuando tenga que aprender algo que necesitará muy pronto (memoria de corto plazo) –quizá para un examen que está por tomar o para una reunión a la que concurrirá– repase la información por la mañana. Podría ser la mañana del examen o la reunión, o la mañana anterior. La palabra clave aquí es repasar información *por la mañana* para mejorar la memoria de corto plazo.

➤ **Cómo mejorar la memoria de largo plazo.** Su capacidad de memoria de largo plazo es más aguda por la tarde. Si tiene que aprender algo que necesitará recordar semanas más tarde, estúdielo entre el mediodía y las 5 p.m.

➤ **Terapia con gemas.** Las piedras para mejorar la memoria son la amatista ("amethyst") y la calcita ámbar ("amber calcite"). Lleve una o ambas con usted o llévelas puestas, y su memoria debería mejorar. Si recuerda agarrar estas piedras y llevarlas con usted, ya están dando resultados.

➤ **Aromaterapia.** Triture semillas de alcaravea ("caraway seeds"), manténgalas cerca y cada tanto aspire el aroma. Se afirma que fortalece la memoria. Varíe aspirando el aroma de las semillas de cilantro ("coriander") y clavo de olor ("cloves") molidos.

➤ **Consejo a considerar.** Según un proverbio chino, "La tinta más clara dura más que la memoria que más retiene". Anote lo que realmente quiere recordar. El acto de escribirlo le ayudará a recordarlo, aunque no tenga que recordarlo, ya que lo tendrá por escrito. Esto ha sido muy eficaz para nosotras.

Lectura recomendada

➤ ***Brainpower Game Plan: Sharpen Your Memory, Improve Your Concentration and Age- Proof Your Mind in Just 4 Weeks*** de Cynthia R. Green, PhD, y los editores de la revista *Prevention* (Rodale Books). La Dra. Green fundó el renombrado Memory Enhancement Program de la facultad de medicina Mount Sinai, en Nueva York, donde es profesora clínica auxiliar de psiquiatría. Formando un equipo con los editores de *Prevention*, crearon un plan día a día para mejorar la memoria cotidiana en hasta un 78%. Incluye movimientos corporales para maximizar el desarrollo y el crecimiento de las neuronas; alimentos con nutrientes que ayudan al cerebro a mantenerse con vitalidad y juegos que maximizan la capacidad intelectual.

Consejos de los sabios...

Lo que la gente aún no sabe sobre la salud del cerebro

Todos queremos tener tanta capacidad intelectual como sea posible. Para lograr ese objetivo, muchos estadounidenses han comenzado a comer más pescado rico en omega-3 (o a tomar suplementos de aceite de pescado) y empezado rutinas diarias de ejercicios, como caminar, andar en bicicleta, nadar o practicar danza aeróbica. Pero hay otras estrategias menos conocidas que usted también puede adoptar para maximizar su capacidad intelectual. *Lo que recomiendo a mis pacientes, además del consumo de pescado y el ejercicio...*

1. **Considere tomar ginkgo biloba y bacopa monnieri.** El ginkgo es ampliamente recomendado por sus efectos estimuladores del cerebro. Sin embargo, una hierba menos conocida –*bacopa monnieri*– también es una opción excelente. Ambas hierbas promueven la circulación cerebral y la atención mental. Para mis pacientes que quieren maximizar su habilidad de retener nueva información, recomiendo 120 mg de cada hierba diariamente.

ATENCIÓN: Si está embarazada, amamantando o tomando una medicación –especialmente para la ansiedad, la depresión, cualquier trastorno mental o la demencia– consulte con su médico antes de usar los suplementos descritos aquí o de agregarlos a su régimen de tratamiento. Ginkgo, en particular, no debería usarse con anticoagulantes, incluyendo la aspirina.

También útil: *Fosfatidilserina* (o PS, por las siglas en inglés de *Phosphatidylserine*). Las investigaciones han demostrado que este nutriente derivado de la proteína es útil para desacelerar el avance de la demencia y mejorar la atención y la concentración. Una dosis típica es de 300 mg al día. La PS puede tomarse sola o además de las hierbas descritas a la izquierda.

ADVERTENCIA: Las personas que tienen alergia a la soja NO deberían tomar fosfatidilserina, ya que la mayoría de las fórmulas son derivadas de la soja.

2. **Ojo con la ansiedad.** Muchas personas no reconocen el grado en que la ansiedad puede interferir con la atención y la concentración. Si sospecha que la ansiedad podría estar comprometiendo su función cerebral, pregúntele a su médico acerca de tomar *ácido gamma-aminobutírico* (GABA, por sus siglas en inglés), un aminoácido que se encuentra naturalmente en nuestros cerebros. Las cantidades óptimas de GABA permiten que la mente se relaje y se concentre, sin causar somnolencia ni sedación. Una dosis típica es de 100 mg, entre una y tres veces al día.

3. **Pruebe la yoga Kundalini.** Todas las formas de yoga implican estiramiento y respiración enfocada, pero Kundalini (la palabra se refiere a la fuerza vital concentrada, según la filosofía de la India) es mi preferida porque incorpora una variedad de ejercicios de respiración profunda que simultáneamente despiertan y calman el cerebro. Recomiendo practicar esta forma de yoga por 45 minutos al menos una vez a la semana. Para hallar un maestro de yoga Kundalini en sus cercanías, consulte la International Kundalini Yoga Teachers Association, llamando al 505-629-1708, o yendo al sitio web *www.kundaliniyoga.com*.

Como alternativa, puede mejorar la salud del cerebro practicando respiración profunda. Siéntese en silencio en una posición erecta con la espalda recta, e inhale y exhale por la nariz. Inhale tan lentamente y tan profundamente como pueda, extendiendo el abdomen hacia fuera... exhale tan completamente como sea posible, tratando de empujar todo el aire fuera de los pulmones. Hágalo por cinco minutos diariamente, usando un cronómetro si fuese necesario.

4. **Mantenga la garganta húmeda.** El consumo adecuado de agua es crucial para la salud óptima del cerebro. Beba media onza de agua por libra de peso corporal diariamente.

Jamison Starbuck, ND, médica naturopática (naturista) con práctica familiar en Missoula, Montana. Fue presidenta de la American Association of Naturopathic Physicians y editora colaboradora de *The Alternative Advisor: The Complete Guide to Natural Therapies and Alternative Treatments* (Time Life).

MENOPAUSIA

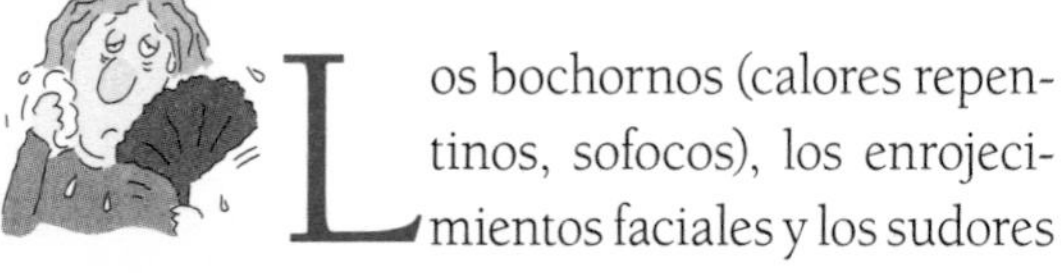

Los bochornos (calores repentinos, sofocos), los enrojecimientos faciales y los sudores nocturnos son todos parte del espectro de síntomas de la menopausia. Pero según un estudio realizado en el Center for Nursing Research de la Universidad de Alabama, en Birmingham, las mujeres que tienen claro cuál es su propósito en la vida pasan más fácilmente por la menopausia. Experimentan menos síntomas físicos y emocionales. Así que, si es firme, independiente y dominante, puede saltearse estas páginas y seguir con el trabajo de su vida. El resto de ustedes, sigan leyendo para aprender cómo lidiar con los síntomas.

Bochornos

➤ **Respire para eliminar los bochornos.** Haga este ejercicio de respiración y exorcice los bochornos. Inhale por la nariz mientras cuenta hasta seis; exhale por la boca mientras cuenta hasta seis. Hágalo 10 veces seguidas. No haga pausas entre las respiraciones.

➤ **Qué ponerse.** Use ropa de algodón o lana. Las fibras naturales proporcionan más ventilación que las fibras sintéticas, permitiendo que se refresque más rápidamente de los bochornos.

➤ **Reanimación instantánea.** Corra hacia el refrigerador y abra ambas puertas –la del refrigerador y la del congelador– y párese tan cerca del mismo como sea posible. Si se encuentra en la calle, vaya al supermercado más cercano y pase un tiempo en la sección de alimentos congelados. Mientras se refresca, descubra nuevos alimentos y lea sus ingredientes y etiquetas nutricionales.

➤ **Enrojecimientos faciales.** Chupe un cubito de hielo. Enfriará la sangre en la zona del cuello y el enrojecimiento se irá en un instante.

➤ **Sudores nocturnos.** La tintura de paja de avena ("oatstraw tincture", disponible en la mayoría de las tiendas de alimentos saludables) puede ayudar a prevenir los sudores nocturnos, energizarla y también es buena para la piel y el cabello. Tome 20 gotas en agua tres veces cada día, después de las comidas.

Más sobre la menopausia

➤ **Ayuda para muchos síntomas de la menopausia.** Todos hemos oído buenas cosas acerca del ginseng. Muchos herboristas creen que el ginseng es sólo para hombres. La raíz medicinal china comparable para mujeres es angélica ("dong quai", "angelica sinensis"). Se afirma que ha sido usada en Asia por miles de años para rejuvenecer las glándulas femeninas.

La dosis varía según la amplitud de los síntomas. Para los problemas normales de la menopausia, tome una cápsula de angélica (disponible en tiendas de alimentos saludables) tres veces al día. Para los problemas más graves, aumente la dosis consecuentemente pero no en forma excesiva. Para determinar la dosis adecuada para usted, consulte con su profesional de la salud, nutricionista o el gerente bien informado de una tienda de alimentos saludables.

La hierba en polvo tiene un sabor similar al apio. Puede abrir la cápsula y espolvorear el contenido en ensaladas, sopas o guisos (estofados).

Para obtener todos los beneficios de la angélica, muchos herboristas creen que no debería consumir frutas ni beber otros tés fuertes de raíces por al menos tres horas después de tomarlo.

ADVERTENCIA: La angélica puede aumentar la sensibilidad a los rayos ultravioletas. Las personas que toman angélica deberían evitar la exposición prolongada al sol. Además, para las mujeres que aún estén menstruando, la angélica puede causar un flujo menstrual más fuerte. Si toma medicación, consulte con su médico o farmacéutico acerca de posibles interacciones negativas antes de tomar angélica.

➤ **Equilibrador hormonal.** Suma (ginseng de Brasil, Pfaffia paniculata) es una hierba que viene en forma de cápsula, se encuentra disponible en las tiendas de alimentos saludables y de vitaminas, y se afirma que es un equilibrador hormonal. Siga la dosis indicada en la etiqueta.

➤ **Terapia con gemas.** Crisocola ("chrysocolla") es la piedra indicada para los problemas femeninos. Simboliza la plenitud y da una sensación de paz y bienestar. Póngala sobre el tercer ojo (en la frente, entre los ojos) y sentirá la calma que la rodea.

Lectura recomendada

➤ ***The Wisdom of Menopause–Creating Physical and Emotional Health and Healing During the Change***, de Christiane Northrup, MD (Bantam Books). La Dra. Northrup escribe basándose en su experiencia personal y como una obstetra/ginecóloga que ha investigado y tratado a muchas mujeres pasando por la menopausia. La Dra. Northrup describe los síntomas de la menopausia, y las opciones de tratamientos tradicionales y alternativos.

También puede consultar otro libro de la doctora, *The Secret Pleasures of Menopause* (Hay House). En esta guía franca, la Dra. Northrup ayuda a comprobar que la menopausia no disminuye la libido. Escribe acerca de la facilidad para llegar al orgasmo y la satisfacción sexual con el objetivo de experimentar la vida después de los 50 años como el periodo más placentero de la vida.

AFIRMACIÓN

Repita esta afirmación 15 veces al día, a primera hora por la mañana, a última hora por la noche y cada vez que se mire en el espejo...

Me alegro por este cambio en mi vida. Me maravillo de mi cuerpo. Todo está sucediendo para mi bien.

MENSTRUACIÓN Y SUS RETOS

Un delicado equilibrio hormonal es responsable de los ciclos menstruales regulares. Por lo tanto, los trastornos físicos o emocionales pueden ser responsables de las irregularidades de la menstruación. Tenga en mente que algunas de estas irregularidades pueden ser normales, especialmente a principios de la adolescencia y por varios años antes de la menopausia. Considere su edad y su estado físico y emocional, y luego lea el resto de esta sección en busca de ayuda.

Síndrome premenstrual

El síndrome premenstrual (PMS, por sus siglas en inglés) parece prevalecer más en las mujeres entre los 30 y los 49 años. Se cree que la amplia variedad de síntomas físicos y emocionales del síndrome premenstrual se relaciona a los altos niveles de hormonas en la segunda mitad del ciclo menstrual, cuando el nivel de estrógeno es más alto.

Éstas son algunas sugerencias para superar las causas bioquímicas de los problemáticos síntomas mensuales.

➤ **Vitamina B-6.** Puede lograr una gran diferencia cuando se trata de este periodo del mes. Tome una vitamina B-6 (100 mg) diariamente. Puede aumentar la dosis a 150 mg durante la semana anterior a que le llegue el periodo.

ADVERTENCIA: NO tome más de 150 mg de vitamina B-6 al día, ya que puede ser tóxica.

➤ **Angélica ("dong quai", "angelica sinensis")** es una raíz medicinal que se usa en China para revitalizar las glándulas femeninas. La dosis varía según la amplitud de los síntomas. Para los típicos síntomas del síndrome premenstrual, tome una cápsula de angélica (disponible en tiendas de alimentos saludables) tres veces al día. Para síntomas más fuertes, aumente la dosis consecuentemente, pero no en forma excesiva.

ADVERTENCIA: La angélica puede aumentar la sensibilidad a los rayos ultravioletas. Las personas que están tomando angélica deberían evitar la exposición prolongada al sol. Además, para las mujeres que aún estén menstruando, angélica puede causar un flujo menstrual más fuerte. Si está tomando medicación, consulte con su médico o farmacéutico acerca de posibles interacciones negativas antes de tomar angélica.

➤ **Cafeína.** Si elimina la cafeína de su dieta (esto significa no consumir café, chocolate, aspirina, bebidas cola y más), sus síntomas anteriores al periodo y los dolores durante su periodo podrían ser mucho menos problemáticos.

➤ **Té de milenrama (aquilea, "yarrow").** Esta hierba con un sabor extraño podría ser la respuesta para los problemas relacionados con su periodo. Nosotras la hemos puesto a prueba. Es asombrosa. Antes de que terminara mi taza de té, los dolores de mi periodo habían desaparecido. Efectivamente hemos mejorada la vida de varias amigas con este tratamiento… mujeres que no podían lidiar con el síndrome premenstrual y otras que habían puesto su vida en espera mientras se retorcían por el dolor durante los dos primeros días de su periodo.

Para preparar el té de milenrama (se vende en la mayoría de las tiendas de alimentos saludables o consulte "Recursos", página 350, para averiguar dónde comprar esta hierba) deje en remojo una cucharadita de la hierba en una taza de agua recién hervida por unos siete minutos. Cuele y beba cuando sea necesario.

NOTA: El té de milenrama tiene un sabor inusual, por lo que le sugerimos que le agregue miel.

Prevención de los cólicos menstruales

➤ **Corteza del viburno ("cramp bark", "squaw bush").** Si sufre de cólicos menstruales, ¿qué debería tomar? Corteza del viburno, por supuesto. Es un remedio de los indígenas norteamericanos disponible en herboristerías y en algunas tiendas de alimentos saludables.

Para prevenir los cólicos menstruales, beba dos tazas de té de corteza del viburno diariamente, comenzando una semana antes de cuando espere su periodo.

Prepare la corteza molida del viburno según las instrucciones de la página xix.

➤ **Vitamina E.** Una dosis diaria de 400 unidades internacionales (IU, por sus siglas en inglés) de vitamina E puede eliminar el sufrimiento del periodo. Tómela por la mañana, inmediatamente después del desayuno.

ATENCIÓN: Debido a las posibles interacciones entre la vitamina E y varios medicamentos y suplementos, además de otras consideraciones de seguridad, consulte con su médico antes de tomar vitamina E.

Más asuntos de la menstruación

➤ **Disminuya el flujo.** El té de hojas de frambuesas ("raspberries") –una taza después de cada comida y una a la hora de acostarse– puede ayudar a disminuir el flujo menstrual.

Prepare el té dejando en remojo una cucharadita de la hierba en una taza de agua recién hervida por unos siete minutos. Cuele y beba. También puede aliviar los calambres y el dolor de los pechos inflamados. El té de frambuesas se encuentra disponible en tiendas de alimentos saludables.

➤ **Para todos los problemas de la menstruación.** El suma (ginseng de Brasil, Pfaffia paniculata) es una hierba que viene en forma de cápsula, se encuentra disponible en tiendas de alimentos saludables y vitaminas, y se afirma que es un *adaptógeno* –es decir, corrige todo lo que necesita ser corregido. Siga la dosis indicada en la etiqueta.

➤ **Terapia con gemas.** La crisocola ("chrysocolla"), una exquisita piedra opaca de un vivo color azul/verde, sin duda tiene energía femenina, según la gemóloga Connie Barrett. De hecho, se recomienda para los hombres que quieren ponerse en contacto con su lado femenino.

Use la crisocola alrededor del cuello, llévela con usted o péguela en la zona del problema mientras medita, realiza una visualización o repite una afirmación.

AFIRMACIÓN

Repita esta afirmación 10 veces, a primera hora por la mañana, cada vez que peine o cepille su cabello y a última hora por la noche...

Me acepto como una mujer saludable y feliz, bendecida con funciones corporales naturales y normales.

MORETONES

Sin importar lo que haya causado ese moretón feo, tenemos algunos remedios que usted puede poner a prueba...

➤ **Ojo morado.** Cada dos horas, frote suavemente aceite de ricino ("castor oil") en la delicada zona del ojo. Se afirma que alivia el dolor, disminuye la hinchazón y minimiza la decoloración.

O de lo contrario: ¡Aplique el hielo! Ponga los cubitos en una toallita húmeda o una bolsa plástica y coloque ésta en la zona del ojo.

¿No tiene hielo? Entonces use un paquete de verduras congeladas, o ese remedio común de las películas, un bistec. Simplemente asegúrese de que esté muy frío y envuelto en plástico para que no toque la piel.

Halle una rutina que le resulte cómoda, como, por ejemplo, ponerlo por cinco minutos, sacarlo por 15 minutos. El frío del hielo, de las verduras o del bistec debería entumecer el dolor y minimizar la hinchazón y la decoloración.

➤ **Quitamoretones.** Éste es un increíble remedio chino para hacer desaparecer un moretón. Necesita un huevo y una moneda grande que sea mayormente de plata. Las monedas de 25 centavos, 50 centavos y un dólar acuñadas antes de 1965 tienen un 90% de plata. Las monedas de 50 centavos de 1965 a 1969 tienen un 40% de plata. Las monedas de 25 centavos y un dólar acuñadas en 1965 y posteriormente no contienen nada de plata.

Hierva el huevo hasta que quede duro y sáquele la cáscara. Luego sosténgalo verticalmente e introduzca la moneda dentro del huevo verticalmente hasta que el borde de la misma esté alineado con el huevo. Mientras esté aún caliente, pero se haya enfriado lo suficiente como para que no le queme la piel, coloque el huevo con la moneda sobre el moretón. Déjelo ahí por al menos media hora mientras –de algún modo– elimina la decoloración del moretón.

➤ **Prevención de los moretones.** Tan pronto como se magulle, humedezca los dedos de una mano y húndalos en el azucarero. Luego frote intensamente la zona herida con los dedos cubiertos de azúcar. Asegúrese de llegar hasta los bordes externos del moretón. Esto reducirá el alcance de los vasos capilares dañados y ayudará a prevenir que se forme un moretón.

O de lo contrario: Inmediatamente después de que se magulle, mezcle un par de cucharadas de arrurruz ("arrowroot") con un poco de agua para formar una pasta y frótela en la zona. Cuando se seque y se desmenuce, no debería haber señal alguna de un moretón. Si no está familiarizado con el arrurruz, se trata de una fécula que se usa en la cocina como espesante, y usualmente puede encontrarse en la sección de productos para hornear de los supermercados.

➤ **Un dedo de mano o pie magullado.** ¡Ay, qué dolor! Si parte del dedo está colgando, o sobresale un hueso, llame al 9-1-1 para solicitar ayuda de emergencia.

Si es sólo una magulladura fea y dolorosa, use el remedio EPE –enfríe, presione y eleve (en inglés se llama CPR –las siglas de "Cold, Pressure, Raise it"). Tan pronto como sea posible después de golpearse el dedo, póngalo en agua helada o hielo. Si sangra, esto detendrá la hemorragia –la interna y también la externa. Manténgalo así hasta que el *frío* se vuelva doloroso –no mucho más de medio minuto. Luego, por 30 segundos ejerza *presión* sobre el dedo apretándolo, para también ayudar a detener la hemorragia, pero no tan fuerte como para detener por completo la circulación. Mientras aprieta el dedo herido, levántelo por encima de la cabeza para enlentecer el flujo de sangre. Repita todo el proceso de un minuto de duración una y otra vez –dos, tres, cuatro decenas de veces. Podría evitarle el dolor, la hinchazón y una uña morada.

➤ **Moretones e hinchazones.** Deje en remojo una cucharada rebosante de orégano en una taza de agua recién hervida por 10 minutos. Cuele y guarde el líquido, luego ponga el orégano húmedo en una estopilla ("cheesecloth") y prepare una cataplasma ("poultice"). Colóquela en la zona magullada. Cuando el orégano se seque, humedézcala con el líquido caliente. Una cataplasma de orégano puede aliviar el dolor y ayudar a disminuir la hinchazón.

O de lo contrario: Prepare una cataplasma de papa cruda rallada y póngala en la zona magullada. En dos horas debería tener considerablemente menos dolor y quizá nada de dolor.

➤ **Rodillas magulladas e hinchadas.** Ralle finamente col (repollo, "cabbage") cruda –lo suficiente como para cubrir toda la rodilla. Envuélvala bien en una estopilla (gasa, "cheesecloth") y coloque sobre la rodilla. Luego envuelva la rodilla en papel plástico ("plastic wrap"), y ponga una toalla grande alrededor de todo. Mantenga la envoltura de col así cuanto más le sea posible durante el día. Cambie la col todas las noches antes de acostarse y duerma con la envoltura. Debería haber una gran mejoría alrededor del cuarto día.

AFIRMACIÓN

Apenas aparezca un moretón, haga lo que pueda para aliviar el dolor y prevenir la hinchazón, mientras repite esta afirmación una y otra vez, al menos dos docenas de veces...

Reconozco mi bondad y mi brillante luz interior. Me amo.

MÚSCULOS: CALAMBRES, DOLORES Y ESGUINCES

Dolores musculares

➤ **Cómo cargar mejor las cosas.** ¿Lleva un maletín en la misma mano todos los días? ¿En qué lado lleva las bolsas de las compras? ¿Y la cartera? ¿Y un bebé? Una vez que es consciente de sus patrones diarios de cargar las cosas, podrá darse cuenta de por qué tiene dolor muscular en algunas partes del cuerpo.

Este remedio es obvio: Vuelva a adiestrarse para seguir cambiando paquetes (o un bebé) de un lado a otro. O, de ser posible, equilibre su carga llevando cantidades similares en cada lado. Cuando resulte práctico, pídale al empacador del supermercado que divida sus compras en dos bolsas que tengan un peso similar.

➤ **Capsaicina.** Las endorfinas son el analgésico natural del cuerpo. Se afirma que una sustancia que se encuentra en los chiles (pimientos, ajíes, "peppers") picantes estimula y aumenta la producción de endorfinas.

Conclusión: Incorpore chiles picantes a su dieta como ayuda para lidiar con el dolor.

ADVERTENCIA: NO use este remedio de capsaicina si tiene acidez estomacal ("heartburn"), gastritis, úlceras o esofagitis.

Consejos de los sabios...

Un remedio sorpresivo para los dolores musculares y articulares

Cuando escucha el término "levantamiento de pesas", quizá piense en culturistas con músculos que sobresalen. Sin embargo, en los últimos años se ha reconocido y difundido más ampliamente que el levantamiento de pesas –ejercicios de fortalecimiento– también ayuda a controlar el peso corporal y aumenta la masa ósea.

Lo que la mayoría de la gente aún no sabe: El levantamiento de pesas puede jugar un papel importante en el alivio de los dolores musculares y articulares. Aunque los médicos frecuentemente pasan por alto la debilidad muscular como una causa del dolor, estimo que es el culpable en el 80% al 90% de mis pacientes, muchos de los cuales tienen entre 60 y 90 años de edad, y sufren de dolor en las articulaciones y los músculos.

Sorprendentemente, la debilidad muscular contribuye al dolor incluso en las personas a las que un médico les ha dicho que el responsable de sus síntomas es un problema estructural, como la artritis o un ligamento desgarrado.

Los músculos fuertes combaten el dolor

Los ejercicios designados para fortalecer los músculos mejoran la función articular y la mecánica del cuerpo en general de dos maneras importantes. Cuando los músculos de una articulación están débiles, los huesos pueden cambiar su posición, causando que las superficies de los huesos se rocen entre sí, lo que lleva a que haya irritación y dolor en la articulación. Además, como los músculos trabajan en conjunto para producir movimiento, si uno no está bien desarrollado, otros músculos pueden torcerse fácilmente.

Los siguientes ejercicios tienen como objetivo zonas del cuerpo que son especialmente propensas a la debilidad muscular que causa dolor y que con frecuencia no se detecta.

Estos ejercicios requieren pesas para manos ("hand weights") o pesas para tobillos ("ankle weights"). Ambas se encuentran disponibles en tiendas de artículos deportivos.

Costo típico: Pesas para manos –$10 el par... pesas para tobillos –$20 el par.

Útil: Al elegir pesas, seleccione las que pueda levantar unas 10 veces sin hacer un gran esfuerzo. Si los músculos no están cansados al terminar la última repetición, elija unas pesas más pesadas.

Para cada ejercicio, realice tres series de 10 repeticiones, dos o tres veces a la semana. Al levantar las pesas, exhale y cuente hasta dos... al bajarlas, inhale y cuente hasta tres.

NOTA: Consulte con su médico antes de comenzar cualquier programa nuevo de ejercicios.

ATENCIÓN: Consulte con un médico si su dolor fue causado por una lesión traumática, como una caída... si su malestar es constante o grave... o si tiene un rango limitado de movimiento (menos del 50% de su rango normal). En esos casos, el dolor podría deberse a un problema que no puede mejorarse con ejercicios.

Los mejores ejercicios para aliviar...

Dolor de hombro y codo

El objetivo: Los músculos del *manguito de los rotadores del hombro ("rotator-cuff")* que sostienen el húmero (la parte superior del brazo) en su lugar cuando levanta el brazo. Fortalecer los músculos del manguito de los rotadores además alivia la tensión en los músculos del antebrazo que provoca el dolor de codo. Los músculos del manguito de los rotadores pueden torcerse durante actividades como conducir un carro o usar una computadora por periodos largos sin apoyo para los brazos.

Qué hacer: Siéntese en una silla colocada ante el borde del frente de una mesa con su costado izquierdo a unas pulgadas de la esquina de la mesa. Sostenga la pesa en la mano izquierda y apoye el codo izquierdo en el borde del frente de la mesa. La mano debería estar a unas tres pulgadas (7 cm) por debajo de la superficie de la mesa con la palma de la mano hacia abajo.

Levante el antebrazo, manteniendo la muñeca recta, hasta que la mano esté a unas tres pulgadas por encima de la mesa. Baje la pesa a la posición inicial. Vuelva a ubicar la silla de modo que su costado derecho esté cerca de la mesa y repita el ejercicio con la pesa en la mano derecha.

Dolor de hombro

El objetivo: Los músculos *deltoides posteriores* ubicados en la parte de atrás de los hombros.

Estos músculos tienden a ser más débiles que los músculos de la parte delantera de los hombros, debido a nuestra tendencia natural a sostener y llevar objetos delante de nuestros cuerpos, lo que hace que los músculos del pecho, la parte delantera de los hombros y los bíceps trabajen más duro. Este desequilibrio puede desalinear los huesos de las articulaciones de los hombros, causando dolor.

Qué hacer: Párese con los pies aparte un poco más que el ancho de los hombros. Póngase de modo que las rodillas y codos estén levemente doblados y la espalda esté levemente arqueada. Sostenga una pesa en cada mano delante los muslos, con las palmas de las manos enfrentadas. Usando los hombros, extienda los brazos hacia los lados hasta que las pesas estén a unas seis pulgadas (15 cm) de los muslos, deteniendo el movimiento antes de que los omóplatos comiencen a juntarse. Vuelva a poner las pesas en su posición inicial.

Dolor de codo

El objetivo: Los músculos *extensores de la muñeca*, que se extienden a lo largo de la parte superior del antebrazo. El fortalecimiento de estos músculos alivia el estrés causado al trabajar en el jardín, jugar al tenis u otras actividades que implican movimientos repetitivos de la muñeca, agarrar o apretar.

Qué hacer: Siéntese con los pies planos sobre el piso, directamente debajo de las rodillas. Mientras sostiene una pesa en la mano derecha, apoye el antebrazo derecho en la parte superior del muslo derecho con la muñeca a unas tres pulgadas (7 cm) directamente delante de la rodilla y la palma de la mano hacia abajo. Ponga la mano izquierda sobre el antebrazo derecho para mantenerlo firme. Usando los músculos de la muñeca, levante la pesa hasta que la muñeca esté completamente flexionada. Vuelva a la posición inicial. Repita el ejercicio con el muslo izquierdo, usando la mano izquierda.

Dolor de cadera, rodilla y talón

El objetivo: Los músculos *abductores de la cadera*, que sostienen las piernas cuando camina y sube escaleras. El fortalecimiento de estos músculos puede aliviar el estrés muscular en la articulación de la cadera y prevenir que la rodilla y el pie roten hacia la línea media del cuerpo al caminar (causando dolor de rodilla y de talón) –en vez de permanecer alineados con la cadera.

Qué hacer: Acuéstese sobre su costado derecho en un piso alfombrado o una alfombrilla o estera, con una pesa para tobillo sujetada a la pierna izquierda. Doble el brazo derecho bajo la cabeza y doble la pierna derecha. Ponga la mano izquierda sobre el piso delante de usted como apoyo. Flexione el pie izquierdo (como si estuviera parado sobre el mismo) y levante la pierna izquierda enderezada hasta la altura de la cadera, manteniéndola en línea con el torso. Baje la pierna hasta la posición inicial. Acuéstese sobre su costado izquierdo y repita el ejercicio levantando la pierna derecha.

Ilustraciones de Shawn Banner.

Mitchell Yass, fisioterapeuta ("physical therapist") y fundador y director de PT2 Physical Therapy & Personal Training en Farmingdale, estado de Nueva York, *www.mitchellyass.com*. Es autor de *Overpower Pain: The Strength-Training Program That Stops Pain Without Drugs or Surgery* (Sentient).

Esguinces y torceduras

➤ **RICE.** Para la mayoría de los esguinces y torceduras, especialmente si están acompañadas de dolor e hinchazón, la palabra que hay que recordar es RICE –Reposo, (H)Ielo, Compresión y Elevación–, la cual viene del inglés, pero no tiene nada que ver con el arroz.

Cada letra representa una parte del tratamiento: **R** es por reposo ("rest") –mantenga quieta la parte del cuerpo lesionada; **I** es por hielo ("ice") –use una bolsa de hielo o una bolsa plástica llena de cubitos de hielo con una toalla alrededor, 10 minutos puesta y 10 minutos afuera durante todo el día; **C** es por compresión ("compression") –envuelva el músculo dolorido con una venda de algodón elástica ("Ace bandage"), y **E** es por elevación ("elevation") –mantenga levantado el miembro que tiene el esguince.

Más allá del tratamiento RICE

➤ **Masaje con pasta de huevo.** Tome la clara de un huevo y agréguele suficiente sal para formar una pasta espesa. Masajee suavemente la zona dolorida con la pasta. No la enjuague hasta que esté listo para repetir el procedimiento en dos horas.

ADVERTENCIA: NO haga este masaje con pasta si tiene lesiones en la zona afectada.

➤ **Remedio de sal y vinagre.** Caliente tres onzas (90 ml) de agua y disuelva una cucharada de sal en la misma. Luego agregue tres onzas (90 ml) de vinagre blanco destilado ("distilled white vinegar"). Sumerja una toallita blanca en la solución, escúrrala y envuélvala alrededor de la zona dolorida. Cuando la toallita comience a secarse, vuelva a sumergirla y envuélvala otra vez.

➤ **Remedio empanado.** Para aliviar el dolor de una torcedura y reducir la hinchazón, caliente una taza de vinagre de sidra de manzana ("apple cider vinegar"), luego empape un trozo de pan en el vinagre y coloque el pan encima de la zona dolorida. Ponga un pedazo de plástico sobre la misma y una toalla por encima. Manténgalo así por cuatro horas.

➤ **Remedio encebollado.** Este remedio es útil si tiene dolor e hinchazón en un músculo con una torcedura o un esguince. Ralle una cebolla, o pásela por un procesador de alimentos. Coloque la cebolla rallada sobre la zona dolorida o hinchada y envuelva con papel plástico.

➤ **Baño con hojas de laurel.** Relájese en un baño con hojas de laurel ("bay leaves") para aliviar los músculos con una torcedura o esguince. Ponga media taza de hojas de laurel en una pinta (½ litro) de agua recién hervida. Cubra y deje en remojo 20 minutos. Cuele y vierta el líquido en su baño caliente. Siéntese en la bañera (tina) por al menos 15 minutos relajantes.

➤ **Terapia con gemas.** La malaquita ("malachite") es una exótica piedra verde con un patrón de espirales, y se cree que puede aliviar el dolor. Nos dijeron que esta piedra debería ser del tamaño del lugar que le duele. Pero si tiene dolor muscular en todo el cuerpo, costaría mucho dinero comprar una piedra grande de malaquita, así que olvídese de este remedio. Pero si su dolor se limita a un lugar bien identificado, ponga la piedra en el lugar exacto por 15 minutos. Éste podría ser un buen momento para decir la afirmación en la página siguiente.

Calambres en la pierna y otros espasmos musculares

➤ **Agua.** La deshidratación es una de las causas comunes de calambres en la pierna. Los electrolitos son minerales –como calcio, sodio, potasio– que ayudan a que las células funcionen lo mejor que puedan. Cuando usted está deshidratado, puede ocurrir un desequilibrio en los electrolitos que causa espasmos musculares. No cabe duda alguna que es muy importante mantenerse hidratado. Así que beba entre seis y ocho vasos de agua al día.

➤ **El calcio podría ser la solución, especialmente si se considera la información anterior.** El calcio es uno de los principales electrolitos que afecta los calambres musculares. Evalúe su dieta. Es posible que le convenga agregar alimentos ricos en calcio, incluyendo verduras de hojas verdes, bróculi ("broccoli"), semillas y almendras ("almonds"). Beba jugo fresco de zanahorias. Contiene lactato de calcio, que puede hacerle mucho bien.

Además, podría ser una buena idea tomar suplementos de calcio. Como el magnesio ayuda con la absorción de calcio, debería considerar cápsulas que combinen los dos minerales. Según su tamaño y la gravedad de su afección, tome entre 800 y 1.000 mg de calcio y entre 400 y 500 mg de magnesio diariamente.

Es importante que consulte con su médico para determinar la dosis apropiada para usted. Mientras el dolor sea intenso, su médico podría recomendarle cápsulas de baja dosis cada dos horas, aumentado la cantidad hasta llegar a la dosis diaria que se haya recetado.

ADVERTENCIA: El magnesio puede causar diarrea. Reduzca la dosis si experimenta este efecto. Además, a algunas personas que tienen problemas con el magnesio les va mejor con el óxido de magnesio.

➤ **Alivio nocturno para los calambres en la pierna.** Tome una pieza de la vajilla –una cuchara es mejor (y no tiene que ser de plata; de acero inoxidable está bien)– y manténgala al lado de su cama. Cuando se despierte con un calambre en la pierna, ponga la cuchara sobre el calambre y éste cesará de inmediato. Consulte también "Calambres en la pierna de los nadadores" a continuación.

➤ **Calambres en la pierna de los nadadores.** Cuando tiene un calambre y está en el agua, pellizque el *surco nasolabial.* No me diga que no sabe qué es el surco nasolabial. Es el espacio entre el labio superior y la nariz. ¡Agarre esta pequeña área carnosa de lado a lado y pellizque! El calambre en la pierna cesará.

Por supuesto también puede usar este remedio en la tierra, en la cama… donde sea.

➤ **Prevención de calambres en la pierna.** Use medias (calcetines) en la cama todo el año y –nos aseguró la persona que compartió este remedio con nosotras– tendrá menos calambres en la pierna (si es que tenga algunos). Se afirma que usar medias en la cama también asegura un sueño más profundo toda la noche. Las medias pueden ser gruesas o finas –todas son eficaces.

➤ **Calambres en los dedos del pie.** Cuando tenga un calambre en alguno de los dedos de los pies, simplemente esfuércese a apuntar los dedos hacia la rodilla. Hágalo y el calambre cesará.

AFIRMACIÓN

Repita esta afirmación 15 veces al día, comenzando a primera hora por la mañana y siempre que una canción se le aparezca en la mente, o cuando escuche música…

La energía fluye por mis músculos, haciendo que sea más fácil moverme al ritmo de la música que me encanta.

NEURALGIA

La inflamación de un nervio se llama *neuritis*. Cuando la afección está acompañada de dolor, se llama *neuralgia*. La más común es la *neuralgia del nervio trigémino* o *tic doloroso*, una inflamación del quinto nervio craneal que causa dolor fuerte en un lado de la cara.

La neuralgia puede ser causada por problemas dentales. Si la neuralgia ha sido diagnosticada por un médico y verificada por un dentista, y el dolor neurálgico persiste, puede intentar estos consejos...

➤ **Jugo de limón.** Frote suavemente jugo fresco de limón en la zona dolorida e inmediatamente coloque una toallita blanca húmeda y caliente en la misma zona. Déjela hasta que la tela se enfríe. Si lo ayudó a aliviar el dolor, repita el proceso dos horas más tarde.

➤ **Lúpulos.** El lúpulo ("hops"), parte de la familia del cáñamo, se usa principalmente para dar sabor a la cerveza. Una cataplasma ("poultice") de lúpulos (disponible en tiendas de alimentos saludables) puede ayudar a aliviar el dolor rápidamente. Ponga media taza de lúpulos en una estopilla (gasa, "cheesecloth"). Dejando lugar para que los lúpulos se expandan, ate bien la estopilla de modo que ningún lúpulo pueda salir. Sumerja esta cataplasma en agua recién hervida por dos minutos. Sacuda hasta que no quede líquido goteando, y aplique cuando se haya enfriado lo suficiente como para aplicarlo sin quemar la piel. Póngala en el lugar del dolor neurálgico con una toalla seca encima para mantener el calor adentro. Tan pronto como se entibie, vuelva a calentar la cataplasma volviéndola a sumergir en agua caliente, y aplíquela nuevamente. Repetimos, ¡que no sea muy caliente!

➤ **Esencia de manzanilla** ("chamomile oil"). Para ayudar a eliminar el dolor facial, todo lo que podría necesitar es un masaje de nueve minutos. Con un movimiento circular, masajee suavemente las sienes y las áreas sinusales con esencia de manzanilla (disponible en tiendas de alimentos saludables) por tres minutos cada una. Note cómo sólo una gota de la esencia puede dar grandes resultados.

➤ **Papa.** Hornee una papa, córtela a la mitad, y cuando esté lo suficientemente fría, ponga ambas mitades boca abajo en la zona dolorida. Para mantener el calor adentro, cúbralas con una toalla. Se sabe que las papas horneadas han eliminado el dolor neurálgico. También hemos oído que una cataplasma de puré de papa puede lograr lo mismo. No, lo sentimos, pero no hemos obtenido ningún informe de remedios con papas fritas.

Prevención de la neuralgia

➤ **Viejo remedio tradicional alemán.** Si come una porción grande de "sauerkraut" (chucrut, col agria) cruda diariamente, no debería tener problemas con la neuralgia.

AFIRMACIÓN

Repita esta afirmación 15 veces durante el día, comenzando a primera hora por la mañana, siempre que toque algo que esté tibio y a última hora por la noche...

El amor me llena de felicidad, armonía y energía sanadora.

NIÑOS Y AFECCIONES INFANTILES

Infantes –de recién nacidos a los dos años

Mime, abrace, acune, acaricie, sostenga y ame a su bebé! Los estudios demuestran que los bebés que son abrazados y amados son más saludables, crecen más rápido, lloran menos y son más activos.

ATENCIÓN: Sabemos que usted sabe esto, pero no podríamos dormir de noche si no lo dijéramos de todos modos –consulte con su pediatra antes de probar cualquiera de los siguientes remedios con su bebé.

➤ **Viaje aéreo.** En un avión, el despegue y el aterrizaje pueden ser particularmente dolorosos para los pequeños y sensibles oídos del bebé. Para ayudar a que el vuelo sea tan cómodo como sea posible, especialmente durante el despegue y el aterrizaje, alimente a su bebé con un biberón (mamadera) de lo que sea que prefiere beber. Tragar constantemente puede ayudar a equilibrar la presión en el oído.

➤ **Resfriado/congestión del pecho.** En una cacerola, combine una rebanada de pan blanco con un cuarto de taza de leche y una pizca de nébeda ("catnip"). Caliente por uno o dos minutos. Luego coloque en una media (calcetín) blanca de algodón. Asegúrese de que está lo suficientemente fría para ponerla en el pecho del bebé –ayudará a mejorar la congestión y el resfriado.

➤ **Cuero cabelludo escamoso.** Perfore una cápsula de vitamina E, exprima el aceite y frótelo suavemente sobre el cuero cabelludo escamoso del bebé. Si una aplicación no mejora la afección, repita el tratamiento el día siguiente.

➤ **Dietas de bajo contenido de grasa.** Los niños menores de dos años de edad no deberían tener una dieta de bajo contenido de grasa, aun en el caso de leche. En otras palabras, no debería alimentar a su bebé o infante con leche sin grasa ("non-fat") ni baja en grasa. Una dieta con restricción de grasas puede disminuir sus defensas contra infecciones gastrointestinales y obstaculizar el crecimiento y el desarrollo normales.

➤ **Miel prohibida.** NUNCA le dé miel a un niño menor de un año de edad. Las esporas pueden causar botulismo en los bebés.

Cólico

Hay decenas de razones e innumerables combinaciones de razones que causan los cólicos. Hay también muchísimos tratamientos y combinaciones de tratamientos para los cólicos. Use su sentido común para decidir cuál da mejores resultados para su bebé.

➤ **Horario de amamantar.** Si está amamantando, es posible que esté alimentando a su bebé con demasiada frecuencia, sin permitir suficiente tiempo para la digestión adecuada. Trate de dejar intervalos más largos entre las sesiones de amamantar y vea si así se mejora la situación.

➤ **Leche de vaca.** Si el bebé está alimentándose con leche de vaca, agregue una cucharadita de acidófilos ("acidophilus", disponible en las tiendas de alimentos saludables) al biberón (mamadera). Asegúrese de que la etiqueta indique que contiene entre uno y dos miles de millones de células de acidófilos viables.

➤ **Aspirar.** El ruido de una aspiradora podría calmar a un bebé que padece de cólico, especialmente si lleva a su bebé en un cargador frontal mientras aspira. Incluso si su bebé no deja de quejarse, al menos usted tendrá una casa limpia.

➤ **Agua dulce de cebolla.** Ponga una pequeña rodaja de cebolla en media taza de agua y deje que hierva por un minuto. Luego agregue un cuarto de cucharadita de azúcar y deje enfriar. Saque la cebolla y dele el agua dulce de cebolla al bebé. En media hora el cólico podría desaparecer.

➤ **Ningún ruido es buen ruido.** Encienda la radio en una estación que no esté transmitiendo pero que aún emita el sonido del aire muerto (llamado *ruido blanco*). O pruebe a encender el ventilador de la cocina. Se sabe que este ruido blanco ha calmado a niños con cólico.

➤ **Dé un paseo en carro.** Si está realmente desesperado por tener una pausa en el llanto, abróchele el cinturón al bebé en su asiento en el carro, y salga a dar un paseo. La vibración y el murmullo del carro surte efecto como por arte de magia.

➤ **Té de semillas de eneldo ("dill").** Se sabe que esto ha aliviado los cólicos y evitado que vuelvan a ocurrir. Coloque media cucharadita de semillas de eneldo (disponibles en las tiendas de alimentos saludables) en agua hirviendo. Caliente a fuego lento entre 15 y 20 minutos. Revuelva, y luego cuele. Cuando se haya enfriado lo suficiente, dele al bebé entre dos y cuatro onzas (entre 60 y 120 ml) del té de eneldo.

➤ **Aceite de oliva extra virgen.** Caliente una cucharadita de aceite de oliva extra virgen. Asegurándose de que esté tibio (no caliente), frote el aceite en el estómago del bebé con un movimiento suave y reconfortante en el sentido de las agujas del reloj. Luego envuelva una toalla alrededor de la sección media aceitada, y para obtener un alivio mayor, levante las rodillas del bebé hacia la sección media. Si el bebé parece estar cómodo y más feliz así, manténgalo en esa posición por algunos minutos.

Sarpullido causado por pañal

➤ **¡Cola para arriba!** Hay bacterias inofensivas que viven en la piel y se alimentan de *urea*, el nitrógeno en la orina. Su producto residual es el amoníaco, que causa dermatitis (sarpullido) del pañal. Estas bacterias son *anaeróbicas*. Eso significa que el oxígeno las mata. Cuando los bebés están arropados con un pañal y la cubierta del pañal, el aire no puede entrar y por lo tanto las bacterias proliferan, produciendo amoníaco, el cual, como usted sabe, causa sarpullido del pañal. La solución es dejar que llegue aire a la piel del bebé. ¡Esto significa deshacerse de la cubierta de plástico! Trate un caso severo de sarpullido del pañal dejando que el bebé retoce con la cola desnuda tanto como sea posible, hasta que la afección mejore.

➤ **El poder de la harina.** Hay un viejo remedio tradicional para el sarpullido del pañal, y si surtía efecto entonces, no hay razón por la que no debería hacerlo ahora. Vierta tres tazas de harina en una sartén de fondo grueso, sobre un fuego mediano-alto. Revuelva con una cuchara de madera hasta que la harina se vuelva de color marrón tirando a oscuro, sin llegar a quemarse. Guárdela y úsela en lugar de talco cada vez que le cambie el pañal al bebé.

Si no tiene harina para preparar este remedio, pero sí tiene maicena (fécula de maíz, "cornstarch"), ponga maicena en el pañal. Puede ayudar a que el bebé se sienta más relajado y además mejora el sarpullido.

Diarrea

➤ **Vinagre.** Muchos remedios tradicionales clásicos requieren poner un ingrediente en las plantas de los pies. Como los poros en la planta de los pies de un bebé son cuatro veces más grandes que en cualquier otro lado de su cuerpo, se puede entender lo rápido que surtiría efecto una aplicación adecuada.

Un remedio consiste en untar las plantas de los pies de un bebé con vinagre blanco destilado ("distilled white vinegar"). Si la afección no ha mejorado en un par de horas, unte las plantas de los pies una vez más.

➤ **Algarroba.** La algarroba ("carob") también se ha usado por mucho tiempo para combatir los ataques de diarrea –en adultos y en niños. Agregue una cucharadita de algarroba en polvo al biberón (mamadera) de agua del bebé o a su puré de manzanas ("applesauce"). La algarroba es dulce y al bebé le gustará. Si la diarrea no se interrumpe de inmediato, continúe el tratamiento durante todo el día. No se pase de mano –demasiada algarroba puede causar estreñimiento.

➤ **Jugo de lima.** Agregue una media cucharadita de jugo de lima (limón verde, "lime") fresco a dos onzas (60 ml) de agua tibia, y si el bebé lo bebe, la diarrea podría desaparecer rápidamente.

Hipo

➤ **Embrujo rojo.** Forme una bolita en la boca con un pequeño trozo de hilo rojo –tiene que ser rojo. Póngala así en la frente de su bebé y el hipo se interrumpirá. Tal vez suena increíble, pero ¿le hemos mentido alguna vez?

➤ **Terapia con gemas.** Para interrumpir el hipo del bebé, ponga un trozo de rodocrosita ("rhodochrosite", disponible en tiendas que venden gemas o consulte 'Recursos', en la página 349) sobre el vientre del bebé por unos minutos. Asegúrese de colocar la gema suavemente y observar cuidadosamente. Es mejor tener hipo que ser rasguñado con una piedra.

Dentición

➤ **Cura fría.** El frío entumece las encías hinchadas y dolorosas del bebé. Deje que el bebé muerda un "bagel" congelado. El "bagel" dura más que un bizcocho blando para la dentición y puede ayudar a aliviar el dolor.

➤ **Idea equivocada sobre la dentición.** La dentición no causa fiebre. Si su bebé tiene una fiebre de más de 101°F (38,3°C), es probable que esté enfermo, no sólo que le estén saliendo los dientes.

Niños –de los dos a los 12 años

Asma

➤ **Ejercicio de respiración.** Los niños que usan los músculos de los hombros y el pecho para respirar no están respirando en forma relajada. Es importante que los niños asmáticos aprendan a respirar profundamente para que puedan estar y sentirse más relajados. Puede ayudar mucho a reducir la frecuencia y la gravedad de los ataques de asma.

La información a continuación ha sido adaptada de *Controlling Asthma* de la American Lung Association...

Si le preocupa cómo está respirando su niño, intente esto. Pídale que se acueste de espalda sobre el piso. Las rodillas deben estar dobladas, con los pies en el piso y los brazos a los costados. Ponga un libro apenas más arriba del ombligo y pídale que respire profundamente unas cuantas veces.

Al inhalar aire, si la respiración es relajada y profunda, el vientre debería hincharse como un globo. Al exhalar aire, el vientre debería aplanarse. El libro se moverá hacia arriba y abajo con los movimientos de la respiración profunda, o podría caerse. El pecho debería permanecer inmóvil.

Si la respiración es superficial (el libro no se mueve mucho), el niño está llenando y vaciando sólo la parte superior de los pulmones. Al aprender a llenar los pulmones desde abajo y exhalar completamente, el niño debería sentirse más relajado y respirar con mayor facilidad. El siguiente ejercicio puede ser de ayuda.

Si el médico está de acuerdo, el niño debería hacer el ejercicio por cinco minutos cada día. Puede hacerse estando acostado, sentado o de pie.

Comience por pedirle a su niño que ponga la mano apenas por encima del ombligo para sentir el movimiento de la respiración.

Luego, dígale que piense que la zona del vientre y el pecho es un recipiente para el aire. Mientras el niño inhala por la nariz, pídale que lentamente llene primero la parte de abajo del recipiente y que siga llenándolo hasta que el vientre se sienta hinchado como un globo. Su mano puede sentirlo y se moverá con el movimiento del vientre.

Después pídale al niño que exhale con calma por la boca lo más lentamente posible. Haga hincapié en que el recipiente debe estar completamente vacío y el estómago tan plano como sea posible antes de volver a inhalar lentamente.

Para completar el ejercicio, repita el proceso de inhalar y exhalar 12 veces.

(Los adultos asmáticos también pueden beneficiarse de este ejercicio de respiración profunda).

Autismo

Consulte "Enfermedad celíaca", página 103.

Remedios para la incontinencia nocturna

➤ **Dele miel.** Una cucharadita de miel sin procesar ("raw honey") a la hora de acostarse puede ayudarle a su niño a dormir mejor y despertarse con una cama seca. Asegúrese de que la miel sea pura y, de ser posible, de procedencia local.

ADVERTENCIA: NUNCA le dé miel a un niño menor de un año de edad. Las esporas pueden causar botulismo en los bebés.

➤ **¿Tiene un minuto?** Eso es todo lo que tarda aplicar acupresión, la cual puede eliminar la incontinencia nocturna. Con la palma vuelta hacia usted, mire el meñique. ¿Ve las dos líneas que separan las dos articulaciones? Ésos son puntos de acupresión. A la hora de acostarse, cuando ya está en la cama, explíquele exactamente lo que está haciendo al tomar los meñiques y, con las uñas de los pulgares, presione cada una de esas cuatro líneas por 30 segundos cada una. Tenga especial cuidado si las uñas están particularmente largas.

➤ **Prohibiciones para quienes mojan la cama.** Para la cena y hasta la hora de acostarse, no le dé zanahorias a su niño si tiene un problema de incontinencia nocturna. Las zanahorias son un diurético que parece tener un poderoso efecto negativo en quienes tienen incontinencia nocturna.

Otra cosa prohibida es la televisión. Según una investigación realizada en Japón, mirar la tele antes de acostarse, en particular mirar programas violentos, provoca incontinencia nocturna. Se sugiere que el niño tenga asegurada cierta tranquilidad mental por al menos una hora antes de acostarse. Eso significa que no mire TV, no escuche música de rock fuerte y, sin duda, no juegue juegos de video violentos. Lo mejor es pasar un buen momento con el padre o la madre.

NOTA: La incontinencia nocturna puede ser causada por alergias a alimentos, así que considere hacer examinar al niño.

Piojos

Esto sucede, y no tiene nada que ver con el cuidado que usted tiene con su niño. *Éstos son tres remedios, y todos usan aceite...*

➤ **Aceite de árbol del té.** Deshágase de los asquerosos piojos agregando 20 gotas de aceite de árbol del té (melaleuca, "tea tree oil") al champú de su niño. Lave el cabello con este champú y espere 10 minutos antes de enjuagarlo bien. Repita el procedimiento en una semana.

ADVERTENCIA: Mantenga el aceite de árbol del té fuera del alcance de los niños.

➤ **Aceite de coco.** Agregue dos cucharaditas de aceite de coco ("coconut") al champú de su niño. Lave el cabello con el champú en forma meticulosa, y luego enjuáguelo y lávelo y enjuáguelo una vez más. Ponga una toalla al estilo de un turbante alrededor de la cabeza del niño y déjela por media hora. Una vez que retire la toalla, peine el cabello con un peine para piojos ("nit comb"). Y nuevamente, lave el cabello con la mezcla de champú y aceite de coco y enjuáguelo bien.

➤ **Caso grave de piojos.** Si ha probado varios remedios y nada ha funcionado, quizá tenga que sofocar los piojos con este largo proceso de toda la noche que usualmente surte efecto después que todo lo demás ha fallado. Si usted y su niño quieren hacerlo, necesitarán aceite de oliva, papel plástico ("plastic wrap"), un gorro de ducha de plástico, tres toallas limpias, champú suave, un peine para piojos, un cuenco grande (bol para mezclar) y guantes de goma.

Haga que su niño se siente –el baño es probablemente el mejor lugar–, ponga una toalla alrededor de sus hombros y póngase los guantes de goma. Aplique una cantidad abundante de aceite de oliva en el cabello del niño. Más es mejor. Una vez que todo el cabello y la cabeza estén saturados de aceite, cubra la cabeza con el papel plástico, asegurándose de que todo el cabello esté metido bajo el plástico. Luego cubra el papel plástico con un gorro para ducha ("shower cap"). Termine envolviendo ajustadamente una toalla limpia alrededor de la cabeza del niño, metiéndola hacia dentro de modo que permanezca puesta durante toda la noche.

Ponga otra toalla sobre la almohada del niño, y dígale que duerma sobre la misma. Por la mañana, vuelva a sentar al niño, quite la toalla y póngala sobre los hombros. Quite el gorro de ducha y el papel plástico. (Usted debería ponerse nuevamente los guantes de goma). Use el cuenco grande para que recoja cualquier cosa (piojos muertos y aceite) que salga mientras usted peina y peina una y otra vez el cabello del niño con el peine para piojos.

Cuando no queda nada por sacar con el peine, lave el cabello con champú suave una o dos veces, o más, hasta que el cabello parezca limpio.

Si no ha sofocado todos los piojos y liendres, quizá tenga que repetir el procedimiento en uno o dos días.

Otros problemas de la infancia

➤ **Varicela ("chicken pox").** Para aliviar las ampollas de la varicela y estimular una curación sin cicatrices, ponga una taza de salvado ("bran") a remojar en agua recién hervida, hasta que se enfríe lo suficiente como para tocarla. Cuele y ponga el salvado empapado en una estopilla ("cheesecloth"). Átela bien de modo que el salvado no caiga y ensucie. Luego ponga la estopilla sobre las ampollas por 10 segundos. Una vez que les haya dado palmaditas a todas las ampollas, vuelva a humedecer el salvado y repita el proceso. Hágalo varias veces al día. Realmente puede ser de ayuda.

Como alternativa, detenga la comezón de la varicela e impida que se formen cicatrices con agua de guisantes. Quíteles la cáscara a una media libra (225 g) de guisantes (arvejas, chícharos, "peas"), póngalos en una pinta (½ litro) de agua y deje hervir por unos cinco minutos. Cuando se enfríen, cuele los guisantes y lave el cuerpo del niño con una esponja empapada con el líquido. Si cesa la comezón, continúe el proceso algunas veces más hasta que la misma disminuya por completo.

➤ **Un resfriado causado por un virus.** Los antibióticos no ayudarán al resfriado si éste es viral... y la mayoría de los resfriados son causados por un virus. (Un antibiótico sería apropiado solamente si hay una infección bacteriana, además del resfriado).

Usted podría probar un remedio homeopático para el resfriado. Estos son seguros, eficaces, un poco divertidos de tomar y se venden en las tiendas de alimentos saludables. (Para informarse sobre la homeopatía, échele un vistazo a "Tratamientos alternativos actuales y estupendas terapias antiguas", página xx.)

Use una potencia de 6X, tres o cuatro gránulos por vez, tres o cuatro veces durante el día, por algunos días.

Tome la píldora que corresponde a los síntomas...

- **Secreción espesa de moco:** *Kali muriaticum.*
- **Goteo nasal:** *Allium cepa* (cebolla).
- **Gripe y rigidez del cuello:** *Kali carbonicum.*
- **Rostro colorado, garganta seca y dolor de cabeza punzante:** *Belladonna.*
- **Sensación de debilidad o en la primera fase de una inflamación:** *Ferrum phosphoricum* (fosfato férrico).
- **Un ataque repentino, temor y ansiedad por la enfermedad, desazón y sin sudoración:** *Acónito.* Si empieza a transpirar, interrumpa el acónito.

ADVERTENCIA: Mantenga sus remedios homeopáticos lejos de cualquier aparato que tenga un campo electromecánico, como el refrigerador, el microondas, los teléfonos celulares, etc. Los remedios homeopáticos son considerados medicamentos energéticos. Otros fuertes campos electromecánicos pueden "interrumpir" la energía de los remedios. Por esta razón, los remedios homeopáticos no surtirán efecto en un paciente que se esté sometiendo a un tratamiento de radiación.

Además, al usar remedios homeopáticos, NO beba café ni consuma sustancias aromáticas fuertes como mentas, incluyendo pasta dental con sabor a menta. Hacerlo anulará el tratamiento homeopático.

➤ **Ayuda contra la alergia.** Los osos de peluche y otras criaturas de peluche atraen los ácaros del polvo que pueden provocar reacciones alérgicas como los ataques de asma. Para eliminar los ácaros del polvo, simplemente ponga el juguete de peluche en una bolsa de plástico y déjelo en el congelador por 24 horas una vez a la semana. Explíquele a su niño que su juguete de peluche se unió a las *Estrellas sobre Hielo* y debe estar "sobre el hielo" todos los lunes o cuando a usted le parezca.

➤ **Estreñimiento.** Además de los remedios para adultos contra el estreñimiento de la página 104 –en dosis más pequeñas, por supuesto, dependiendo de la edad y el tamaño del niño–, también podría frotarle el estómago con aceite de oliva tibio. Aplique con un movimiento circular en el sentido de las agujas del reloj durante unos cinco minutos. Luego enjuáguelo con agua tibia.

ALGO ESPECIAL

¿Qué es la barra Gnu (ñu)?

El estreñimiento ocasional es común en los niños durante la enseñanza del uso del inodoro, o los años de niño pequeño, o durante la tensión causada por ir a la escuela. En vez de darle a su niño laxantes o productos con fibra que estén cargados de ingredientes artificiales, químicos y otros tan cuestionables, puede darle la barra Gnu, repleta de fibra. Viene en una atractiva variedad de sabores, y es una manera completamente natural y eficaz de ayudar con el desafío del estreñimiento ocasional de los niños.

El plan de alimentación de la American Heart Association recomienda que los niños mayores de dos años obtengan la mayoría de sus calorías de carbohidratos complejos ricos en fibra. Recomienda la fórmula "edad más cinco" para calcular las cantidades de fibra de la dieta para los niños pequeños. Por ejemplo, un niño de seis años debería comer seis (su edad) más cinco gramos de fibra, lo que equivale a 11 gramos de fibra al día. Como un niño consume hasta 1.500 calorías diarias, puede tolerar 25 gramos o más de fibra alimentaria.

Ponga una barra Gnu en la lonchera, o téngala a mano como refrigerio. Aun si su niño no tiene estreñimiento ocasional, este manjar es una manera segura y deliciosa de que su niño –y usted también– disfruten de una docena de gramos de fibra alimentaria.

Mayor información: Para encontrar una tienda en su zona que venda barras Gnu, visite *www.gnufoods.com* y haga clic en "Find a Store" o compre en línea.

ADVERTENCIA: Si su niño tiene algún tipo de sensibilidad al trigo, psilio ("psyllium") o a maní (cacahuates, "peanuts") y otras nueces, NO le dé una barra Gnu.

ATENCIÓN: Si el estreñimiento del niño ocurre con más frecuencia que ocasionalmente, consulte con su pediatra u otro profesional de la salud.

➤ **Hipo.** Cuando su niño tenga hipo, dígale que forme un revólver con ambas manos. Si usted no entiende qué queremos decir, no se preocupe, pues los niños saben cómo hacerlo. Luego, dígale que estire los brazos y apunte los dos revólveres entre sí (es decir, los dos dedos índices deben estar enfrentándose). Finalmente, dígale que lentamente acerque los dos revólveres tanto como pueda hacerlo sin tocarse. Cuando el niño termine de hacer esto, el hipo debería haberse ido y ya haber pasado al olvido.

Si no quiere que su niño juegue con *revólveres formados con las manos*, puede usar en su lugar cualquiera de los remedios para el hipo para adultos, en la página 131.

➤ **Verrugas ("warts").** Coloque sobre la verruga del niño un trozo de papel de calco ("tracing paper") o papel de seda ("tissue paper"), y trace con un lápiz la verruga. Lleve al niño y el papel de calco hasta el baño. Entonces asegúrese de que el niño entienda bien que *sólo mamá y papá deberían hacer esto.* Mientras el niño observa, queme el papel de calco en el lavabo y luego tire la cadena para que el agua se lleve las cenizas. En una semana, la verruga comenzará a desaparecer.

➤ **Pequeñas heridas.** Laura Silva Quesada, sanadora, conferenciante internacional y presidenta de The Silva Method (*www.silvamethod.com*), enseña a los niños a usar su propia energía curativa para ayudarse a sí mismos.

Laura hace que los niños sacudan las manos y luego las froten enérgicamente entre sí para sentir el calor y la energía. Ella explica que ellos pueden proyectar un rayo de energía blanca azulada de la mano derecha y recibirlo en la mano izquierda. La mano derecha es el proyector; la mano izquierda es el receptor.

Cuando un niño tiene una pequeña herida, debería sacudir las manos, frotarlas entre sí y ponerlas por encima –muy cerca, pero sin tocar– la zona herida. Luego el niño debería imaginar a la mano derecha proyectando un rayo de energía blanca azulada y la mano izquierda recibiéndola mientras la herida desaparece y el niño se siente cada vez mejor.

P.D.: De veras, da resultado.

P.P.D.: Los adultos también pueden hacerlo.

➤ **Salvar un diente.** Si un diente permanente de su niño se ha caído, ponga el diente en un recipiente con leche y llévelo, junto al niño, al dentista. Si actúa rápido y tiene un dentista habilidoso, éste podría ser capaz de salvar el diente.

➤ **Pesadillas.** Si su niño tiene pesadillas y, después de una investigación minuciosa, usted está absolutamente convencido de que el niño no está sufriendo de ningún tipo de abuso físico o emocional, podría intentar un remedio antiguo. A la hora de acostarse, frote las plantas de los pies del niño con un diente de ajo pelado, y cubra los pies con un par de medias (calcetines). Finalmente, dígale que esto acabará con sus pesadillas, y dele un beso. (Y no se olvide de lavar los pies por la mañana).

ADVERTENCIA: El ajo puede irritar la piel. Usted puede diluir el ajo con aceite de oliva para minimizar este efecto. Además, evite poner ajo en áreas donde haya heridas.

➤ **Ansiedad por la separación.** Cuando se esté aprontando para dejar a su niño con otra persona en la casa, pruebe este consejo útil antes de que comience a hacer una rabieta. Dígale que tiene una sorpresa para él, y que tan pronto como toque el pomo de la puerta cuando esté saliendo, él tiene que darle a usted un beso y usted le dará una pista sobre dónde está (o qué es). Lo más probable es que el niño esté ansioso para que usted se vaya y así poder empezar la búsqueda del tesoro. Claro que para que esto funcione, deberá planificarlo por adelantado. Una de nuestras amigas lo hizo con su hija. Envolvió para regalo una pequeña linterna e hizo que su hija la buscara en la casa. La niña quedó encantada con esto. Desde entonces, usó la linterna como ayuda para buscar otros pequeños regalos que su madre escondía. ¿Ansiedad por la separación? ¿Qué ansiedad por la separación? ¿Soborno? Seguro, pero divertido y útil para todos los involucrados.

OÍDOS Y SUS AFECCIONES

Voltaire, el escritor francés del siglo de las Luces, describió a los oídos como "los caminos al corazón". Moisés Ibn Ezra, filósofo, lingüista y poeta, se refería a los oídos como "las puertas de la mente". Y el poeta y médico Abraham Coles los llamaba "cuevas huesudas y laberínticas".

Caminos, puertas o cuevas, éstas son sugerencias para su bienestar, así que oiga y presté atención.

ADVERTENCIA: NUNCA ponga nada dentro del oído si el tímpano está perforado. Si sospecha que tiene un tímpano perforado, consulte con su médico.

Dolor de oídos

➤ **Calor para aliviar los dolores de oídos.**

- **Coloque una toallita blanca en un recipiente apto para el microondas y caliéntelo por unos 45 segundos.** Mientras esté caliente, *pero lo suficientemente enfriada como para poder tocarla*, escurra la toallita y póngala sobre la oreja.

- **Estacione su auto en un lugar soleado.** Ponga la oreja de modo que sienta los rayos cálidos del sol sobre la misma. Permanezca así hasta que el dolor de oídos desaparezca.

- **Ponga su secador de cabello en caliente,** sosténgalo a un pie y medio (medio metro) de la cabeza y dirija el aire hacia la oreja por alrededor de un minuto.

- **En una sartén, caliente una taza de sal gruesa "kosher",** luego use un embudo para volcarla en una media (calcetín) blanca y, asegurándose de que no esté muy caliente, cubra la oreja con la misma.

- **Si le duele el oído mientras está preparando el desayuno** o mientras está en un restaurante de panqueques IHOP, ponga un panqueque caliente sobre la oreja... sin mantequilla ni almíbar ("syrup").

➤ **Remedio de ajo.** Pinche una cápsula ("softgel") de ajo y exprima el contenido en el oído. Suavemente tape el oído con una bolita de algodón y déjela ahí hasta que se alivie el dolor.

➤ **Reflexología.** Si le duelen los oídos al estar afuera con tiempo frío y ventoso, masajee enérgicamente las puntas de los dedos anulares del pie, los que están junto a los dedos meñiques –obtendrá alivio instantáneo.

Si el dolor de oídos tiene algo que ver con la congestión de los senos nasales, intente masajearse el paladar. Por supuesto, debe lavarse las manos primero.

➤ **Propensión a tener problemas con los oídos.** Si parece que usted tiene infecciones en los oídos frecuentemente (y no de vez en cuando), los agentes irritantes del humo de los cigarrillos quizá sean un factor contribuyente. ¡No fume! Ni se acerque a las personas que están fumando. Y no vaya a lugares que permiten fumar.

➤ **Terapia con gemas para problemas del oído interno.** Según Barbara Stabiner, autora y clarividente, el ámbar ("amber") es la piedra indicada para los problemas del oído interno. Use un trozo de ámbar alrededor del cuello, péguelo a la oreja, o sosténgalo en la mano.

Otitis de piscina

➤ **Prevención.** El otitis de piscina (oído de nadador) es una infección de la piel que recubre el conducto auditivo externo, usualmente debido a bacterias. Es principalmente causado por la acumulación de agua en el conducto auditivo que se queda atrapada por cera (consulte Extracción de la cera de los oídos, más adelante). La piel se empapa y entonces sirve como un medio de cultivo atractivo para las bacterias. ¡Ay, que horror!

Pruebe un poco de prevención... mejor dicho, unas pocas gotas de prevención. Justo antes de ir a nadar, ponga algunas gotas de aceite de jojoba o aceite mineral (ambos disponibles en tiendas de alimentos saludables) en cada oído. Esto debería terminar con su recurrente otitis de piscina.

➤ **Remedio.** Si no siguió la medida preventiva anterior y ahora tiene otitis de piscina, puede probar esto...

Incline la cabeza a un lado y, usando un cuentagotas medicinal, llene el oído con una solución de cantidades iguales de vinagre blanco destilado y alcohol para frotar ("rubbing alcohol"). Agarre el lóbulo y hágalo rotar con un movimiento circular para asegurarse de que el líquido llegue al fondo del conducto auditivo. Luego, incline la cabeza hacia el otro lado, dejando que salga el líquido.

Cómo extraer algo del oído

➤ **Extracción de la cera de los oídos.** Si la acumulación de cera de los oídos es lo suficientemente grave como para interferir con su audición, es hora de hacer algo al respecto. Mezcle dos cucharaditas de agua tibia con un cuarto de cucharadita de bicarbonato de soda ("baking soda"). Acuéstese en su cama, sobre un lado, con un oído sobre la almohada, y use una cuchara pequeña o un cuentagotas y deje caer gota a gota la mezcla líquida en el oído. Claro, es más fácil hacer esto si tiene alguien en su casa que pueda ayudar. Una vez que el líquido esté en el oído, permanezca así por una hora. Cuando la hora haya pasado, use una pera de goma ("bulb syringe", disponible en farmacias) y agua tibia para hacer salir suavemente la cera disuelta de los oídos. Según Walter C. Johnson, MD y especialista en medicina interna y de urgencia en el hospital DeWitt Army Community en Fort Belvoir, Virginia, este tratamiento seguro es uno de los mejores para la fastidiosa cera de los oídos.

➤ **Cuando tiene un insecto en el oído.** Puede suceder... por fortuna, no con mucha frecuencia. Si sucede en la oscuridad, alumbre el oído con una linterna. El insecto debería moverse o volar hacia la luz. Si sucede a la luz del día, un trozo de fruta –una manzana o un melocotón (durazno)– debería ponerse frente al oído. Esto debería estimular el apetito del insecto, especialmente si el insecto es una mosca de la fruta.

Comezón en las orejas

➤ **Remedio burbujeante.** Incline la cabeza con el lado de la oreja con comezón hacia arriba. Con un cuentagotas medicinal, llene el oído con vinagre de sidra de manzana ("apple cider vinegar") o agua oxigenada ("hydrogen peroxide") al 3%. Déjelo ahí por 30 segundos, y luego incline la cabeza hacia el otro lado y permita que el líquido salga sobre un pañuelo de papel ("tissue").

NOTA: Cuando el vinagre o el peróxido entre al oído, esté preparado para sentir una sensación inusual –fría y burbujeante.

Silbidos en los oídos (tinnitus)

Más de 25 millones de estadounidenses padecen tinnitus crónico. Como es en realidad un síntoma y no una enfermedad, lo que se debe hacer es averiguar lo que está causando el síntoma.

Ir a un concierto de rock, pararse o sentarse cerca de poderosos altoparlantes y estar expuesto a ruido mayor a 115 decibeles por un par de horas puede causar tinnitus. Sí, sólo un concierto puede causar tinnitus, o incluso pérdida de audición permanente.

Además, 200 y pico de medicamentos, incluyendo los *salicilatos* (el ingrediente activo en la aspirina) pueden causar tinnitus. Consulte con su médico o farmacéutico acerca de los medicamentos que toma para ver si son algunos de los 200 causantes de tinnitus. Otras causas posibles son trauma mental, hipertensión, enfermedad de Ménière, alergias y problemas con la mandíbula y el cuello. Halle la causa, halle la cura.

Si no es tan sencillo como descubrir que un medicamento que toma está causando el silbido, podría necesitar la ayuda de un otolaringólogo (especialista en oído, nariz, garganta, cabeza y cuello). *Mientras espera por la visita al médico, puede intentar lo siguiente...*

➤ **Té de fenogreco ("fenugreek").** Beba tres tazas de té de semillas de fenogreco diariamente. Prepare el té agregando una cucharadita de semillas de fenogreco (disponibles en las tiendas de alimentos saludables y herboristerías) a agua hirviendo y deje hervir a fuego lento entre 15 y 20 minutos. Cuele y beba una taza por la mañana, otra por la tarde y nuevamente a la hora de acostarse. Dele un par de semanas para ver resultados –eh, mejor dicho, para *oír* resultados.

➤ **Las cápsulas de ginkgo** (sí... disponibles en las tiendas de alimentos saludables) también pueden ayudar a detener los silbidos. Antes de tomar té de semillas de fenogreco o ginkgo, pregúntele a su médico si esas hierbas son seguras para usted, especialmente si está tomando medicación. Si obtiene su aprobación, tome 40 mg de ginkgo tres veces al día por al menos dos semanas.

Los oídos y los viajes en avión

En un avión, antes de que usted se adapte a la diferencia en la presión atmosférica, los oídos pueden ser afectados enormemente... puede sentir un gran dolor en el ascenso, así como en el descenso, por supuesto.

La acción de *tragar* abre las trompas de Eustaquio, lo que permite que la presión se equilibre. Para sentirse cómodos, muchos pasajeros de avión simplemente mastican goma de mascar, chupan golosinas o bostezan durante el despegue y el aterrizaje del avión.

Para ustedes que necesitan algo más, intenten el procedimiento recomendado por el American Council of Otolaryngology...

➤ **Equilibrar.** Tan pronto como el avión despegue, mantenga ambas fosas nasales cerradas con los dedos índice y pulgar, y luego tome una bocanada de aire. Usando los músculos de las mejillas y garganta, fuerce aire hacia la parte de atrás de la nariz, como si estuviese tratando de alejar los dedos de las fosas nasales al soplar la nariz. Mientras lo hace, debería sentir un chasquido en los oídos. Eso significa que se ha logrado la compensación. Eso es bueno. Otra cosa buena es que divertirá a cualquiera que lo esté mirando.

ADVERTENCIA: Asegúrese de hacer esto con cuidado, pues de otra manera podría reventar los tímpanos.

AFIRMACIÓN

Repita esta afirmación a primera hora por la mañana, después de cada comida y durante el día, siempre que se le ocurra hacerlo. Cuanto más a menudo, mejor.

Oigo palabras sanadoras de sabiduría y amor. Escucho y aprendo.

OJOS Y SUS DOLENCIAS

Los ojos son las ventanas del alma... las cartas del corazón... las lenguas mudas de los amores... las gafas del cerebro... los órganos a través de los cuales brilla la inteligencia... los contrayentes de las cataratas... los señaladores que se ponen rojos... las fuentes de lios orzuelos.

Éstas son algunas sugerencias que podrían serle de ayuda... en un abrir y cerrar de ojos.

Orzuelos ("sties")

➤ **Un clásico remedio para orzuelos.** Frote el orzuelo floreciente con un anillo de bodas de oro. Algunas personas creen que funciona mejor si frota el anillo en una tela hasta que esté caliente y luego frota el orzuelo con el anillo. Este tratamiento también figura en nuestro primer libro sobre remedios tradicionales, y hemos recibido muchos comentarios acerca del mismo. Las cartas usualmente comienzan con "Pensábamos que ustedes estaban locas, pero..." y luego quienes escriben siguen contándonos acerca del alivio instantáneo del dolor con el anillo y la desaparición del orzuelo poco después.

ADVERTENCIA: Asegúrese de esterilizar el anillo antes de frotarlo en el orzuelo.

➤ **Untar un poco será suficiente.** Cuidadosamente unte un poco de gel de áloe vera en el orzuelo cuatro o cinco veces durante el día.

Ojos irritados y tensión ocular

➤ **Eufrasia ("eyebright").** Qué mejor nombre (en inglés) que "ojos brillantes y radiantes" para una hierba que puede calmar los ojos irritados, aliviar la tensión ocular y aclarar los ojos rojos. Mezcle una onza (30 g) de eufrasia –la hierba seca entera, disponible en las tiendas de alimentos saludables y herboristerías– en una pinta de agua recién hervida. Deje en remojo por 10 minutos, y luego cuele usando un colador superfino. Beba una taza del té. Use la otra taza de té tibio para mojar almohadillas de algodón y colocarlas sobre los ojos cerrados. Deje las almohadillas de algodón empapadas sobre los ojos por unos 15 minutos.

➤ **Pasta de jengibre ("ginger").** Tome dos cucharadas de jengibre en polvo y agregue suficiente agua como para formar una pasta aguada. Úntela en las plantas de los pies, póngase medias (calcetines) sobre la pasta y duerma así. (Para proteger su ropa de cama, puede poner plástico sobre la sábana que está bajo los pies). Por la mañana, los ojos deberían lucir y sentirse bien.

➤ **Cataplasma de papa.** Prepare una cataplasma ("poultice"), envolviendo manzana o papa rallada en una tela limpia –estopilla ("cheesecloth"), algodón blanco o muselina sin blanquear– y ponga la cataplasma húmeda sobre los ojos por 20 minutos. La cataplasma reparará, nutrirá y fortalecerá los ojos; relajarse por 20 minutos le ayudará al resto de su cuerpo y a su mente.

➤ **Prevención de la tensión ocular debido al uso de computadoras.** El Instituto nacional para la seguridad y salud ocupacional (*www.cdc.gov/NIOSH*) recomienda que se tome un descanso de 15 minutos cada hora cuando esté trabajando con una computadora. Además, coloque la pantalla a nivel de los ojos entre 22 y 26 pulgadas (55 y 65 cm) de distancia. Estos dos consejos pueden prevenir o al menos minimizar la tensión ocular. (Aprenda más sobre las recomendaciones del Instituto para el uso saludable de computadoras en "Consejos saludables", página 318).

➤ **Terapia con gemas.** Se afirma que la azurita ("azurite"), una hermosa piedra azul, es beneficiosa para la vista así como para el entendimiento. Se usa para aliviar la tensión ocular, para mejorar la visión y aumentar los poderes visionarios.

Para usar azurita, ponga una piedra en el ángulo interno de cada ojo –con los párpados cerrados, por supuesto. Manténgase así por 20 minutos.

➤ **Alivio y prevención de la tensión ocular.** Consulte "Yoga –simhasana" bajo "Boca: mal aliento" en la sección "Dientes, encías y boca" para conocer un ejercicio mental y corporal que podría ayudar a los ojos (página 88).

Ojos secos

Éste es un molesto síndrome que afecta a muchas personas que usan lentes de contacto, son ancianos o están constantemente expuestos a humo del cigarrillo directo o de segunda mano, toman frecuentemente medicamentos para resfriados o alergias, se sientan por largos periodos frente a la pantalla de un televisor o una computadora, respiran aire soplado de un acondicionador de aire o una caldera o tienen afecciones específicas de los ojos como ptosis, exoftalmos o síndrome de Sjögren. Además, tener los ojos secos es una afección común en los residentes de ambientes muy secos o ventosos. *Las ciudades de Estados Unidos mencionadas como lugares de riesgo para los ojos secos son…*

1. **Las Vegas, Nevada**
2. **Lubbock, Texas y El Paso, Texas (empatados en 2.° lugar)**
4. **Midland/Odessa, Texas**
5. **Dallas/Fort Worth, Texas**
6. **Atlanta, Georgia**
7. **Salt Lake City, Utah**
8. **Phoenix, Arizona**
9. **Amarillo, Texas**
10. **Honolulu, Hawaii**
11. **Oklahoma City, Oklahoma**
12. **Albuquerque, New Mexico**
13. **Tucson, Arizona**
14. **Norfolk, Virginia**
15. **Newark, New Jersey**
16. **Boston, Massachusetts**
17. **Denver, Colorado**

ALGO ESPECIAL

Alivio en un abrir y cerrar de ojos

Las lágrimas artificiales pueden proporcionar alivio pasajero de los síntomas de los ojos secos, como irritación, comezón, ardor e inflamación.

Cuando esté buscando una solución de venta libre, asegúrese de buscar los productos que claramente dicen que son "sin conservantes" ("preservative free"). La marca Soothe de Bausch & Lomb es un producto sin conservantes muy duradero que vale la pena considerar. Es especialmente apropiado para quienes tienen síntomas de ojos secos con falta de secreción acuosa causados por deficiencia de la capa de mucina.

Usted también debe saber que las gotas Soothe producen y retienen un sistema único de andamios por todas las capas de mucina y acuosa para restaurar la película lagrimal. Además, los polímeros hidrofílicos mantienen el agua y los demulcentes que calman en la superficie del ojo.

18. Pittsburgh, Pennsylvania

19. Bakersfield, California y Wichita, Kansas (empatados en 19.° lugar)

Estas sugerencias pueden ayudar a prevenir o incluso revertir esta incómoda afección...

➤ **Suplementos.** Se sabe que las vitaminas B-6, B-12 y el ácido fólico han ayudado a eliminar la incomodidad de los ojos secos, en particular si es causado por usar lentes de contacto. Pídale a su profesional de la salud o nutricionista que le recomiende la dosis apropiada para usted.

ADVERTENCIA: NO tome más de 150 mg de vitamina B-6 al día, ya que puede ser tóxica.

Además de tomar estas vitaminas y seguir las sugerencias a continuación, les hará bien a los ojos si usa lentes de contacto con menos frecuencia que lo habitual.

➤ **Omega-3.** Además de los estudios realizados en Harvard, los descubrimientos de un estudio dirigido por Biljana Miljanovic, MD, de las divisiones de medicina preventiva y el envejecimiento en el hospital Brigham and Women's, determinaron que "un consumo alto de ácidos grasos omega-3, que comúnmente se encuentran en el pescado y las nueces, se asocia con un efecto protector. A la inversa, una proporción mayor de omega-6, una grasa que se encuentra en muchos aceites de cocina y para ensalada y carnes de animales, en comparación con omega-3 en la dieta, puede aumentar el riesgo del síndrome de ojos secos".

Aprenda más acerca de los beneficios de omega-3 en el capítulo "Le hace bien al cuerpo", página 287.

➤ **Humidificador.** Si posee calefacción interior cuando hace tiempo frío, use un humidificador. Durante el tiempo cálido, use aire acondicionado sólo si es necesario hacerlo y además considere usar el humidificador al mismo tiempo. Use anteojos (gafas) de sol tipo envolventes ("wrap-around sun glasses") cuando haya tiempo ventoso.

➤ **¡No fume! ¡Y no permanezca cerca de personas que fuman!**

Además, consulte las instrucciones para el "Baño para los ojos secos" en la página 173.

Conejos de los sabios...

Ayuda para ojos llorosos

Estas son las causas comunes de los ojos llorosos –y qué debe hacer al respecto...

- **Los cambios de la superficie de los ojos relacionados con la edad pueden causar que lágrimas se acumulen** en los ángulos de los ojos. Las lágrimas artificiales o la cirugía de exfoliación podrían ser de ayuda –consulte a un oftalmólogo.
- **Un conducto lagrimal bloqueado puede causar que los ojos lagrimen.** Un procedimiento en el consultorio o medicamentos tópicos de esteroides pueden frecuentemente aliviar el problema.
- **La infección o irritación del ojo puede causar que lagrimen constantemente,** lo cual mejorará cuando la irritación o la infección desaparece.
- **Los ojos excesivamente secos, causados por alergias u otros factores, pueden provocar lagrimeo reflejo** –la causa subyacente debe tratarse..
- **Algunas afecciones médicas, como un trastorno de la glándula tiroides, pueden causar que los ojos lagrimen** –consulte con su médico.

Steven L. Maskin, MD, Dry Eye and Cornea Treatment Center, Tampa, *www.drmaskin.com.*

■ **Receta** ■

Baño para los ojos secos

Es posible eliminar la sensación crónica de tener arena en los ojos enjuagándolos en una solución de agua pura y sal cristalina del Himalaya (HCS, por sus siglas en inglés). La combinación se llama solé, un agua salada supersaturada. Para preparar el baño seco de ojos, primero tiene que preparar una solución al 1% de solé, lo que es similar a la concentración de sal en el cuerpo.

Ingredientes

Piedras de Sal cristalina del Himalaya ("Himalayan Crystal Salt stones") –disponibles en las tiendas de alimentos saludables o en el sitio web *www.himalayancrystalsalt.com*).

Agua destilada o de manantial.

Bañera ocular ("eyewash cup") –disponible en farmacias.

Indicaciones para la preparación de solé

- **Ponga alrededor de una pulgada (2 cm) de las piedras de Sal cristalina del Himalaya en un frasco de vidrio pequeño con tapa.**
- **Cubra las piedras por completo con agua de buena calidad.**
- **Deje estar durante la noche.**
- **Por la mañana, si nota que todos los cristales de sal se han disuelto, agregue unos pocos más al agua.** Cuando el agua quede completamente saturada (lo que es el objetivo), la sal no se disolverá más (los cristales de sal se quedarán al fondo del frasco) y el solé estará listo para ser usado. Cuando no se esté usando, mantenga el frasco tapado a fin de que el agua no se evapore. No refrigere.

Indicaciones para el baño de ojos

- **Quítese todo el maquillaje antes de bañar los ojos.**
- **Vierta una cucharadita y media de solé en la bañera ocular** y colóquela por encima del ojo, para que no se escape nada del líquido.
- **Incline suavemente la cabeza hacia atrás, vertiendo el solé por encima del ojo.** Abra y cierre el ojo varias veces a fin de que esté bien saturado con el solé.
- **Repita los últimos dos pasos en el otro ojo.**

Haga este tratamiento unos días seguidos, y si alivia la sensación molesta en los ojos, continúe haciéndolo.

ADVERTENCIA: NO ponga ninguna otra sal en agua cuando prepara el solé. Existe una ENORME diferencia entre las Sales cristalinas del Himalaya y otros tipos de sal, incluso y en especial la sal común.

Fortalecedores de la vista

➤ **Jengibre ("ginger").** Muchos herboristas asiáticos creen que mascar un trozo muy pequeño de jengibre después de cada comida puede ayudar a mejorar la vista. También ayudará con la digestión y a disipar el gas.

ATENCIÓN: El jengibre actúa como un anticoagulante, así que consulte con su médico antes de usarlo si toma un anticoagulante recetado. Además, deje de usar el jengibre tres días antes de cualquier cirugía.

➤ **Mejore la visión nocturna.** Si usted tiene problemas para ver de noche, el ráspano ("bilberry") y el zinc pueden ayudar a mejorar su visión. Ambos están disponibles en tiendas de alimentos saludables. Tome 80 mg de ráspano dos veces al día. Los hombres deberían tomar además 50 mg de zinc diariamente; las mujeres deberían tomar 25 mg de zinc diariamente.

ADVERTENCIA: Tome zinc con las comidas para prevenir el malestar estomacal y las náuseas. El uso prolongado de zinc puede causar una deficiencia de cobre. Este remedio debería tomarse únicamente por un tiempo limitado. Si va a ser de ayuda, es probable que vea los resultados en un mes.

➤ **Hombres con visión borrosa.** Usar corbata o cuello muy apretados puede inhibir el flujo de sangre al cerebro y, a su vez, hacer borrosa su visión. Haga esta prueba. Si no puede pasar un dedo entre el cuello y el cuello de la camisa, entonces está muy apretado. Es hora de que se compre una nueva camisa.

ATENCIÓN: La visión borrosa podría ser un síntoma de diabetes, enfermedades autoinmunes, degeneración macular, glaucoma, cataratas, etc., así que asegúrese de consultar con su médico si tiene este síntoma.

Consejo sobre el fijador para el cabello

➤ **Advertencia sobre el fijador para el cabello.** No use fijador para el cabello (laca, "hairspray") mientras esté usando lentes de contacto o anteojos. El mismo puede revestir los lentes con una película difícil de quitar. Si está aplicando el fijador en la parte de adelante del cabello, mantenga los ojos bien cerrados, o use un protector para fijador para el cabello ("hairspray shield", disponible en farmacias).

Atención ocular gratuita para personas de la tercera edad

No descuide los problemas de la visión debido a ingresos bajos o un seguro de salud inadecuado. Fíjese en el Seniors EyeCare Program, anteriormente conocido como National Eye Care Project (NECP). Bajo este programa, si usted es un ciudadano de Estados Unidos o residente legal mayor de 65 años, no ha consultado a un oftalmólogo en los últimos tres años o más, y no pertenece a una HMO ni tiene asistencia para la visión para los veteranos de guerra, usted puede obtener el nombre de un oftalmólogo voluntario en su zona. Para mayor información, visite el sitio web *www.eyecareamerica.org*, y haga clic en "Find an Eye M.D.", y luego en "Seniors Eye-Care", o llame al 800-222-EYES (3937).

Los oftalmólogos voluntarios aceptan Medicare u otro seguro como forma de pago total, sin ningún pago adicional por parte suya. Pero, si no tiene seguro, la asistencia ocular es gratuita.

Si usted piensa que es un candidato para este programa, o si conoce a una persona de la tercera edad que lo sea, llame hoy mismo a la línea gratuita de ayuda.

AFIRMACIÓN

Para cualquier problema ocular, repita esta afirmación a primera hora por la mañana, a última hora por la noche y cada vez que vea su color preferido.

Mientras lo hace, si resulta práctico y conveniente, frote las manos entre sí hasta que sienta el calor que ha producido. Luego ahueque las manos sobre los ojos, manteniéndolas así mientras dice la afirmación…

Veo todo en mi vida sucediendo por mi bien y estoy encontrando felicidad todos los días.

Consejos de los sabios...

MITO sobre los ojos: Leer con poca luz daña la visión

Casi un cuarto de todos los adultos estadounidenses son miopes, y todos los mayores de 40 años tendrán cada vez mayor dificultad para leer letra chica o ver claramente con luz tenue.

La mayoría de las personas entienden que la edad es la razón principal del deterioro de la visión y la salud ocular, pero aún hay mucha confusión acerca de otros factores que ayudan o perjudican a los ojos. *Mitos comunes...*

***Mito:* Sentarse muy cerca del televisor daña los ojos.**

Realidad: Por generaciones, las madres han regañado a sus hijos por sentarse demasiado cerca del televisor. Esto quizá tuviera sentido en la década de 1940, cuando los televisores emitían niveles bastante altos de radiación, pero esto ya no es un problema.

Hoy en día usted podría sentarse con la nariz presionada contra la pantalla y no dañaría los ojos. Si mira televisión de cerca, podría experimentar tensión ocular porque los ojos no están diseñados para la visión a corta distancia por largo tiempo. Esto podría causar un dolor de cabeza, pero aparte de esto, no hay ningún riesgo asociado con mirar televisión de cerca.

***Mito:* Usted se dañará los ojos si lee con poca luz o luz tenue.**

Realidad: Usar los ojos, incluso bajo condiciones de dificultad para ver, no los daña. No le hará daño a su visión por leer con luz tenue, como tampoco le haría daño a los oídos por escuchar música suave. Pero, eso sí, usted podría desarrollar tensión ocular.

***Mito:* Las pantallas de las computadoras causan daño a los ojos.**

Realidad: Las pantallas de las computadoras no tienen más probabilidad de dañar los ojos que los televisores. Sin embargo, las personas que pasan mucho tiempo frente a la computadora podrían experimentar un aumento en la sequedad de los ojos. Las personas no pestañean normalmente cuando se encuentran enfocadas de cerca por mucho tiempo. Cuando está trabajando en la computadora, es probable que pestañee menos de una vez cada 10 segundos. Eso no es suficiente para lubricar los ojos. El pestañeo infrecuente causa problemas adicionales en los adultos mayores debido a que su película lagrimal es eficaz por sólo unos siete u ocho segundos entre pestañeos –alrededor de la mitad del tiempo de los adultos jóvenes..

Se recomienda: Durante las sesiones en la computadora, tome un "descanso para los ojos" al menos una vez cada hora. Dirija la vista hacia algo más lejano, y pestañee en forma consciente cada pocos segundos. Use gotas naturales de venta libre para volver a hidratar los ojos. Entre las buenas marcas se incluyen Systane, Optive, Soothe XP y Refresh.

***Mito:* Usar lentes para leer más potentes de lo necesario debilita la visión.**

Realidad: No, no es verdad que usar lentes más potentes de lo necesario haga que los ojos lleguen a necesitar esa potencia. Usted puede usar lentes para leer con cualquier potencia que quiera. Debe elegir lentes para leer de acuerdo a la distancia a la cual trabaja. Puede usar lentes más potentes para leer el periódico que para trabajar en la computadora.

***Mito:* El enrojecimiento significa que existe una infección.**

Realidad: Las infecciones oculares son relativamente infrecuentes en comparación con los casos de ojos enrojecidos debido a causas no infecciosas. Las infecciones virales (las cuales no responden a antibióticos) ocurren un poco más a menudo pero también son relativamente poco frecuentes.

El enrojecimiento de los ojos usualmente se debe a una simple irritación de la superficie del ojo –por alergias o sequedad, por ejemplo, o por *blefaritis*, una inflamación de los párpados, que también puede causar ojos secos.

Autoevaluación: El ojo estará muy rojo si tiene una infección (bacteriana o viral). Con una infección bacteriana, podrá notar una secreción espesa blancoamarillenta. Una infección viral probablemente produzca una secreción acuosa transparente y continua. La *conjuntivitis viral* (también llamada conjuntivitis aguda) tiene como consecuencia un ojo muy irritado y muy rojo, que frecuentemente se propaga al otro ojo en uno a tres días. Usualmente las personas con conjuntivitis aguda han tenido un resfriado recientemente o se han expuesto a alguien con conjuntivitis aguda.

La conjuntivitis aguda es muy contagiosa y puede propagarse rápidamente a familiares y compañeros de trabajo. Para reducir la propagación de la infección, limite su contacto con otras personas y lávese las manos con frecuencia. A diferencia de la conjuntivitis bacteriana, la cual se trata con gotas para los ojo (colirios) antibióticos, no hay tratamiento para la conjuntivitis aguda (viral) a excepción de las gotas oculares lubricantes para reducir el malestar.

***Mito:* Los lentes de contacto de uso extenso son seguros para seguir usando al dormir.**

Realidad: La agencia federal Food and Drug Administration (FDA) ha aprobado lentes de contacto de uso extenso que se pueden mantener puestos mientras duerme, pero veo muchos pacientes con inflamación ocular a causa de esos lentes.

La *córnea*, la parte transparente que se encuentra en la parte delantera del ojo, recibe oxígeno todo el tiempo. Usar un lente de contacto por periodos extensos disminuye el oxígeno que llega a la superficie del ojo. Los lentes de hidrogel de silicona ("silicone hydrogen lenses") permiten que mucho más oxígeno llegue a la córnea, pero incluso éstos pueden causar irritación e infección cuando se usan por mucho tiempo.

Siempre siga las instrucciones de su médico. Si sus lentes de contacto están diseñados para usarse durante dos a cuatro semanas, entonces cámbielos con la frecuencia recomendada. Si está usando los lentes de contacto durante toda la noche y los ojos están irritados o rojos, deje de usarlos y consulte a su oculista. Generalmente, si se saca los lentes de contacto todas las noches, hay menos riesgo de infección e irritación.

La irritación a veces puede ser provocada por soluciones de limpieza o multiuso. Las soluciones multiuso (Opti-Free, ReNu) incluyen sustancias químicas diseñadas para matar bacterias, y algunas personas se vuelven sensibles a estos productos. Recomiendo el producto llamado Clear Care. El ingrediente activo, peróxido de hidrógeno, mata bacterias y otros gérmenes. Luego, después de seis horas de estar en remojo, la solución se vuelve salina.

Para las personas que tienen dificultad con el uso de lentes de contacto, los lentes desechables de un día ("one-day disposable lenses") de uso son otra posibilidad. Son más caros que los lentes de uso extenso pero no requieren soluciones desinfectantes.

Brett Levinson, MD, oftalmólogo que estudió en el prestigioso Wills Eye Institute en Filadelfia. Es director de Cornea and Anterior Segment at Select Eye Care en Baltimore, Maryland, e instructor clínico de oftalmología en la facultad de medicina de la Universidad de Maryland.

OLOR CORPORAL

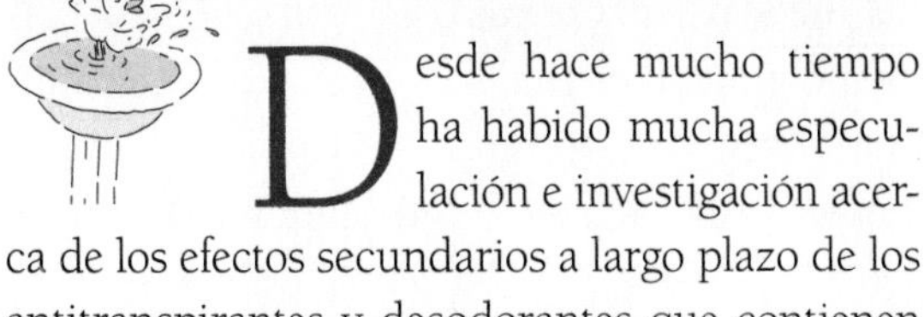

Desde hace mucho tiempo ha habido mucha especulación e investigación acerca de los efectos secundarios a largo plazo de los antitranspirantes y desodorantes que contienen aluminio y circonio.

Dicho sea de paso, un *antitranspirante* es clasificado por la agencia federal Food and Drug Administration (FDA) como un *medicamento* de venta libre porque retrasa el flujo de la transpiración. Un *desodorante*, por otro lado, no tiene efectos fisiológicos y por lo tanto se considera un *cosmético*.

Hasta que sepamos bien acerca de esos efectos secundarios, usted tendrá más tranquilidad si usa estas alternativas no químicas...

➤ **Bicarbonato de soda para el olor.** El bicarbonato ("baking soda") es un desodorante económico. Algunas personas combinan una parte de bicarbonato y dos partes de maicena (fécula de maíz, "cornstarch") o almidón de arroz ("rice starch"). También se puede agregar una hierba seca para darle un aroma agradable.

Espolvoree la mezcla en las axilas inmediatamente después de un baño o una ducha, o antes de vestirse por la mañana. Es nuestro desodorante preferido, y surte efecto.

➤ **Aunque suene raro, vinagre.** El vinagre brinda una protección eficaz contra las bacterias y el olor corporal. Mezcle vinagre blanco destilado ("distilled white vinegar") con igual cantidad de agua. Luego humedezca una bolita de algodón en la mezcla y aplíquela. El olor a vinagre desaparecerá en unos minutos.

➤ **Cuando el olor es malito, use rabanito.** Extraiga el jugo de unos manojos de rábanos ("radishes"). Si no tiene un extractor de jugos eléctrico, ponga los rábanos en un procesador de alimentos, y luego extraiga el jugo a través de estopilla (gasa, "cheesecloth"). Vierta el jugo en un frasco, refrigérelo y úselo diariamente como desodorante para las axilas.

➤ **¡Té de hinojo fabuloso!** El té de hinojo ("fennel") es un desodorante que actúa de adentro hacia fuera. Hierva una cucharadita de semillas de hinojo (disponibles en tiendas de alimentos saludables) en una taza de agua. Deje hervir a fuego lento entre 15 y 20 minutos. Cuando esté frío, después de al menos cinco minutos, cuele y beba. Beba el té de hinojo por la mañana y a última hora de la tarde. Debería permitir la transpiración sin olor.

➤ **El pepino divino.** El pepino ("cucumber") puede usarse para lavar y desodorizar partes del cuerpo. Corte un suculento pepino grande en cuartos y lave sus áreas transpiradas con los mismos. Deje que la piel se seque naturalmente. Los pepinos son ricos en magnesio, del cual se dice que es un desodorante natural.

➤ **Protección de piedra.** Si prefiere comprar un desodorante natural, pruebe la piedra desodorante Thai Crystal Deodorant Stone (disponible en las tiendas de alimentos saludables y las farmacias). Es un ejemplo perfecto de un *nuevo producto alternativo* que es realmente *antiquísimo*. Durante siglos, la gente de Tailandia ha usado este cristal natural como desodorante. Está hecho de sulfato de potasio y otras sales minerales, cristalizadas en un periodo de meses, dándosele luego forma y alisándolo a mano. Este desodorante no contiene perfumes, emulsionantes, propulsores, clorhidrato de aluminio ni ninguna otra sustancia química dañina.

La piedra desodorante deja una capa invisible de protección que previene que se formen las bacterias que causan el olor cada vez que se pone en el cuerpo –incluso en las axilas y pies.

Una sola piedra Thai Crystal Deodorant Stone es equivalente a unas seis latas de desodorante en aerosol. Esto significa que la persona promedio podrá usarla por casi un año.

➤ **Trapos guapos.** La ropa puede jugar un papel en la prevención o la producción de olores. La ropa hecha con cien por ciento de algodón es mejor.

Las telas sintéticas parecen impedir la circulación del aire, causando que usted transpire más de lo usual. Ciertos tejidos sintéticos, usualmente junto a los tintes de la tela, producen un olor fuerte y desagradable tan pronto como se empieza a transpirar. Usted sabrá pronto cuáles son cuando los use. Nuevamente, vístase con ropa de algodón siempre que sea posible.

PESO: CÓMO CONTROLARLO

Levante algo portátil que pese 10, 15 o quizá 20 libras (cinco a 10 kilos). Manténgalo con usted todo el día. No haga nada sin él. Note cómo se siente al llevar a todos lados el peso adicional. Esto simplemente podría ser la motivación que necesita para bajar sus kilos de más.

Consejos, trucos y tácticas

Revise esta sección y no se burle de nada hasta que realmente haya probado cada una. *Todas las sugerencias pueden ayudarlo a comer menos o a sentirse satisfecho antes, y perder más peso...*

➤ **Dígalo en voz alta.** Déjeles saber a su familia, amigos y compañeros de trabajo que tiene la intención de bajar de peso y que desea y necesita su apoyo. Explíqueles que ellos no tienen que reducir su ingesta de calorías ni privarse en su presencia. Todo lo que les pide es que lo animen a usted a lograr su objetivo. Esto significa que no deben perjudicar sus esfuerzos diciendo que está "bien" disfrutar una comilona... "sólo por esta vez". Además, dígales lo maravilloso que sería que ellos compartieran su felicidad cada vez que alcanza una meta, como cuando llegue a usar una talla de ropa más pequeña.

Dígalo con ganas y sinceramente –la confianza en sí mismo y la firmeza de su afirmación lo ayudará a ayudarlos a que lo ayuden a usted. (Lea eso nuevamente hasta que tenga sentido). Hasta podría ayudar a las personas que lo rodean a deshacerse de algunos kilos no deseados ni saludables.

➤ **Pésese.** Según un estudio de dos años del que se informó en Annals of Behavioral Medicine, los investigadores de la Universidad de Minnesota hicieron un seguimiento a más de 3.000 adultos obesos o con sobrepeso que deseaban bajar de peso o evitar aumentar de peso.

Durante este periodo de dos años, quienes se pesaban diariamente perdieron el doble de peso que las personas que se pesaban solo una vez a la semana. Las personas que dijeron que nunca se pesaban aumentaron un promedio de cuatro libras (1,8 kg).

Los investigadores creen que pesarse con más frecuencia puede ser una táctica eficaz porque ofrece a quienes hacen dieta información acerca de su progreso. Pesarse diariamente ayuda además a que usted note pequeños aumentos de peso de modo que pueda detectar una o dos libras de más antes de que sean 10 ó 20 libras de más.

NOTA DE JOAN: Esto ha sido muy útil para mí. Tan pronto como veo que aumento una o dos libras de peso, hago algo al respecto... Elimino delicias y paso más tiempo en la cinta para caminar ("treadmill"). Nunca pensé que yo sería este tipo de persona, pero lo soy y me gusta cómo soy. ¡Así que, súbase a la balanza!

Planificación de sus comidas

➤ **Antes del desayuno.** A primera hora por la mañana, con el estómago vacío, tome una cucharada de aceite de oliva extra virgen. Reactivará su metabolismo y ayudará a dominar su apetito.

Daniele Piomelli, profesor de psiquiatría y farmacología, junto a sus colegas de la facultad de medicina de la Universidad de California en Irvine, descubrieron que el ácido graso *oleiletanolamida* (OEA, por sus siglas en inglés) activa moléculas receptoras de las células para regular el hambre y el metabolismo.

El aceite de oliva está compuesto en un 85% por ácido oleico. Durante la digestión, el ácido oleico se convierte en OEA y estimula las células nerviosas, indicando al cerebro que usted está satisfecho.

Un estudio de la Universidad de Wisconsin descubrió que el cuerpo quema grasas monoinsaturadas saludables para el corazón como el aceite de oliva, y los aceites de nueces ("nut oil") y de aguacate ("avocado oil"), entre tres y cinco veces más rápidamente que las grasas saturadas que contienen la carne, los productos lácteos y los alimentos procesados.

Es una situación en la que usted gana sí o sí. Tome una cucharada de aceite de oliva (saludable para el corazón) y el cuerpo lo quemará rápidamente, a la vez que le dará energía, disminuirá su apetito e hidratará la piel desde adentro hacia fuera, mientras que baja los niveles de triglicéridos y de colesterol en la sangre.

Después de que nos enteramos sobre este consejo y comenzamos a compartirlo, una de nuestras amigas nos dijo que Karina Smirnoff del show de TV *Dancing with the Stars* mantiene su increíble figura usando este antiguo remedio tradicional ruso. Como dice la canción, "Everything old is new again" (todo lo viejo es nuevo de nuevo).

➤ **Desayuno.** ¡No se lo pierda! Si desea perder o mantener su peso, consuma un desayuno sustancioso y saludable, y el centro de "gratificación" del cerebro no se sentirá carente y con ganas de comer alimentos ricos en calorías durante el resto del día. Según Tony Goldstone, MD, PhD, especialista en endocrinología, y su equipo de investigación en el MRC Clinical Sciences Centre del Imperial College of Science, Technology and Medicine en Londres, "Nuestros resultados respaldan el consejo de consumir un desayuno saludable como parte de la prevención y el tratamiento de la obesidad mediante la dieta. Cuando las personas se saltean comidas, especialmente el desayuno, los cambios en la actividad del cerebro en respuesta a los alimentos pueden dificultar la pérdida de peso y hasta provocar el aumento de peso".

Un estudio reciente sobre proteínas para el desayuno fue realizado por científicos de la Universidad Purdue y el centro médico de la Universidad de Kansas. Cuando a los participantes se les dieron proteínas adicionales para el desayuno –huevos y tocino canadiense (panceta, "Canadian bacon") magro–, estuvieron más satisfechos en forma continua durante el día, en comparación con cuando comieron más proteínas en el almuerzo o la cena.

➤ **Antes del almuerzo y la cena.**

• **Jugo de tomate.** Beba jugo de tomate unos 15 minutos antes de comer. El ácido en el jugo puede darle una sensación de estar satisfecho, haciendo posible comer porciones más pequeñas que lo usual sin sentirse con hambre.

• **Agua y banana (plátano).** Beba un vaso de agua antes de cada comida. Ayuda a limpiar su organismo y le da una sensación de estar satisfecho. También puede reducir las ansias, que podrían haber sido por agua sin que usted lo supiera. Si sólo el vaso de agua no le da resultados, puede intentar comer media banana madura (con motas marrones) antes de beber el agua. Esto puede satisfacer bastante.

• **Fórmula para quemar grasas.** Ponga una cucharada de vinagre de manzana y dos cucharadas de miel en un vaso de jugo de toronja (pomelo, "grapefruit") sin endulzar. Mezcle bien y bébalo media hora antes de cada comida. Además de reducir su apetito, se dice que esta bebida ayuda a regular la glándula tiroides y a eliminar la grasa.

ATENCIÓN: Si toma medicación, consulte con su médico o farmacéutico acerca de la interacción del medicamento con toronja.

- **Apriétese el cinturón.** Justo antes de sentarse a comer, póngase un cinturón, si no tiene uno puesto. Apriételo uno o dos agujeros más de lo usual –no lo suficiente como para hacer que los ojos se salgan de sus órbitas, sino simplemente lo suficiente como para hacer que se sienta satisfecho más pronto de lo usual.

- **Sírvase en un plato pequeño.** Cuando esté poniendo la comida en su plato, hágalo en un plato más pequeño y sírvase menos comida de lo que se serviría si usara un plato más grande.

A la mesa

➤ **Siéntese.** En primer lugar, siempre siéntese cuando come, aun si está solo en su casa u oficina, e incluso si tiene poco tiempo. Al sentarse a la mesa, ve lo que está comiendo. Esta foto mental de la comida delante de usted lo ayuda a sentirse más satisfecho más rápido. Cuando come estando de pie, la tendencia es a engullir y tragar la comida antes de que pueda absorber mentalmente la cantidad que comió. Cuando llegue el momento de que su cuerpo le diga que "está satisfecho", es probable que usted haya comido el doble de lo que habría comido si hubiera estado sentado a la mesa, comiendo de una manera más civilizada.

Ustedes que tienen hijos, tengan en cuenta que muchos estudios a largo plazo demuestran que los niños pequeños que comen frente al televisor en vez de con su familia a la mesa tienen más probabilidad de tener sobrepeso; los adolescentes que comen la cena con su familia tienen más probabilidad de comer en forma más saludable cuando sean adultos, y menos probabilidad de fumar, beber alcohol o consumir drogas.

➤ **Música.** Apague la música de rock mientras esté en la mesa. Hace que coma más y más rápido. Si no puede estar sin música a la hora de comer, haga que sea suave y lenta.

➤ **Yoga.** Esto podría ser un interesante tema de conversación, o podría ponerle fin a la conversación, durante la cena. Cuando coma, tápese la fosa nasal izquierda de modo que respire por la fosa nasal derecha solamente. Se dice que este proceso acelera el metabolismo y permite que obtenga, rápida y eficazmente, toda la energía de los alimentos que consume. Por esta razón, no tiene que comer tanto como suele hacerlo para estar satisfecho. Pero por el bien de su vida social, le recomendamos que haga esto únicamente cuando cene solo.

Comidas y bebidas: lo básico

➤ **La mejor bebida.** Durante el día, siempre que busque algo para beber, que sea agua. El estadounidense promedio obtiene 245 calorías de más al día provenientes de los refrescos. Hicimos los cálculos –suma casi 90.000 calorías al año y eso se traduce en 25 libras (11 kilos) adicionales y no deseadas.

Jillian Michaels, entrenadora en el programa de televisión *Biggest Loser*, afirma que la hidratación adecuada puede acelerar el metabolismo en hasta el 3%. Y agregarle fibra en polvo al agua ayuda a que usted se sienta satisfecho. Jillian explica que la fibra es una gran manera de engañar al cuerpo para que produzca *leptina*, la hormona que controla el apetito. Benefiber y Metamucil Clear & Natural son dos marcas cuya fibra en polvo se disuelve completamente en agua. Pensará que está bebiendo agua pura.

➤ **Control de las porciones.** Muchos no necesitamos una dieta tanto como necesitamos aprender a controlar las porciones. Si usted es como una de esas personas que nos dicen que quieren comer menos y más saludablemente y no quieren pasar sus días en la cocina preparando comida, tenemos una solución. Compre alimentos ya preparados, agregue una verdura de acompañamiento o una ensalada, y tiene una comida que satisface y no lo hace sentir culpable, con control de las porciones impuesto.

Hay muchas marcas buenas de las que elegir, y más surgen diariamente. Su trabajo es ir al supermercado, o idealmente a un mercado de alimentos naturales como Whole Foods, o una tienda de alimentos saludables, y buscar en la sección de comidas congeladas o refrigeradas.

Para comenzar, permítanos contarle acerca de Amy's Kitchen, simplemente porque este negocio familiar berlinés ha existido por más de 20 años, tiene amplia distribución y sus productos –que varían de gourmet a simple comida casera– son sabrosos, tienen integridad, tienen precios módicos y ayudan a imponerle disciplina cuando se trata del tamaño de las porciones.

NOTA: Si la comida que elige indica que contiene dos porciones, compártala con alguien o úsela para dos comidas.

Esta información acerca de Amy's le dará un marco de referencia y un estándar cuando salga a buscar comida por su cuenta.

• **Los ingredientes de Amy's.** Todo es vegetariano. No tienen aditivos, ni conservantes, ni GMO (por las siglas en inglés de *organismo modificado genéticamente*, asociado frecuentemente a los productos de la soja). La empresa afirma que "Si un niño no puede pronunciarlo, no lo encontrará en una etiqueta de Amy's". Frutas, verduras y cereales se cultivan orgánicamente, sin el uso de insecticidas ni otras sustancias químicas perjudiciales.

• **Amy's tiene en cuenta las restricciones alimentarias.** Hay más de 50 productos sin gluten agregado y más de 50 platos sin ingredientes lácteos, sin lactosa y sin colesterol. También proporcionan platos certificados kosher, con pocas grasas, con poco sodio, sin soja, sin maíz y sin nueces de árbol ("tree nuts").

• **Disponibilidad.** Los alimentos de Amy's se encuentran en los supermercados, mercados de alimentos naturales, tiendas de alimentos saludables y en algunas tiendas por membresía. Consulte una lista completa con descripción de sus alimentos, junto a datos nutricionales, en *www.amys.com*. Haga clic en "store locator" para encontrar un punto de venta en su vecindario, o llame a Amy's al 707-578-7270.

➤ **Regla de los alimentos preparados.** Si azúcar o fructosa o almíbar de maíz ("corn syrup") se encuentran entre los primeros cuatro ingredientes de la lista de una etiqueta, no lo compre. Es poco saludable y engorda demasiado.

➤ **Congelado o enlatado.** Cuando se trata de verduras, elija las congeladas. Las verduras enlatadas usualmente contienen mucho sodio (no es bueno para quienes se cuidan el peso) y pueden ser menos nutritivas.

Cuando se trata de bróculi ("broccoli"), que no viene en lata, igualmente elegimos el congelado, en lugar del fresco. Conseguimos bolsas de florecillas de bróculi ("broccoli florets") orgánicas congeladas en Whole Foods, a mitad de precio del bróculi fresco, el cual debe ser cortado y lavado. Además, las verduras que son congeladas rápidamente ("flash frozen") se han recogido en su momento óptimo. Las verduras frescas podrían no ser tan frescas. No se sabe realmente por cuánto tiempo han estado a la espera en el mercado.

Lo importante es tomar el camino más fácil cuando se trata de preparar comidas saludables con pocas calorías. Repetimos, ¡nosotras elegimos lo congelado!

Consejos de los sabios...

La vitamina D puede estimular la pérdida de peso

En un estudio reciente, los investigadores midieron los niveles de vitamina D en la sangre de 38 hombres y mujeres con sobrepeso, antes y después de una dieta de 11 semanas en la cual consumieron 750 calorías diarias menos de las que se estimaron ser sus necesidades totales de calorías.

Resultado: Niveles más altos de *25-hidroxi-colecalciferol* (un marcador del nivel de la vitamina D) fueron asociados con una mayor pérdida de peso mientras se seguía la dieta.

Shalamar Sibley, MD, MPH, profesor auxiliar de medicina, división de endocrinología y diabetes de la facultad de medicina de la Universidad de Minnesota, en Minneapolis.

Cómo detener las comilonas y ansias

➤ **Alimentos provocadores.** La mayoría de nosotros tenemos nuestros propios alimentos provocadores. Un solo bocado puede causar una comilona incontrolada. Estos alimentos generalmente son azucarados, salados, llenos de grasas, o con alto contenido de colesterol. Después de todo, ¿quién se da una comilona con bróculi?

¿Tiene usted uno o más alimentos provocadores? Piénselo. Identifique los alimentos. Entienda las consecuencias de comer compulsivamente debido a los alimentos provocadores. Elimine estos alimentos de su vida y ayudará a eliminar la tentación, la desmoralización y otras repercusiones negativas y poco saludables. También podría perder unos kilos.

➤ **En casa.** Cuando tiene hambre, la tendencia es comer lo que sea que esté a mano. Mientras que el helado se mantiene fuera de la vista en el congelador, hay muchas superficies en la cocina, el cuarto con el televisor y el resto de la casa para platos de golosinas y boles con chips, pretzels y otras cosas prohibidas. En su lugar, mantenga estas delicias en la parte de atrás de un estante difícil de alcanzar, detrás de la puerta cerrada de un armario. Mejor aún, saque estas cosas de la casa. Reemplácelas con un bol de frutas en la mesa de la cocina, nueces ("nuts") crudas y sin sal en el cuarto con el televisor, una bolsa de zanahorias pequeñas ("baby carrots") en el refrigerador y otros refrigerios saludables a los que puede echar mano cuando siente la necesidad de comer algo.

➤ **Reflexología para detener las ansias por lo dulce.** Use el dedo índice para dibujar círculos diminutos, masajeando el *surco nasolabial* (la hendidura entre el labio superior y la parte de debajo de la nariz). Después de unos 10 segundos, su canal de energía que vincula el cerebro, el páncreas y el bazo tendrá restaurado el equilibrio, y sus ansias por dulces serán reprimidas.

Sustitutos de los dulces

Una persona con sobrepeso fue a ver al médico. Después de un examen completo, el médico le dijo al paciente: "Usted necesita un baipás". "¿Un baipás?" "Sí. Baipase el refrigerador, baipase la panadería, baipase los postres..." *Estas sugerencias pueden ayudarlo a enterrar las ansias por una delicia azucarada...*

➤ **Un enjuague.** Disuelva una cucharadita de bicarbonato de soda ("baking soda") en un vaso de agua tibia y enjuague la boca con el mismo. En unos pocos minutos, probablemente cuando esté acabando con el último sorbo de la mezcla, las papilas gustativas estarán aplacadas y las ansias por el alimento rico en calorías y lleno de azúcar habrán pasado.

➤ **Alcachofa (alcaucil, "artichoke").** Hierva una alcachofa por 10 a 15 minutos y cómala –sin mantequilla. Es muy buena así. Y como contiene una sustancia derivada de la fructosa llamada inulina (no insulina), sacia el deseo por algo dulce.

➤ **Goma de mascar.** Mastique goma de mascar sin azúcar por 15 minutos cada hora después de almuerzo, y si usted es como los participantes en un estudio, consumirá 60 calorías menos provenientes de los dulces a la hora de los refrigerios.

➤ **Nueces ("nuts").** Consuma un puñado de almendras ("almonds"), anacardos ("cashews") o nueces de Castilla ("walnuts") crudas, o pistachos o maní (cacahuates, "peanuts") sin sal. La grasa saludable en las nueces debería ayudarlo a perder más peso que casi cualquier otro refrigerio.

➤ **Mezcla de levadura de cerveza ("brewer's yeast").** Revuelva una o dos cucharaditas colmadas de levadura de cerveza (disponible en tiendas de alimentos saludables) en un vaso de jugo de toronja (pomelo, "grapefruit") no endulzado ("unsweetened"). Beba la mezcla antes de cada comida. Podría ayudarlo a comer menos durante la comida y a conquistar por completo su afición a los dulces en unos pocos días.

ATENCIÓN: Si toma medicamentos, consulte con su médico o farmacéutico acerca de la interacción del medicamento con las toronjas.

Hierbas útiles

Estas hierbas (cómprelas en las tiendas de alimentos saludables, o consulte "Recursos", página 350) pueden ayudarlo a controlar su apetito, calmar sus ansias y eliminar las células grasas.

Persevere con una hierba y asegúrese de prestar atención a su reacción a la misma. ¿Parece tener menos hambre? ¿Tiene más control sobre su deseo de comer un refrigerio? Después de algunos días, cambie a otra hierba y note sus respuestas a ésa también. Siga haciéndolo hasta que haya probado todas las hierbas y sepa cuál le da mejores resultados.

Para las flores y hojas de hierbas, prepare el té dejando remojar una cucharadita de la hierba en una taza de agua recién hervida. Después de unos siete minutos, cuele y beba lentamente. Para las raíces, cortezas y semillas, haga hervir las hierbas y el agua, y luego deje hervir a fuego lento entre 15 y 20 minutos; cuele y beba. Si necesita un edulcorante para que los tés de hierbas tengan mejor sabor, use stevia.

➤ **Té de bayas del espino blanco ("hawthorn berries")** –dos tazas al día –una taza entre el desayuno y el almuerzo y una taza entre el almuerzo y la cena (también es bueno para el corazón).

➤ **Té de cáscara de semilla de psilio ("psyllium")** –una o dos tazas diarias (es bueno para limpiar el colon, así que permanezca cerca de su casa).

➤ **Té de chaparro (jarrilla, "chaparral")** –tres tazas diarias, una después de cada comida.

➤ **Té de raíz de achicoria ("chicory root")** –una taza diaria antes del desayuno.

➤ **Té de oreja de ratón (pamplina, "chickweed")** –tres tazas diarias, una antes de cada comida.

Estimuladores del metabolismo

➤ **Estimulador natural de la tiroides.** Agregue una cucharada de algas marinas ("seaweed") a una sopa, guiso (estofado) o ensalada todos los días. El kelp es el alga más popular y se vende en tiendas de alimentos saludables. Según el Dr. J.W. Turentine, un científico del departamento de agricultura de Estados Unidos (USDA), "De los 14 elementos esenciales para las funciones metabólicas adecuadas del organismo humano, se sabe que 13 se encuentran en el kelp". Uno de los 13 elementos es el yodo orgánico, el cual provoca la actividad de la glándula tiroides, estimulando el metabolismo del cuerpo y, en última instancia, convirtiendo los alimentos grasos en energía.

➤ **Para el equilibrio del metabolismo.** El bergamoto ("bergamot") es un árbol que produce una fruta pequeña similar a la naranja. Su aceite esencial se extrae de la cáscara de la fruta (la bergamota) y se usa en el té Earl Grey, dándole un gusto aromático, suave y refrescante. Se afirma que regula el metabolismo, y puede ayudar a que sienta menos hambre. Como bono adicional, la bergamota además tiene un efecto calmante en el sistema nervioso y se usa como antidepresivo.

➤ **El mejor alimento natural para perder peso.** Informes de investigaciones afirman que el polen de abeja ("bee pollen") puede corregir los desequilibrios en el metabolismo del organismo, estimular los procesos metabólicos y acelerar la quema de calorías. Se dice que elimina las ansias y actúa como inhibidor del apetito. Se sabe que la lecitina que contiene el polen de abeja disuelve y elimina la grasa del cuerpo. El polen de abeja promete mucho y, según nuestra investigación, tenemos razones para creer que cumple.

Si está interesado en probarlo, comience con sólo unos pocos gránulos durante los primeros dos o tres días, para asegurarse de que no tiene alergia al mismo. Si no tiene reacción alérgica, tome una cuarto de cucharadita por algunos días. Gradualmente vaya aumentando hasta llegar a una cucharadita o más al día. Algunas personas obtienen resultados con sólo una cucharadita al día; otros necesitan ir aumentando hasta llegar a una cucharada al día.

Aromaterapia

Según el doctor Alan R. Hirsch, MD, neurólogo, psiquiatra, fundador y director neurológico de la Smell & Taste Treatment and Research Foundation (*www.smellandtaste.org*) en Chicago: "Cuanto más fuerte sea el sabor de la comida, mayor será la probabilidad de satisfacer y reducir su hambre. El olor de una abundante ensalada griega con una vinagreta condimentada, un queso fuerte y algunas anchoas harán maravillas para disminuir el apetito de apuro".

Los descubrimientos del Dr. Hirsch se basan en una investigación exhaustiva. Aconseja a quienes hacen dieta a "oler el aroma de cada bocado de comida rápidamente, cinco veces antes de comerlo. Oler rápidamente envía mensajes al cerebro para que disminuya el hambre y trabaje para satisfacer el apetito sin calorías. Elija alimentos calientes. El calor y el vapor de la comida envían más rápido las moléculas que producen el sabor por la parte de atrás de la garganta hacia el centro de saciedad del cerebro".

El Dr. Hirsch afirma: "No consuma refrigerios entre las comidas. ¡Huela los aromas! Mantenga una barra de chocolate en su escritorio en el trabajo. Cuando tenga ganas de comer chocolate, huela la barra. El aroma de la comida puede engañar al cuerpo y hacerlo pensar que ya ha comido".

Un consejo más del Dr. Hirsch: "Cuando beba algo, haga burbujas en la bebida con una pajilla (popote, 'straw') antes de beber. Al hacerlo, los aromas del líquido emanan hacia los conductos nasales para satisfacer el hambre".

Para información acerca de investigación sobre aromaterapia, trastornos del olfato y el gusto, y el programa del Dr. Hirsch para bajar de peso, visite su sitio web en *www.trysensa.com* o llame al 866-514-2554.

Terapia con gemas

➤ **Amatista.** Si la adicción a la comida es un problema para usted, podría considerar la amatista ("amethyst"), la piedra indicada para tratar el comportamiento adictivo, el abuso de sustancias y cualquier dependencia.

Si usa la comida como una técnica de evasión o un escape, la cornalina ("carnelian") podría ser la piedra acertada. Se afirma que ayuda a enfocarse en el presente. Cuando está "aquí ahora", es probable que no quiera usar la comida como un escape. Así que, use o lleve una amatista o una cornalina como ayuda para controlar un problema de peso excesivo.

Motivadores

➤ **El estímulo de la recompensa.** Si le gustan mucho las joyas, comience una pulsera de dijes ("charm bracelet") y cada cinco libras (dos kilos) que baje de peso, regálese un dije para la pulsera. Usar la pulsera será un recordatorio constante de lo bien que le ha ido.

➤ **Bésame, bésame mucho.** Dele un beso a su pareja… un beso realmente apasionado. Quema 6,4 calorías por minuto. Diez besos al día y estamos hablando de unas 23.000 calorías, u ocho libras (3,5 kilos) al año… por no decir nada sobre lo que logrará en su relación.

➤ **Deshágase de lo viejo.** Una vez que haya bajado de peso –digamos, una o dos tallas– y tenga el placer de comprar ropa que le quede bien y se vea magnífica, deshágase de la ropa que ahora es muy grande para usted. Ya sabe de qué estamos hablando –las prendas desaliñadas que no dejan que se aprecie su nueva figura que desea mostrar. Dónelas a una tienda de segunda mano en vez de guardarlas para que ocupen espacio. No tenga la tentación de volverlas a usar… nunca. Es un incentivo para no subir de peso, sabiendo que no tendrá nada que usar si recupera el peso que ha perdido.

Sitio web con ayuda gratis para su régimen

Recomendamos sumamente la guía gratuita para bajar de peso ("Weight Loss Guide") en *www.freedieting.com*. Este sitio web tiene planes para dietas, planes de acondicionamiento físico, métodos no alimentarios para bajar de peso y calculaciones de todo tipo (tales como, peso corporal ideal, consumo de calorías ideal, cuántas calorías debería consumir para bajar de peso y más), todos basados en las estadísticas personales suyas (edad, peso, estatura, sexo, nivel de ejercicio, etc.). Este sitio le dirá cómo calcular calorías diarias que usted necesita, y además le dirá cuáles carbohidratos son buenas opciones y cómo perder grasa en determinadas partes del cuerpo.

¿Quiere saber cuántas calorías hay en sus alimentos preferidos? Este sitio también ofrece esta información, junto al conteo de carbohidratos, proteínas y grasa.

Recomendamos este sitio porque usted puede obtener varios días en planes de comidas para las dietas más populares (South Beach, Sonoma, 5 Factors, NutriSystem) y planes gratis de comidas según el consumo de calorías (1.200 calorías, 1.350 calorías, 1.400 calorías, etc.). Toda esta información puede ayudarlo a hallar el plan de alimentación que le dé mejores resultados.

Lectura recomendada

Aunque estos consejos, trucos y tácticas son excelentes para usar en su travesía para perder peso, también necesita un plan de alimentación que seguir… uno que mejor se adapte a su estilo de vida y sea compatible con sus preferencias de comidas y restricciones de su dieta. Una manera de hallar el régimen de comidas más conveniente de acuerdo a su estilo de vida es yendo a una biblioteca (en persona o por Internet) y fijarse en la sección "Health and Fitness" (salud y acondicionamiento físico) para investigar una variada selección de libros sobre dietas. Hay algo para todos. Sea paciente y diligente y es seguro que encontrará el plan de alimentación adecuado para usted.

Para comenzar su investigación, aquí le presentamos libros que contienen planes de alimentación factibles y saludables; un libro con información valiosa que debería estar en la biblioteca de consulta en todo hogar, y un libro divertido con recetas fáciles, sabrosas y de pocas calorías.

➤ ***The Stubborn Fat Fix–Eat Right to Lose Weight and Cure Metabolic Burnout Without Hunger or Exercise*** de Keith Berkowitz, MD, y Valerie Berkowitz, MS, RD* (Rodale). ¡Este libro le dirá cómo perder 30 libras (13 kilos) en tres semanas y no volver a recuperarlas de por vida!

➤ ***The Perfect 10 Diet–10 Key Hormones That Hold the Secret to Losing Weight and Feeling Great–Fast!*** de Michael Aziz, MD (Cumberland House). Esta innovadora solución para la dieta lo ayudará a bajar hasta 14 libras (6 kilos) en 21 días.

➤ ***Nutrition at Your Fingertips*** de Elisa Zied, MS, RD, CDN* (Alpha). Con miles de suplementos para elegir, esta autora altamente acreditada ofrece una guía de los últimos descubrimientos en nutrición, incluyendo explicaciones detalladas de vitaminas y minerales, información sobre grasas, carbohidratos, fibra y proteínas, junto a una evaluación y control del peso saludable, planificación de comidas y estrategias para combatir las enfermedades mediante la nutrición.

➤ ***Hungry Girl–200 Recipes Under 200 Calories*** de Lisa Lillien (St. Martin's Griffin). Lisa es fundadora de Hungry Girl, y más de medio millón de fanáticos reciben su boletín electrónico diario lleno de recetas libres de culpa, alimentos y reseñas de productos, noticias sobre dietas y mucho más. Vea de qué se trata visitando el sitio web *www.hungry-girl.com*.

➤ ***The One-Day Way–Today Is All the Time You Need to Lose All the Weight You Want*** de Chantel Hobbs (WaterBrook Press).

VISUALIZACIÓN/AFIRMACIÓN

Éste no es un típico proceso de visualización. Se asemeja más a una tarea de trabajos manuales. Halle una foto de usted –de ser posible, una de usted sonriendo. Luego mire revistas y halle una silueta que le gustaría tener y que esté en proporción con la foto de usted. Ponga la foto de su cabeza en ese cuerpo, y colóquela donde la vea frecuentemente –en el refrigerador, en su escritorio, en el baño, al lado del televisor.

Cuando se aleje de la foto, repita esta afirmación una y otra vez, mientras visualiza la foto de usted que acaba de ver…

Soy una persona especial. Me quiero y estoy creando la vida que deseo.

---

*MS = Máster en Ciencias; RD = Dietista Registrada; CDN = Dietista-Nutricionista Certificada.

Consejos de los sabios...

¿Cuál es su peso ideal?

Para estimar su peso corporal ideal, utilice esta fórmula sencilla. Para las mujeres, comience con 100 libras por sus primeros cinco pies (60 pulgadas) de estatura. Los hombres deben comenzar con 106 libras por sus primeros cinco pies de estatura. Por cada pulgada adicional, agregue cinco libras para calcular su peso ideal.

Ejemplos: Si es una mujer de 5' 4", su peso ideal sería: 100 libras + (4 pulgadas × 5 libras) = 120 libras. Si es un hombre de 5' 7", su peso ideal sería: 106 libras + (7 pulgadas × 5 libras) = 141 libras.

Si prefiere estimar en kilos, las mujeres deben comenzar con 45,5 kilos y los hombres con 50 kilos por sus primeros cinco pies (1,52 metros) de estatura. Ambos deben agregar 2,3 kilos por cada pulgada (2,5 cm) adicional de estatura.

Importante: El consumo diario de calorías necesario para mantener su peso ideal depende de su edad, sexo y nivel de actividad física. Inserte esta información en el sitio web "Daily Food Plan" (*www.choosemyplate.gov/SuperTracker/myplan.aspx*) del departamento de agricultura de Estados Unidos (USDA) para obtener una estimación del número diario de calorías a consumir. Asegúrese de ajustar su consumo de calorías si pierde o aumenta de peso.

Barbara Rolls, PhD, decana Helen A. Guthrie y profesora del departamento de ciencias nutricionales de la Universidad Pennsylvania State, en University Park.

Ejercicios

¡Hágalos ya! Usted sabe que debería hacerlos. Sabe que es importante hacerlos. Sabe que lo ayudarán a bajar de peso y estar más saludable. *Aquí tiene unas formas de engañarse y hacer que casi parezca que no está haciendo ejercicios...*

➤ **Caminar.** Sí, el ejercicio quema calorías. Una caminata de 45 minutos a un buen ritmo quema 300 calorías. Hágala todos los días y podrá perder 18 libras (8 kilos) en un año. (Consulte "Caminata con bastones" en el capítulo "Le hace bien al cuerpo", página 265).

➤ **Al mirar televisión.** Cada vez que haya un corte comercial en la televisión, póngase de pie, estírese y haga ejercicios, incluso si se trata sólo de bailar al ritmo de la música de los anuncios. Esto sirve para varios fines –hace que la circulación mejore, quema unas calorías y, lo más importante, ¡lo mantiene a usted fuera de la cocina!

No se quede pegado al sofá mirando televisión. Consiga una bicicleta recumbente ("recumbent bicycle") y siéntese en el sofá (o una silla) y pedalee mientras mira sus programas preferidos.

➤ **Muévase antes de comer.** Algunos expertos en acondicionamiento físico creen que hacer ejercicios justo antes de comer acelera el metabolismo y éste permanece acelerado por cierto tiempo, ayudándolo a metabolizar su comida más rápido y más eficazmente. Además, el ejercicio ayuda a limpiar su organismo al estimular la eliminación de residuos.

➤ **La inquietud es buena.** ¿Sabía usted que tamborilear con los dedos, dar palmaditas con el pie, contonearse en el asiento y otras formas de la inquietud pueden quemar calorías en grandes cantidades? En un periodo de 24 horas, las personas inquietas que se sometieron a una prueba quemaron hasta 800 calorías, en comparación con las personas que no eran inquietas, quienes quemaron sólo 100 calorías por "actividad física espontánea" durante el mismo periodo.

Consejos de los sabios...

Enamórese del ejercicio... incluso si lo ha odiado toda su vida

Algunas personas parecen adorar el ejercicio. Se ven en el gimnasio o corriendo por el barrio –sudando, sonriendo, aparentemente en buen estado físico. Pero si usted preferiría zambullirse en un caldero de aceite hirviendo en vez de hacer ejercicios en forma habitual, probablemente se pregunte cómo es posible que otras personas pueden disfrutar del ejercicio... y desearía que usted también lo disfrutara.

Realidad: Puede aprender a adorar el ejercicio. Varios cambios sencillos en el comportamiento pueden, en siete semanas, resultar en un cambio importante en su opinión de la actividad física.

Semana uno

➤ **Primero, no haga nada.** El principal obstáculo para hacer ejercicios es la falta de tiempo. Para superar esto, comprométase a una *fase de predecisión* de una semana. Usted en realidad todavía no tiene que hacer ejercicios –el objetivo es comprobar que su horario puede incluir tres espacios de 30 minutos para hacer ejercicios por semana. ¿Cómo hacerlo? Levántese media hora más temprano de lo usual, digamos, el martes, jueves y sábado... o dedique 30 minutos después del trabajo el lunes, miércoles y viernes. Durante estos momentos, no llame por teléfono, no revise el correo electrónico, no pague cuentas ni arregle el desorden. En su lugar, simplemente relájese e imagínese haciendo diferentes tipos de actividad física. *Mientras fantasea...*

➤ **Abra la mente.** Basta de prejuicios. Quizá aprendió a odiar el ejercicio en su clase de gimnasia de la escuela secundaria cuando lo elegían por último para jugar al vóleibol o resoplaba alrededor de la pista en ropa de gimnasia que no le quedaba bien. Eso es entendible –pero no tiene que dejar que lo desagradable del pasado estropee sus posibilidades ahora. En su lugar, trate de recordar lo que *sí* disfrutó siendo joven, como andar en bicicleta, saltar a la cuerda o jugar al softball. O imagínese haciendo algo totalmente nuevo –por ejemplo, una clase de taichí o un ejercicio de acondicionamiento en un videojuego de Nintendo Wii. Note cómo se sienta al pensar en cada opción. Cuando una actividad imaginada lo entusiasme, anótela en una lista.

Semanas dos y tres

➤ **Comience a moverse.** Durante las siguientes dos semanas, siga manteniendo sus periodos de media hora tres veces a la semana, pero en vez de simplemente visualizar el ejercicio, haga un poco. No se exija demasiado –si se promete "ir al gimnasio por dos horas" o "correr una carrera de 10 kilómetros", se sentirá dolorido e incómodo y querrá abandonar. En su lugar, tómelo con calma. Dé un paseo... intente hacer algunos estiramientos... chapotee en una piscina.

Importante: Durante esta fase, no busque resultados. No se pese, no se mida partes del cuerpo ni se preocupe de que un ejercicio sea suficientemente intenso. Su objetivo ahora es simplemente eliminar las dudas.

Semanas cuatro a seis

➤ **Experimente.** Ahora dedique algunas semanas a probar todas las fascinantes actividades en la lista que hizo previamente. Dé una caminata por el bosque, vaya a patinar sobre el hielo, alquile un video de ejercicios aeróbicos, pruebe la clase de Pilates en el club de un amigo.

Útil: Muchos gimnasios y centros recreativos permiten que invitados paguen por visita o compren un pase por una semana en vez de comprometerse de inmediato a (y pagar) un año de afiliación. *Mientras experimenta...*

➤ **Identifique actividades preferidas.** Anote lo que lo entretiene y lo que no, buscando patrones. ¿Prefiere hacer ejercicios en casa, o se siente inspirado por la disciplina de ir a un gimnasio? ¿Le gusta hacer ejercicio solo o con otros? ¿Adentro o afuera? Considere maneras de mejorar su placer –por ejemplo, escuchando un reproductor portátil de música mientras camina, mirando una película mientras usa el Stairmaster o comprando ropa nueva de gimnasia. En unas pocas semanas sabrá lo que le gusta y lo que no le gusta.

Semana siete en adelante

➤ **Haga el compromiso.** Ahora que ha encontrado algunas actividades que disfruta, es hora de elegir un número mínimo de ejercicios que hará por semana –quizá dos o tres– y comprométase a nunca hacer menos. Siempre que sea posible, haga más de este mínimo. Incluso cuando esté de viaje, puede encontrar tiempo para una caminata de media hora o hacer algunas posturas de yoga en la habitación del hotel.

➤ **Aprecie su progreso.** A medida que su hábito de hacer ejercicios se convierte en una costumbre, note todos los cambios positivos que le brinda. Se siente con más energía y menos estresado. Duerme más profundamente. Su ropa le queda mejor, su peso es más fácil de controlar y su postura es más recta. Los músculos son más fuertes, y las actividades cotidianas son más fáciles. Se siente orgulloso de sí mismo y con más control sobre su salud. Deje que estos beneficios le sirvan de recordatorios de las muchas razones por las que a usted ahora le encanta hacer ejercicio.

Nuevas maneras de hacer ejercicios

Para mantener sus sesiones de ejercicios divertidas y frescas, intente algunas actividades que nunca antes ha hecho. *Opciones a considerar...*

➤ **Ejercicios abdominales.** Los músculos en el centro del torso, que lo mantienen en equilibrio y sostienen la columna vertebral, pueden fortalecerse usando artículos deportivos diseñados con ese fin.

Ejemplos: Bosu es una semiesfera inflada que pone a prueba los músculos del torso al pararse usted sobre la misma... La *pesa rusa* ("kettlebell") es una bola de hierro con peso y con un asa para agarrar al hacer varios giros, lanzamientos y otros movimientos. Artículos como estos usualmente se encuentran disponibles en gimnasios. *Mejor*: Pida a un entrenador que lo ayude a desarrollar un programa usando el aparato.

➤ **Spinning (ciclismo bajo techo).** Este ejercicio en una bicicleta estacionaria, guiado por un instructor, usualmente se realiza con música que sigue el ritmo del pedaleo.

➤ **Videojuegos.** Puede hacer esto en casa usando una consola de juegos y su televisor. Con *Dance Dance Revolution*, se para sobre una colchoneta ("mat") especial y mueve los pies al ritmo de la música, siguiendo las indicaciones visuales para realizar una serie de pasos específicos. En *Wii Fit*, se para sobre una tabla ("balance board") y recibe comentarios sobre su técnica mientras hace yoga, ejercicios de fortalecimiento, ejercicios aeróbicos y juegos de equilibrio.

➤ **Zumba.** Esta fusión de ritmos latinos y movimientos de danza fáciles de seguir crea una sesión de ejercicios divertidos. Para encontrar clases en su zona, visite *www.zumba.com*.

Mark Stibich, PhD, miembro adjunto de la facultad de medicina de la Universidad de California en San Diego, y experto en ciencias del comportamiento que escribe acerca de la longevidad en el sitio web de The New York Times *www.about.com*. Es socio fundador de Vitality Skills, una empresa basada en Houston que trabaja con corporaciones e individuos para establecer hábitos que promueven la buena salud, la felicidad y el éxito (*www.vitalityskills.com*).

PICADURAS DE INSECTOS Y MORDEDURAS DE SERPIENTES

Insectos

Picaduras de abejas y avispas

➤ **Estrategias contra los aguijones.** Si el aguijón permanece en la piel, no lo saque con pinzas. Las pinzas exprimirán el veneno del aguijón dentro de su cuerpo. Simplemente saque el aguijón dándole palmaditas con los dedos, o sáquelo raspando con un cuchillo o una tarjeta de crédito.

➤ **Tratamiento para los aguijones.** Es posible que sea picado afuera de casa y no tenga los ingredientes para algunos de estos remedios. Trate la picadura con lo que tenga disponible. *Éstas son algunas sugerencias...*

- **Corte un cigarrillo a lo largo,** humedezca el tabaco y apriételo sobre la picadura.
- **Mezcle una cucharada de bicarbonato de soda ("baking soda") con suficiente agua para hacer una pasta,** y póngala sobre la picadura.
- **¿Conoce las propiedades curativas del ablandador de carne ("meat tenderizer") sobre las picaduras? Pues, ahora las conocerá.** La *papaína* es la enzima en el ablandador de carne que descompone la proteína del veneno de la abeja. La mezcla general es una parte de ablandador y cuatro partes de agua, aplicada a la zona de la picadura. Algunas personas humedecen la zona y espolvorean el ablandador. Con ambos métodos, no lo deje puesto por más de media hora porque puede comenzar a irritar la piel.
- **Frote con vinagre de sidra de manzana ("apple cider vinegar").**
- **Ponga una rodaja de cebolla cruda o un diente de ajo pelado y cortado en rebanadas sobre la picadura,** envuelva una venda ("bandage") alrededor de la misma y déjela en el lugar por al menos dos horas.
- **Empape una bolita de algodón con varias gotas de uno de estos aceites** –aceite de ricino ("castor oil"), aceite de canela ("cinnamon oil"), aceite de vitamina E o aceite de germen de trigo ("wheat germ oil")– y aplique directamente sobre la picadura. Debería detener el dolor y contener la hinchazón.
- **Ponga una bolsa de hielo ("ice pack") sobre la picadura** si ya está hinchada.

Mosquitos

➤ **Seguimiento de mosquitos en su zona.** El canal Weather Channel tiene un pronóstico de actividad de mosquitos. Visite *www.weather.com/activities/homeandgarden/home/mosquito,* y vaya a "Don't let mosquitoes make a meal out of you" (No permita que los mosquitos lo usen como comida), escriba su ciudad o código postal y haga clic en "GO". Aparecerá una gráfica con el pronóstico de la actividad local de mosquitos, que va de *muy alta* a *ninguna*, para las siguientes 24 horas.

➤ **Prevención de la comezón de las picaduras de mosquito.** Usted tiene unos tres minutos después de haber sido picado para neutralizar el elemento que hay en la saliva del mosquito que causa la comezón. ¡Rápido! –busque el bicarbonato de soda ("baking soda"). Eche un poco en la palma de la mano y haga una pasta agregando algo de agua. Luego úntela sobre la picadura. ¡Se acabó el tiempo! ¿Aún está buscando el bicarbonato? Póngalo donde esté a mano para cuando lo necesite.

Repelentes de insectos

➤ **Repelentes de mosquitos y moscas.** Estos repelentes deberían ayudar a mantener los mosquitos y otras plagas voladoras lejos de usted...

• **Ajo** –consuma mucho ajo crudo, tome píldoras de ajo o frote ajo sobre las zonas expuestas.

ADVERTENCIA: Consumir ajo con el estómago vacío puede causar náuseas. Siempre consuma algo antes de consumir ajo o tomar cápsulas. Además, tenga cuidado con el ajo si padece gastritis.

• **Cebollas** –coma una o dos cebollas crudas diariamente y ningún mosquito se atreverá a acercársele.

• **Perejil ("parsley")** –frote ramitas de perejil sobre sus áreas expuestas.

• **Vinagre de sidra de manzana ("apple cider vinegar")** –frótelo o rocíelo sobre la piel expuesta.

• **No consuma azúcar ni beba alcohol** y los mosquitos no lo molestarán.

• **Levadura de cerveza ("brewer's yeast")** –tome dos cucharadas diariamente con sus comidas para prevenir ser la comida de los mosquitos.

• **Para preparar un extremadamente eficaz repelente de insectos,** mezcle una parte de esencia de geranio ("geranium oil") con 10 partes de aceite de soja ("soybean oil") y guárdelo en una botella. Si sospecha que podría tener sensibilidad al aceite de soja, haga la prueba con un par de gotas sobre el brazo. ¿No tiene reacción? Bien. Cuando vaya a una zona infestada de insectos, frote la solución aceitosa sobre toda la piel expuesta, evitando los ojos, la nariz y la boca. Mientras esté afuera, vuelva a aplicar cada dos horas.

Una vez que esté adentro para pasar la noche, quite la esencia de geranio de la piel enjuagando con jabón y agua caliente para prevenir que la esencia manche su ropa de cama.

Los siguientes repelentes deberían ayudarlo a mantener los mosquitos y otras plagas voladoras fuera de su hogar...

• **Se sabe que el aroma de la citronela ("citronella")** repela insectos. Puede rociar el extracto de aceite esencial (disponible en herboristerías y algunas tiendas de alimentos saludables) donde sea necesario. Otras esencias que son eficaces son eucalipto ("eucalyptus"), romero ("rosemary") y geranio ("geranium").

• **Cuelgue ramos de hojas de tomate secas** en cada habitación para repeler mosquitos. También da resultados con moscas y arañas.

• **En Europa abundan los maceteros de ventana.** No sólo se ven lindos, sino que mantienen alejadas a las moscas. Puede lograr lo mismo colocando una de estas plantas repelentes de insectos, las cuales son fáciles de cultivar, en las cornisas de sus ventanas, cerca de puertas y en patios o terrazas –albahaca ("basil"), tanaceto (atanasia, "tansy"), hinojo ("fennel") y geranio ("geranium").

➤ **Repelente de jejenes.** Si va a ir a una zona infestada de jejenes, protéjase aplicando una capa delgada de aceite para bebé ("baby oil") a las partes expuestas de su cuerpo .

➤ **Repelentes de hormigas.** Si tiene un problema con las hormigas, haga una limpieza completa de las áreas que frecuentan y luego use uno o más de estos antídotos...

• **Hojas de laurel ("bay leaves") secas** – buenas para armarios en la cocina. Las hojas de laurel pierden su eficacia después de alrededor de un año.

• **Poso de café ("coffee grounds")** –bueno para puertas y ventanas.

• **Vaselina ("petroleum jelly")** –llene las grietas de las paredes o alrededor del lavabo.

• **Hojas de menta ("mint")** –plántelas cerca de las entradas, ventanas y terrazas.

• **Pimienta de cayena ("cayenne pepper")** –buena en armarios o encimeras.

• **Jugo fresco de limón** –con un cuentagotas, eche gotas del jugo en las grietas del piso, los alféizares de las ventanas y las jambas de las puertas.

• **Clavos de olor ("cloves") enteros** – póngalos a modo de cuñas en las esquinas de los armarios, cajones o por donde sea que las hormigas estén entrando a su casa.

➤ **Repelente de avispas.** Cuando haga un picnic afuera y no quiera que aparezca ningún huésped inesperado, vierta vinagre de sidra de manzana ("apple cider vinegar") en un par de platillos y póngalos alrededor de su área de picnic.

➤ **Repelente de la garrapata infectada con la enfermedad de Lyme.** Los crisantemos atraen las garrapatas ("ticks") que causan la enfermedad de Lyme y contienen una sustancia que luego las mata. Ésta es una información interesante que, por desgracia, no lo ayudará cuando esté retozando en el parque. En otras palabras, aun si agarra un ramo de crisantemos, igualmente debe meter sus pantalones dentro de sus medias (calcetines) para protegerse de estos pequeños sabandijas.

➤ **Repelentes de polillas ("moth repellents").** Cuando esté listo para guardar su ropa de lana invernal, vaya a una herboristería para comprar lavanda ("lavender") seca o astillas de cedro ("cedar chips"). Repelerán polillas tan eficazmente como las bolas de alcanfor ("camphor mothballs"), pero con una fragancia mucho más placentera.

➤ **Repelente de los gusanos de los alimentos secos.** Cuando los alimentos secos como los cereales, frijoles (habas, habichuelas, etc.) y la harina se almacenan en los armarios de su cocina por cierto tiempo, en particular en clima cálido, quizá encuentre algunas proteínas agregadas por las que no pagó... y que no quiere. Prevenga que gusanos, gorgojos, escarabajos y otros animalejos invadan sus provisiones poniendo un par de hojas secas de laurel ("bay leaves") en cada caja o saco de alimentos secos. Si es posible, mantenga la bolsa de harina en el refrigerador.

Mayor información: Para mayor información acerca de pesticidas y la manera más segura de deshacerse de insectos, incluyendo el cuidado de tierras sin pesticidas tóxicos, póngase en contacto con la National Coalition Against the Misuse of Pesticides, llamando al 202-543-5450 o yendo al sitio web *www.beyondpesticides.org/.*

Mordeduras de serpientes

Una mordedura de serpiente es grave y esperemos que nunca le suceda a usted. Pero si va a acampar a una zona desierta infestada de serpientes, debería saber acerca del carbón activado ("activated charcoal") y siempre llevarlo con usted, por si pierde su kit para mordeduras de serpientes.

Si le muerde una serpiente, ¡vaya a un médico de inmediato! Hasta que reciba atención médica profesional, comience el tratamiento rápidamente, antes de que empiece la hinchazón. Abra varias cápsulas de carbón activado, reúna los contenidos y agregue suficiente agua para que tenga la consistencia de una pasta homogénea. Aplique la pasta directamente sobre la mordedura, y luego unte el resto alrededor de esa área de la piel. Tan pronto como haya hecho esto, trague 10 cápsulas de carbón activado.

Lleve la cuenta del tiempo. Diez minutos después de la primera aplicación de carbón activado en polvo, quítelo raspando y ponga otra capa de la pasta de carbón activado.

El carbón activado en la mordedura debería ayudar a extraer y absorber el veneno de la serpiente. Si el veneno llega a su organismo, las cápsulas de carbón activado pueden absorberlo en el tubo gastrointestinal.

Si la zona de la mordedura comienza a hincharse y el dolor aumenta, aplique una bolsa de hielo (de ser posible) y siga tomando las píldoras de carbón activado hasta que reciba atención médica profesional. ¡Apúrese!

PIEL: CÓMO CUIDARLA

No necesita gastar cientos de dólares en un régimen de cuidado de la piel. Fíjese en estos tratamientos completamente naturales que son igualmente eficaces, pero cuestan mucho menos...

Limpieza de cutis

A continuación hay tratamientos para la limpieza del cutis que limpian profundamente, nutren, tonifican y afirman la piel, además de estimular la circulación. Pruebe los distintos tipos, halle el que más le atraiga –considerando su tipo de piel– y, con una cara y un cuello limpios, ¡empiece ya!

➤ **Limpieza para la piel normal.**

- **Cuando sea la época de los melones "honeydew", machaque la pulpa** del melón y úntela sobre la cara y el cuello. Después de 20 minutos, enjuague con agua fría y seque dando palmaditas.

- **Combine dos cucharadas de crema de leche dietética ("light cream") o yogur de sabor natural ("plain yogurt")** y una cucharadita de miel sin procesar ("raw honey"). Úntela sobre la cara con un movimiento hacia arriba y afuera. Después de 15 minutos, enjuague con agua tibia y séquese dándose palmaditas.

➤ **Limpieza de cutis para la piel sensible.** Mezcle una cucharada de crema agria ("sour cream") con una cucharada de harina de germen de trigo ("wheat germ flour"), hasta que tenga una consistencia cremosa. Úntela sobre la cara y el cuello y relájese así por 20 minutos. Luego enjuague con agua tibia y séquese dándose palmaditas. Hágalo al menos una vez a la semana.

➤ **Limpieza de cutis para la piel seca.** La actriz y experta en belleza Arlene Dahl compartió su máscara facial preferida con nosotras.

Bata dos yemas de huevos y aplíquelas a la cara, frente y cuello limpios, evitando cuidadosamente la zona sensible alrededor de los ojos. Déjelas por 20 minutos mientras se relaja sobre un tablero inclinado, con los pies a alrededor de 30 grados por encima de la cabeza. Si no tiene un tablero inclinado, improvise. Acuéstese sobre la cama con almohadas bajo los pies. No hable mientras se esté relajando –la yema de los huevos puede desintegrarse sobre la cara y eso no le conviene.

Al pasar 20 minutos, lávese suavemente la cara con agua tibia y séquese dándose palmaditas. Debería sentirse muy bien con la piel firme y tonificada. Hágalo al menos una vez a la semana.

Conocimos a Arlene Dahl hace años en un estudio de televisión. Las luces eran muy brillantes y estábamos paradas junto a ella. No sólo era ella elegante y adorable, sino que esta mujer mayor era realmente hermosa y tenía una piel sin defectos. No sabemos lo que hará usted, pero nosotras ya estamos sacando las yemas de los huevos.

➤ **Limpieza de cutis para la piel grasosa.** Utilice el mismo procedimiento que para la piel seca (más arriba), pero use claras de huevo en lugar de yemas.

Por cierto, la Srta. Dahl nos dijo que estas dos limpiezas de cutis fueron usadas por Cleopatra. Igual que la mayoría de las mujeres en diferentes etapas de sus vidas, la piel de Cleopatra debe haber cambiado de grasosa a seca.

Más sobre el cuidado de la piel

➤ **Eliminadores de la piel muerta.**

• **Abrasivo.** Una vez por semana, quite las partículas de piel muerta con una pasta abrasiva. Mezcle un cuarto de taza de harina de maíz molida por piedra ("stone-ground cornmeal") con suficiente agua para hacer una pasta espesa. Con un movimiento hacia arriba y afuera, restriegue suavemente la cara (o cualquier zona cuya piel muerta necesite ser eliminada) con la harina de maíz. Luego enjuáguese con agua tibia y séquese con el mismo movimiento hacia arriba y afuera.

• **Enzimas.** Sumerja almohadillas de algodón ("cotton pads") en jugo fresco de piña (ananá, "pineapple") y póngalas sobre la cara. Déjelas ahí por 15 minutos, y luego enjuáguese con agua tibia. Para que esto sea un eliminador de piel muerta extremadamente eficaz, debe usar jugo fresco de piña debido a sus enzimas.

• **Limpiador de maquillaje.** El aceite de ajonjolí (sésamo, "sesame") o el de almendras ("almonds") en una bolita de algodón ("cotton ball") removerán a fondo el maquillaje, incluyendo el rímel a prueba de agua. .

➤ **Humectantes.** Los humectantes no nutrirán la piel con humedad –cubren la piel con una delgada película que mantiene la humedad de la piel. Use un humectante después de limpiarse. *Pruebe los siguientes humectantes totalmente naturales...*

• **Aceite.** Usando un rociador para plantas ("plant mister"), aplique sobre la cara bastante agua mineral o agua destilada. Luego aplique dándose palmaditas una delgada capa de aceite de ajonjolí (sésamo, "sesame") o girasol ("sunflower"). El aceite debería prevenir que el agua desaparezca rápidamente y su hambrienta piel seca absorberá la humedad durante horas. Puede agregar algunas gotas de perfume suave al aceite.

• **Uvas.** El experto en belleza Paul Neinast del Neinast Salon en Dallas (*www.neinastsalon.com*) recomienda uvas verdes Thompson sin semillas como humectante. Corte cada uva a la mitad y suavemente aplástelas sobre la cara y el cuello. Asegúrese de dejar que el jugo de la uva llegue a las comisuras de los labios y alrededor de los ojos. Según Paul, es muy bueno para deshacerse de las patas de gallo y las diminutas hendiduras alrededor de los bordes de la boca.

Déjelas por unos 20 minutos y luego enjuague con agua tibia y séquese dándose palmaditas.

➤ **Limpiador de poros y afirmador de la piel.** Paul Neinast también recomienda usar uvas como champán. Dese un remojón de la piel con champán –como un hombre se remoja con una loción después de afeitarse– para cerrar los poros y afirmar la piel floja y levemente caída, especialmente bajo los ojos y alrededor de la garganta.

➤ **Refrescante para la piel seca y envejecida.** Pele un melocotón (durazno, "peach"), quítele el carozo, y luego aplaste la pulpa. Aplíquelo a la cara y al cuello recién lavados. (Es bueno para las manos también). Déjelo por 20 minutos, luego enjuáguese con agua fría. Debería restablecer el equilibrio ácido y regenerar el tejido de la piel seca y envejecida.

➤ **Buenas noticias para la piel saludable.** Los antioxidantes llamados *flavonoles* pueden suavizar la piel y disminuir su sensibilidad al sol. Aquí vienen las buenas noticias: El chocolate oscuro, con al menos un 70% de contenido de cacao ("cocoa"), tiene esos importantísimos flavonoles que ayudan con el flujo de sangre a la piel, haciendo que la misma luzca más hidratada. Si piensa comer chocolate oscuro, limítese a una o dos onzas (30 a 60 g) al día, y asegúrese de que el chocolate tenga al menos un 70% de contenido de cacao.

➤ **Perfección de la complexión.** ¡Considere el zinc! Consuma alimentos ricos en zinc –cereales integrales, semillas de girasol ("sunflower"), semillas de calabaza "pumpkin" (obténgalas sin cáscara y crudas en tiendas de alimentos saludables), frijoles (habas, habichuelas, etc.), espinaca, champiñones (hongos, setas, "mushrooms"), levadura de cerveza ("brewer's yeast"), y germen de trigo ("wheat germ"). También puede complementar su dieta con tabletas de zinc, pero hágalo con la orientación de un profesional de la salud –el uso prolongado de zinc puede causar una deficiencia de cobre.

➤ **Prevención de granitos ("pimples")... más o menos.** Cuando sienta o note que se está formando un grano, lo cual podría suceder hasta un mes antes de que realmente se forme, coloque un cubito de hielo sobre el sitio y manténgalo por tres a cinco minutos. Hágalo algunas veces durante el día hasta que no quede rastro del grano.

➤ **Limpiador de imperfecciones.** Agregue dos cucharadas de manzanilla ("chamomile", disponible en tiendas de alimentos saludables) a una olla de agua. Haga hervir y luego saque del fuego. Tome una toalla grande, póngala sobre la cabeza y coloque la cabeza sobre la olla que emite vapor. Tenga cuidado. No se acerque demasiado a la olla caliente... sólo lo suficientemente cerca para que el vapor de la hierba limpie bien sus poros por unos cinco minutos. Después de esto, deje que el aire seque la piel.

Arrugas

➤ **Protector para la piel.** Alrededor del 10% al 20% de las arrugas de una persona son el resultado del envejecimiento, expresiones faciales y fumar. El restante 80% a 90% de las líneas y arrugas son causadas por la exposición al sol. Mientras que puede (y debería) dejar de fumar, no puede dejar de envejecer ni eliminar sus expresiones faciales, pero sí puede bloquear la perniciosa radiación UVA y UVB del sol con un protector solar. Para ser eficaz, el protector solar debe usarse en forma adecuada. Consulte la página 223 para aprender "Lo que debe saber acerca de los protectores solares".

➤ **Afuera con las arrugas.** Se afirma que el aceite de almendras ("almond oil", que se vende en tiendas de alimentos saludables) suaviza las pequeñas líneas que hay alrededor de los ojos y la boca. Masajee suavemente con el aceite las áreas con problemas dos veces al día.

➤ **Prevención de arrugas.**

• **No se enamore de la almohada.** Dormir con la cara apretada contra la almohada causa arrugas. Acostúmbrese a dormir sobre la espalda o de costado con la cara fuera de la almohada. (Consulte "Algo especial –¡El poder de las almohadas!" en la sección "Cuello rígido o doloroso", página 53, para encontrar almohadas que pueden ayudarlo a acostumbrarse a dormir sobre la espalda o de costado).

• **Régimen facial.** Hágase limpiezas de cutis habituales para prevenir las arrugas. Mezcle cantidades iguales de yogur de sabor natural ("plain yogurt") y levadura de cerveza ("brewer's yeast") hasta que esté suave. Unte la mezcla sobre la cara y el cuello y déjela ahí por 20 minutos. Luego enjuague con agua tibia y séquese dándose palmaditas. Hágalo dos veces a la semana.

➤ **Quita arrugas.** Paul Neinast, del famoso Neinast Salon de Dallas, afirma que si sigue este tratamiento por la mañana y nuevamente por la noche, las arrugas deberían comenzar a desaparecer en pocas semanas y la piel podrá lucir años más joven...

• **En un bol de madera** (no debe ser de metal ni de plástico), ponga dos tajadas de limón. Caliente mezcla de leche y crema ("half-and-half") –suficiente como para cubrir las tajadas de limón–, de modo que esté un poco más caliente que templado. Si su piel es grasosa, use cuatro tajadas de limón. Si tiene la piel seca, use una tajada de limón y el doble de la mezcla de leche y crema.

Vierta sobre el limón la mezcla de leche y crema calentada, cubra el bol y deje reposar por tres horas. Luego cuele y masajee suavemente la cara y el cuello con el líquido, usando las yemas de los tres dedos del medio, con movimientos circulares hacia arriba y afuera. Deje que se seque sobre la piel –debería tardar unos 15 minutos– y luego quítelo con una toallita húmeda. Entonces aplique una delgada capa de aceite de oliva.

• **Para prepararse para el siguiente tratamiento,** préndase el cabello para que no estorbe y lávese la cara y el cuello con agua tibia. Luego, con los dedos, extienda una delgada capa de miel sin procesar ("raw honey") sobre la cara y el cuello. Déjela por 20 minutos, y luego enjuague con agua tibia y séquese dándose palmaditas.

La miel pura puede hacer maravillas por la piel –mejorar las imperfecciones, mantener la humedad, restaurar la piel maltratada por el clima y hacer desaparecer las arrugas.

➤ **Diga "no" a lo que arruina la piel.** Si no quiere profundas arrugas alrededor de los ojos y labios mucho antes de que la Madre Naturaleza quisiera que aparecieran, o si teme pensar en mirarse en un espejo y ver que la piel tiene una palidez gris amarillenta y la textura de cuero seco, entonces no permita que un solo cigarrillo toque los labios. Si ya es fumador, deténgase ahora mismo y pase a la sección "Cigarrillos: cómo abandonar el hábito", página 36, para recibir ayuda. En cuestión de semanas después de que deje ese hábito desagradable, la calidad de su complexión mejorará.

Ojeras e hinchazón bajo los ojos

Sólo puede culpar un poco a la genética. Las ojeras y la hinchazón son causadas mayormente por estrés, cafeína, alcohol, azúcar, harina blanca, alergias a alimentos y dormir muy poco.

Comience reduciendo la cafeína, el alcohol, el azúcar y la harina blanca de su dieta. *Y siga con las siguientes sugerencias...*

➤ **Cataplasma de papa.** Prepare una cataplasma ("poultice") grande o dos más pequeñas con una papa cruda rallada puesta en una estopilla ("cheesecloth") en capas. Con los ojos cerrados ponga la cataplasmas encima de los párpados y bajo los ojos. Déjelas por 20 minutos de relajación. Lávese con agua fría y séquese dándose palmaditas. ¡Zas! –desapareció la hinchazón.

➤ **Dormir.** Para aclarar las ojeras bajo los ojos, tiene que repetir el procedimiento anterior todos los días y dormir lo suficiente todas las noches. Según el Dr. Nicholas Perricone, autor de *The Perricone Promise* (Grand Central), "El poco dormir aumenta la producción de *cortisol,* el cual puede causar inflamación en todo el cuerpo, incluyendo alrededor de los ojos, y puede producir ojeras".

➤ **Desinflamador temporario de los ojos.** Humedezca dos bolsas de té verde y póngalas en el refrigerador por media hora. Ponga las bolsas enfriadas sobre los ojos por unos 10 minutos.

➤ **Ácido alfa-lipoico ("alpha lipoic acid").** Este poderoso antioxidante, disponible en las tiendas de vitaminas y de productos saludables, tiene fuertes propiedades desintoxicantes. Pregúntele a su nutricionista acerca de la dosis adecuada para usted, o siga la dosis sugerida en la etiqueta.

➤ **Ester-C.** Para estimular la producción de colágeno y engrosar la piel bajo los ojos, tome un suplemento de Ester-C. Ester-C no es ácido, es seguro para el estómago y contiene *metabolitos* de vitamina C natural. Éstos ayudan a que funcione de manera distinta que la vitamina C común, al mismo tiempo que siguen proporcionando los importantes beneficios de la vitamina C a su sistema inmune, las articulaciones, el corazón, los ojos y la piel.

Cuidado de los labios

Labios agrietados

¿Tiene labios agrietados incluso cuando no hace frío afuera? Como con todas las afecciones, averiguar la causa es la clave. *Vea si alguna de las siguientes se aplica a usted...*

- **Fumar** (una más de las innumerables razones para dejar de fumar).

- **Lamer con frecuencia los labios.** Puede darle algunos segundos de alivio, pero la saliva se evapora rápidamente y empeora la afección. Sea consciente de que lo hace y haga un verdadero esfuerzo por dejar de hacerlo.

- **¿Usa humectante labial o lápiz de labios que contengan *galato propílico* ("propyl gallate")** –una sustancia química que puede causar alergia de contacto? Llame a la empresa que fabrica el humectante labial y/o el lápiz de labios que usa y pida una lista de ingredientes o pregunte si el galato propílico es uno de los ingredientes. Desconfíe si no son muy comunicativos con la información.

Verifique también las sustancias químicas de todos sus productos cosméticos y para el cuidado de la piel. Considere cambiarlos por productos hipoalergénicos.

- **La deficiencia de vitaminas o el exceso de vitaminas puede causar labios agrietados dolorosos.** Pídale a su médico que examine sus niveles de vitaminas, prestando especial atención a las vitaminas A, B-1, B-2, B-6, B-12 y C y al hierro. Una vez que los resultados se hayan analizado, pídale a un nutricionista que lo ayude a planificar lo que volverá a poner su organismo en equilibrio.

- **La deshidratación es la causa de muchos casos de labios agrietados.** Hidrátese desde adentro hacia fuera. Haga un esfuerzo por beber varias onzas de agua cada pocas horas durante todo el día.

• **Algunos medicamentos, como los que se usan para tratar el acné, causan labios agrietados.** Consulte con un farmacéutico acerca de los efectos secundarios de sus medicamentos.

• **Respirar por la boca puede deshidratar los labios.**

• **La sensibilidad a los agentes saborizantes,** especialmente el colorante rojo que se encuentra en los caramelos, la goma de mascar y el enjuague bucal.

Remedios para los labios agrietados

Una vez que averigüe la causa y la elimine, los labios agrietados ya no le molestarán. Hasta que lo haga, aquí tiene remedios que pueden ayudar a mejorar la afección… temporalmente.

➤ **Aceite de mostaza.** El aceite de mostaza ("mustard oil"), disponible en tiendas de

ALGO ESPECIAL

Una crema mágica

Mientras está determinando la causa de la piel agrietada e intenta algunos de los remedios anteriores, probablemente necesite salir de casa y vivir su vida. También necesita proteger los labios, especialmente cuando el tiempo está frío.

Hemos descubierto que el bálsamo labial LaROCCA Shield Multi-Active Lip Balm nutre los labios al mismo tiempo que los protege, gracias a sus increíbles ingredientes…

• Se sabe que **el oro coloidal** ("colloidal gold") estimula la transferencia de electrones con los iones metálicos que se encuentran naturalmente en la piel, lo cual estimula el recambio de células. El oro coloidal también tiene propiedades antimicrobianas y antiinflamatorias.

• **La L-arginina** ("L-arginine") es un importante aminoácido que es esencial durante la síntesis de colágeno.

• **El extracto de mangostán** ("mangosteen extract") tiene propiedades antienvejecimiento, antioxidantes, antivirales, antibióticas, antifúngicas y antimicrobianas.

• **El camu camu** proporciona poderosas sustancias fitoquímicas que ayudan a fortalecer el sistema inmune, mantener saludables la piel, los ojos y las encías, y proteger contra los herpes.

• **El cha de burge** se usa para ayudar a matar virus.

• **El ácido hialurónico** ("hyaluronic acid") proporciona humedad a la piel.

• **El arraclán** (espino negro, "sea buckthorn") proporciona vitaminas (C, A, B-1, B-2, B-6, B-9, E, K, P, F) y minerales (calcio, magnesio, potasio, hierro).

• **El ácido alfa-lipoico** ("alpha lipoic acid") es un potente antioxidante que ayuda a prevenir las arrugas en la piel y otros daños del azúcar, incluyendo el envejecimiento acelerado.

• **Puede aplicar este bálsamo labial durante todo el día,** especialmente después de comer, antes de salir afuera y mientras esté al aire libre. Logra una gran diferencia –sus labios se sentirán mejor y lucirán mejor.

Mayor información: Visite LaROCCA Skin-care en *www.laroccaskincare.com* o llame al 818-748-6114.

comestibles de la India –sugerido para uso externo solamente– es aromático, suavizante para la piel y se usa principalmente en articulaciones agarrotadas y dolorosas.

Esta aplicación es un buen remedio tradicional que nos llegó por medio de una mujer que creció en Jammu, India, donde tienen inviernos fríos y ventosos y muchos labios agrietados. Sumerja una bolita de algodón en aceite de mostaza y colóquela en el ombligo. Manténgala en el lugar con cinta adhesiva ("tape"). Cambie la bolita de algodón diariamente (después de ducharse) y, en cinco días, los labios deberían estar sanos.

ADVERTENCIA: Si el ombligo se irrita, deje de usar el aceite de mostaza.

➤ **Pepino.** Pele y corte en tajadas un pepino ("cucumber"). Frótelo sobre los labios. Los pequeños pedazos de piel muerta deberían caerse y los labios sentirse menos agrietados.

➤ **Miel y aceite.** Aproveche el poder curativo y las propiedades antibacterianas de la miel untando una capa de la misma sobre los labios. Déjela ahí (aunque es tentador lamerla) por uno o dos minutos, y luego séllela con una capa ligera de aceite de coco. Si no tiene aceite de coco, use aceite de oliva. Manténgalo por unos 10 minutos, y luego límpiese los labios suavemente. Repita este procedimiento todos los días, y los labios deberían estar agradablemente suaves en una semana.

Cuidado de las manos

Manos agrietadas

Para evitar el resfriado o la gripe, se recomienda lavar constantemente las manos, especialmente cuando anda cerca de otras personas. Aunque esto es lo indicado, no se sorprenda si intercambia el resfriado por un par de manos agrietadas.

Sí, leyó correctamente –el agua reseca las manos. El jabón, a menos que sea muy suave y contenga crema para la piel ("cold cream"), hará que las manos queden más agrietadas más rápidamente.

➤ **Lo que debe y no debe hacer.**

• **Si va a un baño público donde tienen un secador de manos de aire caliente, no lo use,** ya que puede resecar las manos, y causar que se agrieten. Opte por toallas de papel o, si no hay, use papel higiénico.

ALGO ESPECIAL

¡Agarre y acarreo más fácil!

El asa EZcarry de agarre suave absorbe impactos y tensiones, a la vez que previene que las asas de las bolsas de compras corten las palmas de las manos.

Las asas de EZcarry, fabricadas principalmente para las manos de las mujeres, distribuyen el peso de sus sobrecargadas bolsas de compras –hasta 50 libras (22,5 kilos)– y simplemente hacen que sus bolsas del supermercado y otros paquetes sean más fáciles y más cómodos de llevar. Ponga el asa de EZcarry en las perchas de la tintorería, y evite el dolor causado por las perchas al clavarse en las manos.

El Dr. Jay Finkelman, un ergonomista acreditado por la junta médica ("board certified"), elogia su diseño ergonómico y usted también lo hará, después de usarlo.

Mayor información: Visite *www.theezcarry.com*. Haga clic en "Where to get it" para hallar una tienda en su zona que las venda, o llame al 888-427-7992.

• **Use siempre guantes de goma cuando lave la vajilla.**

• **Probablemente se lava las manos con mucha más frecuencia de lo que se imagina… por ejemplo, después de leer un periódico.** Use guantes de algodón en la casa y no tendrá que lavarse tanto las manos. Si hace cosas que requieren que agarre con firmeza, use guantes de cuero.

➤ **Humectantes.**

• **¡Crisco al rescate!** Use un poquito de manteca de cerdo ("lard") de marca Crisco. Frótela sobre las manos hasta que apenas se dé cuenta si la tiene o no. Muchos médicos que constantemente tienen que lavarse las manos, usan Crisco para humectarlas.

• **Aceite de oliva.** Mezcle un cuarto de cucharadita de aceite (aceite de oliva o su aceite de baño preferido) con un cuarto de cucharadita de glicerina ("glycerin", disponible en las farmacias). A la hora de acostarse, masajee las manos con una capa delgada. Espere 10 minutos, y luego prepare otra mezcla y masajee las manos una vez más. Para que este remedio sea especialmente eficaz, y para proteger su ropa de cama, use guantes de algodón durante la noche.

Limpiador de manos sucias

➤ **Masaje aceitoso.** Cuando las manos estén muy, pero muy sucias, use aceite de oliva para limpiar la suciedad, la grasa y el alquitrán. Masajee enérgicamente las manos con aceite de oliva, y luego séquelas con toallas de papel. Para las manchas muy difíciles de sacar, es posible que tenga que aceitar las manos nuevamente, agregando algo de azúcar como abrasivo. Para sacarse el aceite de oliva de las manos, enjuáguelas con agua tibia y séquelas con más toallas de papel.

No más manos sudorosas

➤ **Truco del pellizco.** ¿Le sudan mucho las manos justo antes de tener que darle la mano a alguien? Ésta es una respuesta nerviosa común, especialmente cuando quiere dar una buena primera impresión. Para ocupar el cerebro y no darle tiempo a causar las palmas sudorosas, cuando nadie esté mirando, pellizque el estómago de modo que realmente le duela. Mantenga el pellizco por unos 10 segundos, tan próximo a la hora de dar la mano como sea posible.

PIEL: CÓMO CURARLA

La piel es uno de nuestros órganos más grandes y más pesados. La piel de un adulto promedio mide 19 pies cuadrados (1,75 metros cuadrados) y pesa nueve libras (4 kg). Las secciones más delgadas de la piel están en nuestros párpados; las más gruesas están en las palmas de nuestras manos y las plantas de nuestros pies.

La persona promedio muda (pierde) alrededor de una libra y media (670 gramos) de partículas de piel cada año. Para cuando cumpla 70 años, habrá perdido más de 100 libras (45 kg) de la piel externa. Las partículas de la piel que se pierden son reemplazadas por otra capa de piel aproximadamente una vez al mes.

Existen casi 1.000 enfermedades y afecciones que pueden afectar la piel. *En esta sección, vamos a comentar sobre algunos de los problemas más comunes de la piel, comenzando con…*

Acné

➤ **Abejas anti-acné.** Para preparar está solución para el acné, vierta ocho onzas (235 ml) de agua en un frasco con tapa. Agregue 10 gotas de extracto de propóleos de abejas ("bee propolis", disponible en la mayoría de las tiendas de alimentos saludables, o consulte "Recursos", página 350). Empape una bolita de algodón en la solución y frote la zona del acné con la misma. Comience a primera hora por la mañana y siga durante todo el día siempre que pueda. Asegúrese de siempre aplicar esta solución después de lavarse la cara y a la hora de acostarse. Sea constante y hágalo todos los días por al menos tres semanas, a menos que el acné mejore antes.

➤ **Áloe vera.** Empape una bolita de algodón ("cotton ball") con jugo de áloe vera (disponible en las tiendas de alimentos saludables) para ayudar a curar el acné. Aplique a primera hora por la mañana, a última hora por la noche y, de ser posible, durante todo el día, especialmente después de lavarse la cara. Nuevamente, lo urgimos a que sea constante y que lo haga todos los días por al menos tres semanas, a menos que el acné mejore antes.

➤ **Té de ortiga mayor ("stinging nettle").** Prepare el té con una cucharadita de la hierba en una taza de agua recién hervida. Deje en remojo 10 minutos. Cuele y beba tres o cuatro tazas al día. Se sabe que la ortiga mayor ayuda a curar varios problemas de la piel, incluyendo el acné.

Marcas del acné

➤ **Dele una piña.** Para disminuir las marcas del acné, ponga trozos de piña (ananá, "pineapple") fresca sobre las marcas del acné y déjelos ahí por 15 minutos cada día.

➤ **Vitamina E.** Pinche una cápsula de vitamina E y exprima el aceite sobre las marcas del acné. Hágalo al menos una hora antes de irse a acostar, después de haberse lavado la cara. Sea constante y tenga paciencia. Podría tardar bastante tiempo antes de que vea resultados.

NOTA: Si quiere probar ambos remedios, use la piña inmediatamente después de la cena y el aceite de la vitamina E cerca de la hora de acostarse.

Manchas de la edad

El término médico correcto para esos parches marrones que llamamos manchas de la edad es *lentigos*. Son causados por cambios en la pigmentación en las zonas de la piel expuestas al sol. En inglés también se les llama (erróneamente) manchas hepáticas ("liver spots"). Pero el hígado no tiene nada que ver con la formación de estas manchas. *Para estar libre de manchas considere...*

➤ **Cebolla roja.** Frote los parches con una rodaja de cebolla roja por dos a tres minutos cada vez, al menos dos veces al día. Sea constante y tenga paciencia mientras espera los resultados.

➤ **Enzimas.** El tratamiento que promete quitar las manchas de la edad más rápido es uno que usa jugo fresco de piña (ananá, "pineapple"). La palabra clave es *fresco*... no enlatado, en frasco, en botella, congelado, en polvo ni concentrado. Si quiere que la enzima bromelaína llegue a donde debe y ayude a disolver las manchas, tiene que usar jugo FRESCO de piña.

Asegúrese de que la piel esté limpia y sin aceite ni crema. Empape una bolita de algodón con el jugo de piña y póngala sobre la mancha. Déjela ahí 20 minutos, y luego enjuague con agua tibia y seque dándose palmaditas. Hágalo todos los días y en una semana es posible que las manchas comiencen a desvanecer.

➤ **Vitaminas.** Se sabe que las dosis diarias de vitamina E junto con vitamina C han disminuido la acumulación del pigmento que causa la aparición de las manchas de la edad.

ATENCIÓN: Debido a las posibles interacciones entre la vitamina E y varios medicamentos y suplementos, además de otras consideraciones de seguridad, consulte con su médico antes de tomar vitamina E.

Pecas

Olvídese de eliminar las pecas. Nos parece que lo más que puede esperar es aclararlas un poco. *Si está interesado en eso, puede elegir entre varios remedios...*

➤ **Berenjena.** Frote tajadas de berenjena ("eggplant") cruda y fresca sobre las pecas todos los días. Se sabe que eso las aclara.

➤ **Arándanos agrios ("cranberries").** Frote arándanos agrios frescos y triturados sobre la piel con pecas. Hágalo diariamente, dejándolos en el lugar por 15 minutos. Enjuague con agua fría y seque dándose palmaditas.

➤ **Su solución personal.** Si está realmente determinado a *aclarar* sus pecas, acumule seis onzas (175 ml) de su orina en un frasco, agregue una cucharada de vinagre blanco ("white vinegar") y una pizca de sal. Tape el frasco y 24 horas más tarde, con una bolita de algodón, aplique la solución dándose palmaditas sobre las pecas. Después de media hora, enjuague con agua fría. Hágalo todos los días hasta que las pecas se aclaren, o hasta que usted comience a apreciar su encantadora ornamentación natural.

ADVERTENCIA: Si usted tiene piel resquebrajada en la cara, NO use este remedio.

➤ **Aléjese del azúcar.** Se afirma que cuanta más azúcar refinada consuma, más oscuras serán sus pecas. Esto suena como un increíble cuento de viejas. No lo es. Se basa en investigación científica.

Conclusión: Elimine el azúcar refinada de su dieta y vea cómo se aclaran sus pecas.

Furúnculos

Un furúnculo ("boil") es una infección de una glándula o un folículo piloso, usualmente lleno de pus. Hay varios alimentos que pueden ayudar a expulsar la infección. Aplique uno de los siguientes directamente en el furúnculo, envuelva una venda de algodón elástica ("Ace bandage") o un pañuelo blanco limpio alrededor del mismo y déjelo así por una hora...

➤ **Una rodaja de tomate** que ha sido calentada.

➤ **Cáscara de banana (plátano).** La parte de adentro de la cáscara de una banana madura (moteada de marrón).

➤ **Hojas de col (repollo, "cabbage").** Lave un par de hojas verdes o blancas de col y hiérvalas por uno o dos minutos. Mientras estén aún calientes, pero lo suficientemente frías como para tocarlas, póngalas sobre el furúnculo.

➤ **Cebolla roja.** Corte una cebolla roja pequeña a la mitad, saque la pequeña sección central de una de las mitades y coloque la mitad sin centro sobre el furúnculo.

➤ **Una vez que el furúnculo se abre.** Es bueno que el furúnculo se abra solo y se expulse el pus. Notará que el dolor desaparece, pero quedará un hueco en la piel. Agregue dos cucharadas de jugo de limón fresco a una taza de agua recién hervida. Sumerja una bolita de algodón en el agua con limón y úsela para limpiar y desinfectar la zona suavemente. Luego ponga un vendaje estéril encima.

Urticaria

En este momento, de cada 1.000 personas, 11 hombres y 14 mujeres tienen urticaria ("hives"). *Si usted es uno de ellos, esto es lo que tiene que hacer...*

➤ **Vinagre/maicena.** Mezcle bien una onza (30 ml) de vinagre blanco destilado ("distilled white vinegar") con tres onzas (85 g) de maicena (fécula de maíz, "cornstarch") y unte la urticaria con la mezcla. Es un antiséptico, detiene la comezón y puede resecar la urticaria.

➤ **Menta piperita ("peppermint").** Hierva una taza de agua y luego agregue revolviendo una cucharadita colmada de hojas secas o frescas de menta piperita. Deje que hierva a fuego lento por 10 minutos. Cuele las hojas de menta piperita y refrigere el té. Una vez que el té esté bien frío, use una almohadilla de algodón ("cotton pad") o bolitas de algodón ("cotton puffs") para untar el líquido refrescante sobre la urticaria. Debería detener la comezón... temporalmente.

Eccema

Esta inflamación de la piel usualmente comienza con piel roja, seca y con comezón, y luego produce lesiones supurantes que se vuelven escamosas y con costras.

➤ **Qué debe hacer y qué debe evitar.**

• **No use ropa ajustada** ni telas ásperas que raspen, incluyendo de lana.

• **No use jabones que quiten el aceite natural de la piel.** Use en su lugar uno de los muchos jabones humectantes que hay en el mercado –Eucerin, Aveeno, Dove, etc.

• **No se bañe ni duche más de una vez al día.** Recuerde que no debe quitar el aceite natural de la piel.

• **No use agua caliente.**

• **No use toallitas, cepillos ni esponjas vegetales (lufas, "loofahs").** Aumentarán la irritación de la piel y podrían causar más comezón.

• **Inmediatamente después del baño o la ducha, no se seque frotándose** –dese palmaditas para secarse la piel casi por completo. Mientras la piel esté aún un poco húmeda, aplique suavemente un emoliente ("emollient") para obtener hidratación adicional.

➤ **Tratamiento externo.** Un eficaz tratamiento externo es poner el contenido de dos cápsulas de chaparro (jarrilla, "chaparral") en una pinta (½ litro) de agua recién hervida. Tape y deje en reposo hasta que se enfríe –al menos 10 minutos. Cuele usando un colador superfino o muselina sin blanquear ("unbleached muslin"). Sumerja una toallita blanca en el té de chaparro y póngala sobre las partes doloridas. Hágalo dos veces al día por 15 minutos cada vez.

➤ **Remedios internos.**

• **Tome una cucharada de melaza negra ("blackstrap molasses") diariamente.**

• **Coma una papa cruda al día.**

• **Consuma algunas cucharaditas de berro ("watercress") cada día.**

• **Tome una cucharadita de aceite de ajonjolí (sésamo, "sesame oil") diariamente,** pero sólo si consulta primero con su profesional de la salud. Cocinar con el aceite no vale; debe tomarlo directamente de la botella.

• **Si tiene un extractor de jugo,** prepare diariamente una bebida verde usando verduras verdes –por ejemplo, brotes de alfalfa ("alfalfa sprouts"), perejil ("parsley"), espinaca, apio ("celery"), lechuga.

• **Agregue media cucharada de cúrcuma** ("turmeric") a cinco onzas (150 ml) de agua y bébalo. Hágalo una vez por la mañana y una vez por la tarde.

• **Beba una onza (30 ml) de jugo de áloe vera después de cada comida.** (Si tiene una planta de áloe vera, aplique el gel de las hojas a la zona afectada al menos dos veces al día. Si no tiene una planta de áloe para la piel, use el mismo jugo de áloe que está bebiendo).

TOME NOTA

Los emolientes y el eccema

Según la National Eczema Society (*www.eczema.org*), los emolientes son humectantes no cosméticos –cremas, ungüentos, lociones y geles– que mantienen la piel húmeda y flexible, de manera que se sienta más cómoda, produzca menos comezón y sea menos propensa a agrietarse.

Las cremas ("creams") contienen una mezcla de grasa y agua y se sienten suaves y frescas en la piel. Todas las cremas tienen conservantes, los cuales podrían o no causar sensibilidad.

Los ungüentos ("ointments") no contienen conservantes, y pueden ser bastantes grasosos. Son eficaces para mantener agua en la piel y son particularmente buenos para la piel muy seca y engrosada. No use ungüentos en eccemas supurantes; use una crema o una loción en su lugar.

Las lociones ("lotions") contienen más agua y menos grasa que las cremas, y no humectan la piel tan bien. Las personas que tienen eccema en las zonas del cuerpo cubiertas de pelo prefieren las lociones.

Estos son los consejos de la National Eczema Society...

➤ **Use un emoliente abundantemente y con frecuencia** –al menos tres veces al día.

➤ **Aplique suavemente en la dirección del crecimiento del pelo.** Nunca aplique frotando enérgicamente. Podría provocar comezón, bloquear los folículos pilosos o crear más calor en la piel.

➤ **Siga usando el emoliente, incluso cuando el eccema haya mejorado.** Esto ayudará a prevenir recrudecimientos.

➤ **Los emolientes, si se usan todos los días,** podrían ser todo lo que necesite para mantener bajo control el eccema de leve a moderado.

Psoriasis

En nuestros libros y durante casi todas nuestras apariciones públicas, mencionamos que estamos informando, no recetando. El caso de la psoriasis no es una excepción. *Aquí tiene algunos informes que podrían ayudar a mejorar esta difícil afección de la piel...*

➤ **Aceite de orégano.** Este potente aceite debería usarse internamente y también externamente. Tome dos cápsulas de aceite de orégano dos veces al día. Mientras tanto, prepare el aceite externo limpiando bien una botella o un frasco de vidrio que tenga tapa. Una vez que esté limpio y seco, llene dos tercios con aceite de oliva extra virgen, y un tercio con aceite de orégano (tanto el aceite como las cápsulas se encuentran disponibles en las tiendas de alimentos saludables). Tape el frasco y sacúdalo de modo que los dos aceites se mezclen. Use un hisopo de algodón suave y sin pelusas (vienen en paquetes de 80 ó 100, y se encuentran usualmente en la sección de maquillaje de las farmacias) y aplique la mezcla de aceites sobre el brote de psoriasis. Hágalo dos veces al día. Y no olvide tomar las cápsulas de aceite de orégano dos veces al día. Si parece que le sienta bien, y soporta el olor del orégano, tenga paciencia y dele una oportunidad a que dé resultados.

➤ **Cartílago de tiburón.** El Dr. I. William Lane, en su libro *Sharks Don't Get Cancer* (Avery), informa sobre el uso exitoso de cartílago de tiburón ("shark cartilage") en el tratamiento de la psoriasis –"La experiencia es limitada, pero indica que la dosis eficaz para la psoriasis es un gramo por cada 15 libras (unos 7 kg) de peso corporal, tomados durante 60 a 90 días".

"Tenga en cuenta", advierte el Dr. Lane, "de que con este tratamiento la comezón y las escamas serán los primeros síntomas en desaparecer. Sin las escamas, el enrojecimiento de la piel parecerá intensificarse ya que el gran lecho de vasos capilares será más aparente. Este lecho capilar también desaparecerá lentamente".

Busque cartílago de tiburón 100% puro y no adulterado, como las marcas BeneFin o Cartilade. Se pueden comprar en la mayoría de las tiendas de alimentos saludables, tiendas de vitaminas y farmacias. Son caros, pero si dan resultados, valen la pena. Y si no dan resultados, lo sabrá en 90 días.

ADVERTENCIA: Según el Dr. Ray Wunderlich, Jr., respetado médico y fundador del Wunderlich Center for Nutritional Medicine (*www.wunderlichcenter.com*), los niños, atletas y personas con circulación comprometida deberían ser cautelosos con el uso prolongado de cartílago de tiburón. Asegúrese de consultar con su profesional de la salud antes de comenzar este programa de autoayuda.

➤ **Áloe.** Beba una onza (30 ml) de jugo de áloe vera después de cada comida. Si tiene una planta de áloe vera, aplique el gel de las hojas a la zona afectada, al menos dos veces al día. Si no tiene una planta de áloe, use el mismo jugo de áloe que está bebiendo.

➤ **Omega-3.** Estudios demuestran que sustituir los aceites de pescado omega-3 por otras grasas en su dieta puede ayudar a sanar la psoriasis. Consulte con su profesional de la salud para determinar la cantidad apropiada de aceite de pescado para usted. Las dosis diarias de aceite de semillas de lino ("flaxseed") –una buena fuente de omega-3– también han demostrado ser eficaces.

➤ **Té de la raíz de bardana** ("burdock"). Prepare el té haciendo hervir cuatro tazas de agua. Agregue una cucharada grande de raíz seca de bardana (disponible en las tiendas de alimentos saludables), tape y deje hervir a fuego muy lento por media hora. Cuele y luego divida el líquido en dos porciones. Beba cada porción con el estómago vacío –una porción antes del desayuno y la otra antes de la cena. Hágalo diariamente y observe los resultados en unas pocas semanas. La raíz de bardana es un desintoxicante eficaz –tal vez esta es la razón por la cual ha ayudado a mejorar casos graves de psoriasis.

➤ **Evite el gluten.** Parece haber una relación entre quienes sufren de psoriasis y la incapacidad de digerir el gluten, una proteína que se encuentra en los cereales. Pruebe una dieta sin gluten. Esto significa nada de trigo, avena ("oats"), cebada ("barley") ni centeno ("rye"). No significa decirle adiós al pan. Busque en su tienda de alimentos saludables productos sin gluten, incluyendo pan, avena, galletas saladas y comidas congeladas preparadas.

Prevención del cáncer de piel

➤ **Vitaminas A y C.** Según los resultados de un estudio en la Universidad de Arizona, comer una cucharadita de cáscara de naranja por semana disminuye el riesgo de contraer cáncer de la piel en un 30%. Además, el alto contenido de vitaminas C y A en la cáscara de naranja ayuda a combatir las infecciones, los resfriados y la gripe. Como si eso no fuera suficiente, la cáscara de naranja es fácil de digerir y es una ayuda eficaz en la digestión de los alimentos grasos.

PIES Y SUS DOLENCIAS

Según Charles S. Smith en el libro *Ten Steps to Comfort,* una persona que pese 135 libras (unos 60 kg) da cerca de 19.000 pasos durante un día promedio, absorbiendo una presión acumulada de más de 2,5 millones de libras (1,13 millones de kilos). No es de extrañarse que tengamos problemas con los pies. *Éstas son algunas soluciones...*

Pie de atleta

El pie de atleta es una infección causada por hongos cuyos primos son la picazón en la zona genital ("jock itch") y la tiña ("ringworm"). ¡Qué familia! El hongo prospera en un lugar oscuro, cálido y húmedo. Con el pie de atleta, ese lugar es su zapato.

Lleva al menos un día entero para que los zapatos se sequen por completo después de haberlos usado. No es de extrañarse, ya que el par de pies promedio suelta media pinta (235 ml) de transpiración diariamente. Teniendo esto en mente, no use el mismo par de zapatos dos días seguidos.

Limpie la parte interna de sus zapatos con vinagre blanco destilado para no volver a infectar los pies. Por si acaso, también puede enjuagar sus medias (calcetines) con vinagre y darle a los pisos del baño, la ducha y la bañera un rápido lavado con vinagre.

Éstos son algunos remedios a considerar...

➤ **Remojón de vinagre.** Antes de acostarse, ponga en remojo el pie infectado en vinagre de sidra de manzana ("apple cider vinegar") por 10 minutos. Le arderá, pero sólo por unos segundos. Luego, humedezca una gasa ("gauze") con el vinagre de manzana y colóquela sobre la infección, vendándola en el lugar con un pañuelo blanco o venda de algodón elástica ("Ace bandage") y cubriéndolo con una media (calcetín). Manténgalo así durante la noche y repita el proceso la mañana siguiente, de ser posible. De no ser posible, use medias limpias durante el día y repita el proceso todas las noches hasta que mejore la infección. Puede tardar tanto como dos semanas.

➤ **Gel de áloe vera.** Aplique jugo o gel de áloe vera al pie una vez por la mañana y otra vez por la noche. Puede comprar jugo o gel de áloe vera en las tiendas de alimentos saludables o, si tiene una planta de áloe, exprima el gel natural de una hoja cortada. Nos han dicho que las aplicaciones consistentes de áloe han curado casos crónicos de pie de atleta.

➤ **Remojón de piña** (ananá, "pineapple"). Reserve una hora al día para sumergir el pie con hongos en jugo de piña. Luego seque bien el pie y esparza bicarbonato de soda ("baking soda") en la zona afectada.

➤ **Cura de orina.** El uso externo de orina con fines médicos se remonta a cientos de años. ¿Le da asco o quiere seguir leyendo? Cuando el cuerpo se encuentra bajo ataque, se defiende fabricando anticuerpos y enviándolos a la batalla. Esos anticuerpos pueden encontrarse en la orina. Podemos aprovechar esto usando la orina externamente para curar el pie de atleta.

Junte una muestra en un cuenco y sumerja el pie en el mismo por 10 minutos. Hágalo por la mañana y por la noche. Sí, por supuesto, puede lavarse el pie con agua después. Cuesta menos que el jugo de piña (en la página anterior) ¡y en apariencia son muy similares!

ADVERTENCIA: Si tiene piel abierta en el pie, NO use este remedio de orina.

➤ **Acupresión.** Sí, hay un punto de acupresión que puede ayudar a curar esta afección. Este punto está donde el cuarto dedo y el dedo meñique se encuentran. A primera hora por la mañana, presione ese lugar por 10 segundos, luego otros 10 segundos y entonces otros 10 segundos adicionales. Por la noche, presione ese lugar nuevamente por 10 segundos, tres veces seguidas. Es difícil de creer que pueda ayudar. Pues sí lo puede, y mientras no perjudique la afección, vale la pena probarlo, junto a uno de los otros remedios anteriores.

Problemas con las uñas del pie

➤ **Hongos en las uñas del pie.** Pinche una cápsula de vitamina E (400 unidades internacionales IU) y exprima el aceite sobre la uña. Manténgala descubierta tanto como sea posible y vuelva a aplicar el aceite frecuentemente. También puede sumergir la uña infectada del pie por 15 minutos al día en una combinación de una parte de vinagre blanco destilado y dos partes de agua. O intente el remedio de "orina" en la página anterior.

➤ **Prevención de hongos en las uñas del pie.** El ajo crudo es un poderoso combatiente de los hongos. Consuma uno o dos dientes de ajo al día y es posible que nunca más tenga pie de atleta u hongos en las uñas del pie.

ADVERTENCIA: Consumir ajo con el estómago vacío puede causar náuseas. Siempre consuma algo antes de comer ajo o tomar cápsulas. Además, tenga cuidado con el ajo si padece gastritis.

➤ **Uña del pie encarnada.** A la hora de acostarse, ponga un trozo delgado de limón en la uña del pie con el problema, manteniéndolo en el lugar con una tirita (curita, "Band-Aid") y cubriéndola con una media (calcetín). Duerma así, y por la mañana el limón debería haber ablandado la uña lo suficiente como para aflojarla de la piel de modo que pueda cortarla. La manera adecuada de cortar la uña es en forma recta a lo largo, no recortándola en los costados ni más corta que el dedo.

Cuando los pies estén doloridos

➤ **Pies cansados y doloridos.** Ponga a hervir una cazuela de cebada ("barley") o mijo ("millet") –dos tazas del cereal en ocho tazas de agua. Tan pronto como tenga la consistencia de una sopa espesa, sáquela del fuego. Cuando esté lo suficientemente fría como para tocarla, divida la pasta en cajas de zapatos plásticas, o una olla o palangana (cubeta, cuenco) lo suficientemente grande como para los pies, y póngalos ahí.

Deje que la pasta tibia envuelva los pies doloridos por al menos media hora, y luego enjuáguelos con agua fría y séquelos con una toalla gruesa. Usted y sus pies deberían sentirse rejuvenecidos.

A propósito, puede volver a calentar la cebada o el mijo y usarlo nuevamente el día siguiente y el siguiente... sólo para los pies, por supuesto.

➤ **Pies cansados, doloridos y calientes.** Tome una palangana lo suficientemente grande para ambos pies y llénela con una capa de cubitos de hielo –del tipo con forma de esfera son los mejores para esto. Si no tiene una palangana lo suficientemente grande, use dos cajas de zapatos plásticas con una capa de cubitos de hielo en cada una. Siéntese y frote los pies sobre los cubitos de hielo. Deténgase cuando este masaje logre que los pies se sientan completamente revitalizados, o el hielo se derrita –lo que ocurra primero. Seque los pies con una toalla gruesa. ¿Listo para correr un maratón?

Dolores de los pies

➤ **Dolor punzante y espasmódico en el pie.** Si tiene dolor punzante y espasmos musculares en los pies en forma habitual, agregue aceite de germen de trigo ("wheat germ oil") a su dieta diaria. Puede ayudar a que la sangre fluya más fácilmente por todo el cuerpo, mejorando la circulación. Puede usar el aceite como aderezo para ensalada o con yogur, o puede tomar cápsulas de germen de trigo. Comience con 500 mg al día y gradualmente vaya aumentando hasta llegar al doble de esa cantidad. Al final de dos semanas, debería sentir algo de alivio.

➤ **Espolones en el talón ("heel spurs").** Cuando la gemóloga Joyce Kaessinger tenía un espolón en el talón (es un bulto anormal del hueso del talón), apenas podía caminar y sentía un dolor constante y espantoso. Todo lo que leía en los artículos de medicina o lo que le decía un podólogo coincidía en que "los espolones en el talón son para siempre".

Sin embargo Joyce piensa que todo lo que viene también puede irse y comenzó a utilizar cristales.

Los cristales que usó fueron turmalina ("tourmaline") verde, turmalina negra, cuarzo ("quartz") ahumado, venturina ("aventurine") y hematita ("hematite"). (Todas son piedras económicas que se pueden comprar en las tiendas de cristales. Consulte "Recursos", página 349, para encontrar una tienda en Internet).

Por la noche, siguiendo su intuición, ella elegía algunas piedras y las pegaba a la planta del pie y dormía así. Durante el día, se acostaba en el piso con las piedras apuntando hacia el talón mientras meditaba.

También decía una afirmación: *"Puedo caminar cómodamente por tanto tiempo y tan lejos como desee".*

Unas dos semanas después había una gran diferencia. Joyce podía caminar. Y no mucho después, el espolón desapareció por completo.

ALGO ESPECIAL

Plantillas atractivas

Las plantillas magnéticas flexibles ("flexible magnetic shoe insoles") con tecnología magnética patentada para el alivio del dolor pueden disminuir los malestares en los pies, o aliviar el dolor por completo.

Estas plantillas tienen fuertes imanes unipolares que abarcan el talón, el arco y la planta del pie y son ultradelgadas para un máximo de comodidad y fácil ajuste. Usted o su podólogo recortan la plantilla para que se ajuste a cualquier calzado. Las plantillas para mujeres pueden recortarse para que se ajusten hasta el número 10; las plantillas para hombres se ajustan hasta el número 13.

Mayor información: Visite el sitio web *www.drbakstmagnetics.com* o llame a Magnatech Labs al 800-574-8111.

ADVERTENCIA: NO use estas plantillas si tiene un marcapasos ("pacemaker") o un dispositivo electrónico implantado. NO las use si está embarazada. NO las ponga cerca de tarjetas de crédito con una banda magnética. NO las ponga sobre un televisor o una computadora.

Joyce piensa que es importante continuar usando las piedras y la afirmación hasta cierto grado, incluso después de que ya esté totalmente bien.

Consejos de los sabios...

¡No más dolor en los pies!

Muchas personas desestiman la importancia de los problemas de los pies. Pero eso es un error.

Lo que un problema en los pies puede realmente significar: Usted podría tener una afección médica no detectada. Por ejemplo, los pies entumecidos o doloridos podrían ser una alarma para los nervios y vasos sanguíneos dañados que puede ocurrir con la diabetes o la enfermedad arterial periférica (un problema circulatorio que causa flujo de sangre reducido a los miembros). Los problemas en los pies además pueden estar asociados con dolencias aparentemente no relacionadas, como dolor de espalda o cadera.

Una manera eficaz de identificar la causa de fondo del dolor en los pies es adoptar un enfoque holístico que incluya todo el cuerpo, lo cual frecuentemente puede reemplazar los tratamientos convencionales.* *Aquí tiene enfoques holísticos para los problemas cotidianos de los pies...*

➤ **Ande descalzo.** Después de pasar día tras día sufriendo en zapatos apretados o que no calzan bien, los músculos del pie pueden debilitarse –del mismo modo que un brazo pierde tono muscular cuando está recubierto por yeso. Andar descalzo en la casa permite que los pies se estiren, se fortalezcan y encuentren su alineación natural.

*Para encontrar un podólogo holístico cerca de usted, consulte TheHolisticOption en el sitio web *www.theholisticoption.com*.

ATENCIÓN: Las personas que padecen diabetes NUNCA deberían andar descalzas, ya que esta afección médica comúnmente causa daño a los nervios en los pies, lo que hace que sea muy difícil sentir cortaduras y otras heridas.

ADVERTENCIA: No camine descalzo sobre mármol u otros pisos potencialmente resbaladizos o si tiene problemas de equilibrio o visión. En todos estos casos, use pantuflas (chinelas, "slippers") fuertes o calzado similar que proteja los pies y proporcione buena tracción.

➤ **"Abra" los dedos de los pies.** Esta forma suave de estiramiento puede mejorar la flexibilidad de los tendones, liberar la tensión y estimular el flujo de sangre a los pies y al resto del cuerpo.

Puede ayudar a prevenir dolencias de los pies, como el dedo en martillo (en la cual la punta de un dedo se curva hacia abajo) y el neuroma de Morton (inflamación de un nervio entre los dedos de los pies que causa dolor en el antepié), y es útil para las personas que sufren de afecciones dolorosas de los pies como *fascitis plantar* (que describimos en la próxima página).

Qué hacer: Entrelace los dedos de la mano entre cada dedo del pie (imagine que se agarra de las manos con el pie)... o use separadores físicos, como separadores para los dedos de los pies de pedicuro (disponibles en las farmacias) o YogaToes, llenos de gel (disponibles en YogaPro, 877-964-2776, *www.yogapro.com*). Abra los dedos de los pies por cinco a 30 minutos, al menos cinco días por semana. .

ADVERTENCIA: Las personas con juanetes rígidos NO deberían usar YogaToes –pueden torcer los ligamentos y causar dolor adicional.

Remedios para problemas comunes de los pies

Si sufre de frecuente dolores de pie, podría tener uno de estos problemas comunes de los pies...

➤ **Juanetes ("bunions").** Nadie sabe a ciencia cierta qué causa esta dolorosa excrecencia hinchada del hueso en la base del dedo gordo del pie. La herencia juega un papel, pero los podólogos también sospechan el exceso de peso corporal y zapatos que no calzan bien.

Tratamiento convencional: Plantillas ortopédicas ("orthotic shoe inserts") compradas en una tienda o hechas a medida para ayudar a reducir la presión sobre el juanete... o cirugía para corregir la posición del dedo.

Terapia holística: Para aliviar la inflamación, masajee el pie con aceite de menta piperita ("peppermint"), limoncillo ("lemongrass"), gaulteria ("wintergreen") o lavanda ("lavender"). Para preparar su propio aceite para masajes, comience con media cucharadita de un aceite portador ("carrier oil"), como aceite de almendras ("almonds") o de vitamina E, y agregue dos o tres gotas del aceite curativo. Caliente la mezcla de aceite en la palma de la mano antes de masajear los pies por cinco a 10 minutos diariamente.

➤ **Fascitis plantar.** Esta afección consiste en la inflamación de la gruesa franja de tejido que conecta el talón con la base de los dedos de los pies. El dolor –a menudo insoportable– es más pronunciado bajo el talón.

Cualquier cosa que pueda esforzar la planta del pie puede causar la fascitis plantar, incluyendo tener sobrepeso, aumentar súbitamente la cantidad de ejercicio que hace o usar zapatos sin apoyo para el arco del pie.

Tratamiento convencional: Inyecciones de cortisona para aliviar la inflamación... o plantillas ortopédicas hechas a medida ("custom-fitted orthotic shoe inserts") para distribuir más uniformemente la presión sobre el pie.

Terapia holística: Masajee el arco del pie haciendo rodar una pelota de squash (una pelota de tenis es demasiado grande) en el piso, desde el talón hasta los dedos. Use una presión que sea suficientemente firme para mover los tejidos sin causar dolor.

Este masaje disminuye la inflamación al mover los ácidos acumulados fuera de los tejidos. Hágalo diariamente hasta que los síntomas desaparezcan. *Para la fascitis plantar, haga también este estiramiento dos veces al día en forma habitual...*

Qué hacer: Dé un gran paso hacia delante y doble la rodilla de adelante. Presione el talón de la pierna de atrás contra el piso. Mantenga entre 10 y 30 segundos, y luego cambie las posiciones de las piernas. Para un estiramiento extra, doble la rodilla de atrás también.

Importante: Si sus problemas de los pies afectan su capacidad de caminar o no se curan o mejoran *después de dos semanas* de remedios caseros, consulte a un podólogo.

Ilustración de Shawn Banner.

Sherri Greene, DPM (doctora de medicina podiátrica). Ha ejercido medicina podiátrica convencional y holística en Nueva York durante 12 años. Sus métodos de tratamiento incluyen la reflexología, la medicina a base de hierbas y de esencias ("essential oils").

Cómo ablandar y endurecer los pies

➤ **Cómo ablandar los pies duros.** Las plantas de los pies tienen la piel más gruesa del cuerpo. Como ayuda para suavizar y aliviar esta zona áspera y dura, corte un limón grande y jugoso por la mitad a lo largo. Tome dos cajas de zapatos plásticas y divida el jugo del limón entre ellas. (Consulte el capítulo "Consejos saludables", página 320, para saber cómo obtener la mayor cantidad de jugo de un limón). Ponga una mitad del limón en forma de copa debajo de cada talón. Ponga los pies dentro de las cajas y agregue suficiente agua tibia como para cubrirlos. Quédese así por 15 minutos, y luego enjuague los pies con agua tibia y séquelos bien. Debería notar una diferencia de inmediato.

➤ **Cómo endurecer los pies blandos.** Nuestros amigos que viven fuera de la ciudad están acostumbrados a conducir su carro a todos lados. Cuando visitan Nueva York, los arrastramos por toda la ciudad a pie, y cuando termina el día están suplicando que seamos piadosas. *Nosotras finalmente hallamos un remedio para ayudar a endurecer las plantas de los pies...*

Ponga en cada una de dos cajas de zapatos plásticas una cucharada de alumbre ("alum", disponible en las farmacias y en las secciones de especias de algunos supermercados) y medio galón (dos litros) de agua fría. Coloque los pies en esta solución por 15 minutos después del desayuno, después de la cena y justo antes de acostarse.

Continúe haciéndolo por tantos días como le tome caminar sin el dolor de esas plantas sensibles.

NOTA: Se afirma que este remedio también elimina el olor de los pies.

➤ **Talones rajados.** Consulte el remedio "Cura de orina" para el "Pie de atleta" en la página 207.

Pies fríos

➤ **Pies fríos debido al clima.** Para mantener los pies abrigados cuando el tiempo está muy frío, espolvoree un poco de pimienta de cayena ("cayenne pepper") en sus medias (calcetines). Es un viejo truco de los esquiadores, pero no tiene que ser un viejo esquiador para usarlo.

ADVERTENCIA: La pimienta de cayena hará que sus medias se vuelvan rojas, y no se les irá por completo el color al lavarlas. La pimienta de cayena además hará que los pies queden rojos, pero eso debería poder lavarse por completo –si no, nuestros rostros se sonrojarán.

➤ **Pies fríos debido a la circulación.**

• **Remedio oriental.** Para este asombroso remedio necesitará jengibre ("ginger"), mostaza en polvo, un rallador, un procesador de alimentos o un extractor de jugos, una estopilla ("cheesecloth") y papel plástico ("plastic wrap").

Prepare jugo de jengibre rallando o pasando por el procesador de alimentos una onza (30 g) de jengibre fresco. Con una cuchara, ponga la pulpa rallada en la estopilla y exprima el jugo en un platillo, o pase el jengibre por un extractor de jugos. Luego, mezcle el jugo con dos cucharaditas de mostaza en polvo. Unte las plantas de los pies fríos con la mezcla y luego envuelva cada pie con el papel plástico. Permanezca así por 15 minutos. Los pies deberían sentirse bien calentitos. Después de que repita el tratamiento por una semana –siete días seguidos– los pies fríos quizá serán sólo un recuerdo.

ATENCIÓN: El jengibre actúa como un anticoagulante, así que consulte con su médico antes de usarlo si toma un anticoagulante recetado. Además, deje de usar el jengibre tres días antes de cualquier cirugía.

• **Pasta de sal.** Tome media taza de sal kosher (gruesa) y agregue suficiente aceite de oliva para que quede con la consistencia de una pasta. Frote enérgicamente los pies por 10 minutos con la mezcla, dedicando el mismo tiempo a todas las partes de los pies. En la bañera, enjuague los pies con agua tibia y luego con agua fría. Séquelos con una toalla gruesa. Los pies deberían sentirse refrescados y su circulación debería estar estimulada.

Entumecimiento y hormigueo en los dedos del pie

Consulte "Neuropatía" en la sección "Diabetes", página 65.

Remedios para los callos

Pregunta: ¿Cuál es la diferencia entre la Florida y un zapato apretado?

Respuesta: La Florida tiene cayos; un zapato apretado hace doler los callos.

¿No le parece gracioso? Pues, tampoco lo son los callos. *Éstos son algunos remedios...*

➤ **Masaje con aceite.** Antes de acostarse, frote el callo con uno de los siguientes: aceite de ricino ("castor oil"), aceite de germen de trigo ("wheat germ"), el aceite de una cápsula de vitamina E o una cápsula de vitamina A. Después de algunos minutos así, deje que el aceite penetre por unos pocos minutos más. Finalmente, ponga una media (calcetín) en el pie y váyase a dormir. Hágalo todas las noches por dos semanas y debería deshacerse del callo.

➤ **Limón.** A la hora de acostarse, corte un trozo de cáscara del tamaño de una moneda de diez centavos de la parte superior de un limón pequeño y delgado, e inserte el dedo del pie que tiene el callo. Ponga una media (calcetín) encima y déjelo así toda la noche. Si no le agrada tener el limón entero en el dedo del pie, use un gajo de limón, o sólo la cáscara –con el lado blanco contra el callo. Use una tirita (curita, "Band-Aid") para mantener la cáscara en el lugar. Hágalo todas las noches hasta que desaparezca.

➤ **Cebolla.** Por la mañana, ponga una cebolla pequeña en vinagre blanco destilado. A la hora de acostarse, corte un trozo de la cebolla empapada en el vinagre y póngalo sobre el callo, manteniéndolo así con una tirita. Déjelo toda la noche. Por la mañana, el callo podría estar lo suficientemente blando como para quitarlo.

Sí, efectivamente, este remedio ha dado resultado después de sólo una aplicación. Si a usted no le brinda alivio la primera vez, repita el procedimiento el día y la noche siguientes.

NOTA: Si ninguno de estos remedios hace que desaparezca el callo, puede ser hora de visitar a un podólogo para recibir ayuda profesional.

Pies sudorosos y olorosos

➤ **Remojón de té.** Ponga cuatro bolsas de té negro o verde en un cuarto de galón (un litro) de agua recién hervida y déjelas en remojo por 15 minutos. Luego divida el té fuerte entre dos cajas de zapatos plásticas y agregue suficiente agua fría como para que sea posible poner los pies adentro sin quemarse. Deje los pies en remojo por media hora. Hágalo dos veces al día por al menos una semana, y debería notar una diferencia gracias al "tanino", una sustancia secadora en el té.

➤ **Remojón de alumbre ("alum").** Saque nuevamente las dos cajas de zapatos plásticas y mezcle media cucharadita de alumbre (disponible en farmacias y en las secciones de especias de algunos supermercados) con un galón (cuatro litros) de agua tibia en cada caja de zapatos. Deje los pies en remojo por 30 minutos, y luego enjuáguelos y séquelos. Hacerlo una vez al mes debería eliminar el problema.

El remedio "Cómo endurecer los pies blandos" (en la página anterior) también da resultados para los pies sudorosos.

AFIRMACIÓN

Para todos estos problemas de los pies, puede usar la afirmación de Joyce Kaessinger en el remedio anterior "Espolones en el talón", o puede repetir la siguiente afirmación al menos 20 veces, en cualquier momento que sienta dolor en el pie...

Camino por la vida con desenvoltura y comodidad. Avanzo y crezco y voy al paso del mundo.

PRESIÓN ARTERIAL

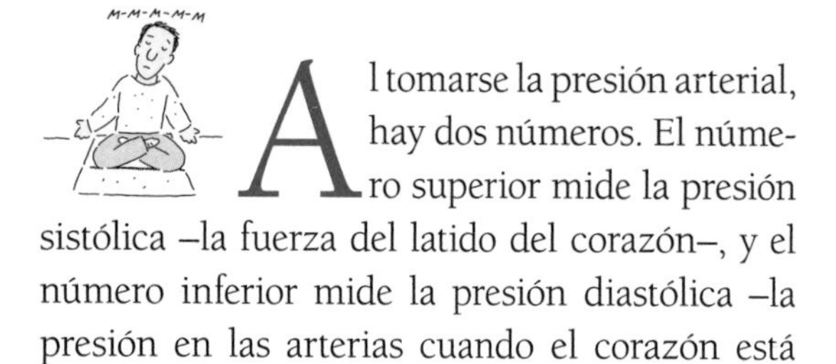

Al tomarse la presión arterial, hay dos números. El número superior mide la presión sistólica –la fuerza del latido del corazón–, y el número inferior mide la presión diastólica –la presión en las arterias cuando el corazón está en reposo.

¿Está usted seguro que tiene presión arterial alta?

¿Tiene realmente presión arterial alta, o simplemente padece "hipertensión de la bata blanca"? La hipertensión de la bata blanca se produce por temor al médico y nerviosismo al medírsele la presión arterial, lo que con mucha frecuencia *aumenta* la misma.

Hay otros varios factores que podrían hacer que pareciera que tiene presión arterial alta. *Para obtener los mejores resultados, considere estos consejos...*

- **No beba muchos líquidos antes de visitar al médico.** Tener más agua en el organismo de lo que es normal para usted puede causar que su presión arterial sea más alta de lo normal.

- **Beber café justo antes de tomarse la presión arterial también puede influir en la lectura.** Estudios demuestran que la cafeína en dos a tres tazas de café puede aumentar su presión arterial hasta el 15% en una hora. Por lo tanto, antes de consultar a su médico, no beba café... no tome medicamentos de venta libre que contengan cafeína... no use descongestionantes nasales.

- **Asegúrese de que su médico tenga la banda del tamaño adecuado** si usted es más grande o más pequeño que los adultos de tamaño mediano. Usar la banda del tamaño inapropiado puede causar una lectura errónea. Pregunte acerca del tamaño de la banda en relación a su tamaño. Si su médico no le da importancia al hecho de que usted necesita una banda de mayor o menor tamaño, usted debería buscar un médico más responsable.

- **Una de cada cuatro personas examinadas parecían tener presión arterial alta,** según un proyecto de investigación canadiense. Pero cuando se volvieron a examinar una y otra

ALGO ESPECIAL

¡Respire sin problema!

RESPeRATE es un dispositivo electrónico portátil sin medicamento que se adapta a su frecuencia y ritmo respiratorio particulares, y lo guía a usted en forma interactiva para reducir su frecuencia respiratoria. Su presión arterial disminuye al relajar ligeramente los vasos sanguíneos estrechos mediante el poder de su respiración controlada. Es fácil de usar, lleva 20 minutos al día y se ha comprobado su eficacia para ayudar a bajar la presión arterial si se usa diariamente.

Mayor información: Para ver una demostración, visite *www.resperate.com*, o si tiene preguntas, llame al 877-988-9388.

vez, esas mismas personas en realidad tenían presión normal.

Pídale a la persona que le medirá la presión arterial –el médico o la enfermera– que se la mida después de que usted haya tenido la oportunidad de calmarse. Si su presión es alta, pídale que se la mida nuevamente al final del examen.

ALGO ESPECIAL

¡Contrólese!

Zona Plus es otro dispositivo médico sin medicamento que se ha comprobado clínicamente que ayuda a bajar la presión arterial.

Zona Plus, un dispositivo a pila (batería) controlado por computadora que cabe en la palma de la mano, lo guía paso por paso por una sesión de terapia de 12 minutos, cinco veces a la semana. Notará una disminución apreciable en su presión arterial sistólica en reposo después de cuatro o cinco semanas y los mayores resultados en entre seis y ocho semanas.

Zona Plus efectivamente cambia la fisiología del cuerpo. La terapia con Zona Plus lleva a una mayor producción de óxido nítrico, un poderoso vasodilatador, que relaja los vasos sanguíneos en su sistema arterial y permite que la sangre fluya más libremente.

Decidimos probar Zona Plus nosotras mismas. Es sencillo (la parte más difícil fue abrir la cubierta para insertar la pila). Y es mucho más cómodo, lleva menos tiempo y es mucho menos agotador que el ejercicio aeróbico. De hecho, estudios clínicos mostraron en forma consistente que la terapia con Zona, realizada según se recomienda, es de tres a cuatro veces más eficaz para disminuir la presión arterial que 30 minutos de ejercicio aeróbico vigoroso realizado tres veces a la semana. Y no hay que hacer calentamiento, se puede hacer en cualquier lugar, a cualquier hora y no importa cómo está vestido.

La ciencia detrás de Zona Plus fue descubierta cuando el Dr. Ronald L. Wiley, fisiólogo cardiopulmonar, estaba trabajando en un problema no relacionado de pilotos de combate (la "visión negra" o la pérdida de conocimiento causada por la fuerza G) para la Fuerza Aérea estadounidense. Usando la terapia de empuñadura isométrica, el Dr. Wiley no sólo resolvió el problema de la visión negra, sino que además descubrió que ofrecía una importante ventaja secundaria –para los pilotos con presión arterial levemente alta, la terapia efectivamente disminuyó su presión arterial.

Trabajando en varios laboratorios universitarios en los siguientes veinte años, el Dr. Wiley finalmente desarrolló la terapia isométrica ideal para disminuir en forma segura y eficaz la presión arterial. Luego probó su terapia en múltiples estudios controlados realizados por médicos y centros de rehabilitación cardiaca, y descubrió que producía resultados impresionantes en sólo unas semanas.

Más del 90% de las personas que usan Zona Plus disminuye su presión arterial naturalmente. Si se usa adecuadamente –12 minutos al día, cinco días a la semana– por 60 días y no se nota una reducción en la presión arterial, la empresa devolverá el precio de venta.

Mayor información: Visite *www.zona.com* o llame al 866-669-9662.

También es una buena idea medirse la presión el día siguiente a la consulta con su médico, una vez que usted se haya calmado *realmente*. Algunas cadenas de tiendas de precios bajos tienen máquinas para medirse la presión arterial en sus departamentos de farmacia. O, si promete no volverse loco midiéndose la presión cada dos minutos, puede comprar un monitor de presión arterial ("at-home blood pressure monitor") para usar en casa. Se venden en las secciones de farmacia de las tiendas de precios bajos, o visite el sitio web *www.omronhealthcare.com*.

Cuando usted está seguro de tener presión arterial alta

Si es uno de los 60 millones de estadounidenses que se estima tienen presión arterial elevada, es hora de hacer algo al respecto.

Los estudios demuestran que los vegetarianos tienen presión arterial más baja que quienes comen carne. Los estudios también demuestran que fumar cigarrillos, beber alcohol y comer en exceso pueden aumentar su presión arterial. ¡Pero basta de estudios! *Concentrémonos en maneras de disminuir su presión arterial…*

➤ **Algunas cosas básicas.**

• **Comience por disminuir la cantidad de carne roja que come.** Reduzca cada semana la cantidad de veces que consume comidas con carne roja. Y recuerde que una porción debería ser del tamaño de una baraja (mazo de cartas).

• **Deje de fumar… incluso si no tiene presión arterial alta.**

• **¿Es beber alcohol tan importante para usted?** Haga que un trago le dure toda la noche. Con el tiempo, quizá ni siquiera desee ese trago. ¿Cómo? ¿Le estamos quitando toda la diversión a la vida? ¡Pues, al menos usted tiene vida!

➤ **Evite ser "a-saltado".** La primera cosa que un médico le dice a un paciente con presión arterial alta es que reduzca o elimine la sal. El Dr. Mark Stibich, PhD, quien escribe acerca de la longevidad para el sitio web de *The New York Times* (*http://longevity.about.com*) tiene esta explicación clara acerca de cómo demasiada sal afecta los niveles de presión arterial: "Normalmente, los riñones controlan el nivel de sal. Si hay demasiada sal, los riñones la eliminan en la orina. Pero cuando nuestros niveles de consumo de sal son muy altos, los riñones no pueden seguir ese ritmo y la sal termina en nuestro torrente sanguíneo. La sal atrae agua. Cuando hay demasiada sal en la sangre, la sal atrae más agua hacia la sangre. La mayor cantidad de agua aumenta el volumen de sangre, lo cual sube la presión arterial".

Mientras que necesitamos unos 500 mg de sal para que nuestro cuerpo funcione, la mayoría de las personas consumen una cantidad 10 veces mayor diariamente. Las personas con presión arterial alta no deberían consumir más de unos 1.500 mg al día. ¡Menos es mejor!

Para ayudar a mantener baja la cantidad de sodio si consume alimentos enlatados –frijoles, habas, habichuelas ("beans") y verduras en particular– ponga el contenido de la lata en un colador y lávelo con agua fría por al menos un minuto. Esto puede reducir el contenido de sal en más de un 50%.

Agregue sal después de preparar las comidas. De ese modo, usará la mitad de sal sin perder el sabor.

➤ **Kiwi y compañía.** Un kiwi al día ayuda a prevenir la presión arterial alta. Esta pequeña fruta afelpada es rica en potasio y es un diurético natural –dos razones por las que las personas con presión arterial alta deberían comer kiwis, además de otros alimentos ricos en potasio, como las bananas maduras, las verduras de hojas crudas o cocinadas al vapor, las naranjas, los aguacates ("avocados") y las semillas de girasol ("sunflower seeds") sin sal.

➤ **¡Cante aleluya! Vamos, póngase feliz.** Investigadores universitarios han descubierto que los estados emocionales de las personas afectan directamente a los niveles de su presión arterial. Cuando está feliz, su presión arterial sistólica baja; cuando está lleno de ansiedad, su presión diastólica sube. ¡Feliz es mejor! Y la parte buena es que su estado emocional depende totalmente de usted. Abraham Lincoln lo resumió mejor cuando afirmo: "La mayoría de las personas son tan felices como deciden serlo".

➤ **Esperanzado espino blanco.** El árbol espino blanco ("hawthorn") es un símbolo de esperanza. Beber té de bayas de espino blanco ("hawthorn berry") dos veces al día –por la mañana y la tarde o la noche– puede, *tenemos la esperanza*, ayudar a bajar su presión arterial. Espere unas semanas para ver los resultados. El espino blanco se encuentra disponible en varias formas (en polvo, cortado o entero), y también en cápsulas. Las tiendas de alimentos saludables deberían tener una selección, y usted puede fijarse en el sitio web *www.teabenefits.com* para tener una idea de lo que hay disponible.

➤ **Alimento luisiano para las "suelas".** Éste es un remedio tradicional regional que nos llegó por medio de una señora en Luisiana, donde el musgo crece en los árboles. Tome trozos de musgo ("Spanish moss"), a veces llamado "barba de monte", y camine con ellos en sus zapatos. Esto puede parecer disparatado, pero se afirma que disminuye la presión arterial.

➤ **Aromaterapia.** El Dr. Alan R. Hirsch, fundador y director neurológico de la Smell & Taste Treatment and Research Foundation (*www.smellandtaste.org*), afirma que algunos aromas pueden disminuir en forma significativa la presión arterial. El aroma de la orilla del mar es uno, la lavanda ("lavender") es otro, y el que

■ Receta ■

Sustitutos de la sal

Cuando sea apropiado –según las comidas o bebidas que se preparan– el jugo de limón puede ser un buen sustituto de la sal. *Usted también puede dar sabor a la vida de su familia con estas tres recetas que sustituyen la sal, provistas por la empresa de especias McCormick & Company...*

- **Para ensaladas o el salero:**
  2 cucharaditas, tomillo ("thyme")
  2 cdtas., ajedrea ("savory") molida
  1 cucharadita de salvia ("sage")
  2 cdtas. de albahaca ("basil")
  1 cda. de mejorana ("marjoram")
- **Para sopas, guisos (estofados), pollo o carnes asadas:**
  1 cucharada de tomillo ("thyme")
  1 cucharadita de salvia ("sage")
  2 cdtas. de romero ("rosemary")
  1 cda. de mejorana ("marjoram")
- **Para verduras cocidas, carnes o para agregar condimento en la mesa:**
  1 cdta., semillas de apio ("celery")
  1 cda. de mejorana ("marjoram")
  1 cucharada de tomillo ("thyme")
  1 cucharada de albahaca ("basil")

Muela los ingredientes para la mezcla de su elección en una licuadora o con un mortero de mano ("mortar and pestle"). Guarde en un frasco de vidrio oscuro bien cerrado y marque bien con etiqueta.

parece más eficaz es el aroma de manzanas horneadas y sazonadas ("spiced apples"). Estos aromas se encuentran disponibles en atomizadores en las tiendas de alimentos saludables.

➤ **Presión arterial alta o baja.** Se afirma que el jugo de áloe vera (disponible en las tiendas de alimentos saludables) fortalece los vasos sanguíneos y estabiliza la presión arterial. Beba una onza (30 ml) después del desayuno y una onza después de cenar.

AFIRMACIÓN

Ésta es una afirmación más larga que la mayoría. Es una afirmación importante y debería repetirse al menos 10 veces, comenzando a primera hora por la mañana, y todas las horas que comienzan con las letras "d" y "t" –diez, doce, dos, tres–, además de a última hora por la noche...

Me consuela saber que donde estoy es exactamente donde debería estar, y lo que sea mejor para mí me llegará. Me amo y amo mi vida.

PRÓSTATA

La próstata es una glándula del sistema reproductor masculino. Su función consiste en producir y almacenar un componente del semen. Ubicada en la pelvis, bajo la vejiga y frente al recto, la próstata rodea parte de la uretra, el tubo que vacía la orina de la vejiga. Una próstata saludable tiene al tamaño aproximado de una nuez de Castilla ("walnut"). Si la próstata crece demasiado, el flujo de orina puede hacerse más lento o detenerse.

Consulte a un profesional de la salud ante el primer signo de cualquiera de estos síntomas de la próstata...

- **Dificultad al orinar.**
- **Problemas para comenzar o detener el flujo de orina.**
- **Necesidad de orinar con frecuencia, especialmente por la noche.**
- **Flujo débil de orina.**
- **Dolor o ardor al orinar.**
- **Dificultad para tener una erección.**
- **Sangre en la orina o el semen.**
- **Dolor frecuente en la parte inferior de la espalda, la cadera o la parte superior del muslo.**

Antes de que se alarme, consuélese con el National Cancer Institute (NCI). Ellos afirman que aunque estos pueden ser síntomas de cáncer, es mucho más probable que sean causados por afecciones no cancerosas. Es importante consultar con un médico. ¡Cuanto más pronto, mejor!

Se hará un gran favor si se somete a un examen de próstata, en vez de temer lo peor... cáncer de próstata. Como afirma el NCI, es mucho más probable que sus síntomas sean causados por afecciones no cancerosas.

Existen dos problemas comunes de la próstata –*prostatitis*, una inflamación o infección de la próstata que afecta a hombres de entre 30 y pico hasta la mediana edad; e *hiperplasia prostática benigna* (BPH, por sus siglas en inglés), o agrandamiento que usualmente afecta a los hombres mayores de 60 años.

NOTA: Como los expertos médicos están de acuerdo en que el café y las bebidas alcohólicas son perjudiciales para cualquiera que sospeche que tenga un problema de la próstata, elimine esos estimulantes de inmediato. Eso incluye la cerveza, la cual puede elevar los niveles de la prolactina en el cuerpo –los niveles altos de esta hormona pueden, con el tiempo, llevar al agrandamiento de la próstata.

Una vez que se haya sometido a un examen de la próstata y le hayan asegurado que tiene una afección de la próstata que no es cancerosa, puede considerar lo siguiente...

Remedios para problemas benignos de la próstata

Los remedios que mencionamos aquí tienen como objetivo reducir el tamaño de la próstata y lograr que orinar sea más fácil y normal. Si usted realmente quiere hacer lo mejor para la próstata, beba unos ocho vasos de agua al día, reduzca o elimine la carne roja y otras grasas poco saludables en su dieta e incorpore algunas de las sugerencias aquí y en la siguiente sección bajo "Prevención de problemas de la próstata".

➤ **Considere el zinc.** Consuma un puñado de semillas de calabaza "pumpkin" –naturales, sin sal– todos los días. Estas semillas son ricas en zinc, el cual ayuda a reducir la próstata agrandada. También tienen propiedades diuréticas para ayudar con la dificultad para orinar.

Si quiere hidratar su organismo, prepare té de calabaza "pumpkin" machacando un puñado de las semillas frescas. Póngalas en una taza grande o en un frasco de una pinta (½ litro) y vierta sobre ellas agua recién hervida. Deje que se enfríe a temperatura ambiente. Cuele y beba la pinta de té de calabaza "pumpkin" durante el día.

➤ **Palmito aserrado** (palmera de Florida, "saw palmetto") puede ayudar a los hombres a mantener una próstata saludable, según varios estudios. La dosis para una próstata agrandada, recomendada por Pamela W. Smith, MD, directora del Center for Healthy Living & Longevity (*www.cfhll.com*) y conferenciante sobre el tema de la medicina antienvejecimiento, es de 160 mg de palmito aserrado dos veces al día. La Dra. Smith también recomienda que hable con su médico antes de tomar esta hierba, y que le pregunte si es algo que debería estar haciendo, considerando su historial médico, y si la dosis es apropiada para usted.

➤ **Ortiga mayor** ("stinging nettle"). Según el centro médico de la Universidad de Maryland (*www.umm.edu*), la raíz de la ortiga mayor se usa ampliamente en Europa para tratar el agrandamiento benigno de la próstata (BPH). Los estudios en personas sugieren que la ortiga mayor, en combinación con otras hierbas (especialmente el palmito aserrado), podría ser eficaz para el alivio de síntomas como el flujo urinario reducido, vaciado incompleto de la vejiga, goteo postmicción y el deseo constante de orinar. Estudios de laboratorio han demostrado que la ortiga mayor es comparable a la finasterida (un medicamento comúnmente recetado para la BPH) en desacelerar el crecimiento de ciertas células de la próstata. Sin embargo, al contrario de la finasterida, la hierba no disminuye el tamaño de la próstata.

Los herboristas médicos alemanes recomiendan entre dos y tres cucharaditas de extracto de ortiga mayor al día para el tratamiento de la BPH.

➤ **Sandía** ("watermelon") es rica en *licopeno.* Coma la pulpa de la sandía y use las semillas como lo hacen los Amish de Pensilvania. Ponga un octavo de una taza (una onza) de semillas en un frasco de una pinta (½ litro) y vierta sobre las mismas agua recién hervida. Cuando el té se enfríe, cuélelo y bébalo durante el día. Hágalo por 10 días.

Prevención de problemas de la próstata

➤ **Un examen anual.** Mencionamos esto antes, pero vale la pena volver a mencionarlo –programe un examen anual de la próstata.

Si hay algún problema, descúbralo temprano y cúrese antes de que empeore.

➤ **Vitamina A.** Parece haber una fuerte relación a nivel estadístico entre un nivel bajo de la vitamina A y el cáncer de próstata. Consuma alimentos ricos en betacaroteno (el precursor de la vitamina A) como bróculi ("broccoli"), zanahorias, coliflor ("cauliflower"), acelga ("Swiss chard"), endibia ("endive"), col rizada ("kale"), berza ("collard greens"), hojas de mostaza ("mustard greens"), hojas de diente de león ("dandelion greens"), espinaca ("spinach"), tomates, lechuga de hojas sueltas, aceite de hígado de bacalao ("cod-liver oil"), calabacines de invierno ("winter squash"), batatas (boniatos, camotes, papas dulces, "sweet potatoes"), berro ("watercress"), hojas de nabos ("turnip greens"), hojas de remolacha (betabel, "beet"), melón chino ("cantaloupe"), melocotones (duraznos, "peaches"), albaricoques (damascos, "apricots"), ciruelas secas ("prunes"), cerezas ("cherries") y papaya (lechosa, fruta bomba).

ATENCIÓN: Los suplementos de vitamina A pueden ser tóxicos. Deberían tomarse sólo bajo la supervisión de un profesional de la salud.

➤ **El extracto de pígeum ("Pygeum Africanum")** viene en cápsulas de 50 mg que se pueden comprar en la mayoría de las tiendas de vitaminas y las de alimentos saludables. Tome dos o tres al día como ayuda para prevenir los problemas de la próstata –o como ayuda para tratar el comienzo de un problema de la próstata.

➤ **Pepinos ("cucumbers").** Se afirma que los pepinos contienen hormonas benéficas. Nutra la glándula prostática comiendo un pepino grande diariamente.

➤ **Paja de avena ("oatstraw").** Prepare el té de paja de avena agregando una cucharadita de la hierba seca (disponible en tiendas de alimentos saludables) a una taza de agua recién hervida. Deje en remojo 10 minutos. Cuele y beba todos los días.

➤ **Tomates.** Al menos dos porciones por semana de tomates y productos del tomate –salsa de tomate, salsa picante, jugo de tomate– contienen suficiente del compuesto antioxidante *licopeno* como para ayudar a disminuir el riesgo de cáncer de próstata en un 50%. Toronja (pomelo, "grapefruit") rosada, guayaba y sandía ("watermelon") también contienen licopeno.

Consulte "Remedios para problemas benignos de la próstata" en la página anterior para preparar el té de sandía. Consulte también el capítulo "Le hace bien al cuerpo", página 287, para leer la información sobre los benéficos omega-3.

Recursos para la próstata

Si se le ha diagnosticado cáncer de próstata, su mejor línea de defensa es conocer sus opciones. Hable con sus parientes y amigos que han pasado por esto. Pídales su consejo.

Hágase responsable por aprender tanto como pueda. *Las siguientes páginas web están llenas de valiosas consideraciones…*

- **La página principal sobre el cáncer de próstata del National Cancer Institute (NCI)** proporciona recursos relacionados con la prevención, detección, tratamiento, ensayos clínicos y atención de apoyo. La página está en *www.cancer.gov/cancertopics/types/prostate.*
- **Prostate Cancer Treatment (PDQ)** incluye información sobre el tratamiento del cáncer de próstata. Este resumen de información de la exhaustiva base de datos sobre cáncer del NCI se encuentra en *www.cancer.gov/cancertopics/pdq/treatment/prostate/patient.*

• ***Treatment Choices for Men with Early-Stage Prostate Cancer.*** Este folleto del NCI describe muchas opciones de tratamiento disponibles para hombres diagnosticados con cáncer de próstata en etapas iniciales y examina las ventajas e inconvenientes de todos los tratamientos. El folleto se encuentra en *www.cancer.gov/cancertopics/prostate-cancer-treatment-choices.*

AFIRMACIÓN

Repita esta afirmación nueve veces al día –comenzando a primera hora por la mañana, cada vez que mire su reloj y a última hora por la noche…

Me merezco todas las cosas buenas de la vida –la felicidad, el amor y la buena salud.

Consejos de los sabios…

Proteja la próstata

Bajar el nivel de colesterol podría proteger la próstata y también el corazón.

Descubrimiento reciente: El uso a largo plazo de estatinas –por más de cinco años– ha demostrado que ayuda a prevenir el cáncer de próstata.

Defensa: Reduzca el colesterol consumiendo más frutas y verduras, bajando de peso y tomando medicación de ser necesario.

J. Brantley Thrasher, MD, FACS, profesor y decano William L. Valk del departamento de urología del centro médico de la Universidad de Kansas, en Kansas City.

QUEMADURAS

Las quemaduras se clasifican en grados. Es fácil recordar el grado de gravedad de cada una si lo piensa de este modo...

- **Las quemaduras de primer grado dañan la *primera* capa de piel.** Son quemaduras leves que no producen ampollan.
- **Las quemaduras de segundo grado dañan *la primera y la segunda* capa de la piel.** Producen ampollan y pueden ser graves. *No pinche las ampollas.* Es la venda de la Madre Naturaleza. Cuando la ampolla se pincha, hay peligro de infección. Si ése es el caso, necesita asistencia médica profesional.
- **Las quemaduras de tercer grado son graves, muy graves.** Obviamente, son más profundas que las quemaduras de primer y segundo grado. Solicite asistencia profesional de inmediato. Mientras tanto, mantenga la zona quemada bajo agua fría que corra suavemente. Si necesita buscar ayuda, vierta agua fría sobre la zona quemada y luego cúbrala con la tela más limpia que tenga.

Ahora que sabe qué hacer en los casos de las quemaduras de segundo y tercer grado, examine la página y seleccione los ingredientes que tiene disponibles para usar como remedio para una quemadura leve de primer grado...

ADVERTENCIA: NUNCA ponga hielo sobre una quemadura. Puede hacer más daño que bien. Según la Clínica Mayo, el hielo puede dañar la piel e incluso puede causar una quemadura por frío.

➤ **Áloe vera.** El remedio clásico tradicional para las quemaduras de primer grado es el gelatinoso jugo de la carnosa planta áloe vera. Esta planta perenne es un botiquín de primeros auxilios en maceta que es fácil de cultivar. No necesita luz solar directa ni mucha agua.

El áloe es una planta económica y usualmente puede encontrarse en cualquier lugar donde vendan plantas. El jugo más eficaz es el de una planta que tenga al menos dos o tres años y cuyas hojas tengan pequeñas protuberancias como espinas en los bordes.

Si se quema y tiene una planta de áloe, corte la parte superior de una de las hojas más bajas. Pele la piel de la hoja para llegar al gel o exprima el gel curativo y espárzalo sobre la zona quemada.

El gel de áloe se vende en tiendas de alimentos saludables. Es buena idea mantener una botella del mismo en el refrigerador para quemaduras y otros usos que describimos en este libro.

➤ **Zanahorias.** Ralle zanahorias y envuélvalas en estopilla o un pañuelo blanco para preparar una cataplasma ("poultice"). Luego coloque la cataplasma sobre la quemadura. Si prefiere usar jugo fresco de zanahorias, empape gasa o una toallita blanca con el jugo y aplique a la quemadura. Cualquiera de estos tratamientos debería eliminar el calor, disminuir el dolor y estimular la curación.

➤ **Bolsa de papel marrón y vinagre.** Corte un trozo de una bolsa limpia de papel marrón, sumérjalo en vinagre blanco destilado ("distilled white vinegar") y aplíquelo a la quemadura.

➤ **Champiñones (hongos, setas, "mushrooms").** Los champiñones pueden ayudar a curar una quemadura. Ponga tajadas de champiñones por encima de la zona afectada.

➤ **Rábanos ("radishes").** Ponga rábanos fríos y limpios en una licuadora o procesador de alimentos y haga un puré con ellos. Coloque el puré en una estopilla (gasa, "cheesecloth") o en un pañuelo blanco para hacer una cataplasma y aplique sobre la zona quemada.

➤ **Bicarbonato de soda y clara de huevo.** Inmediatamente después de quemarse, mezcle suficiente bicarbonato de soda ("baking soda") con la clara de un huevo como para hacer una solución cremosa. Cuanto más pronto la aplique a la quemadura, mejores posibilidades tendrá de prevenir que se formen ampollas.

➤ **Yemas de los dedos quemadas.** ¿Alguna vez ha tocado el lado equivocado de una plancha enchufada? O, ¿con qué frecuencia ha tocado algo demasiado caliente en el horno? ¿Sobre el fuego de la cocina?

Un amigo nuestro compartió el remedio de su abuela Bessie Mae para las yemas de los dedos quemadas –es uno de nuestros preferidos. Simplemente agarre el lóbulo de la oreja –coloque el dedo pulgar en el lado de atrás del lóbulo y las yemas quemadas de los dedos en el lado de adelante del lóbulo. Permanezca así por un minuto. Surte efecto como por arte de magia.

➤ **Quemadura por salpicadura de aceite.** La miel contiene enzimas muy curativas. Ponga una delgada capa de miel sobre la zona quemada.

No es quemadura, pero aun arde

➤ **La boca que arde por picante.** Si su boca se siente como incendiada después de haber comido un chile picante, enjuáguela con leche o yogur o crema agria ("sour cream"). Debería tardar unos siete minutos para que la sensación de quemadura disminuya. Si no tiene a mano ninguno de estos productos lácteos, mastique un trozo de pan blanco. (Si no tiene pan blanco, use pan integral, pan de centeno o cualquier otro tipo de pan que tenga).

AFIRMACIÓN

Repita esta afirmación una y otra vez mientras trata la quemadura...

Estoy tranquilo y rodeado de energía curativa.

QUEMADURAS DE SOL

Sabe que puede en realidad quemarse mucho por el sol mientras nada bajo el agua? También puede quemarse por los rayos del sol reflejados en la arena, el agua, la nieve y hasta el cemento. Y no tiene que ser un día soleado. Puede quemarse gravemente por el sol en días neblinosos y brumosos.

Cuando el sol le quema la piel, se despega la capa superior de la piel quemada y la nueva capa superior es extremadamente sensible al sol. Lleva tres meses para que la piel vuelva a estar como era antes de ser quemada por el sol.

Nuestro objetivo al darle toda esta información es que es imprescindible que tome precauciones.

Prevención y protección de las quemaduras del sol

La mejor manera de prevenir las quemaduras del sol es mantenerse lejos de los rayos solares. ¿Imposible? Bueno, entonces, como el sol es más fuerte entre las 10 a.m. y las 4 p.m. (hora estándar), programe sus actividades al aire libre antes de las 9 a.m. o después de las 5 p.m. ¿Sigue siendo imposible? Una solución posible es el protector o filtro solar ("sunscreen"). ¡No salga de casa sin él!

➤ **Lo que debe saber acerca de los protectores solares.** El objetivo del protector solar es bloquear los perjudiciales rayos ultravioleta

(UVA y UVB) del sol que dañan la piel...

• **Un protector solar de buena calidad que proteja contra la radiación UVA y UVB** debería tener un factor de protección solar (FPS o SPF, por sus siglas en inglés) de al menos 15 y contener *avobenzona, dióxido de titanio* ("titanium dioxide") u *óxido de zinc* ("zinc oxide").

• **El protector solar debería ser el último producto en aplicarse,** especialmente en la cara, previniendo que humectantes y maquillajes de fondo a base de agua lo descompongan y hagan que pierda su eficacia.

• **Aplique protector solar abundantemente a todas las áreas expuestas al sol.** Se afirma que se necesita alrededor de una onza líquida (30 ml) para cubrir el cuerpo de un adulto.

• **Tarda entre 20 y 30 minutos para que el protector solar sea absorbido por la piel,** así que aplíquelo media hora antes de salir al sol.

• **Aplique protector solar cada dos horas mientras esté al sol.** Pero vuélvalo a aplicar *inmediatamente después* de nadar, secarse con toalla o sudar mucho.

• **Use pomada para los labios con un SPF de 30** para protegerlos del sol. Y siempre vuelva a aplicarla después de comer o beber.

• **Use un sombrero con ala,** anteojos (gafas) de sol y siga aplicando protector solar si quiere salvar su piel –literalmente.

NOTA: Su sombra puede darle una idea sobre cuánta exposición a los rayos ultravioleta (UV) está recibiendo. Una sombra que es más larga que usted significa que la exposición a los rayos UV es baja; una sombra que es más corta que usted significa que la exposición a los rayos UV es alta.

Si es lo suficientemente descuidado como para salir sin protección adecuada, éstos son algunos remedios que ayudarán a curar la piel quemada por el sol...

Cómo aliviar las quemaduras del sol

➤ **Alivio en tres pasos.**

• **Inmediatamente.** Tan pronto como sea posible, dese una ducha fría. ¿Sabe cómo dejar correr agua fría sobre la pasta para detiene el proceso de cocción? ¡Sí! El agua fría no permitirá que la piel siga quemándose.

• **Luego.** Mezcle cantidades iguales de bicarbonato de soda ("baking soda") y maicena (fécula de maíz, "cornstarch"), según cuánta piel se quemó, y después agregue suficiente agua como para hacer una pasta. Aplíquela en las zonas afectadas.

Si sólo la cara se ha quemado por el sol, vierta maicena y bicarbonato de soda en una bañera (tina) con agua fría y relájese en la misma por un rato. Cuando salga, olvídese de la toalla –simplemente séquese naturalmente con la maicena y el bicarbonato en la piel.

• **Después.** Aplique gel de áloe vera directamente sobre las áreas quemadas por el sol. El gel de áloe vera se vende en tiendas de alimentos saludables, o si tiene una planta de áloe, exprima el gel de las hojas, comenzando por la parte de abajo de la planta con las hojas más viejas (las cuales son más benéficas).

A propósito, comprar una planta de áloe es como comprar una farmacia. Existen casi 100 usos médicos para esta planta suculenta fácil de cultivar.

➤ **Licuado aliviador del dolor.** Ron Hamilton, de Great American Natural Products, compartió con nosotras su remedio aliviador para las quemaduras del sol.

En una licuadora, mezcle bien un pepino ("cucumber") pelado, media taza de cereal de avena ("oatmeal"), una cucharadita de olmo norteamericano ("slippery elm") o consuelda ("comfrey") seca (ambos son opcionales) y media taza de yogur. Luego aplique directamente sobre las zonas quemadas por el sol. Debería darle alivio rápido al quitar el dolor y el enrojecimiento.

➤ **Tratamiento para la cara quemada por el sol.** En su salón de belleza en Dallas, Texas, el experto en belleza Paul Neinast trata caras quemadas por el sol –empapa tajadas de tomate en suero de leche ("buttermilk") por unos 10 minutos y aplica las tajadas a la cara. Alivian el dolor, quitan el calor y cierran los poros, todo al mismo tiempo.

➤ **De rojo a bronceado.** Unte aceite de germen de trigo ("wheat germ oil") sobre las zonas quemadas por el sol y no se sorprenda si el enrojecimiento se vuelve bronceado mientras ayuda a curar la piel.

➤ **Restaurador del manto ácido.** Mezcle cantidades iguales de vinagre de manzana y agua. Suavemente pase, con una esponja, la mezcla sobre la piel quemada por el sol. Ayuda a restaurar el manto ácido (la capa en la superficie de la piel que actúa como una barrera contra las bacterias, virus y otros contaminantes).

➤ **Para la piel que se está desprendiendo.** Prepare un puré con la pulpa de una papaya (lechosa, fruta bomba) madura y colóquelo sobre la piel que se está desprendiendo. La papaya, con todas sus maravillosas enzimas, ayuda a tonificar la piel al mismo tiempo que quita las células muertas. Manténgala por media hora, y luego enjuague con agua fría.

Para los ojos quemados por el sol

➤ **Papa.** Ralle una papa cruda y envuélvala en una estopilla ("cheesecloth"). Coloque esta cataplasma de papa encima de los ojos cerrados y déjela ahí, mientras se relaja, por al menos media hora. ¡Ah –y prométase que nunca más dejará que sus ojos se quemen por el sol!

➤ **Bolsitas de té.** Humedezca dos bolsitas de té con agua fría y póngalas encima de los párpados. Déjelas ahí por al menos media hora. Si las bolsitas de té se secan durante ese tiempo, humedézcalas y aplíquelas nuevamente.

AFIRMACIÓN

Mientras trata el problema con uno de los remedios anteriores, repita esta afirmación hasta que el calor se haya desvanecido de la piel quemada por el sol...

Me siento tranquilo. Tengo paz mental. Estoy feliz.

RESFRIADOS Y GRIPE

Durante un año, se estima que las personas en Estados Unidos contraen mil millones de resfriados. La mayoría de los niños tienen entre seis y 10 resfriados al año, principalmente debido al contacto con otros niños en la guardería y la escuela. En términos generales, el adulto promedio tiene entre dos y cuatro resfriados al año... las mujeres entre los 20 y los 30 años tienen más resfriados que los hombres, probablemente debido a su contacto más cercano con los niños... y las personas mayores de 60 años de edad tienen la menor cantidad de resfriados, uno cada dos años.

La gente parece contraer más resfriados cuando hay tiempo frío. Nuestra mamá nos hizo creer que si no nos vestíamos como Nanook del Polo Norte cuando salíamos al tiempo frío nos "pescaríamos un resfrío". No es verdad. Las personas contraen más resfriados cuando hace tiempo frío porque pasan más tiempo *adentro*, donde los virus pueden propagarse más fácilmente de una persona a otra. Además, durante los meses más fríos del año la humedad es baja, y ahí es cuando los virus más comunes que causan resfriados sobreviven mejor... con humedad baja. ¿Alguna vez ha observado que el revestimiento de los conductos nasales está más seco cuando el tiempo está frío? Eso hace que usted sea más vulnerable a los ataques de las infecciones virales.

La lucha personal contra los resfriados les cuesta a los estadounidenses miles de millones de dólares al año en citas con el médico y medicamentos. ¿Quiere ahorrar un poco de dinero y sentirse mejor más rápido? Considere algunas de nuestras sugerencias usando ingredientes que probablemente ya tenga en su casa.

Prevención de resfriados y gripe

➤ **Fortalezca el sistema inmune.** El extracto de hoja de olivo ("olive leaf extract") tomado diariamente puede ayudar al sistema inmune a combatir los resfriados y la gripe. Entérese en el capítulo "Le hace bien al cuerpo", página 275.

➤ **Evite las personas resfriadas.** Se realizaron pruebas entre gente con infecciones del tracto respiratorio superior (resfriados) y gente sin resfriados. Las pruebas consistían en besar. Los resultados sugirieron que la boca y la saliva no son la manera principal en que los resfriados se propagan. Los resfriados se transfieren con mayor frecuencia por contacto entre narices. Así que, cuando usted o su pareja tengan un resfriado, está bien que se besen... ¡simplemente no se toquen las narices!

Además, cuando está entre personas enfermas, y está tocando las cosas que esas personas han tocado –escritorios, computadoras, teléfonos, interruptores, pomos, vajilla, vasos– no se toque la nariz ni los ojos, y lávese bien las manos con frecuencia.

Al comienzo de un resfriado

➤ **Raíz de jengibre ("gingerroot").** Pele y ralle alrededor de una media onza (15 g) de raíz de jengibre fresco o cuatro rebanadas del tamaño de una moneda de 25 centavos de dólar, y ponga a hervir en agua. Deje hervir a fuego lento por 15 a 20 minutos. Cuele y beba una taza cada dos horas. Si le gusta el té *caliente y fuerte*, entonces agregue un octavo de cucharadita de pimienta de cayena ("cayenne pepper") al té de jengibre. Si le gusta el té dulce, agregue una cucharada de miel sin procesar ("raw honey") al té de jengibre. Si le gusta el té amargo, agregue el jugo de medio limón pequeño.

ATENCIÓN: El jengibre actúa como un anticoagulante, así que consulte con su médico antes de usarlo si toma un anticoagulante recetado. Además, deje de usar el jengibre tres días antes de cualquier cirugía.

Remedios para los resfriados y la gripe

➤ **Curalotodos universales.** Todos los países tienen sus propias versiones de los remedios de ajo o cebolla para el resfriado y la gripe. *Aquí hay algunos de los menos complicados y, a su vez, más eficaces...*

- **Coma una cebolla española cruda o asada antes de acostarse.** Por la mañana, no estará resfriado.
- **Pele un diente de ajo, manténgalo en la mejilla** y de vez en cuando muérdalo para que suelte su jugo poderoso. Cambie el diente de ajo cada pocas horas. Se afirma que el resfriado desaparecerá en 24 horas. Además, el olor del ajo debería mantener a la gente alejada de usted, así que no le contagiará a nadie su resfriado.
- **Tome cápsulas de ajo o cebolla en gel** ("softgels", disponibles en tiendas de alimentos saludables). Siga la dosis indicada en la etiqueta.

ADVERTENCIA: Consumir ajo con el estómago vacío puede causar náuseas. Siempre consuma algo antes de consumir ajo o tomar cápsulas. Además, tenga cuidado con el ajo si padece gastritis.

➤ **Una bebida para antes de acostarse.** Escribimos sobre esto en nuestro libro anterior, *Remedios caseros curativos*, pero creemos que vale la pena repetirlo aquí.

Cuando éramos niñas, nuestra abuela Bubby nos mezclaba un brebaje que provocaba gruñidos siempre que alguien de nuestra familia tenía un resfriado. La temida bebida se llamaba guggle-muggle. Pensábamos que era un lindo nombre que la abuelita había inventado. Ahora suena como algo en los libros de Harry Potter.

Resulta que muchas familias judías tienen sus propias recetas de guggle-muggle... algunas más aceptables que otras.

Un día, durante el último periodo de gobierno de Edward Koch como alcalde de Nueva York, él se encontraba con nosotras en un programa local de televisión y dijo que tenía un resfriado. *Luego procedió a compartir la receta de su familia para un guggle-muggle sólo para adultos...*

A la hora de acostarse, combine el jugo de una toronja (pomelo, "grapefruit"), un limón y una naranja, preferiblemente una naranja Temple (no estamos seguras si es por su sabor o por su nombre). Agregue una cucharada de miel. Vierta la mezcla en una cacerola y haga hervir, siempre revolviendo. Luego agregue una onza (30 ml) de su licor preferido (Ed Koch usa brandy).

Como con la mayoría de los guggle-muggle, usted lo bebe, se pone ropa abrigada y se mete bajo las mantas para sudar hasta que se le vaya el resfriado durante toda una noche de sueño profundo. A la mañana siguiente, podrá despertarse sin resfriado.

➤ **Un curalotodo para resfriados y gripe.** El propóleos de abejas ("bee propolis"), la savia pegajosa de los árboles que las abejas juntan y procesan, es un antihistamínico, un antibiótico, un antivirus, un antifúngico y también un descongestionante. No es broma, ¡es algo increíble! El propóleos de abejas viene en forma de tabletas, cápsulas y líquido. Siga la dosis recomendada en la etiqueta.

ADVERTENCIA: Si sospecha que tiene sensibilidad a los productos de abejas, olvídese de esto y siga buscando otro remedio.

➤ **Prevenga la deshidratación.** ¿Usted sabe cómo siempre dicen "Beba muchos líquidos"? *Tienen razón.* Cuando tenga un resfriado o una gripe, y especialmente si está hirviendo de fiebre, el cuerpo está liberándose de agua mediante evaporación, sudor y respiración. No queremos asustarlo indicándole lo perjudicial que puede ser la deshidratación, pero sí queremos que nunca se olvide de la necesidad de seguir reponiendo el agua perdida. ¡Siga bebiendo!

➤ **Congestión del pecho.** Después del desayuno o el almuerzo, agregue media cucharadita de salsa Red Hot a un vaso de agua tibia y bébala. Este remedio es tan fuerte que casi se puede sentir la congestión deshaciéndose a medida que bebe el líquido.

ADVERTENCIA: NO use este remedio de salsa Red Hot si tiene acidez estomacal ("heartburn"), gastritis, úlceras o esofagitis.

➤ **Estornude.** ¡Hágalo, no los detenga! Es mejor expulsar virus y bacterias estornudando que reprimir los estornudos, permitiendo que los enemigos sigan incubándose en los senos nasales. La mejor manera de estornudar es con la boca abierta y cubierta con un pañuelo de papel.

➤ **Nariz tapada.** El ejercicio del tronco puede actuar como un descongestionante nasal natural. Ponga música enérgica que anime su pasión y, con un lápiz o un palillo en la mano, dirija la banda u orquesta que está tocando la música. Puede ser un ejercicio vigoroso, así que no se exceda en su debut como director invitado. Deje de hacerlo cuando la nariz se destape o sienta que necesita descansar... lo que suceda primero.

➤ **Goteo nasal.** ¿Le corre la nariz? ¿Y le huelen los pies? Entonces usted está hecho al revés. Pero hablando en serio –si tiene una nariz que gotea, ponga tres o cuatro gotas de salsa Tabasco en un vaso de agua y bébala. El alivio no debería demorar más de cinco minutos.

ADVERTENCIA: NO use este remedio de Tabasco si tiene acidez estomacal ("heartburn"), gastritis, úlceras o esofagitis.

➤ **Terapia de colores.** La autora clarividente Barbara Stabiner recomienda usar una bufanda roja alrededor del cuello para ayudar a acelerar el proceso de curación. Aunque suene raro, vale la pena hacer la prueba.

➤ **Aromaterapia.** Tan pronto como comience a sentirse engripado, prepare un baño caliente con media docena de gotas de esencia de eucalipto. Relájese en el baño por 15 minutos. Tenga cuidado al salir de la bañera (tina)... pues la esencia de eucalipto la hará resbalosa. Luego, durante todo el día, aplique un poco de esencia de canela ("cinnamon") en las sienes.

Cuando la cabeza se sienta congestionada, llene el lavabo (o una palangana si lo prefiere) con agua caliente y vierta un par de gotas de esencia de eucalipto en el agua. Luego ponga una toalla sobre la cabeza, incline la cabeza hacia el lavabo o la palangana, e inhale el vaho de canela por dos o tres minutos.

➤ **Visualización.** "El río de la vida" es una visualización del Dr. Gerald Epstein, psiquiatra y director del American Institute for Mental Imagery (*www.drjerryepstein.org*). Cualquiera puede usarla como ayuda para superar un resfriado. Léala por completo, y luego pídale a alguien que se la lea a usted mientras la intenta o grábese leyéndola, calculando los tiempos lo mejor que pueda.

1. **Siéntese en un sitio cómodo** y cierre los ojos.
2. **Exhale tres veces para relajarse.**
3. **Vea los ojos volviéndose transparentes y muy brillantes.** Luego véalos volviéndose

hacia dentro, transformándose en dos ríos que fluyen desde los senos nasales hacia las fosas nasales y la garganta, llevándose todos los desperdicios con sus corrientes, los dolores y la congestión.

4. **Los ríos están fluyendo por su pecho y abdomen hacia las piernas,** y saliendo como hebras negras o grises que usted ve mientras se entierran en lo profundo de la tierra.
5. **Vea su aliento saliendo como aire negro** y vea sus desperdicios apareciendo desde abajo.
6. **Sienta estos ríos palpitando rítmicamente por su cuerpo** y vea la luz que viene de arriba, llenando los senos nasales, la nariz y la garganta, y logrando que todos los tejidos se vuelvan rosados y saludables.
7. **Cuando sienta el fluir rítmico y la luz llenándole estas cavidades,** exhale y abra los ojos.

Haga este ejercicio de visualización cada tres horas, durante tres a cinco minutos cada vez, hasta que el resfriado mejore.

AFIRMACIÓN

Repita esta afirmación cinco veces. Cada vez que la diga, piense en lo significativas que son las palabras y cómo se relacionan con usted y su vida...

Mi mente, mi cuerpo, mi trabajo y mis relaciones están claramente definidas. Yo estoy en control. Estoy mejorando cada vez más. Soy productivo y amado.

RIÑONES Y PROBLEMAS URINARIOS

Como parte de las vías urinarias, la vejiga del adulto promedio tiene capacidad para retener 24 onzas (unos 700 ml) de orina. Cuando las paredes de la vejiga se estiran, los impulsos nerviosos provocan la necesidad de orinar. Eso usualmente sucede cuando la vejiga tiene entre 10 y 16 onzas (300 a 475 ml) de orina.

Los dos riñones, con forma de habichuelas coloradas –claro, por algo se llaman "kidney beans" en inglés– y ubicados en la parte de atrás del abdomen, a cada lado de la columna vertebral, son los órganos principales del sistema urinario. Los riñones filtran la sangre –toda la sangre– una vez por hora.

El sistema urinario es extraordinariamente sofisticado y, como con toda maquinaria compleja, las cosas pueden salir mal. Como un diagnóstico preciso es importantísimo, consulte con un profesional de la salud tan pronto como sospeche que tiene un problema urinario. Si piensa usar cualquiera de estos remedios caseros, consulte primero con ese profesional de la salud.

Problemas urinarios

Micción frecuente

Si tiene la necesidad urgente de orinar cada dos minutos, mucho antes de que la vejiga pudiera acumular la cantidad normal de orina, intente uno o ambos de estos remedios...

➤ **Judías verdes (ejotes, "string beans").** Limpie y lave ocho onzas (225 g) de judías verdes, póngalas en una olla y cúbralas con agua, y luego agregue otra taza de agua. Tape la olla y cocine las judías verdes 10 minutos.

Una vez al día, con el estómago vacío, coma las judías verdes y beba el agua en que se cocinaron. Según su peso corporal y cuánto apetito tenga, las ocho onzas de judías verdes cocidas y el agua podrían ser demasiado como para comerlas de una sola vez. Use su discreción y nivel de comodidad cuando se trata del tamaño de las porciones.

➤ **Castañas crudas.** Un remedio chino para detener la micción frecuente es comer tres castañas ("chestnuts") frescas crudas antes del desayuno y tres después de la cena. (Use un cascanueces para abrirlas y pelarlas). Mastíquelas bien.

Micción dolorosa

➤ **Jugo de áloe vera.** Este jugo puede ayudar a curar una vejiga inflamada que podría causar la micción dolorosa. Tome un trago de áloe vera a primera hora por la mañana e inmediatamente después de la cena.

Infección de las vías urinarias

➤ **Jugo de arándanos agrios.** Beba una taza de jugo de arándanos agrios ("cranberries") diariamente. Consiga el tipo que se obtiene en las tiendas de alimentos saludables, sin azúcar agregada ni conservantes.

AFIRMACIÓN/VISUALIZACIÓN

Siéntese en una silla cómoda. Después de decir esta afirmación, respire lenta y profundamente siete veces. Al respirar, visualice el aire que está inhalando como energía curativa blanca azulada. Siéntala fluyendo por su cuerpo, reparando lo que debe ser reparado. Haga este proceso de afirmación/visualización a primera hora por la mañana –quizá incluso antes de levantarse–, al descansar para tomar café por la tarde, y nuevamente antes de irse a dormir.

Libero mi ira y me relajo. Con cada inhalación que hago, la energía curativa entra en mi cuerpo, fluye por mí y me siento cada vez mejor.

Problemas renales

Infección de riñón y de vejiga

ATENCIÓN: Si cree que tiene una infección renal, consulte a su médico. Las infecciones renales requieren antibióticos.

➤ **Té de semillas de lino ("flaxseed").** Las semillas de lino, disponibles en tiendas de alimentos saludables, pueden ayudar a combatir la infección renal. Prepare el té haciendo hervir una cucharada de semillas de lino en agua. Deje hervir a fuego lento entre 15 y 20 minutos. Cuele y quite las semillas de lino (si acaso está algo constreñido, guarde las semillas de lino y cómalas). Lo más importante para la infección de la vejiga y del riñón es que beba dos tazas de té de semillas de lino diariamente.

Desintoxicante de los riñones

➤ **Chirivía (pastinaca, "parsnip") –un maravilloso desintoxicante.** Puede ayudar a limpiar los riñones, y quizá estimular la eliminación de los cálculos renales. Una porción de chirivía no será suficiente. Estamos hablando de comer chirivía al menos dos veces al día por al menos una semana. Considere su tamaño y nivel de comodidad cuando trate de determinar el tamaño de la porción. Cocínela al vapor, a la parrilla o al horno, ¡y cómala! Sabe bien y es buena para usted.

Cómo disolver los cálculos renales

Beber líquidos lenta y constantemente es imprescindible para purgar los riñones y ayudar a disolver los cálculos renales (piedras en el riñón, "kidney stones"). *Pregúntele a su médico cuáles son las mejores bebidas para usted...*

➤ **Se necesita extractor de jugos.** El jugo de perejil fresco se ha usado con éxito para disolver los cálculos renales. Para endulzar el fuerte sabor verde del perejil, agregue jugo fresco de zanahoria. Comience con dos tercios de perejil y un tercio de zanahoria y ajuste las proporciones después de probarlo.

➤ **Jugo de arándanos agrios.** Para variar un poco, puede beber jugo de arándanos agrios ("cranberries"). No sólo ayuda con la mayoría de los problemas urinarios, sino que además puede ayudar a disolver los cálculos renales.

➤ **Té de sandía.** El té de semillas de sandía ("watermelon") es un diurético maravilloso y un limpiador de los riñones. Junte media taza de semillas de sandía y póngalas a hervir a fuego lento en tres tazas de agua hasta que el agua empiece a soltar color. Retire del fuego, cuele y quite las semillas, deje enfriar y beba el té. Si necesita endulzarlo, agregue un poco de miel.

La próxima vez que sea época de sandía, junte las semillas y congélelas para cuando usted o alguien que conozca necesite algo para limpiar los riñones. Asegúrese de comprar sandía con semillas, no el tipo sin semillas.

➤ **Tés de hierbas.** Se sabe que estos tés de hierbas han disuelto los cálculos renales –a veces en unas pocas horas. Varias tazas deben beberse para obtener resultados. Un profesional de la salud puede guiarlo hacia la hierba y la dosis adecuadas. Los tés a considerar –manzanilla ("chamomile"), buchú, gayuba (aguavilla, manzanita, uvaduz, "uva ursi") y barbas de maíz ("corn silk"), ya sean frescas o secas.

Eliminación de los cálculos renales

➤ **Ponga los cálculos en orden.** Cuando sospeche que podría eliminar un cálculo (del tamaño de una piedra o gravilla), orine a través de un pañuelo de lino o muselina sin blanquear ("unbleached muslin") –o en una bacinica ("chamber pot")– de modo que pueda juntarlos. Es importante entregarle el cálculo a su médico. Los análisis del mismo pueden ayudar a prevenir que el problema vuelva a ocurrir. Por ejemplo, los cálculos podrían ser de *oxalato de calcio*, lo que significa que debería evitar la espinaca, el ruibarbo ("rhubarb"), las almendras ("almonds") y los anacardos ("cashews"). O los cálculos podrían ser de *ácido úrico* causados por la gota. Así que junte los cálculos y sométase al análisis médico profesional.

Prevención de los cálculos renales

➤ **Salvado de arroz.** Consumir dos cucharadas de salvado de arroz ("rice bran") puede ayudar a prevenir los cálculos renales. Espolvoréelo por encima de ensaladas, en sopas y guisos (estofados). También puede mezclarlo en jugos o batidos.

Terapia con gemas

➤ **Heliotropo (piedra sanguínea, "bloodstone").** Sosténgalo, frótelo, úselo, llévelo con usted o péguelo a su cuerpo en la zona de la espalda que queda cerca a los riñones.

AFIRMACIÓN

Repita esto 15 veces al día, comenzando a primera hora por la mañana, cada vez que orine y a última hora por la noche...

Al desvanecerse mis temores, recibo los poderes del bien ilimitado que hay ahí afuera para mí.

SEXUALIDAD

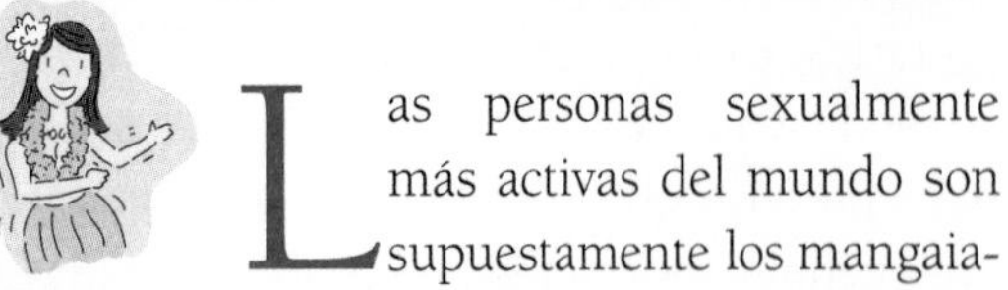

Las personas sexualmente más activas del mundo son supuestamente los mangaianos de la Polinesia. (Seguro que ese es un buen lugar para abrir un motel). Se ha informado que la pareja promedio de 18 años hace el amor tres veces por noche, todas las noches. Unos 10 años más tarde, a los 28 años, su vida sexual se reduce a dos veces por noche, todas las noches. El informe no sigue. El autor del informe estaba demasiado ocupado como para hacer un seguimiento o tal vez demasiado cansado.

Sea como sea, no tenemos que preocuparnos por los mangaianos. Y quizá no tengamos que preocuparnos por usted, después de que ponga a prueba algunas de estas sugerencias...

Mejor sexo

➤ **El mejor momento para el sexo – día o noche.** Las investigaciones afirman que la luz del sol mejora el apetito sexual. Tiene que ver con la excitación de la glándula pituitaria, la cual regula los ovarios y los testículos. Y esto sucede durante la parte más brillante del día. La falta de luz solar es una señal para la glándula pineal del cerebro de que produzca *melatonina*, una sustancia que inhibe la ovulación –la producción de espermas y las hormonas que son responsables del deseo sexual.

➤ **Los mejores meses para el sexo.** Los estudios demuestran que existe una relación directa entre los niveles más altos de testosterona en los hombres –la hormona que regula su apetito sexual– y los meses de luz solar óptima, en el verano y a principios del otoño. Cuando esté planificando sus vacaciones, tenga en cuenta que julio es el mes con los días más largos y soleados del año. Pero no viaje a América del Sur en julio, ya que los niveles de testosterona en los hombres están más bajos en los meses del invierno. Vaya en enero.

➤ **Aromaterapia para la excitación sexual.** Llene el aire con esencia de rosa, vainilla, jazmín, jengibre, pino ("pine") o "ylang-ylang" y llenará su corazón de sensualidad. Para una estimulación con concentración industrial, aplique una gota de cualquiera de las esencias justo debajo de la nariz. Da resultados tanto para hombres como para mujeres.

Evite la lavanda ("lavender"). Hará que se sienta con ganas de acostarse... para dormir con los angelitos.

➤ **Terapia con gemas para aumentar la energía sexual.** La piedra con la mayor energía sexual es el rubí. No necesita una gema costosa labrada en facetas. Hay rubíes en bruto que son económicos y hay cristales naturales de rubíes que tienen precios razonables.

Si los rubíes no lo entusiasman, puede probar con la cornalina ("carnelian") naranja con un leve tono de rojo, conocida también por su energía sexual.

Consejos de los sabios...

Pida lo que desea en la cama

La satisfacción sexual elude a muchas mujeres –pero no tiene que conformarse con sexo insatisfactorio.

Solución: Dígale a su pareja lo que la satisface. *Aquí tiene cómo decirlo...*

➤ **Averigüe lo que la excita.** Si no está segura de lo que le hace sentir bien, pase tiempo en privado dándose placer... cuando usted y su pareja tengan relaciones sexuales, preste atención a lo que la excita.

Para inspirarse: lea *Pleasure*, de Hilda Hutcherson, MD (Perigee).

➤ **Reconozca que su pareja no sabe leer su mente.** Muchas mujeres piensan: "Si él me amara, sabría cómo complacerme" –pero la mayoría de los hombres necesitan que se les enseñe. Para evitar herir sus sentimientos, explique: "Así como mi cuerpo ha cambiado, también han cambiado mis deseos. Experimentemos para saber qué me gusta más ahora".

➤ **No diga "*no*" –diga "*sí*".** Si le decimos: "No piense en elefantes rosados", ¿cuál es la primer cosa en la que usted piensa? Un elefante rosado. Sólo después el cerebro entiende "no". Lo mismo sucede cuando le dice a su pareja "no me aprietes los senos" –lo cual podría llevar a que él, sin advertirlo, siga el comportamiento no deseado.

Mejor: "Me excita cuando me besas los senos".

➤ **Muestre y diga.** Ponga la mano sobre la de su pareja y muéstrele cómo estimularla. Describa en detalle lo que quiere –"Mueve tus dedos lentamente subiendo por mi muslo"– y luego responda con entusiasmo.

Judy Kuriansky, PhD, psicóloga clínica y terapeuta sexual ("sex therapist") en la facultad adjunta de Teachers College de la Universidad Columbia, en Nueva York. Es autora de cinco libros, entre ellos *The Complete Idiot's Guide to a Healthy Relationship* (Alpha). Su sitio web es *www.drjudy.com*.

Para mayor vigor y vitalidad sexual

➤ **Polen de abeja ("bee pollen").** Para ensalzar los beneficios del polen de abeja, el título de la autobiografía de Noel Johnson lo dice todo: *A Dud at 70... a Stud at 80!* (Plains Corp.). (Bueno, como se puede imaginar, el título en inglés se refiere a la mejoría en su desempeño a los 80 años de edad).

ADVERTENCIA: Algunas personas son alérgicas al polen de abeja. Comience muy lentamente –con un par de gránulos los primeros dos días. Luego, si no tiene ninguna reacción alérgica, vaya aumentando gradualmente hasta que tome una cucharadita o más al día –hasta una cucharada, dependiendo de cómo se sienta. Los asmáticos NO deberían usar polen de abeja.

➤ **Un dulce manjar.** Halvah, una golosina del Medio Oriente, se remonta a cuando Cleopatra era joven. Se afirma que es especialmente eficaz para las mujeres.

Puede comprar halvah, pero el producto comercial no tiene la potencia de la halvah hecha por manos amorosas en casa.

Es fácil de preparar. Machaque una taza de semillas de ajonjolí (sésamo, "sesame seeds"). Agregue revolviendo miel sin procesar ("raw honey") hasta que tenga la consistencia de masa firme. Luego desprenda trozos y estírelos formando pedazos del tamaño de bocados, y disfrútelo.

Las semillas de ajonjolí y la miel sin procesar son una poderosa combinación de magnesio, calcio, potasio, lecitina, fósforo, polen de abeja ("bee pollen"), ácido aspártico y más. Comparta la confección y querrá compartir la pasión.

Afrodisíacos

El afrodisíaco más eficaz es su propia pasión. El segundo afrodisíaco más eficaz se dice que es el cuerno de rinoceronte molido. *Se corre la voz de que los siguientes ocupan el tercer lugar como mejores afrodisíacos...*

➤ **Hoja de damiana** (su nombre científico es *Turnera aphrodisiaca*, así que eso debería indicarle a usted algo). Use extracto de damiana (disponible en tiendas de alimentos saludables), entre cinco y ocho gotas diariamente.

➤ **Algas marinas** –porciones diarias de dulse o kelp pueden ayudar.

➤ **Legumbres** –las más comunes y populares son los guisantes (arvejas, chícharos, "peas"), frijoles (habas, habichuelas, "beans"), lentejas, alfalfa y maní (cacahuates, "peanuts"). Se dice que San Jerónimo no permitía que las monjas comieran frijoles por temor de que las monjas adquirieran malas hábitos.

➤ **Especias muy, muy picantes.**

➤ **La familia Allium** –ajo, cebolla, cebolla escalonia ("scallion"), chalotes ("shallots") cebollín ("chives"). (Puede que sean afrodisíacos eficaces, pero mantenga a mano un producto para perfumar el aliento).

ADVERTENCIA: Consumir ajo con el estómago vacío puede causar náuseas. Siempre coma algo antes de consumir ajo o tomar cápsulas. Además, tenga cuidado con el ajo si padece gastritis.

➤ **Triple A** –arúcula ("arugula"), alcachofas (alcauciles, "artichokes"), "aspárragos" (perdón, espárragos; "asparagus" en inglés).

➤ **Fruta** –bananas (plátanos), higos ("figs") frescos, cerezas ("cherries"), melocotones (duraznos, "peaches").

➤ **Semillas de girasol** ("sunflower seeds") –crudas, descascaradas.

➤ **Alimentos ricos en vitaminas del complejo B** –verduras de hojas verdes, pescado, germen de trigo ("wheat germ"), almendras ("almonds") y mantequilla de maní ("peanut butter") –el tipo que se encuentra en las tiendas de alimentos saludables sin aditivos ni conservantes.

➤ **Los hombres que transpiran mucho** durante las relaciones sexuales exudan testosterona, que es un afrodisíaco biológico para las mujeres.

Estimulantes de la pasión solamente para mujeres

➤ **Angélica ("dong quai", "angelica sinensis").** Se afirma que lo que el ginseng hace por los hombres, la angélica lo hace por las mujeres. Esta raíz china viene en varias formas, incluyendo tabletas, cápsulas y extractos –todos con las dosis diarias recomendadas en la etiqueta. Consulte su selección y la dosis con su profesional de la salud para asegurarse de que sea apropiada para usted.

ADVERTENCIA: La angélica puede aumentar la sensibilidad a los rayos ultravioletas. Las personas que toman angélica deberían evitar la exposición prolongada al sol. Además, para las mujeres que aún estén menstruando, la angélica puede causar un flujo menstrual más fuerte. Si está tomando medicación, consulte con su médico o farmacéutico acerca de posibles interacciones negativas antes de tomar angélica.

➤ **Esta papa apasiona.** Una dosis diaria de jugo de papa puede estimular el deseo. Limpie restregando una papa mediana, y rállela o póngala en el procesador de alimentos. Ponga la pulpa en una estopilla ("cheesecloth") o un colador ("strainer") fino, exprima el jugo y bébalo.

NOTA: No espere "derretirse" instantáneamente. Obtener resultados podría llevar algún tiempo (o conseguir una nueva pareja).

AFIRMACIÓN

Repita esta afirmación cada vez que se mire en el espejo...

Acepto mi sexualidad como parte de mi mente y mi cuerpo sanos y en buen funcionamiento. Me permito experimentar a recibir y dar dicha y placer físico.

Estimulantes de la pasión solamente para hombres

Es importante determinar si la impotencia que está experimentando es física (quizá un efecto secundario de una medicación que toma, la ateroesclerosis, o una dieta rica en grasa). Existen muchos exámenes que un médico puede hacerle para ayudar a determinar con precisión una causa física. Igualmente, su impotencia podría ser psicológica (aburrimiento en el dormitorio o el temor a fracasar). Se estima que el 90% de todos los casos son psicológicos y temporales.

Ya sea física o psicológica, puede intentar estas sugerencias con la supervisión de su médico…

➤ **Ginseng viene en muchas formas –tabletas, cápsulas, en polvo, extracto y la raíz entera fresca.** Algunos herboristas piensan que comer una pequeña rebanada de la raíz entera todos los días es la manera más benéfica de tomar ginseng. Igualmente, algunos herboristas optan por la hierba en polvo. Vaya a una tienda de alimentos saludables o una herboristería para ver lo que hay disponible. Lea las etiquetas. Pídale sugerencias al personal bien informado de la tienda. Cuando sepa lo que quiere, verifique su selección y la dosis con su profesional de la salud para asegurarse de que sean apropiadas para usted.

Probablemente le tomó cierto tiempo al problema para que se manifestara; podría tomarle cierto tiempo para obtener resultados. No se rinda, tenga paciencia y pídale a su pareja que también tenga paciencia.

➤ **Aletris ("true unicorn")** es una hierba de la familia de los lirios. Las raíces de la planta se usan para la digestión, estómago nervioso, gases, problemas menstruales y estimulantes de la fertilidad. Se afirma que también ayuda a revertir la impotencia. Tome entre cinco y ocho gotas en agua todos los días.

➤ **Té de paja de avena ("oatstraw")** –disponible en tiendas de alimentos saludables– puede prepararse dejando en remojo dos cucharaditas de la hierba en una taza de agua recién hervida. Después de cinco minutos, cuele, beba una taza para el desayuno y una taza después de la cena, todos los días.

➤ **Semillas de calabaza "pumpkin"** –un puñado de semillas crudas y sin sal– deberían agregarse a su dieta diaria. Mientras lo hace, consuma también semillas de ajonjolí (de sésamo, "sesame seeds") crudas o tostadas –dos cucharadas al día. Bébalas con té de zarzaparrilla (disponible en tiendas de alimentos saludables). Se afirma que las semillas y el té son estimulantes sexuales y también podrían ayudar a prevenir problemas de la próstata.

➤ **Prevención de la impotencia.** Algunos profesionales japoneses aconsejan a sus pacientes hombres que aprieten los testículos diariamente, una vez por cada año de su vida. Cuando le contamos acerca de este tratamiento preventivo a un amigo nuestro en Florida, quien recién había celebrado su cumpleaños 97, dijo: "Ay, ahí se va mi día".

AFIRMACIÓN

Si tiene impotencia, repita esta afirmación cada vez que se mire en el espejo, y nuevamente a última hora por la noche…

Acepto mi sexualidad como parte de mi mente y mi cuerpo sanos y en buen funcionamiento. Me permito experimentar a recibir y dar dicha y placer físico.

Esterilidad

Durante los años reproductores de una mujer promedio, la misma tiene unos 400 a 500 óvulos que pueden ser fertilizados. Durante la eyaculación de un hombre promedio, los testículos producen unos 400 millones de células de esperma. *Si todo esto es inconcebible, estas sugerencias pueden ser de ayuda…*

La fertilidad más fácil para hombres y mujeres

➤ **¡Deje de fumar!** Los estudios demuestran que fumar cigarrillos puede afectar la fertilidad de los hombres al bajar el conteo de espermatozoides y causar que los espermas tengan menos motilidad. Las mujeres que fuman pueden ser menos fértiles debido a niveles alterados de hormonas. Además, los abortos espontáneos ocurren con mucha más frecuencia en las fumadoras que en las no fumadoras.

➤ **Relájese.** El estrés en los hombres puede provocar espasmos musculares en los conductos del esperma que pueden interferir con la transmisión de semen. El estrés en las mujeres puede agrandar el útero, prevenir la ovulación y causar secreciones cervicales anormales que inmovilizan los espermas.

➤ **Consuma algas marinas ("seaweed").** Consuma una porción todos los días –dulse, kelp, wakame, nori o cualquiera de las otras. Es especialmente nutritivo para los sistemas reproductores tanto de hombres como mujeres. (Fíjese en la población de los países donde las algas marinas son una industria formativa y se comen de forma habitual –China y Japón. A las pruebas me remito).

➤ **¡Prohibidos!** Elimine los guisantes (arvejas, chícharos, "peas") y ñames ("yams") de su dieta. Contienen sustancias químicas estrogénicas que se sabe que actúan contra la fertilidad.

➤ **Nada de PFC.** Las *sustancias químicas perfluoradas* (PFC, por sus siglas en inglés) se encuentran en muchos productos, incluyendo envoltorios de alimentos y alfombras que no se manchan. Las PFC se usan además para fabricar utensilios de cocina que no se pegan. Un estudio reciente de la Universidad de California en Los Ángeles (UCLA) demostró que a las mujeres con los niveles más altos de PFC les tomó el doble de tiempo para quedar embarazadas que a las mujeres con los niveles más bajos de esas sustancias químicas.

El consejo de los expertos es seguir utilizando las cacerolas que no se pegan, pero antes de calentarlas, agregar aceite o mantequilla a la cacerola, y nunca dejarla en el fuego sin que contenga algo. Además, no use cacerolas que tengan un recubrimiento que no se pega que se haya rayado. Y coma una dieta que incluya muchas verduras y no mucha carne. Un estudio mostró que los niveles de un tipo de PFC eran más altos en las mujeres que tenían una dieta cargada de carne y con pocas verduras.

Feng shui

El feng shui es una práctica china de al menos 5.000 años de antigüedad que se cree que utiliza las leyes del Cielo (astronomía) y de la Tierra (geografía). El objetivo es equilibrar el flujo de energía de su ambiente conocido como Qi o chi, de modo que pueda vivir en armonía con su entorno y disfrutar de buena salud, buena suerte y bienestar.

Para aumentar su fertilidad, puede realizar estos consejos del feng shui, además de cualquier otra cosa que esté haciendo, incluyendo la atención médica adecuada.

➤ **Su cama.** Primero, despeje la zona debajo de su cama. Saque todas las cajas de zapatos, o cualquier otra cosa que haya apartado fuera de la vista. Entonces, a menos que sea obsesiva y compulsivamente limpia, esta práctica de feng shui debería ser fácil de seguir. Durante todo el periodo en que esté tratando de concebir, e incluso cuando esté embarazada, no barra, no pase la aspiradora, no quite el polvo ni limpie el espacio debajo o alrededor de su cama. El plan es permitir que la energía circule debajo y alrededor de su cama, especialmente mientras esté durmiendo. ¿Lo entendió? Nada, pero nada bajo la cama, y olvídese de las pelusas.

➤ **La entrada a su casa.** Asegúrese de que nada (y esto significa nada de nada) esté bloqueando su entrada –en y alrededor de su puerta principal. Si un paragüero está a un lado de la puerta y el mango de un paraguas se inclina hacia la puerta, ¡muévalo! Si las hojas de una planta se extienden hasta la puerta, mueva la planta. Mire afuera y compruebe que nada esté bloqueando la puerta. Para ayudar a aumentar su fertilidad, tiene que tener un flujo despejado de energía hacia y a través de la puerta que conduce a su hogar.

➤ **Flechas envenenadas.** Busque las "flechas envenenadas" –los bordes puntiagudos de esquinas en su casa, muy probablemente de sus muebles. Si no puede deshacerse de estas flechas envenenadas, ocúltelas con plantas, o de alguna otra forma creativa, de modo que no perturben el poder de la buena energía de la atmósfera.

➤ **Símbolos de fertilidad.** Arregle la baraja manteniendo símbolos de fertilidad en su dormitorio. El elefante es un popular símbolo de fertilidad; también lo es el conejo. Es fácil encontrar estatuillas de estos animales.

Kwan Yin es la Diosa de la Compasión, conocida por aumentar la fertilidad. Mantenga una estatua de ella en su dormitorio. (Cualquier tienda china de regalos tendrá esas estatuas, o para buscar una selección importante, vaya a Google y escriba "Kwan Yin statues"). También puede tenerla una vez que el bebé llegue, porque Kwan Yin protege el alma de los niños.

Añádale un cristal de cuarzo ("quartz") rosa para la buena suerte. (Consulte "Recursos", página 349, para obtener un punto de venta de gemas).

Consulte la página 329 en "Consejos para la salud del hogar" para mayor información sobre el feng shui.

Ayuda para la fertilidad en las mujeres

➤ **El mejor lubricante.** Si necesita usar lubricante para el coito, use clara de huevo orgánica durante los días en que esté fértil. Los lubricantes comerciales podrían interferir con la supervivencia y la movilidad de los espermas. Como la clara de huevo es proteína, y los espermas son mayormente proteína, la clara de huevo no obstaculizará el potencial de los espermas. Use clara de huevo a temperatura ambiente. Puede aplicarse al pene o en la vagina.

ADVERTENCIA: Las claras de huevos de este remedio podrían contener salmonela.

➤ **Mineral poderoso.** Tome dolomita ("dolomite", disponible en tiendas de alimentos saludables) diariamente. Esta combinación de calcio y magnesio puede ayudar a que quede embarazada. Siga la dosis indicada en la etiqueta.

➤ **Nada de cafeína.** Al contrario del futuro padre, la futura madre debería evitar el café y cualquier cosa que contenga cafeína, incluyendo bebidas cola, té, chocolate, cacao y aspirina. Según un estudio, una taza de café al día puede reducir la fertilidad en un 27%.

Investigadores en Maryland afirman que el consumo de alcohol puede reducir la probabilidad de que una mujer conciba en más del 50%.

➤ **Truco de la almohada.** Inmediatamente después de tener relaciones sexuales, ponga una almohada bajo las nalgas y permanezca así por media hora. Deje que la gravedad la ayude a hacer avanzar los espermas que podrían terminar siendo bebés.

Estimulantes de espermas para hombres

➤ **Tome jalea real ("royal jelly")** –hasta 1.000 mg al día– para aumentar su conteo de espermatozoides y hacerlos más agresivos. La mayoría de las tiendas de alimentos saludables tienen productos de abejas, o consulte "Recursos", página 350, para solicitar por teléfono o Internet.

ADVERTENCIA: Si sospecha que tiene sensibilidad a los productos de abejas, olvídese de esto y pase a otro remedio.

➤ **Consuma zanahorias crudas.** Son ricas en zinc, el cual se sabe que aumenta el conteo de espermatozoides. Los conejos no domesticados comen pocas zanahorias, o ninguna, y no se reproducen con tanta frecuencia como los conejos domesticados que comen zanahorias.

➤ **Mantenga fresco donde es importante.** Las temperaturas altas del cuerpo han demostrado que disminuyen la producción de espermas. Lo que eso significa en términos prácticos es que debe mantenerse fuera del yacusi o el sauna. Opte por vacaciones a la sombra y habitaciones con aire acondicionado. Como los calzoncillos tipo "brief" sostienen los testículos más cerca del cuerpo, subiendo la temperatura en ese lugar, use calzoncillos tipo "boxer".

Según los resultados de un estudio reciente de la Universidad del Estado de Nueva York (SUNY), el calor generado al usar una computadora portátil sobre el regazo puede subir en forma significativa la temperatura del escroto, potencialmente causando una disminución en el conteo de espermatozoides. ¡Use una computadora de mesa!

➤ **¿Una ducha fría?** Media hora antes del coito, tome una ducha fría (sí, fría) por cinco minutos. El agua fría podría mejorar la motilidad de los espermas al estimular el flujo de sangre. Inmediatamente después de la ducha fría, caliéntese con un cafecito fuerte. Se afirma que una taza de café estimula los pequeños nadadores.

➤ **Dato sobre el nivel de espermas.** Según un informe en *Fertility and Sterility*, una publicación que apoya la investigación en el campo de la medicina reproductora, la frecuencia de la eyaculación de un hombre influye en su conteo de espermatozoides. Lamento decir que cuanto menos haga el amor un hombre, más subirá su conteo de espermatozoides.

Según investigadores, en comparación con una eyaculación por semana, dos eyaculaciones por semana bajaron los niveles de espermas en un 29%; tres eyaculaciones bajaron los niveles de espermas en un 41%. Ahora que sabe esto, depende de usted y su pareja que se controlen.

➤ **El orgasmo ayuda.** Sólo para que lo sepa, cuanto mayor el orgasmo de una mujer, mejores serán sus posibilidades de quedar embarazada. Durante un orgasmo, la contracción de los músculos de la pelvis de una mujer ayudan a los espermas a avanzar por el canal vaginal y fertilizar el óvulo.

SUEÑO: CONSEJOS PARA DORMIR BIEN

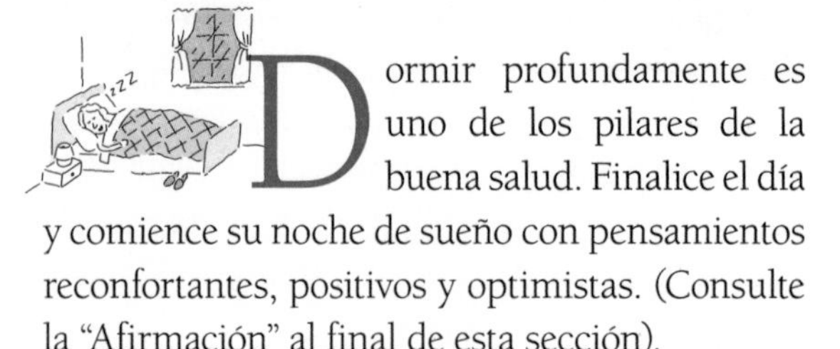

Dormir profundamente es uno de los pilares de la buena salud. Finalice el día y comience su noche de sueño con pensamientos reconfortantes, positivos y optimistas. (Consulte la "Afirmación" al final de esta sección).

Cómo dormir bien toda la noche

➤ **Un dormitorio calmante.** Para asegurar una noche de buen dormir, arregle su dormitorio de modo que tenga un efecto calmante en usted...

- **Pinte las paredes de un color suave y discreto** –azul, rosado o verde. Puede hacer una gran diferencia en cómo duerma, aunque los ojos estén cerrados.
- **Asegúrese de que las cosas que ve justo antes de dormirse no estimulen su sistema nervioso,** ni lo exasperen de ninguna forma. En otras palabras, no puede tener un escritorio junto a la cama, que le recuerde todo el trabajo pendiente. Y deje lejos del dormitorio la carpeta con las cuentas sin pagar que le están chillando: "¡Págame! ¡Págame!".
- **Aparte de una buena luz para leer al lado de su cama o sobre ella,** tenga luz suave y favorecedora en el dormitorio, haciendo que se sienta acogedor y cálido.
- **El uso de medios de comunicación antes de la hora de acostarse puede causar problemas para conciliar el sueño,** según los descubrimientos de un estudio publicado en el boletín *Sleep and Biological Rhythms*. No se acerque a la computadora, especialmente si le gustan los juegos, y apague el televisor al menos una hora antes de la hora que quiere irse a dormir. En su lugar, relájese y lea un libro o escriba en un diario.

➤ **Hora de dormirse.** ¿Cuánto sueño es suficiente? Según la investigación realizada en el hospital Henry Ford en Detroit, es posible que necesite dormir más de lo que está durmiendo. Experimente yéndose a dormir media hora antes de lo usual cada noche por una semana. Si no se siente más alerta y lleno de energía, váyase a dormir una hora más temprano la segunda semana.

Asegúrese de irse a dormir a una hora más temprano por la noche, en vez de dormir una hora más por la mañana. Dormir hasta tarde por la mañana aumenta la temperatura del cuerpo y las hormonas podrían estar deprimidas, lo que puede resultar en pereza y aletargamiento.

Remedios para el insomnio ocasional

➤ **Bostece.** Abra la boca y piense en algo aburrido que le hace bostezar. Provoque un bostezo... y otro... y otro. Bostezar hace que se sienta somnoliento, y es probable que se duerma antes de que deje de bostezar.

Finalice el día y comience su noche de sueño con sus propios pensamientos reconfortantes, positivos y optimistas. (Para descubrir algunos ejemplos, consulte la "Afirmación" al final de esta sección).

➤ **Aromaterapia.**

- **Cebolla.** Pique una cebolla amarilla en trozos y colóquelos en un frasco con tapa. Ponga el frasco sobre su mesita de noche. Una vez que esté acostado y tenga problemas para conciliar el sueño, destape el frasco y huela profundamente el aroma de la cebolla una o dos veces. Vuelva a tapar el frasco, acuéstese y piense en cosas encantadoras. Debería quedarse dormido en 15 minutos.
- **Relleno de almohada.** El clásico remedio tradicional para el insomnio es una almohada hecha de lúpulos ("hops"). ¿Acaso ha olido alguna vez el aroma del lúpulo? Es asqueroso. Tal vez se duerma sólo para evitar el olor.

Encontramos algo mucho más placentero que se afirma que es igualmente eficaz. Son las semillas de apio ("celery seeds"). Rellene una almohada pequeña con ellas y duerma sobre la misma.

NOTA: Consulte "Algo especial –¡El poder de las almohadas!" en la sección "Cuello rígido o doloroso", página 53, y lea acerca de cómo una almohada puede ayudarlo a realinear su cuerpo, dormir mejor durante la noche y despertar sin dolor.

➤ **Ropa de cama.** Use sábanas de puro algodón. Según la columnista Debra Lynn Dadd de la revista *Natural Living*, las sábanas de mezclas de poliéster y algodón tienen un revestimiento de formaldehído, una sustancia que puede causar insomnio. Aunque la ley no exige que los fabricantes indiquen si las telas están tratadas con resinas de formaldehído, usted sabrá que lo están si ve cualquiera de estos términos en la etiqueta: "crease-resistant" (resistente a las arrugas), "permanent-pressed" (inarrugable), "no-iron" (no necesita plancha), "shrink-proof" (no se encoge), "water-repellant" (repela el agua), "waterproof" (impermeable), "stretch-proof" (no se estira), "permanently pleated" (tableados permanentes).

➤ **El fregadero de la cocina.** ¿Tiene problemas para conciliar el sueño? La solución podría estar en el fregadero de su cocina. En ciertos círculos folclóricos se cree que los platos sucios que quedan sin lavar pueden causar insomnio.

➤ **Truco o golosina.** Consuma calabaza "pumpkin" –como acompañamiento o postre– y su insomnio podría no ser más que un sueño.

➤ **Respirar al estilo yoga Kundalini.** La fosa nasal izquierda está relacionada con el hemisferio derecho del cerebro. Respirar por la fosa nasal izquierda puede activar el *sistema nervioso parasimpático,* que contrarresta el estrés y ayuda a calmarlo y prepararlo para dormir.

Acuéstese sobre su costado derecho, lo que lo ayudará a abrir la fosa nasal izquierda, y luego use el dedo índice o pulgar de la mano derecha y cierre la fosa nasal derecha. Aspire larga y profundamente por la fosa nasal izquierda por unos pocos minutos, hasta que se quede dormido.

➤ **Té de hierbas.** Beba una taza de té de hierbas que estimule el sueño –manzanilla ("chamomile"), eneldo ("dill"), brezo ("heather"), anís ("anise"), un sobrino (er, no, queríamos saber si ya se había dormido), menta piperita ("peppermint") o romero ("rosemary").

➤ **Melatonina.** Esta hormona es producida por la glándula pineal y juega un papel en la regulación de los ciclos del sueño y la vigilia. La luz brillante disminuye los niveles de melatonina, así que a la hora de acostarse, cierre el libro, deje el rompecabezas, acabe con la costura o cualquier otra cosa que requiera luz brillante. Permita que haya al menos media hora de luz tenue en la habitación antes de apagar la luz por completo.

Si hace la prueba con la luz tenue en la habitación y aún tiene problemas para conciliar el sueño, intente aumentar su nivel de melatonina. El Dr. Russell J. Reiter, profesor de neuroendocrinología en el centro de ciencias de la salud de la Universidad de Texas, en San Antonio, condujo un estudio de cinco meses y descubrió que las cerezas agrias ("tart cherries") contienen cantidades significativas de melatonina. Para averiguar mucha más información acerca de cerezas agrias, incluyendo su capacidad de desacelerar el proceso de envejecimiento, y conocer una fuente de estas pequeñas maravillas ácidas, consulte "Cerezas", en la página 269, en el capítulo "Le hace bien al cuerpo".

Mientras tanto, si elige tomar un suplemento líquido o en tableta de melatonina (disponible en tiendas de alimentos saludables), primero consulte con su profesional de la salud y si éste dice que es segura para usted, comience con la dosis más baja.

Pesadillas

El adulto promedio tiene al menos una pesadilla al año. Una de cada quinientas personas tiene una pesadilla a la semana. Alrededor del 5% de la población adulta tiene pesadillas con más frecuencia que una vez a la semana.

➤ **¿Una media (calcetín) maloliente?** Recibimos este remedio de un confiable presentador de radio en Rhode Island. Tome una media maloliente –su propio calcetín maloliente–, envuelva el empeine de la media alrededor de la garganta y duerma así. No sólo prevendrá las pesadillas, sino que también aliviará el dolor de garganta (consulte la página 119).

➤ **Terapia con gemas para pesadillas e insomnio ocasionales.** Sostenga un trozo de amatista ("amethyst") en la mano como ayuda para quedarse dormido. Ponga un trozo de amatista en la funda de su almohada para prevenir pesadillas.

➤ **Hablar estando dormido.** Agarre el dedo gordo del pie de alguien que hable mientras duerme y le dirá todo lo que quiera saber. Este remedio nos llegó de las colinas de Dakota... ¿o quizá de un abogado de divorcios de California?

AFIRMACIÓN

Termine el día y comience su noche de sueño con pensamientos reconfortantes, positivos y optimistas. Si prefiere, puede decir esta afirmación en la forma de una oración. Los estudios demuestran que orar ayuda a relajar la mente y el cuerpo. Diga de manera sencilla y de corazón lo que es más importante para usted. Por ejemplo...

Rezo por quedarme dormido y tener hermosos sueños, y despertar para hacer del mundo un mejor lugar de alguna manera maravillosa. Rezo por una noche de sueño apacible, y que me despierte sintiendo bien y listo para tener un día productivo y placentero.

Apnea del sueño

Cuando el roncar indica un problema

Los ronquidos son sonidos fuertes producidos mientras se duerme. Son causados por cualquier obstrucción en las vías respiratorias. Roncar, aunque molesta a quien duerme al lado, no es por sí misma una afección perjudicial.

El apnea del sueño, por otro lado, es un trastorno en el cual una persona deja de respirar durante el sueño, a menudo cientos de veces durante la noche. Hay un bloqueo completo de las vías respiratorias, privando a quien duerme de oxígeno, lo cual puede tener un importante impacto en la salud. La mayoría de las personas que padecen apnea del sueño roncan, pero roncar no siempre significa que se padece apnea del sueño.

El apnea del sueño es una afección común que afecta a alrededor de 12 millones de hombres, mujeres y niños estadounidenses, y aunque se puede tratar, con frecuencia no se diagnostica a pesar de sus consecuencias potencialmente graves.

La American Sleep Apnea Association (ASAA) ha desarrollado una prueba sobre el sueño. Conteste estas preguntas...

1. **¿Ronca fuerte habitualmente?**
2. **¿Se siente cansado y atontado al despertar?**
3. **¿Está a menudo con sueño durante el día** o se queda dormido rápidamente?
4. **¿Tiene sobrepeso o un cuello grande?**
5. **¿Ha sido observado sofocándose, jadeando o conteniendo la respiración durante el sueño?**

Si contesta "sí" a una de estas preguntas, no necesariamente significa que padezca apnea del sueño. Pero sí significa que debería comentar sus síntomas con su médico o un especialista en el sueño. O pídale a la ASAA mayor información acerca del diagnóstico y el tratamiento del apnea del sueño. Visite su sitio web en *www.sleepapnea.org*, o llame al 202-293-3650.

Existen diferentes opciones de tratamiento. El que sea adecuado para usted depende de la gravedad de su apnea y otros aspectos de su afección. El apnea del sueño no se debe ignorar –se debe tratar.

Ayuda para el síndrome moderado de apnea obstructiva del sueño

Los resultados de un estudio controlado publicado por el boletín médico *BMJ* (antes conocido como *British Medical Journal*) concluyeron que el entrenamiento regular de las vías respiratorias superiores tocando el didgeridoo (un instrumento de los aborígenes de Australia) disminuye los ronquidos en los que padecen síndrome moderado de apnea obstructiva del sueño. Como resultado, se mejora la calidad del sueño de ellos y de sus parejas, lo que a su vez reduce la somnolencia durante el día.

El didgeridoo es un instrumento rítmico de viento, de modo que usted puede tocar *compases* en vez de canciones melódicas. Aprender a tocarlo es intuitivo y no se necesita ninguna capacitación musical previa. Aunque es un instrumento de viento, no se usa la potencia de los pulmones. El didgeridoo se toca haciendo vibrar suavemente los labios, la voz y movimientos de la lengua.

Para mayor información, visite el sitio web de LA Outback *www.laoutback.com* y vea su gran selección de bellos, económicos y auténticos didgeridoos de los aborígenes australianos, además de CD y videos instructivos. También puede llamar al 800-519-1140 y hablar con una de las personas atentas y amables de la empresa..

Remedios para interrumpir los ronquidos

Anthony Burgess, autor, dramaturgo y compositor inglés, reflexionó que "si uno ríe, el mundo ríe con uno; si uno ronca, duerme solo". Para prevenir que eso suceda, deje de beber y de fumar y es probable que deje de roncar. El alcohol y los cigarrillos causan la inflamación de tejidos que provoca los ronquidos.

➤ **Cura del collar.** ¿Alguna vez ha escuchado roncar a una persona con una lesión de cuello causada por latigazo? Seguro que no, porque ellos no roncan. Bueno, mejor dicho, no roncan si duermen con un collar cervical alrededor del cuello. El collar previene que el mentón descanse sobre el pecho –una posición que cierra parcialmente la tráquea y causa ronquidos. Cuando usa el collar, el mentón permanece levantado y la tráquea abierta.

➤ **Tacatac.** Si alguna otra persona está roncando, haga un chasquido con la lengua, el sonido que hace para imitar el ruido de los cascos de un caballo. Sí, de veras da resultado. Hará que quien ronca deje de hacerlo o lo despertará, en cuyo caso dejará de roncar.

Mayor información: Para datos e información sobre el sueño y remisiones a centros de trastornos del sueño en su zona, visite el sitio web de la National Sleep Foundation *www.sleepfoundation.org*, o llame al 202-347-3471.

AFIRMACIÓN

Repita esta afirmación a la hora de acostarse, una y otra vez hasta quedarse dormido...

Dejo escapar toda la presión del día a cambio de dormir bien toda la noche. Me siento en armonía con el universo y seguro de mí mismo.

TIÑA

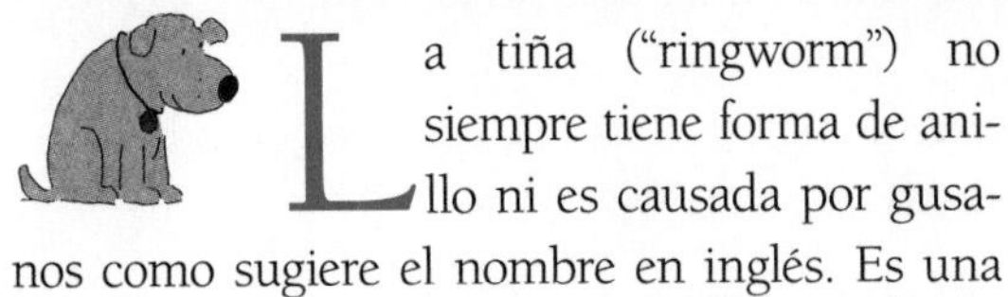

La tiña ("ringworm") no siempre tiene forma de anillo ni es causada por gusanos como sugiere el nombre en inglés. Es una infección común causada por hongos que puede afectar la piel, la ingle, las manos o la barba. Muy común es la tiña del cuero cabelludo. Puede verse como parches redondos sin cabello. Al propagarse la infección hacia fuera, la parte interna del círculo parece curarse, haciendo que luzca como un anillo. Pues sí, ésa es la razón por la que el nombre en inglés menciona *el anillo.*

Pero la tiña no siempre produce una forma de anillo. Puede parecerse a la caspa o barba incipiente con puntos negros. Los casos graves tienen áreas inflamadas, rojas, costrosas y dolorosas con protuberancias similares a ampollas.

Un médico puede diagnosticar la afección examinando una muestra de cabello o piel bajo un microscopio para verificar la presencia del hongo de la tiña.

Tenga en cuenta que la tiña es muy contagiosa, lo cual es una buena razón para no usar la toalla, el cepillo o el peine de ninguna otra persona. También se puede contraer la tiña acariciando gatos y perros infectados. Una vez que tenga la tiña, debe cuidarse de no rascar la zona irritada y escamosa, ya que puede fácilmente propagar el parásito a otras partes del cuerpo.

Éstos son algunos remedios que pueden ayudar a curar la afección...

➤ **Curación de cobre.** Ponga una moneda de un centavo de dólar en vinagre y déjela ahí hasta que se vuelva verde. Luego tome la moneda húmeda y frótela en la tiña. Se afirma que la combinación del vinagre y el cobre verde la mejora. Repita el procedimiento al menos tres veces al día.

➤ **Ajo y aceite.** Pique finamente dos dientes de ajo y mézclelos con el aceite de tres cápsulas pinchadas de vitamina E (400 unidades internacionales IU, por sus siglas en inglés). Unte la mezcla sobre la zona infectada tres veces al día para detener la comezón y comenzar la curación.

ADVERTENCIA: El ajo puede irritar la piel. Evite poner ajo en áreas donde haya cortaduras.

➤ **Pasta wasabi.** Se sabe que el rábano picante japonés ("Japanese horseradish") ha curado la tiña. Compre un tubo de la pasta preparada (disponible en tiendas de alimentos gourmet o asiáticos) y frótela sobre la zona afectada por la mañana y antes de irse a acostar. Después de unos días de esta rutina, podrá librarse completamente de la tiña.

AFIRMACIÓN

Repita esta afirmación al menos 10 veces, a primera hora por la mañana, a última hora por la noche y cada vez que se culpe a usted mismo o a otros por algo...

Me perdono y perdono a los demás. Ahora existe gran armonía en mi vida.

TOS

La tos es simplemente la manera que tiene el cuerpo de deshacerse de una sustancia que está en algún lugar de las vías respiratorias. La mayoría de las toses son síntomas de dolencias respiratorias como un resfriado o la gripe. *Estos remedios lo ayudarán a lidiar con la tos...*

➤ **Al comienzo de una tos.** Prepare té de eneldo ("dill", disponible en las tiendas de alimentos saludables) agregando una cucharadita de eneldo a una taza de agua recién hervida. Deje en remojo por unos siete minutos, cuele, endulce con miel si lo prefiere dulce, y beba tres tazas al día. Esto podría ser todo lo necesario para deshacerse de la tos.

➤ **Jarabes para la tos ("cough syrups").** Todos los remedios clásicos tradicionales para la tos parecen tener miel como uno de sus ingredientes principales. *Éstos no son la excepción...*

- **Ase un limón grande y jugoso hasta que se abra.** Tome una cucharadita del jugo de limón con media cucharadita de miel sin procesar ("raw honey") cada media hora, hasta que no quede más jugo en el limón. Para entonces la tos debería estar bajo control.
- **Prepare jarabe de ajo pelando y picando entre seis y ocho dientes de ajo.** Póngalos en una jarra con una taza de miel sin procesar. Deje reposar dos horas. Luego, cuando la tos comience a molestarlo, trague una cucharadita del jarabe con trozos de ajo. Si lo traga sin masticar los trozos, el ajo no quedará en su aliento.

ADVERTENCIA: Consumir ajo con el estómago vacío puede causar náuseas. Siempre coma algo antes de consumir ajo o tomar cápsulas. Además, tenga cuidado con el ajo si padece gastritis.

➤ **Descongestionantes.** Consumir alimentos condimentados puede ayudarlo a expectorar mucosidad y despejar los pulmones, los senos nasales y la nariz. Así que saque la salsa "chili", el rábano picante ("horseradish"), la mostaza y el ajo.

Con el ajo se puede preparar un té para ayudar a mejorar la tos. Agregue un cuarto de cucharadita de ajo en polvo ("garlic powder") a una taza de agua recién hervida. O pele y pique tres dientes de ajo medianos y déjelos en remojo en una taza de agua recién hervida por 10 minutos. Cuele y beba el té de ajo –tres o cuatro tazas al día– y agregue los trozos de ajo picado a una sopa o una ensalada.

ADVERTENCIA: Beber té de ajo con el estómago vacío puede causar náuseas. Siempre consuma algo antes de beberlo. Además, tenga cuidado con el ajo si padece gastritis.

➤ **Infusión para la mucosidad y la tos.** Si ha llegado al punto en que siente que su tos nunca desaparecerá, ¡té de fenogreco al rescate! El fenogreco ("fenugreek") es una poderosa hierba medicinal que puede ablandar y eliminar masas de mucosidad y mejorar su tos en el proceso.

Comience por beber una taza del té cada una o dos horas. Después del primer día, reduzca la frecuencia a cuatro tazas al día.

➤ **Tos bronquial y congestión del pecho.** Una cataplasma ("poultice") de hojas de laurel ("bay leaves") puede lograr maravillas para detener la tos y mejorar la congestión. Agregue 20 hojas de laurel a una taza de agua recién hervida, cubra la taza con un plato pequeño y deje en remojo 15 minutos. Luego, con un colador, separe las hojas del líquido. Envuelva las hojas en estopilla (gasa, "cheesecloth") y sumerja la estopilla en el líquido de las hojas de laurel. Ponga la cataplasma húmeda de hojas de laurel sobre el pecho desnudo y cúbrala con una toalla. Relájese así por una hora, y luego vuelva a calentar el líquido, sumerja una vez más la cataplasma y, asegurándose de que no esté muy caliente, vuelva a aplicarla sobre el pecho por una hora más.

Si este remedio calmó la tos y ayudó a mejorar un poco la congestión, prepárelo de nuevo la próxima vez que sienta que un ataque bronquial se aproxima.

■ **Receta** ■

Pastillas para la tos

Esta es la receta más complicada del libro. La recibimos de Ron Hamilton de Great American Natural Products (727-521-4372 o visite *www.greatamerican.biz*) y es para preparar pastillas caseras para la tos ("cough drops") –naturales y supereficaces.

Ingredientes

¼ **taza de marrubio** ("horehound") seco –disponible en las tiendas de alimentos saludables y de hierbas
2 tazas de agua
2 tazas de miel ("honey")
1 taza de melaza negra ("blackstrap molasses")

Preparación

Haga hervir el agua y agregue el marrubio. Cocine a fuego lento por 10 minutos. Cuele y vierta el agua de marrubio en una olla grande y pesada con la miel y la melaza negra. La mezcla produce mucha espuma, así que use una olla grande para evitar ensuciar la cocina demasiado.

Cocine por una hora y media. Luego empiece a probar si está lista –cuando una gota de la mezcla vertida sobre agua fría se convierte en una bolita dura, ya sabe que está lista.

Vierta la mezcla con cuidado sobre una bandeja para hornear ("cookie sheet") ligeramente enmantequillada. Use un cuchillo para formar cuadraditos del tamaño de pastillas para la tos. Cuando se enfríen, tendrá pastillas para la tos muy poderosas.

➤ **Aromaterapia para la bronquitis.** Antes de acostarse, tome un relajante baño terapéutico. Aromatice el agua del baño con cuatro gotas de esencia de pino. Si le parece que la fragancia del bosque es relajante, ponga algunas gotas de la esencia en una bolita de algodón y frótela en el costado y la parte de atrás de los muebles de madera, donde el aroma puede ayudar a aliviar los ataques de bronquitis durante todo el día.

➤ **Tos con flema.** El dueño de un restaurante chino compartió con nosotras este poderoso remedio comprobado por el tiempo para eliminar la flema. A la hora de acostarse, ralle media onza (15 gramos) de jengibre ("ginger") fresco. Agréguelo a agua y caliente hasta que hierva. Cocine a fuego lento entre 15 y 20 minutos, cuele y beba. Mientras bebe el té, trague el jengibre rallado y coma tres nueces ("walnuts"). Luego acuéstese y despiértese por la mañana ya sin flema y sin tos.

ATENCIÓN: El jengibre actúa como un anticoagulante, así que consulte con su médico antes de usarlo si toma un anticoagulante. Además, deje de usar el jengibre tres días antes de una cirugía.

➤ **Tos que atraganta.** Éste es un tipo de tos en la que no está en realidad atragantándose con algo –simplemente está tosiendo como si lo estuviera. Todo lo que tiene que hacer es levantar las manos lo más alto que pueda y la tos cesará.

➤ **Tos matutina.** Si su rutina matutina consiste habitualmente en toser, es hora de hacer algo al respecto. Considere renunciar a los alimentos que provocan mucosidad, especialmente los productos lácteos… todos los productos lácteos. Y en vez de comenzar el día con una taza de café, hágalo con una taza de té de tomillo ("thyme"). Muy pronto debería disfrutar de la mañana sin toser.

➤ **Tos de goteo posnasal.** Éste no es un remedio para el goteo posnasal; es una sugerencia para aplacar la tos relacionada con el goteo posnasal y para dormir toda la noche. ¡Simplemente duerma sobre el estómago! ¿Por qué no había pensado en eso?

➤ **Tos nerviosa.** Beba una onza (30 ml) de jugo de áloe vera (disponible en tiendas de alimentos saludables) a primera hora por la mañana e inmediatamente después de cenar durante una semana.

➤ **Tos del fumador.** Primero –no es necesario decirlo– ¡deje de fumar! ¿Nos abandonó o sigue leyendo? Quite la cáscara, el centro y las semillas de seis manzanas. Corte las manzanas en pequeños trozos y póngalos en una cacerola con dos tazas de miel. Cocine a fuego lento hasta que tenga una consistencia espesa. Luego póngalo en una jarra en el refrigerador. Tome dos cucharaditas del jarabe de miel y manzanas entre comidas y siempre que la tos lo moleste. Ahora pase a la sección "Cigarrillos: cómo abandonar el hábito", página 36.

AFIRMACIÓN

Repita al menos 12 veces al día, al despertarse, después de cada comida y al acostarse ...

Estoy relajado y rodeado de energía positiva mientras mi cuerpo se cura a sí mismo.

ÚLCERAS

Lo urgimos a que pruebe estos remedios, pero sólo bajo la supervisión de su médico. Prométalo. Vamos, prométalo. Seremos sus mejores amigas. En realidad, usted debería ser su mejor amigo y cuidarse bien a usted mismo. Esto significa que un profesional de la salud supervise el tratamiento de su úlcera.

Los errores más frecuentes acerca de las úlceras son que la leche alivia y que las comidas muy condimentadas pueden matarlo. ¡Equivocado! Hay controversia acerca de los beneficios de la leche. Permítame que lo exprese de este modo... Hay muchos alimentos más curativos que la leche –alimentos condimentados, por ejemplo. Sí, lo leyó bien. *Siga leyendo y decida cuáles sugerencias podrían ser apropiadas para usted...*

➤ **Prohibiciones y adiciones para la dieta.** Un remedio chino para las úlceras del estómago requiere cambios en la dieta. Elimine los alimentos fritos y los productos que contengan harina, incluyendo el pan. Además, nada de bebidas alcohólicas ni fumar.

Además de las prohibiciones anteriores, tome una cucharadita de aceite de oliva antes de cada comida, y termine su día con una cucharada de alfalfa en polvo en un vaso de agua.

➤ **Té de nébeda ("catnip").** La nébeda es un miembro de la familia de la menta y, como otros miembros de esta familia, es aliviador y curativo para una variedad de situaciones relacionadas con el estómago como cólicos intestinales, gases y (adivine, adivinador) úlceras en el estómago.

Beba una taza de té de nébeda antes de cada comida. Prepare el té dejando remojar dos cucharadas de hojas secas de nébeda (disponible en las herboristerías y tiendas de alimentos saludables) en una taza de agua recién hervida. Ponga un platillo sobre la taza y déjelo así por 15 minutos. Retire el platillo, cuele y beba. Si prefiere, puede endulzar el té de nébeda con miel.

Extra: El té de nébeda también se usa para el tratamiento de la ansiedad, el insomnio y se dice que ayuda a prevenir las pesadillas.

NOTA: La mayoría de los gatos se enloquecen por la nébeda y harán lo posible por obtenerla. Si tiene un gato y piensa usar este remedio, mantenga la nébeda en un recipiente bien cerrado y resistente, guardado en un armario a prueba de gatos.

➤ **Vinagre de sidra de manzana** ("apple cider vinegar"). A primera hora por la mañana, use bolitas de algodón o una brocha de pastelería ("pastry brush") para untar las plantas de los pies con vinagre de sidra de manzana. Deje que se sequen naturalmente antes de ponerse medias, calcetines o calzas. Aplique otra capa de vinagre justo antes de la cena. No dude, simplemente hágalo y no se sorprenda si le da resultados.

➤ **Jugo de áloe vera.** Durante los últimos años, hemos recibido el mismo remedio por medio de varias personas que habían tenido úlceras. Las palabras clave aquí son "habían tenido úlceras". Su remedio consiste en jugo de áloe vera (disponible en tiendas de alimentos saludables), una cucharada después de cada comida.

➤ **Cebada ("barley").** La madre de una amiga nuestra fue diagnosticada con una úlcera. Nos llamó y nos preguntó qué alimentos eran más curativos. De los pocos que mencionamos, ella se decidió por la cebada. La cebada y el agua de cebada se convirtieron en una parte importante de su dieta diaria. Los resultados fueron maravillosos. De hecho, su médico estaba tan impresionado con la rápida curación que él ahora recomienda cebada a otros pacientes con úlceras.

Haga hervir dos onzas (55 g) de cebada perlada ("pearl barley") en seis tazas de agua. Cuando quede alrededor de la mitad del agua –tres tazas– sáquela del fuego. Cuele y deje que se enfríe el líquido. Agregue miel de alforfón ("buckwheat") a su gusto. La miel de alforfón es maravillosa para quienes sufren de úlceras. Puede ayudar a neutralizar el ácido del estómago y aliviar las delicadas membranas del tubo digestivo. Con o sin miel, beba al menos tres tazas de agua de cebada al día.

También puede comer la cebada como acompañamiento o en una sopa o un guiso (estofado), pero beber el agua de cebada es muy importante.

➤ **Bananas.** ¡Cómalas, pues! Las bananas (plátanos) contienen compuestos llamados *proteasas* que ayudan a eliminar bacterias del estómago consideradas la principal causa de úlceras del estómago. Además, las bananas contienen sustancias que ayudan a las células en el recubrimiento del estómago a producir una barrera mucosa más gruesa de protección contra los ácidos del estómago. Dos buenas razones para incluir las bananas en su dieta diaria.

➤ **Propóleos de abeja ("bee propolis").** Ésta es una sustancia pegajosa reunida por las abejas de los brotes de ciertos árboles. Las abejas la usan como ayuda para mantener sus colmenas sólidas. Las personas pueden usar propóleos como ayuda para curar las úlceras. Puede obtener propóleos en extracto, tabletas o cápsulas en la mayoría de las tiendas de alimentos saludables o consulte "Recursos", página 350, para encontrar un proveedor. Tome 500 mg tres veces al día hasta que la afección mejore por completo.

ADVERTENCIA: Si sospecha que tiene sensibilidad a los productos de abeja, olvídese de esto y pase a otro remedio.

AFIRMACIÓN

Repita esta afirmación tres veces seguidas. Cada vez que la diga, comience con sus puños apretados y levantados contra el pecho. Cuando diga "Libero...", impulse los brazos y dedos en el aire delante de usted. Cuando diga "Las reemplazo con...", atraiga nuevamente los brazos hacia usted, abrazándose. Haga este proceso a primera hora por la mañana, siempre que entre a una habitación y nadie esté ahí (¿no sucede cada vez que va al baño?), y a última hora por la noche.

Libero mi ansiedad y mi ira. Las reemplazo con amor y armonía.

UÑAS: CÓMO CUIDARLAS

Hongos molestos

➤ **Zinc.** Tome tabletas de zinc de 15 mg, tres al día, como ayuda para deshacerse de los hongos de las uñas. Además, consuma alimentos ricos en zinc como semillas crudas de calabaza "pumpkin" y de girasol, champiñones (hongos, setas, "mushrooms") y cereales integrales. También se sabe que el zinc hace desaparecer las manchas blancas de las uñas.

ADVERTENCIA: Tome zinc con alimentos para evitar malestares estomacales y náuseas. El uso prolongado de zinc puede causar una deficiencia de cobre. Este remedio sólo debería tomarse por un periodo limitado. Consulte con su profesional de la salud para recibir orientación.

➤ **Vitamina E.** La vitamina E también es eficaz para curar hongos en las uñas, así como la piel seca, áspera y con comezón alrededor de las uñas. Pinche una cápsula de vitamina E y exprima el aceite sobre la zona con el problema. Hágalo al menos dos veces al día. Además, tome una cápsula de 400 unidades internacionales (IU) de vitamina E diariamente.

ATENCIÓN: Debido a las posibles interacciones entre la vitamina E y varios medicamentos y suplementos, asegúrese de consultar con su médico antes de tomar vitamina E.

Uñas sanas

➤ **Uñas quebradizas o dañadas.** Corte un trozo de cebolla y frótelo sobre las uñas. Hágalo después de cada comida. Bueno, la verdad es que no tiene nada que ver con las comidas; simplemente debería hacerlo tres veces al día, y al asignarle momentos específicos, es posible que lo haga en forma habitual.

➤ **Más sobre las uñas quebradizas.** Ya que la causa de las uñas quebradizas podría ser una deficiencia de hierro (especialmente en las mujeres), agregue a su dieta diaria alimentos ricos en hierro, como verduras de hojas verdes, pasas de uva ("raisins"), cereales integrales y frutas.

➤ **Ablandador de uñas.** Tomar dos cápsulas de aceite de prímula nocturna ("evening primrose oil") –500 mg al día– puede ablandar las uñas y también lograr maravillas para la piel y el cabello. El aceite de prímula nocturna (EPO, por sus siglas en inglés) tiene *ácido gamma-linoleico* (GLA, por sus siglas en inglés), un ácido graso benéfico que la mayoría de nosotros difícilmente recibimos por medio de nuestra dieta normal. Cuando tome EPO, tenga paciencia –podría tardar uno o dos meses obtener resultados. Se puede comprar en tiendas de alimentos saludables.

➤ **Uñas partidas.** Coma media docena de almendras ("almonds") crudas diariamente. Son una buena fuente de proteínas, vitaminas y nutrientes, y también de ácido linoleico, el cual ayuda a prevenir que las uñas se partan. Como con la mayoría de los remedios para uñas, tarda cierto tiempo antes de que usted vea mejorías.

➤ **Fortalecedor de las uñas.** Ponga en remojo una cucharada de cola de caballo ("horsetail", disponible en las herboristerías y tiendas de alimentos saludables) en una taza de agua recién hervida. Cuando esté lo suficientemente fría al tacto, cuele y deje los dedos en el líquido por 15 minutos. Hágalo todos los días y espere un mes o dos para ver mejorías.

➤ **Cuando no da en el clavo sino en la uña.** Si parte del dedo está colgando o sobresale un hueso, llame al 9-1-1 para recibir ayuda de emergencia.

Si es sólo una magulladura fea y dolorosa, use **CPR**. No, no se trata de la resucitación cardiopulmonar. Este CPR son las siglas en inglés de frío, presión y levantarlo ("cold, pressure, raise it"). Tan pronto como sea posible después de golpearse el dedo, póngalo en agua helada o hielo. Si sangra, esto debería detener la hemorragia. Manténgalo así hasta que el *frío* se vuelva doloroso –no mucho más de medio minuto. Luego, por 30 segundos ejerza *presión* sobre el dedo apretándolo, para también ayudar a detener la hemorragia, pero no tan fuerte como para detener por completo la circulación. Mientras aprieta el dedo herido, *levántelo* por encima de la cabeza para hacer más lento el flujo de sangre. Repita todo el procedimiento de un minuto de duración una y otra vez –dos, tres, cuatro decenas de veces. Podrá evitarle el dolor, la hinchazón y una uña morada.

Consejos de los sabios...

Lo que las uñas indican acerca de la salud

Desde los tiempos de Hipócrates, la mayoría de los médicos han examinado las uñas de sus pacientes durante exámenes de rutina. Es así porque un médico astuto puede utilizar la uña para ver signos de algunas enfermedades, e incluso pistas acerca de la situación nutricional de la persona, su estilo de vida y la salud emocional.

Las uñas deberían ser fuertes, con un color rosado claro en el lecho ungueal (la piel bajo la uña). Generalmente unas pocas manchas o líneas blancas son inocuas y se deben a una herida del lecho ungueal. Sin embargo, si tiene una de las afecciones descritas a continuación, consulte a su médico acerca de una evaluación y tratamiento, como el uso de medicación o suplementos. *Qué se debe observar...*

• **Uñas partidas,** quebradizas y secas con profundos surcos longitudinales (de la cutícula a la punta de la uña) pueden indicar enfermedad de la tiroides, usualmente hipotiroidismo (una tiroides poco activa). También puede ser un signo de la deficiencia de un mineral, en particular calcio o zinc.

• **Las uñas que se sueltan o se separan de su lecho ungueal** pueden indicar hipertiroidismo (una tiroides excesivamente activa). Esta afección también puede ser un signo de psoriasis (una enfermedad crónica de la piel) o una reacción a uñas sintéticas o una herida en una uña.

• **Las lesiones punteadas de la uña** (depresiones profundas o "pitting" en inglés) pueden indicar psoriasis, artritis psoriásica (una afección con síntomas tanto de la artritis como de la psoriasis) o dermatitis crónica (erupción de la piel). Las lesiones punteadas de la uña también pueden verse en personas con *alopecia areata,* una enfermedad autoinmune que causa pérdida súbita e irregular del cabello, usualmente en el cuero cabelludo o la barba..

• **Las uñas que se curvan alrededor de las yemas engrosadas** (conocidas como dedos en palillo de tambor o "clubbing" en inglés) pueden ser una afección inocua que es de familia, o puede ser un signo de poco oxígeno en la sangre, un indicio común de la enfermedad pulmonar crónica.

• **Las uñas ahuecadas o con bordes levantados** (conocidas como uñas en forma de cuchara o "spoon nails" en inglés) frecuentemente se asocian con una deficiencia de hierro. Vi a un niño de tres años recientemente que tenía 10 pequeñas uñas levantadas que podrían contener una gota de agua cada una.

• **Las uñas opacas (blancas)** con una banda oscura en la punta de los dedos (conocidas como uñas de Terry) pueden ser un signo inocuo de envejecimiento, o pueden indicar enfermedad del corazón, en particular insuficiencia cardiaca congestiva.

• **Las uñas amarillas** pueden deberse a manchas de nicotina, infección bacteriana, hongos en la uña y el lecho ungueal, bronquitis crónica o linfedema (hinchazón y congestión del sistema linfático).

• **Las uñas mordidas** pueden indicar ansiedad, estrés grave o comportamiento compulsivo.

La mejor manera de mantener las uñas saludables es mantenerlas limpias, cortadas y abrigadas. No tire de los padrastros ("hangnails"). Córtelos. Limite el uso de quitaesmalte a dos veces al mes (seca las uñas y las hace más quebradizas). Proteja las uñas de las sustancias químicas agresivas usando guantes y evitando el uso de uñas sintéticas. Con el crecimiento normal, una uña dañada será reemplazada en cuatro a seis meses.

Jamison Starbuck, ND, médica naturopática (naturista) con práctica familiar en Missoula, Montana. Fue presidenta de la American Association of Naturopathic Physicians y editora colaboradora de *The Alternative Advisor: The Complete Guide to Natural Therapies and Alternative Treatments* (Time Life).

Manicuras

➤ **Cómo lograr que la manicura dure más.** Antes de aplicarle esmalte a las uñas, límpielas con vinagre blanco destilado, *y luego* aplique el esmalte. Aplicar una base de vinagre debería lograr que su manicura dure más tiempo.

➤ **Mejora para el quitaesmalte.** El quitaesmalte de acetona puede resecar las uñas. Para ayudar a prevenir que esto suceda, agregue alrededor de seis gotas de aceite de ricino ("castor oil") a la botella de quitaesmalte. Quitará el esmalte de uñas que usted ya no quiere, pero será menos perjudicial para las uñas.

VAGINITIS

Los dos tipos más comunes de vaginitis son la infección bacteriana y la candidiasis causada por hongos. Aunque hay una gran selección disponible de pruebas para hacer en el hogar, sométase a un examen médico para determinar el tipo de infección y su gravedad. El procedimiento usual es usar un antifúngico para las infecciones causadas por hongos y antibióticos para las bacterianas. Pero los antibióticos no discriminan –destruyen las bacterias malas y también las buenas. Por lo tanto, cuando tome antibióticos, debe tomar acidófilos para reemplazar las bacterias benéficas. Las cápsulas, disponibles en tiendas de alimentos saludables, deberían tener entre uno y dos mil millones de células de acidófilos ("acidophilus") viables.

NOTA: Tome acidófilos inmediatamente *después* de comer y al menos dos horas *antes* o dos horas *después* de tomar un antibiótico. Así no disminuirá la eficacia del antibiótico al mismo tiempo que se beneficia de los acidófilos.

Una vez que el antibiótico haga su trabajo y elimine su infección, nos gustaría ayudarlo a prevenir que la infección vuelva a ocurrir.

Prevención de la vaginitis

➤ **Deje entrar un poco de aire.** Use calzones de algodón holgados. Recorte la entrepierna de sus pantimedias ("pantyhose"). Evite los pantalones o jeans (vaqueros) ajustados. Use faldas. Además, duerma sin calzones.

➤ **Instrucciones para lavar la ropa.** Lave con detergente sin perfumes ("unscented"). No use lejía (blanqueador, cloro, lavandina, "bleach") ni suavizante de tejidos ("fabric softener"). Pueden irritar la piel sensible. Después de lavar los calzones de algodón, plánchelos para asegurarse de que todas las bacterias sean destruidas.

➤ **En el baño.** Cuando vaya al baño, límpiese siempre de adelante hacia atrás.

➤ **Jamás use jabón.** No lave la vagina con jabón. El equilibrio natural del pH puede ser desequilibrado por el jabón, el cual es usualmente alcalino, dejándola a usted más propensa a una infección.

➤ **Un antibiótico natural.** Agregue ajo a su dieta –el ajo crudo es mucho mejor.

ADVERTENCIA: Consumir ajo con el estómago vacío puede causar náuseas. Siempre consuma algo antes de comer ajo o tomar cápsulas de ajo. Además, tenga cuidado con el ajo si padece gastritis.

➤ **Candidiasis.** Si una infección causada por hongos (Candida) es un problema recurrente, elimine de inmediato la azúcar procesada de su dieta. Luego adquiera un libro que la guíe por los pasos necesarios para deshacerse de la candidiasis. Uno de estos libros es *The Candida Cure-Yeast, Fungus and Your Health* (Quintessential Healing, Inc.), de Ann Boroch (*www.annboroch.com*), el cual contiene un programa de 90 días para cualquier persona que tenga afecciones relacionadas con hongos. Este libro puede ayudar a poner su organismo en equilibrio nuevamente y restablecer la buena salud. Se incluyen recetas, alimentos recomendados y dos semanas de menús de ejemplo. También podría leer *The Yeast Connection Cookbook*, de William G. Crook, MD, y Marjorie Hurt Jones, RN (Square One).

Al comienzo de la vaginitis

➤ **Palo de arco (tabebuia, pau d'arco).** Es una hierba que puede aliviar los síntomas de la infección o eliminarla por completo.

Para preparar el té de palo de arco vierta ocho onzas (235 ml) de agua recién hervida sobre una bolsita de té de palo de arco en una taza. Cubra la taza y deje en remojo por 10 a 15 minutos. Antes de sacar la bolsita de té, exprímala suavemente para liberar lo último del extracto de la hierba. Beba entre dos y cuatro tazas diariamente, o según la indicación de su médico o nutricionista. Si compra té suelto, siga las indicaciones de la caja para la preparación.

ATENCIÓN: Consulte con su médico antes de usar palo de arco, especialmente si toma un medicamento anticoagulante o está embarazada o amamantando.

Comezón en la vagina

➤ **Ajo.** En la mayoría de los casos, el ajo detiene la comezón. Para preparar agua de ajo, corte en cubitos seis dientes de ajo y póngalos en un cuarto (un litro) de agua recién hervida. Tape y deje en remojo por 20 minutos. Cuele y lave la zona genital con el líquido.

ADVERTENCIA: Si tiene un sarpullido enrojecido o en carne viva causado por hongos, este remedio podría arder. Haga la prueba con un lavado de palo de arco.

➤ **Acidófilos.** Abra dos o tres cápsulas de acidófilos ("acidophilus", disponibles en tiendas de alimentos saludables) y mézclelas con suficiente aceite vegetal como para formar una pasta líquida. Úntela suavemente sobre la zona sensible e irritada. Debería detener la comezón rápidamente y comenzar la curación de la piel irritada.

AFIRMACIÓN

Repita esta afirmación 10 veces al día, a primera hora por la mañana, cada vez que se peine o cepille el cabello, y a última hora por la noche...

Me acepto como una mujer saludable y feliz, bendecida con funciones corporales naturales y normales.

VÁRICES

Una de cada dos mujeres mayores de 40 años tiene várices (venas varicosas). En cuanto a los hombres mayores de 40 años de edad, uno de cada cuatro tiene el problema. Para ustedes que tengan várices, el ejercicio y la elevación de las piernas son muy, pero muy, importantes en el proceso de la curación. Además, estos remedios efectivamente pueden dar buenos resultados.

➤ **Trate el estreñimiento.** Es una de las causas principales de las várices. Si padece estreñimiento, haga algo al respecto de inmediato. Comience leyendo la sección "Estreñimiento" en la página 104 de este libro. Deshágase de este problema y podrá deshacerse de las dolorosas várices y prevenir la reaparición.

➤ **Postura al sentarse.** No cruce las piernas al sentarse. *Señoras y señoritas:* Para tener una apariencia femenina y elegante, siéntese con las rodillas juntas y las piernas inclinadas hacia un lado.

➤ **Ropa para las piernas.** No use medias (calcetines), pantimedias ("pantyhose") ni ligas ("garters") que dificulten el flujo de sangre a cualquier parte de las piernas.

➤ **Haga ejercicios.** Caminar es maravilloso, así como lo es nadar. Haga algún tipo de ejercicio todos los días. Consulte la página 255.

➤ **Levante las piernas.** Eleve las piernas por al menos media hora al día. Bueno, en realidad, mejor sería que lo haga en cualquier oportunidad en que pueda sentarse con las piernas elevadas.

➤ **Cigarrillos.** ¡No fume! Sólo dos cigarrillos al día contienen suficientes sustancias tóxicas como para comenzar a destruir células en el recubrimiento de las venas.

➤ **Peso corporal.** Si tiene sobrepeso, decídase a bajar los kilos de más por el bien de las venas. Consulte la sección "Peso: cómo controlarlo", página 179.

➤ **Castaño de Indias ("horse chestnut")** es el tratamiento de hierbas más popular en Europa para las várices. Se piensa que el componente activo de la hierba es escina (o aescina), del cual se dice que contrarresta la inflamación, tonifica y protege las venas, elimina los radicales libres que dañan el tejido y bloquea las enzimas que descomponen el tejido que soporta el cuerpo.

El extracto y las cápsulas de castaño de Indias se venden en tiendas de alimentos saludables. Es muy importante seguir las indicaciones y dosis de la etiqueta para que sea seguro y eficaz. Lo más seguro es pedirle consejos sobre la dosis a su profesional de la salud –un médico, naturópata o herborista entendido.

ADVERTENCIA: El castaño de Indias no se recomienda para las personas con enfermedad de los riñones o del hígado. No debería tomar esta hierba en combinación con anticoagulantes como *warfarina* ("Coumadin"). No se ha establecido cuán seguro es tomar esta hierba durante el embarazo y mientras se está amamantando. Consulte con su obstetra.

➤ **Col (repollo, "cabbage").** Las hojas de col Savoy pueden ser muy curativas, en particular en casos graves de várices. Corte la parte externa de unas hojas y planche la columna del centro... sí, con una plancha para planchar ropa. Como no existe una posición para "verduras", ajústela para usar con "lana" ("wool"). Las hojas deberían entonces ablandarse y aplanarse. Póngalas sobre las várices y envuélvalas en el sitio con una venda de algodón elástica ("Ace bandage"). También darán resultados las medias elásticas ("support stockings") que sean lo suficientemente grandes como para usar sobre las hojas de col. Lleve puestas las hojas de col todo el día y/o durante la noche. Hágalo diariamente y preste atención a las mejorías, además del alivio.

➤ **Hamamelis (olmo escocés, "witch hazel").** Los estudios demuestran que el extracto de hamamelis (disponible en tiendas de alimentos saludables) ayuda a fortalecer los vasos sanguíneos. Empape una bolita de algodón en el extracto y pase la misma sobre la zona de las várices dos o tres veces al día, siempre que le resulte conveniente. Puede esperar ver resultados después de dos semanas. Si el hamamelis causa una irritación de la piel, deje de usarlo de inmediato.

➤ **Esencias de hierbas.** Para estimular la circulación, masajee suavemente la zona afectada con esencia de romero ("oil of rosemary").

Para aliviar la hinchazón y la inflamación, y como ayuda para aliviar el dolor de las várices, masajee suavemente la zona afectada con esencia de manzanilla ("oil of chamomile") o esencia de ciprés ("oil of cypress").

➤ **Vitamina E.** La vitamina E, un anticoagulante natural, es buena para la circulación y ayuda a reducir la inflamación y prevenir los coágulos de sangre. Si prefiere obtener vitamina E de los alimentos, muy bien. Consuma muchas verduras de hojas verdes y productos de frijoles de soja ("soybeans"), y espolvoree germen de trigo ("wheat germ") sobre ensaladas y cereales.

ATENCIÓN: Debido a las posibles interacciones entre la vitamina E y varios medicamentos y suplementos, así como otras consideraciones de seguridad, asegúrese de consultar con su médico antes de tomar vitamina E.

➤ **Té de paja de avena ("oatstraw").** Prepare este té dejando en remojo una cucharadita de paja de avena (disponible en tiendas de alimentos saludables) en una taza de agua recién hervida. Después de diez minutos, cuele y beba. Hágalo dos veces al día.

Una vez por semana, dese un baño de paja de avena. Deje en remojo un tercio de una taza de paja de avena en un cuarto de galón (un litro) de agua recién hervida, cuele y vierta el líquido en el agua caliente para su baño. Relájese y disfrútelo por al menos 20 minutos.

➤ **Brusco (retama, "butcher's broom").** Mientras se encuentra en la tienda de alimentos saludables buscando la vitamina E y la paja de avena, podría fijarse en el brusco, el cual se sabe que reduce la inflamación de las venas. Los dos compuestos antiinflamatorios de la hierba –*ruscogenina* y *neoruscogenina*– estrechan y fortalecen las venas. Siga la dosis recomendada en la etiqueta.

➤ **Cataplasma para úlceras varicosas.** Prepare una cataplasma ("poultice") usando aceite de hígado de bacalao ("cod-liver oil") y una cantidad igual de miel sin procesar ("raw honey"). Sujete en su lugar con una venda durante la noche, todas las noches, hasta que la afección mejore.

Arañas vasculares

Estas pequeñas venas, un tipo de variz, se parecen a patas de arañas violeta azuladas y están usualmente agrupadas en las piernas, los pies, los tobillos o los muslos, y a veces en la cara. Hay varios procedimientos médicos que pueden lograr que desaparezcan –varían de agujas invasivas a láser no invasivo. Todos son costosos y usualmente no tienen la cobertura del seguro de salud.

Los remedios anteriores para las várices totalmente desarrolladas deberían, sin duda, ser de ayuda con las arañas vasculares. Comience con esencia de romero ("rosemary oil"). Le dio buenos resultados a nuestra prima, quien se enteró sobre este tratamiento a través de su instructor de yoga.

AFIRMACIÓN

Repita esta afirmación una docena de veces al día, comenzando a primera hora por la mañana, a última hora por la noche y cada vez que recuerde que debe elevar las piernas...

La energía curativa fluye libremente por mis venas mientras ando por la vida con alegría y tranquilidad.

Consejos de los sabios...

Correr y andar en bicicleta pueden empeorar las várices

El ejercicio extenuante que aplica presión sobre las piernas puede hacer que las várices se noten más.

Mejor: El ejercicio moderado de bajo impacto, como nadar y caminar, puede aliviar los síntomas al estimular su circulación sin aumentar la presión. Consulte a su médico.

Boletín *Wellness Letter* de la Universidad de California en Berkeley, 500 Fifth Ave., Nueva York 10110.

VERRUGAS

Parece haber tantos remedios para extirpar verrugas como verrugas hay en el mundo. Los remedios varían de sensatos a los que parecen ser de la Edad Media.

Ninguna otra afección (es un virus, ¿sabía?) tiene tantos remedios tradicionales como las verrugas. Con el paso de los años hemos acumulado una gran colección (de remedios tradicionales, no de verrugas).

Muy recientemente nos recomendaron frotar la verruga con un huevo robado, luego envolver el huevo en una bolsa de papel marrón y dejarlo en un cruce de caminos. Cuando alguien levante el paquete y rompa el huevo, se sacará de encima la verruga y esa persona la contraerá. No le recomendamos que robe un huevo.

Uno de nuestros favoritos es un viejo remedio irlandés –junte un pequeño montón de tierra bajo el pie derecho y patéelo hacia un carro fúnebre al pasar mientras canta "Oh, cuerpo de arcilla, mientras te descompones, ven y llévate mi verruga".

Lo extraño de algunos de estos remedios extravagantes es que efectivamente dan resultados. Es un ejemplo perfecto del poder de la sugestión.

A continuación tenemos una lista de poderosas sugerencias que en su mayoría entran en la categoría de sensatas. Cuando use cualquiera de ellas, sea constante y tenga paciencia.

Remedios para las verrugas

➤ **Vinagre.** Aplique vinagre de sidra de manzana ("apple cider vinegar") en la verruga, y antes de que se seque, también aplique bicarbonato de soda ("baking soda"). Quítese el bicarbonato de soda después de 15 minutos. Hágalo seis veces al día, todos los días, hasta que la verruga desaparezca.

➤ **Berenjena.** Coloque un trozo de berenjena ("eggplant") cruda sobre la verruga y manténgalo en el lugar durante la noche con una venda de algodón elástica ("Ace bandage"). Si puede caminar con la berenjena sobre la verruga durante el día, hágalo. De no ser posible, póngase un trozo fresco de berenjena cruda todas las noches hasta que la verruga desaparezca.

➤ **Aceite.** Cubra la verruga con un aceite –aceite de germen de trigo ("wheat germ"), aceite de ricino ("castor oil"), aceite de vitamina E o vitamina A, o esencia de canela ("oil of cinnamon").

Al comenzar su día, después de la ducha, empape una bolita de algodón con el aceite de su preferencia, aplíquelo sobre la verruga y manténgalo en el lugar con una tirita (curita, "Band-Aid"). Haga lo mismo a la hora de acostarse. Después de un mes de aceitar la verruga dos veces al día, ya debería haber desaparecido.

➤ **Banana.** Corte un trozo de cáscara de banana (plátano), lo suficiente grande como para cubrir por completo la verruga. Ponga el lado de la pulpa mucilaginosa sobre la verruga y manténgalo en el lugar envolviéndolo con cinta médica ("first-aid tape") o una tirita. Duerma con esto durante la noche y quítelo por la mañana. Repita esta rutina con un trozo fresco de cáscara de banana todas las noches. Dele unas dos semanas para que la verruga desaparezca.

➤ **Pasta.** Antes de la hora de acostarse, comience con media cucharadita de bicarbonato de soda ("baking soda") en una taza pequeña y lentamente agregue revolviendo gotas de aceite de ricino ("castor oil"). Deténgase cuando tenga la consistencia de una pasta. Unte la pasta sobre la verruga y cúbrala con una tirita. Duerma con esto y quítelo por la mañana. Repita el remedio cada noche hasta que la verruga desaparezca.

➤ **Cinta adhesiva para conductos.** Lo que se dice de este remedio para las verrugas es excelente. Ponga un pedazo de cinta adhesiva para conductos ("duct tape") sobre la verruga y déjela por seis días. Si se cae o se sale al lavarse antes de los seis días, simplemente vuelva a aplicar otro pedazo de cinta aislante.

Luego, quite la cinta adhesiva, empape la verruga en agua a temperatura ambiente por unos pocos minutos, y use una lima de uñas o una piedra pómez ("pumice stone") para suavemente quitar limando la gruesa piel muerta de la parte superior de la verruga. Déjela descubierta durante la noche. Por la mañana, ponga un pedazo de cinta adhesiva sobre la verruga por otros seis días. Repita todo el procedimiento cada seis días hasta que la verruga desaparezca.

Hay dos teorías acerca de cómo esto funciona: o la cinta aislante sofoca el virus, o la cinta provoca una irritación leve que causa que el sistema inmune ataque al virus y venza.

NOTA: Si su hijo tiene una verruga y quiere usar este remedio con cinta adhesiva para conductos, considere usar la cinta que tiene el color preferido de su hijo.

➤ **Rápida eliminación de las verrugas.** Se piensa que este remedio, tomado con cualquiera de los remedios anteriores, acelera el proceso de secado de las verrugas.

Haga puré de espárragos ("asparagus") frescos o congelados en una licuadora. Coma un cuarto de taza del puré dos veces al día –antes del desayuno y antes de la cena.

➤ **Más de una verruga.** Aunque este remedio evoca la Edad Media, nos lo dio una señora sensata que era tan escéptica como probablemente sea usted, pero ella lo probó y le dio resultados. Corte una manzana en tantos trozos como verrugas tenga. Asigne cada rebanada a una verruga y frote esa rebanada sobre la verruga. Después de hacerlo, arme nuevamente la manzana y entiérrela. Cuando la manzana se pudra, las verrugas habrán desaparecido.

➤ **Visualización.** Al levantarse y al acostarse, siéntese en la cama (o siéntese en una silla con respaldo firme), y cierre los ojos para realizar una visualización de dos o tres minutos.

Primero exhale todo el aire de los pulmones, y luego inhale lentamente. Mientras exhala, visualice la inmensa marquesina de un teatro con luces brillantes que hacen destellar tres veces el número "3". Respire hondo lentamente otra vez y, mientras exhala, visualice el número "2" destellando tres veces. Respire hondo lentamente una vez más y, cuando exhale, vea el número "1" destellando tres veces.

Ahora que se encuentra relajado y listo, visualice su refrigerador. Abra la puerta y vea en el anaquel superior la colorida paleta de un artista. Agarre la paleta y el pincel mágico de oro que se encuentra junto a la misma. No olvide cerrar la puerta del refrigerador.

Ahora visualice la verruga y la zona que la rodea. Mientras sostiene la paleta con una mano y el pincel con la otra mano, el pincel mágicamente se mojará en el color de la paleta que sea perfectamente igual al tono de la piel. Use el pincel para pintar la verruga –siga mojando el pincel y pintando la verruga hasta que la misma desaparezca por completo.

Mientras observa y admira su hermosa piel suave y perfecta, cuente lentamente de uno a tres. Abra los ojos, estírese y siéntase renovado.

Verrugas en manos y dedos

➤ **Una historia de éxito.** Nos encanta cuando la gente nos envía historias de éxito. Lisa Jade, una estudiante universitaria, tenía una verruga en la palma de la mano. Su dermatólogo le aplicó nitrógeno líquido. Al principio estaba un poco mejor, pero luego el dolor y el tamaño aumentaron. Lisa fue a otro médico, quien le recetó algo que tampoco la ayudó mucho. *Luego, después de vernos a nosotras en la televisión, corrió al centro comercial, compró nuestro libro y probó nuestro remedio...*

Hierva un par de huevos y guarde el agua. Tan pronto como el agua se enfríe, ponga la mano con la verruga en esa agua por 10 minutos. Hágalo diariamente hasta que desaparezca la verruga. Lisa nos contó que después de poner la mano en remojo una sola vez, el dolor y la verruga desaparecieron, sin dejar ningún rastro de la misma.

➤ **Verrugas debajo y alrededor de las uñas.** Envuelva cinta adhesiva médica (esparadrapo) alrededor del dedo con la verruga, dándole cuatro vueltas. Asegúrese de que no entre el aire y esté firme, pero no tan apretado como para detener la circulación. Después de una semana, antes de la hora de acostarse, quite la cinta adhesiva y duerma sin ella. A la mañana siguiente, vuelva a vendar el dedo y déjelo con la cinta adhesiva por otra semana. Siga haciendo este procedimiento y al final de la tercera o cuarta semana la verruga debería debilitarse, atrofiarse y desgastarse.

Verrugas en la planta de los pies

➤ **Remojo de pie en carbonato sódico.** Busque una palangana (cubeta, cuenco) lo suficientemente grande como para poner el pie, o use una caja de zapatos plástica. Todas las noches, llene la palangana o la caja con un galón (cuatro litros) de agua tibia y media taza de carbonato sódico Arm & Hammer Super Washing Soda. Sumerja el pie por 15 minutos. Luego frote la planta del pie con una toallita áspera para secarla. En algún momento aparecerán pequeños puntos negros. Son las raíces de las verrugas y las mismas emergerán y caerán para nunca volver. Todo el proceso lleva unas dos semanas.

➤ **Remojo de pie y enjuague bucal.** Todas las noches, sumerja el pie en una palangana con agua caliente por cinco minutos. Luego empape una bolita de algodón con enjuague bucal de marca Listerine, aplíquela directamente sobre las verrugas de las plantas de los pies, y sujétela con cinta adhesiva para que se mantenga en el lugar. (¿Listerine? ¿Quién lo habrá descubierto? Quizá fue alguien que solía ponerse el pie en la boca.) Después de una o dos semanas, las verrugas deberían haber desaparecido, dejándole el pie agradable como para darle un beso.

➤ **Masaje con aceite.** A la hora de acostarse cada noche, tome una o dos cápsulas de ajo o vitamina A, pínchelas y exprima el aceite sobre las verrugas de las plantas de los pies. Masajee toda la zona con el aceite por unos pocos minutos – hágalo meticulosamente. Luego, después de haber dejado pasar unos minutos más, ponga una media (calcetín) blanca limpia en el pie y duerma así. Esto, como la mayoría de los remedios para verrugas, tarda unas dos semanas en dar resultado.

ADVERTENCIA: El aceite de ajo podría irritar la piel. Evite poner aceite de ajo en áreas donde haya cortaduras.

Verrugas genitales

Hay buenas noticias y hay malas noticias. Las buenas noticias son que usted no está solo –éste es un problema común. Las malas noticias son que es un problema común porque las verrugas genitales son muy contagiosas. Así que, absténgase del coito hasta que desaparezcan las verrugas. *Mientras tanto...*

➤ **Vitaminas A y E.** Exprima una cápsula de vitamina E y/o vitamina A y aplique el aceite. Como el calor y la humedad estimulan el crecimiento de las verrugas, no ponga una tirita (curita, "Band-Aid") sobre la misma. Simplemente siga aplicando el aceite con tanta frecuencia como sea posible, todos los días hasta que desaparezca la verruga.

AFIRMACIÓN

Cubra la verruga con algo –un pañuelo, una manga, la mano– cada vez que diga la afirmación, comenzando a primera hora por la mañana, a última hora por la noche y justo antes de beber cualquier bebida...

Tengo sentimientos positivos. Todo en mi vida es claro y maravilloso.

VESÍCULA BILIAR Y SUS PROBLEMAS

El hígado produce bilis. La vesícula biliar, el vecino del piso de abajo del hígado, almacena la bilis y la libera para digerir grasas. Si tiene dolores agudos –como fuertes dolores por gases– bajo la caja torácica derecha, es posible que tenga cálculos biliares u otro tipo de problema relacionado con los cálculos biliares.

ATENCIÓN: Si sospecha que tiene cálculos biliares o cualquier otro problema relacionado con la vesícula biliar, pídale a su médico que le diagnostique su afección. Mientras está decidiendo acerca de su plan de acción, podría intentar uno de estos remedios. Pero todos estos remedios deberían usarse solamente con la aprobación y la supervisión cuidadosa de su médico. Estos "eliminadores" de cálculos biliares pueden movilizar los cálculos, pero también pueden causar que los mismos queden atascados en el conducto biliar, una emergencia médica.

Eliminadores de los cálculos biliares

➤ **Aceite de oliva extra virgen.** El ingrediente común en casi todos los remedios para cálculos biliares que hemos reunido es el aceite de oliva –parece que abre los conductos biliares, estimulando a los cálculos a avanzar y salir. Escuche su voz interior (y a su médico) para que lo guíen al método que mejor resultados le dé.

- **Acuéstese sobre el piso y lentamente beba media taza de aceite de oliva extra virgen tibio.** De ser necesario, vuélvalo a hacer en ocho horas. Durante este proceso, puede poner un trozo de la gema sugilita ("sugilite") en la zona dolorida. Según la gemóloga Joyce Kaessinger, la sugilita es la gema que lo ayudará a deshacerse de lo que lo está fastidiando.

- **Todos los días, antes del desayuno, tome dos cucharadas de aceite de oliva extra virgen** en media taza de jugo de toronja (pomelo, "grapefruit"), o tome el aceite de oliva y luego beba el jugo. Aumente gradualmente la cantidad de aceite y jugo hasta que llegue a un cuarto de taza de aceite de oliva en un vaso de jugo de toronja. Debería ver los resultados en un mes.

NOTA: Antes de comenzar el régimen anterior, si toma cualquier medicamento recetado, consulte con su médico o farmacéutico para asegurarse de que no haya una interacción negativa entre su medicamento y el jugo de toronja.

- **Beba un cuarto de jugo de manzana todos los días durante cinco días,** mientras consume comidas ligeras y sensatas. En el sexto día, beba un cuarto (un litro) de jugo de manzana durante el día, omita la cena, y a las 6 p.m. tome una cucharada de sal de Higuera ("Epsom salt") con media taza de agua. A la 8 p.m., tome otra cucharada de sal de Higuera con media taza de agua. Luego, a las 10 p.m., combine cuatro onzas (120 ml) de aceite de oliva extra virgen con cuatro onzas (120 ml) de jugo fresco de limón y bébalo. Dentro de las siguientes 24 horas, permanezca cerca de un baño para cuando deba eliminar los cálculos biliares. Si hace todo esto, *se merece* deshacerse de los cálculos biliares.

➤ **Estilo indígena americano.** "Ponga una cucharadita de colofonia (resina) para violín ('fiddle rosin') en una cuchara, y agregue jalea (mermelada, 'jelly') o almíbar ('syrup') para completar la cucharada. Eso hará que la colofonia sea comestible. Tráguela y, antes de que pueda decir 'Gerónimo', su cálculo biliar saldrá disparado de ahí".

Ésas son las palabras de una mujer que nos llamó para compartir este remedio cuando estábamos en un programa de radio. Nos dijo que se crió con indígenas cheroquí y aprendió este remedio y otros de ellos. Por cierto, está segura que este remedio da resultado... al menos le dio resultado a ella.

La colofonia está hecha de una resina derivada de la savia de varios pinos. Puede comprarla en las tiendas de música que venden instrumentos de cuerda.

Vesícula biliar lenta

➤ **Manzanilla ("chamomile") calmante.** Si el diagnóstico de su médico es "vesícula biliar lenta" ("sluggish gallbladder" en inglés), limpie bien esa vesícula holgazana bebiendo al menos siete tazas de té de manzanilla cada día por siete días. Prepárelo dejando en remojo una cucharadita de manzanilla en una taza de agua recién hervida. Después de 10 minutos, cuele, agregue el jugo de medio limón y lentamente bébalo. La vitamina C del limón parece aumentar e intensificar el poder limpiador de la manzanilla.

NOTA: Asegúrese de obtener la aprobación de su médico antes de comenzar este tratamiento de limpieza.

Prevención de problemas de la vesícula biliar

➤ **No consuma alimentos llenos de grasa** –esto significa alimentos fritos, postres pesados, carnes grasosas y productos lácteos ricos en grasa.

➤ **Beba mucha agua y jugos puros.** Además, consuma cereales integrales, frutas, verduras, y si come carne asegúrese de que sea magra. Hierva, ase y cocine al vapor los alimentos que no pueda comer crudos.

AFIRMACIÓN

Aunque nos hemos abstenido de informar sobre las razones psicológicas de las manifestaciones físicas, estamos haciendo aquí una excepción, ya que el idioma lo ha hecho por nosotras.

Dele una mirada a su vida y reconozca todas las cosas que están sucediendo que lo irritan y reconozca todas las personas con las que debe tratar que lo irritan. Su ira probablemente está evitando que usted disfrute de las cosas cotidianas de la vida.

Una vez que reconozca que nadie más que usted tiene el poder de privarlo de disfrutar el día, estará listo para usar su poder para su propio bien.

Esta afirmación puede ayudar.

Repita la siguiente afirmación al menos 15 veces, a primera hora por la mañana, a última hora por la noche y cada vez que pase por una puerta...

Mi vida es un reto feliz. Encuentro verdadero placer en todo lo que hago.

Le hace bien al cuerpo

Este amplio capítulo tiene algo de interés para todos –para ayudar a evitar los retos de la salud, a sanar lo que necesita ser curado y a mejorar su vida en general.

Por favor, tome el tiempo necesario para leer cada artículo. Estamos seguras que descubrirá terapias, alimentos, hierbas, tónicos, suplementos o ejercicios que no conocía. Permita que sus instintos –esa sabia voz interior que todos tenemos– lo guíe a lo que más lo beneficiará.

AYURVEDA

El ayurveda, del sánscrito para el "conocimiento (o ciencia) de la vida", define la trinidad de la vida como el cuerpo, la mente y la conciencia espiritual. Este enfoque holístico para la curación se desarrolló hace unos 3.000 a 5.000 años entre los sabios brahmanes de la antigua India.

Necesitaríamos el resto de este libro para explicar la compleja filosofía del ayurveda basada en la fuerza fundamental o energía vital (prana) de una persona, los siete chakras principales –los centros espirituales de nuestro cuerpo ubicados a lo largo de la columna vertebral (consulte la descripción de los chakras bajo "Cromoterapia" en la página xvii)–, los métodos de prevención de enfermedades (panchakarma), las técnicas de examinación y evaluación (diagnóstico mediante la toma del pulso y la examinación de la lengua, la voz, los ojos, la piel, la orina, las deposiciones y la apariencia general) y los tratamientos.

Para que tenga una idea de lo que puede esperar de la medicina del ayurveda, sepa que los profesionales y médicos recomiendan intervenciones en el estilo de vida en lo que respecta a nutrición, hierbas, ejercicio, yoga, terapia de masajes y Shirodhara (un tratamiento que utiliza aceite medicinal tibio vertido sobre la frente).

CALDO DE CARNE

NOTA PARA LOS VEGETARIANOS: La ironía aquí es que los vegetarianos son los que más se podrían beneficiar de las propiedades del caldo de carne ("beef broth") que sólo pueden derivarse de animales. Así que, si es vegetariano, antes de pasar al siguiente artículo, por favor lea "Caldo de carne" con la mente abierta. Este caldo podría ser una excepción que vale la pena hacer.

¿Por qué caldo de carne?

El caldo de carne (también conocido como *caldo de res* o *consomé de carne*, y "beef broth" en inglés) se considera un té medicinal.

Es un remedio clásico tradicional para resfriados y gripe (como también lo es la sopa de pollo, por supuesto), los estudios indican que este antiguo caldo casero tiene propiedades y nutrientes que ayudan a estimular el sistema inmune y curar las dolencias que afectan los tejidos conjuntivos, incluyendo el tracto gastrointestinal, la piel, los pulmones, los músculos, la sangre y las articulaciones. En alguna época el caldo de carne se conocía como "el suplemento de los pobres para las articulaciones" (y probablemente sea uno de los más benéficos).

El caldo de carne además ofrece apoyo nutricional para los pacientes de quimioterapia, especialmente aquellos que tienen úlceras bucales y deficiencias de proteínas y hierro (*www.squidoo.com/bone_broth_for_chemo*).

Los buenos huesos del caldo casero

Hace unas décadas, antes de la existencia de envases de cartón con caldos de carne y pollo, la mayoría de los hogares tenían a menudo una olla hirviendo lentamente sobre el fuego.

La diferencia entre la preparación del caldo comprado en el supermercado y este caldo casero es el agregado de huesos y médula ósea. Hervir huesos en agua a fuego lento por periodos prolongados libera muchos de sus componentes que facilitan la absorción por parte del cuerpo humano. *Los componentes más benéficos son…*

• **Gelatina/colágeno y los minerales y otros nutrientes benéficos que estos contienen.** La gelatina ayuda a mejorar la digestión, incluso para quienes tienen problemas con el ácido estomacal, afecciones gastrointestinales,

■ Receta ■

Caldo de carne

Después de experimentar durante semanas con una vasta gama de recetas para caldo, decidimos presentar una receta de caldo de carne de res básico (es decir, medicinal).

No se pierda "Consejos para preparar el caldo" y "Variedades de caldos" en la página 6.

Ingredientes

Un caldero ("stockpot") o una olla alta angosta. Las ollas de acero inoxidable o porcelana son ideales, pero no las de aluminio (el vinagre puede causar que algo de aluminio se filtre en el caldo).

De 3 a 4 libras (de 1.400 a 1.800 gramos) de huesos de carne de res provenientes de res no tratada con antibióticos ni hormonas y alimentada en pasturas. Cuanto mejor sea la calidad de los huesos, más benéfico será el caldo. (Tenga en cuenta que un caldo bien preparado debería gelificarse al ser refrigerado. Es probable que el caldo preparado con huesos de menor calidad no se gelifique).

Pídale al carnicero que le corte los huesos en trozos de 2 ó 3 pulgadas (5 a 8 cm) de largo. (Cuanto mayor sea la superficie del hueso expuesta al agua, mejor será la calidad y el valor nutritivo del caldo).

Entre 1 y 2 cebollas (maduras o pasadas de maduras) peladas

Entre 3 y 6 tallos de apio –"celery stalks"– (maduros o más de maduros)

La cáscara de 2 ó 3 huevos

2 cucharadas de vinagre (ya sea de sidra de manzana –"apple cider vinegar"– de vino tinto o blanco, de arroz o balsámico)

Preparación

1. Enjuague con agua los huesos y hornéelos en una bandeja para asar a 400°F (200°C) durante una hora.
2. Coloque los huesos horneados en un caldero ("stockpot").
3. Cubra los huesos con agua fría hasta llegar a unas seis pulgadas (15 cm) por encima de los huesos.
4. Agregue la cáscara de los huevos con la membrana que recubre su interior.
5. Agregue 2 cucharadas de vinagre.
6. Revuelva suavemente, y luego deje reposar 30 minutos.
7. Agregue entre 1 y 2 cebollas, peladas y enteras. Agregue entre 3 y 6 tallos de apio.
8. Haga hervir lentamente el caldero con los ingredientes, y luego reduzca el fuego a lo más lento. Cubra y cocine a fuego muy lento por entre 12 y 18 horas. Cuanto más hierva, más potentes serán las propiedades sanadoras.
9. Revise el caldero cada dos horas, más o menos. Quite suavemente y con cuidado la espuma que se forma en la superficie. Reemplace algo del agua evaporada agregando lentamente agua recién hervida.
10. Cuando haya terminado la cocción, quite los huesos, las verduras y la cáscara de los huevos.
11. Si prefiere, condimente a gusto con sal marina ("sea salt"), pimienta, ajo en polvo o cebolla en polvo.

Dosis

Consuma entre 2 y 6 onzas (entre 60 y 180 ml) de este caldo diariamente. Beba a sorbos durante el día, o beba como si fuera té. Para hablar técnicamente, este caldo es una decocción de huesos y cartílago –un té medicinal.

Si desea incorporar este caldo en sus comidas, lo puede usar siempre que una receta pida caldo, o lo puede agregar en lugar de agua para cocinar, por ejemplo, frijoles (habas, habichuelas, "beans"), arroz u otros cereales. También puede agregar verduras, frijoles y pollo para convertir el caldo en un guiso (estofado, "stew").

ATENCIÓN: Nunca, pero NUNCA, cocine o recaliente el caldo en el microondas, ya sea mezclado con otros alimentos o solo. La gelatina del caldo puede ser tóxica para el hígado, los riñones y el sistema nervioso. Caliente el caldo en la estufa (hornilla).

intolerancia a la lactosa o enfermedad celíaca y para los pacientes de cáncer con problemas de tolerancia a los alimentos.

• **Cartílago.** Esto es especialmente útil para las enfermedades de las articulaciones, incluyendo la artritis reumatoide, y las enfermedades gastrointestinales.

• **Glicina ("glycine").** Un aminoácido simple que contribuye a los procesos vitales del cuerpo, incluyendo la desintoxicación por parte del hígado. La glicina además mejora la secreción del ácido gástrico, mejorando así la digestión. Estudios recientes demuestran que la glicina ayuda a los bebés a crecer en forma adecuada.

• **Ácido hialurónico ("hyaluronic acid").** Lubrica las articulaciones y ayuda a curar las heridas.

• **Sulfato de condroitina ("chondroitin sulfate")** –sí, es la misma condroitina que se usa en los suplementos para la osteoartritis. Además de aliviar el dolor de las articulaciones, se afirma que ayuda a disminuir el nivel de colesterol y el riesgo de padecer ateroesclerosis.

• **Minerales** como calcio, fósforo, magnesio, sodio, potasio, sulfato y fluoruro (flúor, "fluoride"). Estos minerales ayudan a fortalecer los huesos y las articulaciones.

Consejos para preparar caldo

• **Un caldero ("stockpot") o cualquier olla alta y angosta** hará más lenta la pérdida de agua debido a la evaporación.

• **Los huesos asados añaden color y sabor acaramelado** al caldo.

• **Las cáscaras de huevo se usan** porque la membrana que separa la clara de la cáscara contiene cuatro nutrientes que estimulan las articulaciones – ácido hialurónico, glucosamina, condroitina y colágeno ("collagen").

• **El vinagre ayuda a filtrar minerales importantes fuera de los huesos.**

• **Las verduras maduras o pasadas son más dulces.** Zanahorias, perejil y dientes de ajo también pueden agregarse. Use verduras orgánicas siempre que sea posible.

• **Hierva a fuego lento con el menor fuego posible.** Si el caldo hierve muy rápido, puede producir un sabor amargo.

• **Cuando retire el caldo del fuego, déjelo enfriar.** Dos horas después de haberlo quitado del fuego, viértalo en recipientes, tape y refrigere. Debería mantenerse bien por unos cinco días. Puede congelarse en recipientes herméticos ("airtight") de plástico y guardarse por cuatro a seis meses.

• **Antes de consumir, quite y deseche la grasa que se asienta en la parte superior.** Caliente y beba o consuma.

MUY IMPORTANTE: NUNCA JAMÁS cocine ni recaliente el caldo en el horno de microondas.

Variedades de caldos

• **Existen muchas recetas para este caldo medicinal.** Si prefiere no consumir carne de res, puede intentar con huesos de aves, cordero, cerdo o pescado. Sin importar qué huesos use, asegúrese de que provienen de animales criados orgánicamente, o al menos naturalmente –sin enjaular, alimentados en pasturas, sin antibióticos ni hormonas agregadas. Para extraer el sabor y la gelatina sanadora, la regla general para hervir a fuego lento es –dos horas para el caldo de pescado, todo el día para los huesos de animales más grandes –pollo, pavo (guajolote, "turkey") o pato, y toda la noche (entre ocho y 12 horas) para el caldo de carne de res.

• **Algunos cocineros incorporan partes ricas en cartílago que usualmente no se consumen,** como la caja torácica ("rib cage") y la columna vertebral, los pies de pollo ("chicken feet"), las cabezas de pescado y los jarretes de vaca ("beef knuckles").

• **La receta de los herboristas para este caldo medicinal usualmente incluye una o más hierbas chinas,** como astragalus (*huang qui*), codonopsis (*dang shen*) y lichis ("lycii berries", "*gou qi zi*"), para aumentar las propiedades medicinales e intensificar el sabor del caldo. (Consulte "Recursos", página 350, para encontrar un vendedor de hierbas chinas).

Lo mejor: en un caldero con huesos

Únase a las muchísimas personas que valoran los beneficios del caldo de carne como un tónico diario. Compre un caldero ("stockpot") y varios huesos y prepare un caldo.

CAMINATA CON BASTONES

La caminata con bastones (también llamada caminata nórdica o marcha nórdica y "pole walking" o "ski walking" en inglés) consiste en caminar con bastones especiales diseñados con ese fin. Se desarrolló de una actividad de entrenamiento de esquí fuera de estación conocida como caminata con esquíes ("ski walking") o "hill bounding" (marcha saltando), de modo que los esquiadores pudieran mantener su fortaleza y agilidad todo el año. La caminata con bastones se ha practicado por décadas como entrenamiento en tierra firme para competencias de esquí a campo traviesa.

La popularidad de los bastones creció cuando los senderistas (excursionistas) descubrieron que caminar con los bastones aumentaba su potencia y disminuía o eliminaba los dolores de rodilla, cadera y pie. El uso de los bastones también alivió el dolor de espalda de los mochileros.

Esta combinación en tierra firme de la caminata y el esquí nórdico es una de las preferidas por los europeos del norte. Doce años después de haber sido introducida en Europa, se estima que entre ocho y 10 millones de personas consideran la caminata con bastones como su ejercicio preferido. Y no es de extrañarse cuando se tiene en cuenta que la caminata con bastones puede hacerse en interiores, exteriores y a cualquier edad. Además, se obtiene un entrenamiento de todo el cuerpo sin un cambio aparente en el esfuerzo realizado, ni teniendo que caminar más rápido. En fin, hay muchos beneficios.

Sheri Simson, conocida como "la señorita de los bastones", o "pole lady", compartió su inspiradora historia con nosotras...

Consejos de los sabios...

Sheri Simson acerca de la caminata con bastones

Yo era una esposa, madre de tres niños jóvenes y dueña de una empresa de construcción. Tenía más de 40 años, pesaba 30 libras (14 kilos) de más y estaba fuera de forma. Tenía celulitis en lugares que nunca había sabido que se podía tener celulitis, padecía dolores en todo el cuerpo y estaba cansada todo el tiempo.

Desesperada, me inscribí en el programa de reuniones de Weight Watchers, y eso cambió mi manera de ver la comida... para bien. Mientras lentamente comencé a bajar de peso, todavía me sentía alicaída y fuera de forma. Teniendo un negocio que atender y mis hijos que cuidar, no tenía el tiempo, la energía ni el dinero extra como para inscribirme en un gimnasio ni contratar a un entrenador. El único ejercicio asequible, en términos de tiempo y dinero, era caminar, pero las caminatas que yo hacía tenían poco efecto en cómo me veía y sentía.

En un viaje a Dinamarca, el país de mi esposo, mi suegra me dio un par de bastones para caminar. De inmediato los empecé a usar y me impresionaron por los resultados que producían. No sólo era fácil (al principio pensé que quizá era demasiado fácil, por aquello de que no hay fruto sin esfuerzo), pero una vez que entré en el ritmo, todo mi cuerpo se sintió energizado, mientras los bastones parecían lanzarme hacia delante.

Traje los bastones a casa y seguí caminando con ellos. No me llevó mucho tiempo darme cuenta que caminar con los bastones hacía una diferencia –¡mi grasa parecía que simplemente se desprendía! Era increíble. ¡En pocas semanas me sentí más fuerte y sin duda mis músculos se sentían más tonificados! Lo gracioso fue que no estaba caminando más lejos ni más rápido pero igualmente, ¡qué impresionante! –¡no podía creer lo que le estaba sucediendo a todo mi cuerpo! Tenía mucha más energía y disfrutaba viendo a mi cuerpo tomar una nueva forma.

Investigué sobre mi nueva pasión y descubrí mediante informes documentados de la comunidad científica que la caminata con bastones no sólo logra que caminar sea más benéfico, sino que además requiere menos esfuerzo y es menos exigente para nuestros cuerpos. *A saber...*

- **Usamos menos del 50% de nuestros músculos más importantes cuando caminamos sin bastones** –cuando usamos bastones usamos más del 90%. Al hacerlo, distribuimos nuestro peso ayudando a disminuir la carga con la que tocamos el piso en un 26% –logrando una gran diferencia para las personas que tienen problemas de espalda, cadera, rodilla, tobillo o pie.

- **Usar bastones al caminar alinea naturalmente nuestra columna vertebral** y fortalece nuestro torso con cada paso –ayudándonos a pararnos y sentarnos rectos.

- **Además, no tenemos que ir tan lejos o trabajar tan duro cuando usamos bastones para caminar.** ¡Aumentamos nuestra función cardiovascular en un 20% y quemamos calorías en hasta un 48% más sin ningún otro esfuerzo! ¿Qué más podría querer? ¡Ah! y puede hacerlo en menos tiempo –30 minutos de caminata con bastones es equivalente a 50 minutos de caminata normal·

La alegría de lo que me había sucedido, y el entusiasmo al pensar en lo que este secreto europeo podría hacer por otros, me ayudó a decidir que era mi deber (y ahora la misión de mi empresa) informar, inspirar, facultar y dar apoyo a personas a hallar el equilibrio, vivir en paz y caminar a su manera de ser. De todo esto nació mi empresa, Keenfit.

Caminar es una actividad que ya hace sin pensarlo. Así que relájese, confíe en sí mismo y cuente con la regla del un, dos, tres, que es... va a acostumbrarse ya sea después de tres pasos, o tres kilómetros, o tres millas, o después de salir tres veces. Simplemente recuerde dejar que su cuerpo haga lo que sabe hacer naturalmente.

Parece fácil... y para mucha gente es fácil. Otros podrían tener que ser pacientes y perseverar para poder dominar la caminata con bastones. Y mucha gente parece estar haciendo exactamente eso. Desde que nos enteramos de los bastones para caminar, ellos han crecido muchísimo en popularidad. Esto se puede apreciar sólo por los resultados al buscar en Google "marcha nórdica", y por el hecho de que los bastones se venden en anuncios de la televisión.

Mayor información: Para ver todos los beneficios para la salud de la caminata con bastones, incluyendo lo útil que puede ser para la rehabilitación del cáncer de mama, y para personas con la enfermedad de Parkinson, visite el sitio web de Sheri en *www.keenfit.com*. Verá fotos de Sheri de antes y después. Además, hay videos e instrucciones paso a paso sobre cómo usar estos bastones en forma más eficaz. O puede llamar por teléfono a Keenfit al 877-533-6348 y pedirles que le envíen información o un DVD.

CEPILLADO EN SECO DEL CUERPO

El cepillado en seco del cuerpo ("dry brushing") se remonta a los antiguos griegos y romanos y se usa actualmente en los spas europeos y en muchos centros para el tratamiento del cáncer.

Hace más de 30 años, el cepillado en seco del cuerpo era recomendado por el internacionalmente reconocido naturópata y nutricionista Dr. Paavo Airola, quien lo consideraba una parte esencial de cualquier limpieza intestinal y programa de sanación. Siendo ése el caso, es entendible que forme parte de la terapia en muchos centros para el tratamiento del cáncer.

La Dra. Denice Moffat, una naturópata tradicional certificada y médica intuitiva, es una defensora del cepillado en seco del cuerpo y lo usa en su consultorio. La Dra. Moffat aceptó gentilmente a compartir los beneficios, y las técnicas y reglas para el antes, el durante y el después del cepillado en seco del cuerpo, comenzando con una fascinante lección de anatomía...

Consejos de los sabios...

La Dra. Moffat acerca del cepillado en seco del cuerpo

La piel es el mayor y más importante órgano de eliminación del cuerpo, responsable por un cuarto de la desintoxicación del cuerpo cada día.

De hecho, la piel del adulto típico elimina más de una libra (450 g) de ácidos residuales diariamente, la mayor parte a través de las glándulas sudoríparas.

Algunos datos más: La piel, conocida como nuestro tercer riñón, recibe un tercio de toda la sangre que circula en el cuerpo y es la última en el cuerpo en recibir nutrientes, aunque es la primera en mostrar signos de desequilibrio o deficiencia.

¿Por qué cepillar la piel en seco?

La desintoxicación es realizada por varios órganos, glándulas y sistemas de transporte, entre ellos, la piel, los intestinos, los riñones, el hígado, los pulmones, el sistema linfático y las membranas mucosas. La técnica de cepillado en seco del cuerpo se ocupa de la desintoxicación de la piel y proporciona un masaje interno suave, estimulando el proceso de desintoxicación.

Los beneficios del cepillado en seco del cuerpo

- **Ayuda a eliminar la celulitis.**
- **Limpia el sistema linfático.**
- **Quita capas de piel muerta.**
- **Fortalece el sistema inmune.**
- **Estimula las glándulas hormonales y las sebáceas que producen aceite.**
- **Afirma la piel, evitando el envejecimiento prematuro.**
- **Tonifica los músculos.**
- **Estimula la circulación sanguínea.**
- **Mejora la función del sistema nervioso.**
- **Ayuda a la digestión.**

Lo que necesita para el cepillado en seco del cuerpo

Para cepillarse el cuerpo en seco, use un cepillo suave de fibras naturales con un mango largo, de modo que pueda llegar a todas las áreas de su cuerpo. Uno con la cabeza desmontable y con un asa para la mano es una buena opción. (Las tiendas de alimentos saludables usualmente los tienen, o vaya al sitio web *www.resolutionspa.com* para solicitar un buen cepillo económico).

La mayoría de los cepillos de nailon o de fibras sintéticas son demasiado punzantes y pueden dañar la piel. Lo importante es hallar algo que sea adecuado para su piel. Una vez que la piel se "sane", puede cambiar a un cepillo más grueso.

Reglas para cepillarse el cuerpo en seco en forma segura y exitosa

ATENCIÓN: Evite las zonas sensibles, incluyendo la cara y cualquier lugar donde la piel esté abierta, como en las zonas de erupciones, heridas, cortes e infecciones. Además, no cepille nunca una zona afectada por roble venenoso ("poison oak"), zumaque venenoso ("poison sumac") o hiedra venenosa ("poison ivy").

- **Siempre cepíllese en seco cuando esté seco y desnudo antes de ducharse o bañarse** para enjuagar y eliminar las impurezas de la piel causadas por el cepillado.
- **Siempre cepille hacia ARRIBA, desde los dedos de los pies hasta la región lumbar de la espalda, con movimientos largos y amplios.** Comience por la planta de los pies y cepille hacia arriba. Desde las manos, cepille hacia los hombros, y en el torso cepille en dirección hacia arriba para ayudar a drenar la linfa hacia el corazón. Pero cepille hacia ABAJO desde el cuello hasta la parte superior de la espalda.
- **Use presión leve en las zonas de piel delgada** y presión más fuerte en las zonas más gruesas de la piel, como las plantas de los pies.
- **El cepillado de la piel debería realizarse una vez al día,** preferiblemente a primera hora por la mañana. Un cepillado a fondo de la piel tarda unos 15 minutos, pero cualquier tiempo que dedique a cepillarse antes de la ducha o el baño beneficiará el cuerpo.
- **Si se siente mal,** aumente el tratamiento a dos veces al día, lo que puede ayudarlo a sentirse mejor más rápido.
- **Para las zonas con celulitis,** cepille el cuerpo en seco entre cinco y 10 minutos, dos veces al día, para disolver la celulitis. Para lograr una verdadera mejoría, la técnica debe realizarse en forma consistente por un mínimo de cinco meses. (Piense en cuánto tiempo le tardó a la celulitis acumularse).

Instrucciones fáciles y rápidas para el cepillado en seco del cuerpo

Lea esto para tener una idea de lo que implica...

- **Comience con las plantas de los pies,** cepillando en movimientos circulares.
- **Continúe cepillando las piernas hacia arriba.**
- **Proceda a continuación con las manos y brazos** haciendo movimientos circulares hacia el corazón.
- **Cepille toda la espalda y la zona del abdomen, los hombros y el cuello.**
- **Para estimular la glándula pituitaria,** sostenga el cepillo en la parte de atrás de la cabeza cerca de la base del cuello y frote con el cepillo hacia arriba y abajo, y luego de lado a lado.
- **Haga movimientos circulares sobre el abdomen en el sentido contrario a las agujas del reloj.**
- **Cepille muy suavemente los pechos.** Los movimientos circulares en el esternón estimulan la glándula del timo.
- **Cepille hacia arriba en la espalda y hacia abajo desde el cuello.** Mejor aún, pida a un amigo, su cónyuge o un familiar que le cepille la espalda.

NOTA: Para leer instrucciones detalladas del cepillado, vaya al sitio web de la Dra. Moffat, *www.naturalhealthtechniques.com.*

La ducha después del cepillado

- **Dese una ducha de agua tibia con jabón** (por unos tres minutos).

• **Después de ducharse, antes de interrumpir el agua, termine con tres ciclos calientes y tres ciclos fríos.** Eso significa dejar correr el agua tan caliente como pueda soportarlo (sin quemarse) por 10 a 20 segundos, y luego tan fría como lo pueda soportar por 10 a 20 segundos, luego caliente, luego fría, luego caliente, luego fría. Cuando hace frío, tal vez prefiera comenzar con agua fría y terminar con caliente. Cuando el tiempo esté cálido, puede comenzar con agua caliente y terminar con fría. Elija lo que mejor le convenga.

Este proceso caliente-frío tonificará más la piel y estimulará la circulación de la sangre, llevando más sangre a las capas externas de la piel. Pero si el proceso caliente-frío parece ser muy complicado, simplemente dese una ducha tibia.

• **Después de salir de la ducha, séquese enérgicamente con una toalla gruesa y áspera,** y masajee la piel con un aceite vegetal puro o una combinación de aceites como los de oliva, aguacate (palta, "avocado"), albaricoque (damasco, "apricot"), almendras ("almonds"), ajonjolí (sésamo, "sesame"), coco ("coconut") o crema de cacao ("cocoa butter"). Si padece artritis, agregue a la mezcla un poco de aceite de maní ("peanut") o de ricino ("castor oil"). El clarividente Edgar Cayce afirmó que esto logra eliminar algo del dolor, y nosotras hemos descubierto con los años que eso es verdad.

Cuidado de su cepillo

Limpie el cepillo para la piel con jabón y agua una vez a la semana. Después de enjuagarlo, séquelo en un lugar abierto y soleado para prevenir el moho.

La Dra. Moffat aconseja paciencia

Cualquier programa bien diseñado tardará unos 30 días para que vea y experimente cambios. Para una limpieza linfática a fondo, realice el cepillado de la piel diariamente por un mínimo de tres meses. ¡Tenga paciencia y continúe con el programa!

CEREZAS

Cerezas Bing

Ah Bing era el nombre del capataz chino de Manchuria por quien las cerezas tipo Bing ("Bing cherries") fueron nombradas por el horticultor Seth Lewelling, cuando las cultivó por primera vez en la década de 1870. Lo que no sabía Lewelling es que estas bellezas rojas oscuras son tan nutritivas como sabrosas.

De hecho, la California Cherry Advisory Board (*www.calcherry.com*) informa que las cerezas Bing contribuyen a…

➤ **Prevención de la enfermedad del corazón.** Según los investigadores, la *quercetina*, un flavonoide que se encuentra en las cerezas, tiene propiedades anticarcinógenas que pueden ayudar a prevenir la enfermedad del corazón. Las cerezas se consideran una importante fuente nutricional de quercetina, ya que contienen grandes cantidades por porción que sobrepasan a la mayoría de las frutas.

Para enterarse acerca de la protección adicional para el corazón en las cerezas, lea sobre las *antocianinas* a continuación.

➤ **Prevención del cáncer.**

• Las antocianinas son una clase de pigmentos de plantas llamados flavonoides, los cuales son responsables por el color en las cerezas. También son un potente antioxidante que ayuda a proteger contra el cáncer y la enfermedad del corazón. Consumir seis cerezas al día proporciona 200 mg de antocianinas.

• El *alcohol perílico* ("perillyl alcohol") se separa de los aceites esenciales de varias plantas, incluyendo las cerezas. Las investigaciones realizadas en animales sugieren que el alcohol perílico podría ayudar a desacelerar el crecimiento de los tumores de páncreas, mama e hígado. También podría ser de ayuda en el tratamiento de los cánceres de colon, pulmón y piel. El alcohol perílico cuenta con el auspicio del National Cancer Institute (NCI), y actualmente se encuentra bajo ensayos clínicos.

➤ **Salud de los huesos.** Las cerezas también son consideradas fuentes excelentes de boro. El consumo de boro, combinado con calcio y magnesio, se ha relacionado con la mejora de la salud de los huesos.

➤ **Alivio del dolor.** Se sabe que las cerezas bloquean las enzimas inflamatorias, reduciendo el dolor. Se afirma que son 10 veces más potentes que la aspirina para el dolor de la artritis, sin irritar el estómago. Comentamos sobre los poderes curativos de las cerezas en la sección "Gota", página 120.

Congele las cerezas frescas para prolongar la estación

Compre cerezas en el verano cuando son abundantes y cuando los precios están más bajos, y congélelas. *Así es como se debe hacer…*

1. **Deje los tallos de las cerezas frescas** y lávelas bajo agua corriente fría.
2. **Deles palmaditas suaves hasta que estén secas.** ¡Secarlas es clave!
3. **Coloque las cerezas en un recipiente o una bolsa de plástico** y etiquételas con la fecha.
4. **Ponga el recipiente o la bolsa en el congelador.** Deberían mantenerse bien hasta tres meses.
5. **Descongele las cerezas en el refrigerador, no a temperatura ambiente.** De esta manera, mantendrán su firmeza. Si las descongela a temperatura ambiente las cerezas podrían ablandarse demasiado.

ALGO ESPECIAL

¡Carozos curativos!

¿Necesita usted una almohadilla térmica ("heating pad") para el alivio de las articulaciones y músculos doloridos, o preferiría un alivio frío de la tensión? En ambos casos, deje que los Cherry Hugs hagan de las suyas. Ya sea con forma de collar, almohadilla u oso de peluche, los Cherry Hugs están rellenos de carozos de cerezas ("cherry pits") que se han lavado y secado usando un proceso patentado, y luego colocados en una bolsa isotérmica y retardadora de fuego ("insulated, flame-retardant"). Los carozos de cerezas son los mejores conductores térmicos de la naturaleza, reteniendo el calor (después de calentarse en el microondas) o el frío (después de haber estado en el congelador) por hasta una hora.

Mayor información: Póngase en contacto con Traverse Bay Farms, 877-746-7477, *www.traversebayfarms.com.*

NOTA: Pruebe comer las cerezas cuando aún están congeladas o ligeramente congeladas. A nosotras nos encantan de este modo, y a usted quizá también. ¡Ba-da-bing!

Si piensa que esto es todo en cuanto a las cerezas, *siga leyendo y averiguará sobre nuestro reciente descubrimiento…*

Cerezas agrias

Un verano reciente, una cosecha extraordinaria de cerezas Bing bajó su precio, y estuvimos muy, pero muy, contentas. Todos los días comíamos algunas cerezas como refrigerio. Fue en ese entonces que Joan notó que sus niveles de glucosa en la sangre eran consistentemente más bajos de lo que habían sido. El único nuevo alimento en su dieta eran las cerezas. Claro que buscamos en Google "cerezas y diabetes", y había mucha información acerca de un aumento del 50% de la producción de insulina debido a las cerezas en pruebas con animales. Se están realizando estudios en seres humanos.

De hecho, el Dr. Muralee Nair, un químico especializado en productos naturales de la Universidad Michigan State, está actualmente realizando investigaciones con antocianinas en las cerezas agrias ("tart cherries") para ver si tienen un impacto significativo en los niveles de insulina en los seres humanos.

Cuanto más descubríamos sobre las cerezas, más asombradas estábamos. Un sitio en Internet nos llevó a otro, el cual nos llevó a conocer a Andy LaPointe de Traverse Bay Farms, en el noroeste de Michigan, el epicentro del cultivo de cerezas agrias.

Andy nos enseñó todo sobre los dos tipos principales de cerezas –dulces y agrias (también conocidas en inglés como "sour cherries"). Las cerezas agrias contienen menos calorías y más vitamina C y betacaroteno que las cerezas dulces. Según algunos de los expertos en cerezas con los que hablamos, mientras que las cerezas dulces son muy benéficas, las cerezas agrias podrían resultar un poco más terapéuticas en ciertos aspectos.

Previamente, las cerezas agrias eran casi siempre enlatadas o congeladas y usadas para salsas y rellenos de pastel. Hoy en día se usan en muchos productos. Consulte Traverse Bay Farms, 877-746-7477 o *www.traversebayfarms.com*, para ver la amplia e increíblemente deliciosa línea de productos de Andy, incluyendo algunas de las mejores "salsas" disponibles. Andy redacta dos informes gratuitos, uno sobre los beneficios de las cerezas para la salud, *Cherry Health Report*, y uno sobre el sueño, *Sleep Report*.

La melatonina en las cerezas

Se cree que las cerezas son una de las fuentes más concentradas de *melatonina*, según la investigación realizada por Russel J. Reiter, PhD, profesor de neuroendocrinología en el centro de ciencias de la salud de la Universidad de Texas. Afirma que "Hemos aprendido que la melatonina proveniente de los alimentos entra en el torrente sanguíneo y se liga a sitios en el cerebro donde ayuda a restaurar los niveles naturales de melatonina del organismo, lo que puede ayudar a mejorar el proceso natural del sueño".

Para ayudar a mitigar el desfase horario ("jet lag"), las investigaciones sugieren que debería comer una porción de cerezas agrias secas una hora antes de la hora en que desea dormir en el avión, y por tres o más noches consecutivas después de su arribo como ayuda para ajustar su ritmo circadiano. Pero no tiene que ser un viajero frecuente para beneficiarse de la melatonina de las cerezas. Los adultos que tienen insomnio al acostarse –usualmente ancianos con deficiencia de melatonina– pueden recibir ayuda comiendo cerezas agrias diariamente.

Aunque las cerezas agrias son una fruta de estación, se venden todo el año como jugo, concentrado de jugo ("juice concentrate") y en forma seca, congelada, en polvo y en cápsula. Las cerezas secas son una forma conveniente y transportable de obtener un refuerzo de melatonina en un avión. Una porción es media taza de cerezas secas, o una taza de jugo o dos cucharadas de extracto de jugo de cereza.

Para mayor información sobre la melatonina y las cerezas, vaya al sitio *www.choosecherries.com*, y para enterarse de la información más reciente sobre los beneficios del jugo de cerezas agrias, vaya al sitio *www.benefitsofcherryjuice.com*.

CONTACTO FÍSICO

La psicoterapeuta Margaret Chuong-Kim, quien ha trabajado con sobrevivientes de violencia doméstica y tiene experiencia en intervención de crisis y educación de padres, comparte aquí su investigación y entendimiento sobre el poder del contacto físico...

Consejos de los sabios...

Margaret Chuong-Kim acerca del contacto físico

Una buena amiga me mencionó el otro día que cuando ella y su esposo recién se casaron, una de las actividades que ella disfrutaba más era que él le masajeara los pies por la noche. A ella realmente le gustaba sentir la calidez de sus manos y la presión en la piel.

Mi amiga lamentaba que, en semanas recientes, debido a que ambos estaban más ocupados que nunca, ella y su esposo no habían tenido el tiempo ni la energía para pasar mucho tiempo libre juntos. Como resultado, ella no había recibido los masajes en los pies. Dice que se ha sentido algo malhumorada y piensa que en parte es por la ausencia de esos masajes habituales.

Quizá usted piense que es una afirmación tonta, que la ausencia de contacto habitual pueda tener un efecto en las emociones de una persona. Sin embargo, el contacto físico y social con un ser querido es una parte importante de nuestra salud física y emocional.

Considere lo siguiente...

- **Se ha demostrado que el contacto con la piel entre una madre y su bebé beneficia el desarrollo físico del bebé** y contribuye a una relación positiva de apego entre ambos. La práctica de poner un bebé con pañal en contacto con la piel de la madre es tan benéfica que ahora es un tratamiento para los bebés prematuros en las unidades de terapia intensiva neonatal en todo el mundo.

- **A un grupo de bebés coreanos en un orfanato se les proporcionó 15 minutos más de estimulación dos veces al día, cinco días a la semana, durante cuatro semanas.** Esta estimulación adicional consistía en contacto auditivo (voz de una mujer), táctil (masaje) y visual (mirarse a los ojos). En comparación con los bebés que sólo recibieron la atención habitual, los bebés con estimulación subieron de peso en forma significativa y tuvieron mayores aumentos en el largo del cuerpo y la circunferencia de la cabeza después del periodo de intervención de cuatro semanas, y también a los seis meses de vida. Además, los bebés con estimulación tuvieron menos enfermedades y visitas al consultorio.

- **El contacto afectuoso ha demostrado que facilita el funcionamiento físico y psicológico,** particularmente en cuanto a la disminución del estrés, el alivio del dolor, el aumento de la capacidad de sobrellevar las situaciones difíciles y el mejoramiento de los índices generales de la salud.

- **Los participantes en un estudio que examinó la eficacia del contacto terapéutico como tratamiento para el control del dolor** debido a la fibromialgia experimentaron una disminución significativa del dolor y una mejora importante en la calidad de vida.

- **La mayoría de los residentes de asilos de ancianos que sufren de demencia,** incluyendo el mal de Alzheimer, desarrollan síntomas de demencia en su comportamiento, como inquietud, búsqueda y vagabundeo, tamborileo y golpeteo, pasearse y caminar y vocalización. El tratamiento actual involucra medicación, pero un estudio reciente demostró que la intervención con contacto terapéutico reduce en forma significativa estos síntomas del comportamiento. Es impresionante que el contacto terapéutico que se empleó en el estudio sólo se proporcionó dos veces al día, durante tres días, y que cada intervención terapéutica duraba sólo entre cinco y siete minutos.

Claramente, la importancia del contacto no se puede subestimar.

Para leer más sobre la sabiduría y conocimientos de Margaret Chuong-Kim, visite el informativo sitio web *www.drbenkim.com*, donde ella es la redactora jefa colaboradora.

Abrace con cuidado

Claro que debemos ser discretos y tocar a la gente de una manera aceptable. Pruebe a darle una rápida palmadita en la espalda a alguien con quien trabaje, un pellizco en la mejilla cuando un amigo dice algo divertido, un buen abrazo cuando está muy orgulloso de un amigo o un familiar.

Sin embargo, si a usted no se lo considera una persona cariñosa, un abrazo abrupto podría atemorizar al pretendido recipiente. De ser ése el caso, debería considerar algún tipo de advertencia amistosa, como "Me parece que te mereces un abrazo".

Realidad: Para optimizar el flujo de *oxitocina* y *serotonina* –las sustancias químicas que estimulan el estado de ánimo y promueven la vinculación afectiva– mantenga un abrazo por al menos seis segundos. Si eso le parece incómodo, entonces explíquele a la persona que va a abrazar la regla de los seis segundos y luego cuente –101, 102...

Si es sincero y congruente acerca de tocar a alguien, eso será apreciado por esa persona afortunada. En realidad, logrará que ambos se sientan bien.

Consejos de los sabios...

¡Dese un masaje!

El masaje es mucho más que un simple lujo. Puede reducir el estrés que contribuye a la enfermedad del corazón y los trastornos digestivos... aliviar el dolor al manipular puntos de presión que relajan los músculos... y elevar los niveles de las sustancias químicas que estimulan el estado de ánimo.

Buenas noticias: Puede tomar control de su salud con sencillas técnicas de automasajes.

Qué hacer: Aplique siempre presión firme pero moderada, repitiendo cada secuencia de movimientos por tres a cinco minutos. A menos que se indique, las técnicas pueden hacerse estando sentado o acostado. Use aceite o loción aromatizada si lo desea –la lavanda y la rosa son calmantes... la menta y el romero son estimulantes.

Dolores de cabeza causados por sinusitis o tensión

- **Recostado sobre la espalda,** ponga las yemas de los dedos de ambas manos en el centro de la frente... **acaricie hacia afuera en dirección a las sienes... haga 10 pequeños círculos lentos sobre las sienes.** Mueva las yemas de los dedos hasta las mejillas, donde las mandíbulas se unen... haga 10 pequeños círculos lentos ahí.

• **Ponga la parte carnosa de los dedos pulgares justo debajo del borde superior de cada ojo (cerca de la ceja),** donde el borde del ojo se encuentra con el caballete de la nariz, y presione hacia arriba en dirección a la frente por 10 segundos. Con pequeños incrementos, mueva los pulgares a lo largo de los bordes de los ojos hacia la parte externa, presionando por varios segundos en cada punto en que se detenga.

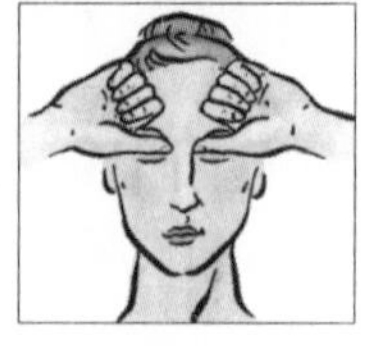

ATENCIÓN: Presione siempre hacia arriba sobre el borde óseo, no en la cuenca del ojo.

• **Con las yemas de los dedos, haga pequeños círculos sobre todo el cuero cabelludo por 30 segundos, como si se lavara el cabello.** Luego ponga las yemas de los dedos en la nuca y haga 10 pequeños círculos lentos en la base del cráneo.

Malestar estomacal o estreñimiento

• **Acostado sobre la espalda, ponga una mano plana sobre el abdomen** (sobre o por debajo de la ropa) justo por encima del ombligo. Presionando suave pero firmemente, mueva lentamente la mano en el sentido de las agujas del reloj, formando un círculo alrededor del ombligo.

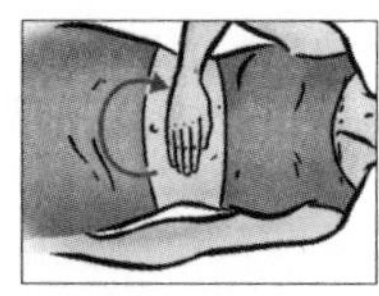

Dolor del cuello y de los hombros

• **Sentado, pase la mano izquierda sobre el hombro derecho hasta que toque la parte superior del omóplato.** Con las yemas de los dedos, masajee firmemente los músculos, centrándose en cualquier punto que le duela. Repita en el otro lado.

• **Sentado, ponga las yemas de los dedos de ambas manos en la nuca, en la base del cráneo.** Presionando firmemente, mueva los dedos hacia arriba y abajo, a lo largo de los costados de las vértebras. Para proteger los vasos sanguíneos importantes, no masajee el frente ni los costados del cuello.

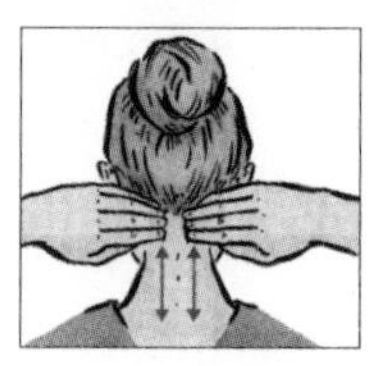

Pies doloridos

• **Sentado, ponga el tobillo izquierdo sobre la rodilla derecha.** Agarre el pie izquierdo con la mano derecha y lentamente rote el pie desde el tobillo tres veces en cada dirección. Luego use los dedos de la mano para suavemente rotar los dedos de los pies, uno por vez, tres veces en cada dirección. Repita en el otro lado.

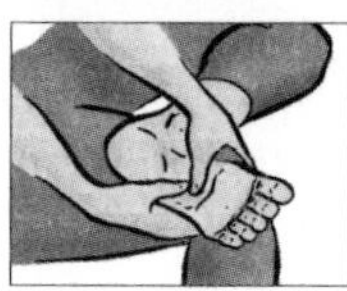

• **Sentado, ponga el tobillo izquierdo sobre la rodilla derecha y sostenga el pie izquierdo en ambas manos.** Con los dedos pulgares, haga cinco pequeños círculos lentos –primero en el arco del pie... luego en el antepié... el talón... y la parte carnosa de cada dedo del pie. Repita con el otro pie.

Bono: Masajear los pies por 10 minutos cada noche puede mejorar la salud en general.

Teoría de la reflexología: Los "puntos de reflexología" en los pies están vinculados a varios órganos y sistemas corporales, los cuales se benefician de la estimulación táctil.

Ilustraciones de Shawn Banner.

Paula Koepke, CMT, terapeuta en masajes en el centro Osher de medicina integrativa de la Universidad de California en San Francisco, e instructora en el McKinnon Institute of Massage en Oakland, *www.paulakoepke.massagetherapy.com.*

DONAR SANGRE

¿Qué mejor manera de dar de uno mismo que donando sangre?

El beneficio adicional es que usted probablemente estará más saludable por haber realizado este acto generoso.

Los estudios demuestran que los estadounidenses suelen consumir más hierro en su dieta diaria de lo necesario para tener buena salud. Las mujeres en edad fértil se despojan del exceso de hierro al menstruar. Los hombres y las mujeres posmenopáusicas no tienen esa posibilidad, especialmente si les gusta mucho la carne roja.

Tener demasiado hierro en el organismo puede provocar la formación de radicales libres en el cuerpo. Se cree que los radicales libres son la causa del daño a los tejidos a nivel celular, perturbando la función normal de las células y aumentando el riesgo de ciertas enfermedades crónicas.

Lo que nos trae nuevamente a la donación de sangre. Cuando dona una pinta (½ litro) de sangre, algo del exceso de hierro en su cuerpo se extrae con esa sangre. Los estudios han demostrado que los hombres que donan sangre en forma habitual tienen un riesgo menor de padecer enfermedad del corazón.

Si le preocupa donar sangre y perder más hierro de lo que le conviene, no se preocupe. Su nivel de hemoglobina –una medida aproximada de los niveles de hierro– será controlado antes de que se le permita donar sangre y cada vez que vuelva a donarla. Para prevenir que se le extraiga demasiado hierro del cuerpo, sólo se le permitirá donar sangre cada ocho semanas.

Según la Cruz Roja, donar sangre es un proceso seguro. Las agujas y bolsas que se usan para recoger la sangre se usan sólo una vez y luego se descartan, haciendo que la propagación de una infección al donante no sea posible.

La Cruz Roja ha creado una inmensa red de operación que ayuda a dirigir las donaciones de sangre a las zonas del país –o del mundo– donde más se necesitan. Aunque usted no puede pedir que su donación se envíe específicamente a personal militar, puede estar seguro de que se enviará a las zonas donde la necesidad es más crítica.

Considere tomar una o dos horas de su agenda cada dos meses para donar sangre. Será una situación en la que todos benefician.

EXTRACTO DE HOJA DE OLIVO

Hace más de una década, encontramos un libro de pasta blanda, *Olive Leaf Extract*, del Dr. Morton Walker (Kensington Books). Lo compramos, le dimos un vistazo y nos impresionamos al ver las muchísimas maneras en que el extracto de hoja de olivo (el líquido de las hojas de olivo) le hace bien al cuerpo. Luego pusimos el libro a un lado, con la intención de volver a consultarlo. Pues, volvimos al libro del Dr. Walker hace un par de meses, mientras hacíamos las investigaciones para este libro, y queremos compartir lo que aprendimos de ese libro y otros acerca del poder curativo del extracto de hoja de olivo.

Primero, estimado lector, le damos un poco de información sobre el increíble olivo, su historia y su don, las hojas. Luego le contaremos los muchos beneficios para la salud del extracto de hoja de olivo y cómo puede comprarlo.

Acerca del olivo

El olivo, también llamado "el árbol de la vida", "el rey de los árboles" y "el árbol inmortal", se usó como planta medicinal en la antigüedad, ya en 3.500 a. de C. en Creta, donde las hojas se usaban para limpiar heridas.

Algunos olivos viven más de 1.000 años, soportando el calor y el frío y los ataques de pestes, virus y bacterias. Los más de 100 compuestos que contienen les permiten sobrevivir la adversidad. Estos potentes compuestos defensivos son capturados y concentrados en el extracto de hoja de olivo.

El poder del extracto de hoja de olivo

Se informa que el extracto de hoja de olivo ("olive leaf extract") fresco tiene casi el doble de potencia antioxidante que el extracto de té verde y 400% más que la vitamina C. Además, el extracto de hoja de olivo contiene hasta 40 veces más polifenoles antioxidantes proveedores de salud que el aceite de oliva extra virgen.

El internacionalmente comprobado análisis ORAC (por las siglas en inglés de capacidad de absorción de radicales de oxígeno) le otorgó una capacidad antioxidante casi el doble de potente que el extracto de semilla de uva, e inmensurablemente más potente que los superjugos antioxidantes de noni, goji, mangosteen, arándanos agrios ("cranberries"), arándanos azules ("blueberries") y granadas ("pomegranates").

Los beneficios terapéuticos del extracto de hoja de olivo

Hemos hallado muchos beneficios en el libro del Dr. Walker, y también en estudios científicos. *Aquí le presentamos algunos de ellos…*

- **Ayuda a fortalecer el sistema inmune.**
- **Ayuda al cuerpo a lidiar con las enfermedades virales** como VIH, Epstein-Barr, herpes y gripe.
- **Alivia el dolor de garganta, la sinusitis crónica, la enfermedad de la piel y la pulmonía.**
- **Elimina los síntomas de todo tipo de infecciones**, incluyendo la candidiasis y las infecciones causadas por hongos, bacteria, virus y otros protozoos parasitarios.
- **Trata eficazmente el síndrome de fatiga crónica, el pie de atleta, la artritis, la psoriasis** –incluso el resfriado.
- **Ayuda a bajar el nivel de lipoproteínas de baja densidad** (colesterol "malo" LDL).
- **Disminuye la presión arterial y aumenta el flujo de sangre** al relajar las arterias.
- **Proporciona propiedades antioxidantes** que ayudan a proteger el cuerpo de la actividad continua de los radicales libres. (Investigaciones recientes sobre la hoja de olivo han demostrado que sus antioxidantes son eficaces para ayudar al cuerpo a combatir cánceres como los de hígado, próstata y mama, aunque tenga en cuenta que estas investigaciones son preliminares).

Debido al amplio espectro de polifenoles naturales del extracto de hoja de olivo y su potencia antioxidante muy alta, los testimonios de personas que lo toman en forma habitual informan mejoras de la salud significativas en todas las siguientes áreas, entre otras…

- **Alergias**
- **Artritis**
- **Asma**
- **Circulación**
- **Colesterol**
- **Control de la glucosa en la diabetes**
- **Dolor de garganta**
- **Dolores articulares**
- **Estreñimiento**
- **Fatiga**

- **Fiebre del heno ("hay fever")**
- **Gripe**
- **Presión arterial**
- **Problemas cardiovasculares**
- **Problemas de hongos**
- **Problemas de la piel**
- **Problemas del sistema inmune**
- **Psoriasis**
- **Resfriados**
- **Salud de los intestinos**
- **Tos**

ATENCIÓN: Consulte con un profesional de la salud que entienda el uso de preparaciones de hierbas en lugar de, o además de, la medicina tradicional, y pueda controlarlo. Por ejemplo, si está tomando medicación para bajar su presión arterial, en algún momento después de empezar a tomar extracto de hoja de olivo su médico podría tener razones para disminuir la dosis de su medicación o eliminarla por completo. NUNCA deje de tomar ningún medicamento sin el consentimiento o la aprobación de su médico.

Quizá le convenga comprar el libro del Dr. Morton Walker y llevarlo a la cita con su médico, con la información relacionada a su problema de salud específico destacada con un rotulador ("highlighter"). Mejor aún, aproveche la oferta del folleto gratis al final de esta sección.

Una gran fuente de extracto de hoja de olivo

El Olive Leaf Complex de Barlean se promociona como "El extracto de hoja de olivo más fresco y benéfico del mundo". Y, de hecho, las pruebas de laboratorio comprobaron que su proceso de extracción mantiene muchos más compuestos curativos que los extractos de hoja de olivo comunes en el mercado.

Hemos recomendado los productos de Barlean en casi todos nuestros libros sobre salud porque confiamos en la integridad de la compañía y nosotras mismas usamos con mucho gusto sus productos de alta calidad. El Olive Leaf Complex de Barlean es una más de nuestras recomendaciones.

Lo que resulta especial del Olive Leaf Complex de Barlean: En una pequeña comunidad costera en Australia existe un pacífico y prístino olivar cultivado por una familia, plantado con árboles seleccionados manualmente que ofrecen beneficios terapéuticos máximos.

Hace más de una década, antes de que la familia Archer produjera una gota de extracto de hoja de olivo, reunieron 60 variedades diferentes de olivos de 12 países y los plantaron en su olivar. De esos árboles pudieron producir una gran cantidad de extractos de hoja de olivo de variedades específicas y examinar en cada uno sus niveles de propiedades curativas. Una vez que hallaron las variedades ganadoras, plantaron miles de ellos, y esos árboles aún proporcionan las hojas frescas que se usan para el extracto de hoja de olivo.

En 2008, los Barlean, productores de galardonados aceites de pescado y de linaza ("flaxseed oil"), se enteraron de las propiedades curativas del producto de los Archer, y obtuvieron los derechos exclusivos para vender y comercializar Olive Leaf Complex en Estados Unidos, donde aún no había sido lanzado a pesar de su éxito en el resto del mundo.

Y así, el Olive Leaf Complex de Barlean está elaborado usando las hojas frescas de olivo que crecen en el olivar de los Archer. Allí se recogen al amanecer, de inmediato se prensan frescas y se embotellan en el mismo sitio, para atrapar la mayor potencia nutricional. Jamás se usan hojas secas, oleuropeína en polvo u otros ingredientes procesados. El Olive Leaf Complex es un tónico saludable y superantioxidante con propiedades antibacterianas, antivirales y antifúngicas que promueve un sistema inmune saludable, una presión arterial saludable, unas articulaciones saludables y un sistema cardiovascular saludable.

La dosis recomendada del Olive Leaf Complex de Barlean: Adultos –una cucharada al día. Puede tomarse solo o mezclado con agua o jugo. Niños –la mitad de la dosis para adultos. No se lo dé a niños menores de dos años sin el consentimiento del médico.

Los ingredientes de Barlean: Hojas de olivo prensadas frescas de una variedad de Olea europaea, glicerina, agua, sabores naturales.

Para los diabéticos y otras personas que deben vigilar su consumo de los carbohidratos, la dosis diaria de una cucharada contiene 11 carbohidratos provenientes de la glicerina ("glycerin"). Preguntamos sobre el conteo de carbohidratos y nos aseguraron que a diferencia de los carbohidratos típicos, la glicerina supuestamente tiene un impacto mínimo en los niveles de azúcar en la sangre.

ATENCIÓN: Algunas personas ocasionalmente experimentan lo que se conoce como la reacción de Jarisch-Herxheimer o efecto de "extinción". Se trata de una reacción de desintoxicación (en vez de un efecto secundario), que ocurre cuando el extracto mata grandes cantidades de microbios perjudiciales (toxinas) en el cuerpo. Entre los síntomas se pueden incluir fatiga, diarrea, dolor de cabeza, dolor muscular/articular o síntomas similares a los de la gripe. La gravedad de los síntomas varía de una persona a otra, según la naturaleza de sus trastornos, el volumen de las toxinas en su sistema y la cantidad de extracto que se ha tomado.

Beber mucha agua entre las dosis ayudará a su organismo a expulsar el exceso de toxinas y disminuir cualquier reacción. Aunque estas reacciones podrían ser levemente desagradables inicialmente, ¡son una señal segura de que el extracto está haciendo su trabajo! Para reducir la intensidad de cualquier reacción, puede dejar de tomar el extracto por 24 a 48 horas y luego volver a empezar con una dosis menor.

Cuándo se pueden esperar resultados

Según Julian Archer, el portavoz de la familia Archer, "Cada persona es única, así que hay una amplia gama de reacciones individuales al extracto de hoja de olivo. Algunas personas experimentarán alivio de sus problemas particulares de salud en 24 horas, mientras que a otras les llevará más tiempo experimentar los beneficios. Nuestra experiencia en Australia indica que la mayoría nota una diferencia en sus niveles de energía, salud en general o la curación de una enfermedad específica en 30 días. Muchas personas notan mejoras notables en su salud y energía en el periodo de 30 días y eligen usar el extracto como un suplemento habitual para su salud".

Folleto gratis

Para aprender sobre el Olive Leaf Complex y ayudarlo a decidir si esto es algo que le conviene, obtenga un ejemplar gratuito del folleto *Unleash the Amazingly Potent Anti-Aging, Antioxidant, Pro-Immune System Health Benefits of the Olive Leaf*, de Jonny Bowden, PhD, CNS. Está disponible en *www.barleans.com*, 800-445-3529, o en las tiendas de alimentos saludables. Tal vez le convenga obtener también un ejemplar para su médico.

Último consejo

Joseph J. Territo, MD, escribió el prólogo del libro *Olive Leaf Extract* del Dr. Walker, y afirmó: "Aquí tiene un consejo: Súbase a la hoja de olivo como si fuera su alfombra mágica hacia una mejor curación y una salud estupenda".

LIMPIEZA INTERNA CON ACEITE

Sí, la limpieza interna con aceite ("oil pulling", en inglés) es una antigua terapia del ayurveda que se ha resucitado. Es extraña, incluso para nosotras. Pero estamos asombradas por los sitios en Internet llenos de testimonios de personas que han logrado resultados extraordinarias con la limpieza interna con aceite, entre ellas, dientes más blancos y firmes, y curaciones de problemas más serios, incluyendo dientes enfermos, falta de sueño crónica, artritis, eccema, migrañas, enfermedad pulmonar y del corazón, e incluso muchos tipos de cáncer. Le avisamos que no hemos podido verificar ninguno de estos resultados. Pero sí leímos el libro titulado *Oil Pulling Therapy–Detoxifying and Healing the Body Through Oral Cleansing*, de Bruce Fife, ND, (Piccadilly Books, Ltd.), el cual le dio credibilidad a este tratamiento.

En el pasado, entrevistamos al Dr. Fife acerca de su trabajo con el aceite de coco, y lo conocemos como un investigador confiable y dedicado, y el autor de 18 libros. Después de entrevistarlo nuevamente, esta vez acerca de la limpieza interna con aceite, supimos que es algo que vale la pena reportar, con la experiencia del Dr. Fife como nuestra voz de la razón.

Consejos de los sabios...

El Dr. Fife acerca de la limpieza interna con aceite

La limpieza interna con aceite es un instrumento útil para quitar las bacterias perjudiciales de la boca. Ése es su objetivo. Si usted tiene una infección activa en la boca, puede eliminar las bacterias responsables, dándole al cuerpo la oportunidad de curarse. Es el cuerpo el que produce la cura, no la limpieza interna con aceite. Si el cuerpo no se cura, no es debido a que la limpieza interna con aceite no funcionó. Es porque el cuerpo no fue capaz de realizar la curación. Si tiene un problema de salud que podría haber llevado entre 10 y 20 años en desarrollarse, es poco realista esperar una curación de la noche a la mañana. El cuerpo necesita tiempo para curarse.

Además, si está enfermo debido a sus malos hábitos en cuanto a la dieta y el estilo de vida, no puede esperar recuperarse hasta que realice cambios.

He desarrollado un programa que aumenta los efectos limpiadores de la limpieza interna con aceite, creando un ambiente oral saludable y mejorando la salud en general. *Los puntos principales del programa son:* dieta saludable, aceite de coco complementario, consumo de líquidos, vitaminas y minerales, cuidado de los dientes, mantener un pH saludable y desintoxicación. ¡Todo es bueno! El programa completo y detallado está en mi libro (mencionado antes).

El factor de seguridad del Dr. Fife

La limpieza interna con aceite es completamente inocua. Lo único que usted está haciendo es poner aceite vegetal, un alimento, en la boca. Ni siquiera va a tragarlo. Las mujeres pueden hacerlo mientras están embarazadas o amamantando.

Independientemente de la mala salud o una enfermedad, puede realizar la limpieza interna con aceite, a menos que haya alguna dificultad física que lo impida.

La limpieza interna con aceite no interactúa con ningún medicamento, así que no hay contraindicaciones.

La única precaución es tener la edad suficiente como para enjuagar la boca con el aceite sin tragarlo. Generalmente, desde los cinco años de edad en adelante se puede hacer la limpieza interna con aceite.

Instrucciones para la limpieza interna con aceite

- **Qué aceite a usar.** La mayoría de las fuentes afirman que se debe usar aceite de girasol prensado en frío ("cold-pressed sunflower oil") o aceite de ajonjolí (sésamo, "sesame") prensado en frío. Yo recomiendo aceite de coco extra virgen o el más económico aceite de coco refinado. El aceite de coco es mucho más saludable que el de girasol, o el de sésamo o cualquiera de los otros aceites vegetales.

- **Cuánto aceite.** Use dos o tres cucharaditas de aceite. La cantidad que use depende de lo que sea cómodo para usted. No use demasiado porque tiene que dejar espacio para la secreción de la saliva.

- **Cuándo hacer la limpieza interna con aceite.** Puede hacerla en cualquier momento del día, pero es más popular –y tiene sentido– hacerlo por la mañana, antes del desayuno.

La limpieza interna con aceite debería hacerse con el estómago vacío, especialmente si recién está empezando. Algunas personas tienen problemas para poner aceite en la boca porque se sienten incómodas con el sabor o la textura. Mientras hacen la limpieza, ésta podría causar jadeos, náuseas o incluso vómitos, en cuyo caso no le conviene tener el estómago lleno. Después de algunos días de experiencia, se acostumbrará al aceite y ya no le molestará.

- **Qué hacer en preparación.** Beba un poco de agua justo antes de comenzar la limpieza, de modo que esté hidratado adecuadamente y pueda producir la saliva necesaria para la limpieza interna con aceite.

- **Y finalmente... cómo hacerla.** Enjuague la boca con una cucharada de aceite, sin tragarlo. Eso es todo. Mantenga los labios cerrados y mueva el aceite en la boca –empuje, succione, pase el aceite entre los dientes y sobre cualquier superficie de la boca. Esté relajado pero mantenga el aceite y la saliva agitándose constantemente en la boca por entre 15 y 20 minutos. Parece que cuanto más tiempo lo haga, más eficaz es.

- **Cuando se terminó el tiempo.** Escupa el aceite en una bolsa de plástico. No se recomienda que escupa en el lavabo o el inodoro. Con el tiempo, la acumulación de aceite puede obstruir los caños.

NOTA: Cuando el aceite y su saliva se combinen, la mezcla se volverá de un color blanco lechoso. Si al escupir no es blanco lechoso, usted no lo "movió" lo suficiente en la boca, o usó un aceite que es amarillo intenso, como el aceite de maíz, o verde oscuro, como el aceite de oliva. Si usa un aceite muy claro o incoloro, esté seguro de ver el color blanco lechoso después de una sesión de enjuague bucal.

Después de escupir el aceite, enjuague bien la boca con agua para quitar cualquier aceite residual. Si la boca y la garganta se sienten secas, beba un vaso de agua.

Lo que no debe hacer

- **Si tiene dentadura postiza ("dentures") que se puede sacar,** haga la limpieza con aceite antes de colocarla.

- **No trague el aceite.** Está lleno de bacterias y toxinas.

- **No haga gárgaras con el aceite.** Hacer gárgaras puede causar que trague un poco de aceite, lo que no debe hacer, ya que podría causar un reflejo nauseoso.

El resumen del Dr. Fife

La limpieza interna con aceite es muy poderosa, y cuando se combina con una dieta sensata y otras actividades que promueven la salud, puede lograr maravillas. Aunque podría no ser la respuesta a todos los problemas de salud, tiene el potencial de lograr mejoras sorprendentes para numerosas afecciones, incluyendo algunas supuestamente incurables, al permitirle al cuerpo que se sane a sí mismo.

Podría notar cambios casi de inmediato... o quizá no. Las mejoras pueden ser graduales e imperceptibles –y es posible que usted no notará nada hasta un día en que recuerde y diga: "Eh, no me engripé este año" o "Mis alergias no me molestaron en esta estación". La mejora más notable será su salud bucal –aliento más fresco, encías más sanas y dientes más limpios. Aunque no logre nada más, vale la pena intentar la limpieza interna con aceite.

Seguimos con las hermanas Wilen

La primera vez que hicimos la limpieza interna con aceite, nos quedamos sorprendidas de que no pareciera aceitoso para nada... ni mientras estábamos haciéndolo, ni después de enjuagarnos. También probamos aceite de coco extra virgen, y dio resultado, pero preferimos el aceite de girasol ("sunflower oil").

Logramos mucho cuando hacemos la limpieza interna con aceite por la mañana –hacemos las camas, nos vestimos, preparamos el desayuno. Le recomendamos que inicie una rutina productiva y los 20 minutos pasarán volando. Asegúrese de encender el contestador automático o apagar el teléfono celular, ya que algo que no puede hacer es hablar por teléfono.

Después de revisar muchos informes sobre éxitos anecdóticos (es decir, testimonios individuales que aún no han sido corroborados con pruebas científicamente controladas involucrando mucha gente) y poniéndolo a prueba nosotras mismas, pensamos que la limpieza interna con aceite le hace bien al cuerpo. Joan siente que a ella le da brío por la mañana y a Lydia le parece que ha curado su hábito de bostezar por la mañana. Si las empresas farmacéuticas pueden hallar una manera de lograr ganancias con esto, entonces se realizarán estudios científicos. Mientras tanto, es inofensivo y cuesta prácticamente nada probarlo, así que, ¿por qué no intentarlo?

MISO

Mediante un doble proceso de fermentación de siglos de antigüedad, frijoles de soja ("soybeans") y cereales cultivados, como cebada ("barley") y arroz, se transforman en miso –uno de los tesoros culinarios más venerados de Japón.

Para los japoneses, la preparación de miso se considera un arte, y quienes lo preparan son considerados maestros.

Igual que el vino, el miso, a veces llamado "el vino oriental", se clasifica por el color, el sabor, el aroma y la textura. El miso dulce es usualmente de color claro (blanco, amarillo o beige) y rico en carbohidratos. Se vende con nombres como "miso suave", "miso dulce" y "miso blanco dulce (shiro)". El miso más oscuro tiene el sabor más definido y es un tanto más salado que las variedades más claras. Se vende con nombres como "miso rojo (aka)", "miso de arroz (kome)", "miso de arroz integral (genmai)" y "miso de cebada (mugi)". Los misos de frijoles de soja como "mame" y "hatcho" también son variedades oscuras y saladas.

Muchas marcas y tipos de miso –en frascos, recipientes de plástico, recipientes para exprimir y bolsas envasadas al vacío– pueden encontrarse en las secciones de alimentos refrigerados de las tiendas de alimentos saludables, Whole Foods Markets y la mayoría de los supermercados. El miso debe refrigerarse.

El miso, con sus minerales y vitaminas esenciales, y un excelente equilibrio de carbohidratos, grasas y proteínas, es uno de los alimentos de la naturaleza perfectos para sobrevivir. Si se almacena adecuadamente, el miso puede proporcionar alimentación revitalizadora décadas después de haberse elaborado.

John y Jan Belleme se refieren al miso como un superalimento. Y deberían saberlo, pues escribieron el libro sobre el tema, *The Miso Book–The Art of Cooking with Miso* (Square One Publishers, *www.squareonepublishers.com*). Les agradecemos a los Belleme por permitirnos compartir su información y recetas de miso con nuestros lectores (consulte la página 284).

Como alimento, el miso se usa para condimentar y mejorar el valor nutricional de una variedad de platos sabrosos. Como remedio tradicional, se ha usado con éxito para bajar los niveles de colesterol y tratar problemas digestivos, cáncer, enfermedad por radiación, intoxicación con tabaco e incluso un nivel bajo de libido. También ayuda a neutralizar los efectos del humo de tabaco y otros contaminantes ambientales.

El miso como medicina

Las increíbles propiedades curativas del miso, alguna vez consideradas remedios tradicionales, ahora se han confirmado por la ciencia moderna. *Aquí le presentamos algunos detalles asombrosos...*

➤ **Función mejorada del sistema inmune.** Los misos preparados con una proporción grande de frijoles de soja y usualmente madurados por un año o más (como los misos Hatcho, de cebada, de arroz integral y de frijoles de soja) son ricos en *arginina*, un importante aminoácido. La arginina retarda el crecimiento de tumores y cáncer al mejorar la función del sistema inmune del cuerpo.

La arginina además tiene una importante influencia positiva en la función hepática, la esterilidad en los hombres, la pérdida de peso, el equilibrio hormonal y la estimulación del páncreas para la liberación de insulina.

ATENCIÓN: La arginina puede provocar un brote del herpes simple. Evite comer muchos alimentos ricos en arginina si es propenso a los herpes.

➤ **Colesterol reducido.** Para muchos, un bol diario de sopa de miso es todo lo que necesitan para bajar los niveles de colesterol. Los estudios han demostrado que consumir 25 gramos de proteína de soja por día proporciona suficientes *isoflavonas* como para bajar los niveles de colesterol. Esto es aproximadamente la misma cantidad de isoflavonas que se encuentran en una taza de sopa de miso. Casos en que se informó que los niveles de colesterol eran muy altos –en el rango de más de 300– muestran una reducción del 25% al 40% en sólo tres a cuatro meses. (En muchos casos, el miso formaba parte de una dieta general de alimentos naturales).

➤ **Alivio del dolor crónico.** Según estudios clínicos inéditos realizados por Mark A. Young, MD, antiguo director de fisiatría y rehabilitación en la facultad de medicina de la Universidad Johns Hopkins, el miso es eficaz para la reducción del dolor. El Dr. Young informa que: "Yo he tenido un gran éxito anecdótico recomendando copitos de dulse (hechos con algas) y miso a mis pacientes con dolor crónico. Como la sopa de miso es una excelente fuente de algunas vitaminas B, betacaroteno, calcio, hierro y magnesio, postulo que la sopa de miso es probablemente un valioso 'regulador del dolor' que optimiza varias reacciones metabólicas y bioquímicas críticas".

➤ **Antiácido natural.** Los científicos han informado que el miso puede actuar como un tampón regulador de ácido, debido a la presencia de proteína, péptidos, aminoácidos, ácido fosfórico y varios ácidos orgánicos que se producen durante el proceso de fermentación. En el estómago, estos tampones pueden reducir el exceso de acidez y proporcionar alivio gastrointestinal rápido.

➤ **Prevención de la osteoporosis.** Un bol de sopa de miso con tofu, algas marinas y un poco de pescado contiene unos 233 mg de calcio. Además, se sabe que el miso facilita la absorción de calcio y otros minerales. Consumir miso junto a otros alimentos ricos en calcio puede ser una alternativa al uso de medicación para aumentar la densidad ósea. De hecho, la isoflavona *daidzeína*, la cual se encuentra en los frijoles de soja, es muy similar a la ipriflavona, un medicamento que se usa en toda Europa y Asia para el tratamiento de la osteoporosis.

➤ **Protección contra la radiación.** En 1972, investigadores descubrieron que el miso contiene *ácido dipilocolónico*, un alcaloide que quela (fija entre sí) los metales pesados, como el estroncio radioactivo, y los elimina del cuerpo. Este descubrimiento ayudó a validar el éxito que el Dr. Shinichiro Akizuki tuvo durante la Segunda Guerra Mundial, tratando a pacientes y personal con sopa de miso y deteniendo los efectos progresivos relacionados con su exposición a la radiación.

ATENCIÓN: El miso contiene mucho sodio y las personas que siguen una dieta baja en sodio deberían evitarlo.

Ingredientes poderosos

Los ingredientes en estas sopas trabajan juntos para mejorar los beneficios medicinales del miso.

- **Cebolla.** El consumo habitual de cebollas se ha relacionado con una disminución significativa del riesgo de desarrollar cáncer de colon. Las cebollas además ayudan a bajar los niveles de colesterol y presión arterial, disminuyendo el riesgo de ataques al corazón y al cerebro ("stroke"). Tienen también propiedades antiinflamatorias y antibacterianas.

- **Zanahoria.** Las zanahorias, la mejor fuente vegetal de los poderosos compuestos antioxidantes conocidos como *carotenoides*, protegen contra la enfermedad cardiovascular y el cáncer, estimulan la buena visión, ayudan a regular el azúcar en la sangre y mejorar el funcionamiento del sistema inmune.

- **Col rizada ("kale").** Contiene muchas sustancias fitoquímicas que disminuyen el riesgo de una variedad de cánceres incluyendo los de mama y de ovario. La col rizada proporciona apoyo al sistema inmune. También ayuda a combatir la anemia y a prevenir las cataratas, la enfermedad del corazón y los ataques al cerebro.

- **Tofu.** Contiene mucha proteína de soja, y cuando se consume en forma habitual, puede bajar el colesterol hasta un 30%, bajar los niveles del colesterol "malo" LDL hasta en un 40%, bajar los niveles de triglicéridos y reducir la formación de coágulos en la sangre –disminuyendo mucho el riesgo de enfermedad del corazón y ataques al cerebro. El tofu además alivia los síntomas que se relacionan comúnmente con la menopausia y puede inhibir la osteoporosis posmenopáusica.

■ Receta ■

Sopa de miso básica

Rinde: 2 porciones

Ingredientes

2 tazas de agua
2 cucharadas de agua
1 cucharada de miso
1 cebolla escalonia ("scallion", "green onion")

Opcional: Agregue tofu, wakame (algas marinas, "seaweed"), champiñones (hongos, setas, "mushrooms") o sus verduras preferidas

Preparación

1. Haga hervir 2 tazas de agua
2. Agregue uno o todos los ingredientes opcionales y cocine a fuego lento durante 5 minutos o hasta que las verduras agregadas estén blandas.
3. Disuelva 1 cucharada de miso en 2 cucharadas del agua recién hervida.
4. Agregue el miso disuelto al agua recién hervida. Después de agregar el miso, no permita que hierva.
5. Divida en 2 bols. Decore con tajadas finas de cebolla escalonia y ¡buen provecho!

Sopa de miso fabulosa

Rinde: 4 a 5 porciones

Ingredientes

6 tazas de caldo de kombu-shiitake (la receta se encuentra más adelante)
1 cebolla mediana, cortada en tajadas finas con forma de medialuna
4 cabezas de hongos shiitake, cortadas en tajadas finas
2 zanahorias, cortadas diagonalmente en tajadas finas
1½ taza de col rizada ("kale")
8 onzas (225 g) de tofu fresco, cortado en cubitos de ½ pulgada (1 cm)
4 cucharadas de miso Hatcho*

*Aunque recomendamos el miso Hatcho porque tiene el mayor contenido de isoflavonoides, puede sustituirlo con cualquier miso oscuro que indica frijoles de soja ("soybeans") como primer ingrediente.

Preparación

1. Combine y haga hervir en una olla de 3 cuartos de galón (casi 3 litros) el caldo, la cebolla y las cabezas de hongos shiitake. Reduzca el fuego a lento y cocine 5 minutos.
2. Agregue las zanahorias y la col rizada y cocine a fuego lento hasta que la col esté tierna, durante 8 a 10 minutos, o más
3. Agregue el tofu y cocine 1 a 2 minutos.
4. Disuelva el miso en un poco del caldo y agregue a la sopa. Retire del fuego y deje en remojo un minuto antes de servir.

Caldo de kombu-shiitake

Rinde: 6 tazas

La mezcla de kombu y hongos shiitake provee un caldo muy bueno con sabores fuertes y beneficios de salud poderosos. Como ventaja adicional, el tiempo de preparación es corto.

Ingredientes

4 ó 5 hongos shiitake, secados
Un trozo de 6 pulgadas (15 cm) de kombu (alga marina verde oscuro –"seaweed")
6 tazas de agua

Preparación

1. Coloque en una olla de 3 cuartos de galón (3 litros) los hongos shiitake, el kombu y el agua. Deje reposar 15 minutos.
2. Coloque la olla sobre fuego mediano y haga hervir. Retire el kombu, reduzca el fuego a mediano-lento y cocine a fuego lento durante 10 a 15 minutos más. Retire los hongos shiitake y guárdelos para otra ocasión.
3. Use el caldo inmediatamente, o refrigérelo en un recipiente con tapa por hasta 5 días, o congélelos por hasta 6 meses.

Para una excelente variedad de recetas con miso como el ingrediente principal, y para mucha más información sobre el miso, incluyendo instrucciones paso a paso sobre el arte de prepararlo en casa, obtenga una copia del bello libro de John y Jan Belleme que mencionamos antes en esta sección. Mientras tanto, ¡vaya al restaurante de fusión asiática de su vecindario y pida un bol de miso!

MÚSICA COMO MEDICINA

Escuchar

"*La música se lleva del alma el polvo de la vida cotidiana*". Berthold Auerbach, poeta y autor alemán.

La buena onda de la música

Escuchar música animada puede mejorar la circulación de la sangre y aumentar la fortaleza muscular y la resistencia. Su música preferida puede hacer que la tarea más agobiante casi parezca placentera. La música relajante puede mantener baja la presión arterial, ayudarlo a dormir y sacarlo de un estado depresivo.

Según el libro *The Compass in Your Nose and Other Astonishing Facts About Humans*, de Marc McCutcheon (Tarcher), escuchar una obra musical que se aproxima al ritmo del corazón en reposo (70 latidos por minuto) puede en realidad desacelerar un corazón que está latiendo demasiado rápido. *Entre la música que se cree más eficaz para desacelerar un corazón ansioso se incluye…*

- **Venus, el portador de la paz** (Los Planetas), de Holst.
- **Mamá Oca (Ma mère l'oye),** primer movimiento, Escena y danza de la rueca (Danse du rouet et scène), de Ravel.
- **Conciertos de Brandeburgo,** N.º 4, segundo movimiento, de Bach.
- **Suite Orquestal, N.º** 2 (Zarabanda), de Bach.

Cantar

"No canto debido a que esté feliz; estoy feliz debido a que canto". William James, filósofo, psicólogo, médico

Cante y no llore

"El cantar ejercita los pliegues (o cuerdas) vocales y ayuda a mantenerlas jóvenes, incluso en una edad avanzada. Cuanto menos estropeada por la edad suene su voz, más joven se sentirá y lucirá. Cuando se pone a cantar, el pecho se expande y la espalda y los hombros se enderezan, mejorando su postura. El cantar libera endorfinas, las cuales ayudan a aliviar el dolor, mejorar el estado de ánimo y disipar la tristeza al despegar su mente de las tensiones del día", afirma el profesor Graham F. Welch.

El profesor Welch es director de educación musical en el Instituto de Educación de la Universidad de Londres, e investigador consejero de *Sing Up* (*www.singup.org*), el programa nacional de canto del gobierno del Reino Unido.

"Toda la persona canta, no sólo las cuerdas vocales". Esther Broner, profesora y autora

Los beneficios de cantar

"Nadie es demasiado joven como para empezar a cantar, ni demasiado viejo como para dejar de hacerlo. Existe un amplio rango de beneficios al dedicarse a las actividades del canto que se aplican a todas las edades", afirma el profesor Welch. Según las investigaciones del profesor, hay cinco áreas de beneficios –físicos, psicológicos, sociales, musicales y educativos–, todos respaldados por explicaciones científicas. *Aquí tiene una versión abreviada sobre cómo el cantar le hace bien al cuerpo...*

Beneficios físicos

➤ **Mejora la función respiratoria y cardiaca.** Incluso estando sentado, el cantar implica actividad torácica dinámica, y grupos importantes de músculos se ejercitan en la parte superior del cuerpo.

El cantar es una actividad aeróbica y mejora la eficacia del sistema cardiovascular del cuerpo, lo que beneficia la lucidez mental y la salud en general.

La actividad aeróbica se relaciona con la longevidad, la reducción del estrés y el mantenimiento general de la salud a lo largo de toda la vida. Es probable que el mejoramiento del flujo de aire en el tracto respiratorio superior disminuya las oportunidades de que las bacterias prosperen, contrarrestando los síntomas de resfriados y gripe.

➤ **Promueve el control de la motricidad fina y gruesa en el sistema de las cuerdas vocales.** Cuanto más adecuadamente se use el sistema de las cuerdas vocales, como al cantar, más desarrollarán la fisiología y la anatomía subyacentes, en términos de crecimiento y coordinación motriz.

➤ **Mejora el funcionamiento neurológico.** Cantar es una actividad musical clave que facilita el desarrollo y la interacción en distintas partes del cerebro.

Beneficios psicológicos

➤ **Mejora el desarrollo de la identidad individual.** Nuestras voces son un componente clave de quienes somos. El uso de nuestras voces refleja nuestro estado de ánimo y el bienestar psicológico en general. Una voz segura y saludable se relaciona con una imagen positiva de sí mismo.

ALGO ESPECIAL

¡Cante como el Karaoke Kid!

La palabra japonesa "karaoke" es una palabra compuesta abreviada –*kara* viene de *karrappo*, que significa vacío (como en "karate" –mano vacía), y *oke* es la abreviatura de *okesutura* u orquesta. En vez de incluir el canto y la música, las pistas de karaoke sólo tienen la música. USTED proporciona el canto.

Puede comprar un sistema de karaoke para usar en casa. Ponga el disco de karaoke (CD y Gráficos) con sus canciones preferidas, sostenga el micrófono y cante mientras lee las palabras que se muestran en la pantalla frente a usted. No tiene que salir de casa para ser el centro de atención... ser una estrella... ser un éxito del canto.

La empresa Singing Machine Company, fundada en 1982, fue la primera en ofrecer sistemas de karaoke para el uso en casa en Estados Unidos. Es reconocida como el líder mundial en karaoke para el hogar.

Considerando todos los beneficios para la salud del cantar, aparte de ser un entretenimiento divertido y sano –solo o con familiares y amigos– una Singing Machine es una inversión asequible que vale la pena.

Mayor información: Visite *http://shop.singingmachine.com* para ver la línea completa de sistemas de karaoke, o llame al 954-596-1000 para averiguar sobre tiendas en su zona.

➤ **Proporciona una actividad catártica.** Nos permite experimentar emociones fundamentales, como la alegría y la tristeza. El cantar además proporciona una válvula de escape para nuestros sentimientos, para sentirnos mejor con nosotros mismos y el mundo que nos rodea.

➤ **Mejora la comunicación entre las personas.** El cantar mejora nuestra coordinación vocal y nos permite maximizar nuestro potencial para comunicarnos con otros usando nuestras voces.

La American Academy of Teachers of Singing (*www.americanacademyofteachersofsinging.org*) lo resumió en su declaración: "El cantar fortifica la salud, amplía la cultura, refina la inteligencia, enriquece la imaginación, conduce a la felicidad y dota a la vida de una pasión adicional".

"Quien canta, sus males espanta". Miguel de Cervantes

Tome nota

La terapeuta de sonido Jovita Wallace dirige su atención hacia unos sonidos específicos que proporcionan algunos de los beneficios que el profesor Welch menciona (en la página 285). Jovita afirma que "Las vibraciones del sonido masajean su aura, dirigiéndose directamente a lo que está desequilibrado y arreglándolo".

➤ **Cantar el sonido "a" por dos a tres minutos ayudará a desplazar la tristeza.** Impulsa oxígeno en la sangre, lo que indica al cerebro que libere las endorfinas que mejoran el estado de ánimo.

➤ **Cantar el sonido "e" estimula la glándula tiroides,** la cual segrega hormonas que controlan la velocidad de la digestión y de otros procesos del cuerpo.

➤ **Para aumentar la lucidez, haga el sonido "i".** Estimula la glándula pineal, la cual controla el reloj biológico del cuerpo.

➤ **Hacer el sonido "o" estimula el páncreas,** el cual regula el azúcar en la sangre.

➤ **Para fortalecer el sistema inmune, cante el sonido "u".** Esto activa el bazo, el cual regula la producción de las células blancas que combaten las infecciones.

Entone y tonifíquese

Bob Harper, un preparador físico del programa *The Biggest Loser* de la cadena NBC, sugiere que se debería cantar para tener un mejor entrenamiento. El cantar tonifica los músculos abdominales e intercostales y ayuda a estimular la circulación. *Al agregar el canto a su entrenamiento, usted…*

- **Respira más profundamente.**
- **Inhala más oxígeno.**
- **Mejora su capacidad aeróbica.**
- **Libera la tensión muscular.**

"Algunos días no habrá ninguna canción en su corazón. Igualmente cante". Emory Austin, conferencista motivacional

¡Cante, cante, cante más!

Lo grandioso es que uno no tiene que ser un cantante para cantar. Cante cuando nadie esté escuchando… en la ducha, el carro, la sala de estar.

OMEGA-3: ÁCIDOS GRASOS ESENCIALES

Una buena manera de saber lo que es novedoso en el tema de alimentos saludables es echarle un vistazo a los estantes del supermercado. Note cómo el agregado de un ingrediente específico se anuncia en la parte delantera de un producto tras otro, prometiendo que el contenido del paquete es "nuevo y mejorado" porque está fortificado con (complete el espacio en blanco). En este caso el espacio en blanco se completa con "omega-3"... en envases de huevos, barras de pan, galletitas, botellas de jugo de frutas, y hasta en fórmulas para bebé. Y no es de extrañarse.

Los estudios científicos han descubierto que los ácidos grasos esenciales omega-3 podrían ayudar a prevenir o revertir la presión arterial alta, los ataques al cerebro ("strokes"), la enfermedad del corazón, la artritis reumatoide, el cáncer de mama y el de colon, la enfermedad de Parkinson y la depresión. También podría ayudar a eliminar los síntomas de la menopausia y mejorar la capacidad intelectual.

Los ácidos grasos esenciales

La palabra "esencial" indica el hecho de que el cuerpo humano no fabrica ni puede fabricar los ácidos grasos omega-3. Usted depende totalmente de su dieta para obtenerlos. *Hay tres importantes ácidos grasos omega-3...*

- **Ácido alfa-linolénico (ALA, por sus siglas en inglés),** que se encuentra principalmente en la salba, semillas de lino ("flaxseed"), verduras de hojas de color verde oscuro, varios aceites vegetales y nueces crudas –nueces de Castilla ("walnuts"), avellanas ("hazelnuts"), almendras ("almonds"), pecanas ("pecans"), anacardos ("cashews") y macadamias.
- **Ácido eicosapentaenoico (EPA, por sus siglas en inglés),** que se encuentra en pescados de agua fría como el salmón, el bacalao ("cod"), caballa ("mackerel") y el atún. Cantidades más pequeñas se encuentran en productos de animales criados orgánicamente –gallinas sin enjaular y sus huevos, y carne de vacas alimentadas en pasturas.
- **Ácido docosahexaenoico (DHA, por sus siglas en inglés),** que se encuentra en los mismos alimentos que el ácido EPA.

Cómo obtener los omega-3

Volviendo a los productos en el supermercado –muchos de ellos indican "fortificado ('fortified') con EPA y DHA". Ésos son los dos ácidos grasos responsables por el desarrollo del cerebro, la visión, la producción de ciertas hormonas y otras funciones que nos mantienen en funcionamiento. Los EPA y DHA se encuentran principalmente en pescados, haciéndolos la fuente más deseable y directa de ácidos grasos omega-3.

Para aprovechar las ventajas de los omega-3, debería consumir pescados de agua fría al menos dos veces a la semana. Más es mejor. Pero... asegúrese de que el pescado que consuma tenga muy poco mercurio, como el salmón, las sardinas o la caballa, en lugar del pez espada ("swordfish") o hipogloso ("halibut"). Ah, y además... para prevenir compuestos potencialmente nocivos que puedan producirse al asar o fritar, es mejor preparar el pescado al horno o al vapor.

Consejos del experto en omega-3

Jade Beutler es un profesional de la salud con licencia, jefe ejecutivo (CEO) de la empresa Barlean y ganador en 2008 del premio Ramazanov Award for Excellence in Nutritional Science (otorgado por excelencia en las ciencias nutricionales), que es como el premio Óscar de la industria de suplementos alimenticios. El objetivo de la fundación Ramazanov es reconocer a científicos y profesionales que trabajan en el campo de la nutrición, cuya dedicación ha contribuido a mejoras significativas –basadas en evidencia– de la salud y el bienestar de las personas, de una

ALGO ESPECIAL

¡Supersemillas!

Además de omegas normales, hay también las *superomegas* –las semillas de cáñamo ("hemp", en inglés, semillas diminutas y redondas del tamaño aproximado de las semillas pequeñas de girasol –"sunflower"). Tienen un sabor y un aroma suave y agradable que es similar a los piñones ("pine nuts") tostados.

Las semillas de cáñamo contienen dos superomegas que ocurren naturalmente: ácido estearidónico (SDA, por sus siglas en inglés) y ácido gamma-linolénico (GLA).

Los SDA y GLA ayudan al cuerpo a convertir los beneficios de los ácidos grasos esenciales omega-3 más eficazmente. Debido a factores como la edad, los genes, la dieta y el estilo de vida, no todos procesamos estas grasas saludables del mismo modo. Los SDA y GLA ayudan a todos a maximizar los beneficios de los ácidos grasos esenciales omega. Si lo que usted busca es superomegas, recurra a los alimentos de cáñamo por sus altos contenidos de SDA y GLA.

Los alimentos de la empresa Living Harvest se elaboran principalmente con las semillas de cáñamo, uno de los alimentos más perfectos de la naturaleza. Además de los superomegas, las semillas de cáñamo contienen los 10 aminoácidos esenciales –los componentes básicos de la proteína. Además, contienen muchos ácidos grasos esenciales (EFA, por sus siglas en inglés) omega-3 y omega-6 naturalmente equilibrados. El cáñamo también es rico en magnesio, hierro, potasio, fibra y sustancias fitoquímicas, además de antioxidantes naturales como la vitamina E.

Mayor información: Si está interesado en aprender más acerca de los productos de cáñamo de Living Harvest –como, por ejemplo, leche de cáñamo Tempt (sin productos lácteos), postre congelado Tempt (sin productos lácteos), proteína en polvo de cáñamo orgánico y aceite de cáñamo orgánico– visite *www.livingharvest.com*. Puede comprar en línea, o hacer clic en "Find local retailers" e ingresar su código postal para hallar las tiendas cercanas que venden productos de Living Harvest, o llame al 888-690-3958.

Si usted o sus hijos no comen pescado en forma habitual, ni beben leche de cáñamo, pueden tomar un suplemento de alta calidad, asegurándose así que obtienen la cantidad correcta de omega-3, EPA y DHA diariamente. ¡Ah, y le presentamos un suplemento fabuloso! Consulte el recuadro "Algo especial – Un licuado curativo" en la página siguiente.

manera ética sin sacrificar la integridad ni manipular la ciencia con el fin de obtener ganancias.

Recurrimos a Jade por sus conocimientos sobre los poderosos omega-3.

¿Por qué omega-3?: Según las investigaciones de Jade Beutler, la razón por la que los omega-3 son extremadamente valiosos para una salud vibrante y tan eficaces en la prevención y superación de afecciones de la salud es porque tienen un impacto en la salud de todos los órganos, músculos, glándulas, ligamentos y tendones del cuerpo humano. Si no consumimos suficientes omega-3, el cuerpo usará grasas menos saludables –grasas saturadas, hidrogenadas, grasas transaturadas ("trans fats")– como sustitutos. Estas grasas no saludables pueden causar

ALGO ESPECIAL

Un licuado curativo

La empresa Barlean's Organic Oils ha elaborado una nueva forma de omega-3 que transforma los aceites de pescado y de linaza ("flax oil") en una mezcla muy sabrosa con la consistencia de un licuado. Se llama Omega Swirl y se vende en distintas variaciones y sabores.

El Omega Swirl, repleto de ácidos grasos esenciales omega-3, fue elaborado para dar apoyo nutricional a...

- **La salud del corazón.**
- **Niveles saludables de colesterol.**
- **La movilidad de las articulaciones y la densidad ósea.**
- **La energía y la resistencia.**
- **La salud de la piel, el cabello y las uñas.**
- **La salud, el bienestar y la agudeza mental.**
- **Niveles saludables de azúcar en la sangre ("blood glucose").**
- **La salud sexual y hormonal.**

Las moléculas de aceite en el Omega Swirl son tan pequeñas que la digestión y la asimilación es el doble de rápida que la de los aceites comunes de pescado o linaza, lo cual ayuda a evitar los eructos debidos al consumo de pescado.

Esta es una de las muchas razones por las que Omega Swirl ha asombrado a la industria de la nutrición, y fue votado el Mejor Producto Nuevo por la revista para consumidores, *Better Nutrition*, y el Mejor Suplemento Nutricional por la revista especializada para comerciantes en productos naturales, *Vitamin Retailer.*

Mayor información: El Omega Swirl se vende en tiendas de alimentos saludables y supermercados que venden productos saludables, como Whole Foods Markets. Vaya al sitio web *www.barleans.com* y haga clic en "store locator" para hallar una tienda cercana.

NOTA: Barlean nos envió una muestra de cada sabor para que probáramos. ¡Son muy, pero muy, deliciosos! El de limón ("Lemon-Zest") tiene el mismo sabor de limón del sabrosísimo pastel de limón y merengue que hacía nuestra madre. Es así de bueno. Y no hay sabor ni regusto a pescado.

que las células se vuelvan menos fluidas... más rígidas y tiesas.

Los ácidos grasos omega-3 son agentes antiinflamatorios muy potentes que pueden ayudar a reducir el dolor, malestares e inflamación en las articulaciones y permitir que las personas permanezcan activas por mucho más tiempo.

Además, según la evidencia, los omega-3 son los productos naturales más poderosos a nuestra disposición para la disminución del riesgo de la enfermedad del corazón. Tienen un efecto profundo en el sistema cardiovascular porque sirven como anticongelantes para las arterias, reducen la adherencia de las plaquetas y previenen los coágulos de sangre que conducen a ataques al corazón y al cerebro.

Cómo tomar suplementos de omega-3: Muchas personas que desean complementar sus dietas tienen problemas para tragar las grandes cápsulas de omega-3, o aun si las pueden tragarlas, muchas de las cápsulas parecen tener dosis inadecuadas.

TOME NOTA

Como es imposible para nosotras investigar e informar sobre los cientos de empresas de suplementos que hay en los estantes de las tiendas de alimentos saludables y en Internet, nos limitamos a las pocas compañías destacadas que hemos llegado a conocer y en las que llegamos a confiar, y le contamos a usted acerca de las mismas.

Sí, claramente nosotras tenemos debilidad por los productos de Barlean. Comenzamos a escribir acerca de sus semillas de lino ("flaxseed") hace años, y a medida que han crecido, hemos seguido difundiéndolos. No nos pagan por esto. Simplemente creemos en su ética, su integridad y sus productos.

New Chapter es otra destacada empresa que recomendamos. Fíjese en toda su línea de productos (*www.newchapter.com*), incluyendo Wholemega, una excelente cápsula de aceite de pescado.

Lo animamos a que investigue los muchos otros buenos productos que hay en el mercado, investigando en Internet, llamando y haciendo preguntas a las empresas de suplementos, y pidiendo sugerencias a los gerentes entendidos de las tiendas de alimentos saludables.

A muchas personas no les gusta la textura y el sabor aceitosos de los aceites de lino ("flax") o de pescado en forma líquida. Además, muchas personas son incapaces de digerir adecuadamente el aceite puro o sufren eructos de pescado incómodos y embarazosos. Para conocer un gran suplemento de omega-3, consulte el recuadro "Un licuado curativo" en la página anterior.

ATENCIÓN: Si está tomando un anticoagulante ("blood thinner") recetado, consulte con su médico antes de tomar omega-3. Además, evite los omega-3 al menos cinco días antes de una cirugía.

RECONSTRUCTOR DE NERVIOS "REBUILDER"

Hay un novedoso tratamiento para el dolor que ahora está aprobado por la agencia federal Food and Drug Administration (FDA) y tiene cobertura de Medicare. Puede ayudar a aliviar el dolor, el entumecimiento, las sensaciones de hormigueo y ardor y realmente restaurar la sensación en los pies y manos, restaurar el equilibrio y la movilidad y reducir o eliminar la necesidad de medicación para el dolor. Se llama ReBuilder Electronic Stimulator System.

David B. Phillips, PhD, un inventor de dispositivos médicos electrónicos, internacionalmente renombrado, se propuso crear un dispositivo para ayudar a su padre, quien tenía neuropatía periférica después de una cirugía de corazón. El Dr. Phillips descubrió que los nervios pueden reconstruirse y, en algunos casos, la función nerviosa completa puede restablecerse. De hecho, el padre del Dr. Phillips tiene más de 80 años ahora, camina bien, no tiene dolor y trabaja todos los días en el departamento de control de calidad de la empresa de su hijo.

El sistema ReBuilder se basa en el hecho de que los nervios son eléctricos por naturaleza y responden a estímulos eléctricos específicos que reproducen la señal de un nervio sano.

El ReBuilder puede usarse en la comodidad de la casa. Cada tratamiento lleva media hora, durante la cual usted puede sentarse y relajarse. Durante la sesión, pulsos que masajean suavemente actúan para totalmente eliminar o aliviar síntomas, los cuales se reducen por varias horas. Los beneficios permanentes se acumulan con el uso continuo.

Es una increíble alternativa no quirúrgica y no invasiva a la cirugía o la medicación que enmascara el dolor. Y, a diferencia de la cirugía y la medicación, ¡no tiene efectos secundarios! Bueno, parece tener un efecto secundario... causa que el cerebro libere *endorfinas*, poniéndolo a usted en un estado mental mucho más feliz.

El ReBuilder puede usarse en la región lumbar de la espalda, las manos, los hombros y los pies. Las afecciones para las que más se usa son la neuropatía, la artritis, la vasculopatía periférica, la arteriopatía periférica, la distrofia simpática refleja, el síndrome de las piernas inquietas ("restless legs syndrome"), y el dolor del nervio ciático. Pero cualquiera puede usarlo para mejorar la circulación de la sangre.

El ReBuilder es ahora la primera línea de defensa para la neuropatía periférica causada por la quimioterapia. Según la red de instalaciones oncológicas Cancer Treatment Centers of America, el 94% de sus pacientes lograron excelentes resultados –menos dolor, retorno de la sensación en los pies, mejor equilibrio, mejor sueño nocturno y eliminación de la medicación para el dolor.

Mayor información: Visite el sitio web de ReBuilder, *www.rebuildermedical.com*, el cual incluye entrevistas en video con el Dr. Phillips, una demostración, testimonios y detalles de la garantía de devolución del dinero durante los primeros 30 días.

Si prefiere hablar con una persona, la empresa tiene profesionales médicos con licencia, contratados a tiempo completo y dirigidos por Brian Sheldon, el presidente de la empresa y enfermero practicante con licencia ("licensed practical nurse"). Lo ayudarán de cualquier manera posible, incluyendo con el proceso de Medicare. (Sabemos por experiencia que tienen mucha paciencia). El número telefónico gratuito es 866-725-2202.

REIKI: ENERGÍA QUE SANA

Consejos de los sabios...

El reiki es un arte curativo que se remonta a enseñanzas espirituales de Japón a principios del siglo XX. El nombre combina dos palabras japonesas, *rei* (universal) y *ki* (energía vital). Los profesionales que practican reiki a menudo usan la técnica para ayudar a sus clientes a aliviar la ansiedad y el estrés... el dolor crónico o posquirúrgico... los bochornos (calores repentinos, sofocos) de la menopausia... los dolores menstruales... las migrañas... y las náuseas y la fatiga causadas por la quimioterapia.

Cómo funciona: El principio tradicional es que el profesional de reiki recurre a una energía vital universal que existe dentro y alrededor de todos nosotros... luego canaliza esta energía al cliente, mejorando las capacidades innatas de sanación del cuerpo. La teoría científica moderna es que el reiki promueve la relajación profunda, aumentando los niveles de las sustancias químicas llamadas *endorfinas* que alivian el dolor y levantan el estado de ánimo.

Qué se puede esperar: Durante una sesión típica de reiki de 60 minutos, el cliente (completamente vestido) se sienta en una silla o se acuesta en una mesa de masaje. El profesional de reiki pone sus manos, con las palmas hacia abajo, en o apenas por encima de aproximadamente doce puntos diferentes del cuerpo del cliente, manteniéndose en cada posición por varios minutos. Los clientes se relajan profundamente, y algunos perciben sensaciones de calor u hormigueo en el lugar que recibe tratamiento.

Costo del tratamiento: Alrededor de $75 a $100 por sesión.

Cómo hallar un profesional: El reiki no tiene un proceso formal de otorgar licencias, así que encontrar a un profesional experimentado es en gran medida una cuestión de recomendaciones personales.

Útil: Obtenga una remisión de un hospital de su localidad que tenga un centro de medicina integrativa ("integrative medicine").

Lo primordial: Aunque aún no se han realizado ensayos clínicos a gran escala sobre el reiki, los estudios demuestran beneficios con varias terapias táctiles. El reiki no causa efectos secundarios perjudiciales. Si padece un problema de salud grave, intente el reiki como un complemento del tratamiento médico normal. Algunas personas afirman que el reiki funciona sólo debido al efecto placebo –y así podría ser. Sin embargo, los profesionales a menudo encuentran clientes que son escépticos al principio... pero quienes, después de experimentar el reiki directamente, informan que la terapia los ha ayudado.

Aurora Ocampo, RN, CNS, enfermera clínica especializada del Continuum Center for Health and Healing, del centro médico Beth Israel, en Nueva York, *www.healthandhealingny.org*.

REMEDIOS FLORALES DE BACH

Los remedios florales de Bach, desarrollados en la década de 1930 por el médico inglés Dr. Edward Bach (se pronuncia "bach" y no "bak" como el compositor), son diluciones de materiales de flores. El Dr. Bach pensaba que las enfermedades eran "manifestaciones de defectos" en la personalidad. Estando convencido que la naturaleza, carácter y sentimientos de una persona juegan un papel importante en el desarrollo de las enfermedades, su acercamiento al bienestar era a un nivel mental y emocional. Los remedios se usan principalmente para las afecciones emocionales y espirituales, incluyendo la depresión, la ansiedad, el insomnio y el estrés.

Los remedios florales de Bach (los cuales contienen una cantidad muy pequeña de material floral) están elaborados de manera completamente natural con agua mineral imbuida con flores silvestres, ya sea dejando remojar al sol o hirviendo. Los remedios contienen un 27% de brandy a base de uva como conservante. Ya que los remedios son extremadamente diluidos, no tienen el aroma o sabor característico de la planta. Típicamente, los remedios florales de Bach se venden en tiendas de alimentos saludables en pequeñas botellas cuentagotas de color marrón.

Quienes los recomiendan afirman que los remedios contienen la naturaleza "energética" de la flor – se cree que cada flor imparte cualidades específicas al remedio– y que esto puede transmitirse al usuario.

El Dr. Bach desarrolló los remedios florales mientras trabajaba en el hospital London Homeopathic. Aunque con frecuencia se asocian con la homeopatía, no deberían vincularse porque los remedios florales de Bach no siguen los principios fundamentales de la homeopatía.

Muchas veces hemos estado en ambientes que ponen nerviosas a las personas (esperando en áreas como los camerinos de los programas de televisión) y alguien ha sacado y pasado entre los presentes una lata de pastillas y el "Rescue Remedy" de Bach –que contiene cantidades iguales de las flores "Rock rose", "Impatiens", "Clematis", "Star of Bethlehem" y "Cherry Plum" (heliantemo, impatiens, clemátide, estrella de Belén, avellana de la India)– usado para el tratamiento exitoso del estrés, la ansiedad y los ataques de pánico.

LA RISA

En la década de 1990 los resultados de un estudio realizado por los Drs. Lee Berk y Stanley Tan de la Universidad de Loma Linda en California, publicados en el boletín *Humor and Health Journal*, no dejaron dudas de que la risa activa el sistema inmune, disminuye la presión arterial, reduce las hormonas del estrés y eleva los niveles de las células que combaten las infecciones y las proteínas que producen anticuerpos para combatir las enfermedades.

Eso no es un chiste.

Compartir la risa puede ayudar a que usted haga nuevos amigos o mejore y profundice el nivel de comunicación con viejos amigos, familiares y socios de negocios.

Robert R. Provine, PhD, es profesor de psicología y neurociencias en la Universidad de Maryland que realizó un estudio de 10 años de la risa, el cual resultó en un libro, *Laughter: A Scientific Investigation* (Penguin). El profesor Provine concluyó que la risa juega un gran papel en las uniones de parejas. A los hombres les gustan las mujeres que ríen con ganas en su presencia y la risa de las mujeres es el índice crítico de una relación saludable. No es broma. Las mujeres ríen un 126% más que los hombres, pero los hombres logran más que otras personas rían... o por lo menos, eso es lo que ellos piensan. (Nota de las autoras: Las mujeres son muy amables y se reirán incluso cuando los hombres no sean graciosos. ¿Verdad, señoras?)

El profesor afirma también que una de las mejores maneras de estimular la risa –y probablemente la manera más antigua– es haciendo cosquillas. Hacer cosquillas es una actividad intrínsecamente social; no podemos hacernos cosquillas a nosotros mismos. La mayoría de las personas disfrutan de las cosquillas –quienes hacen cosquillas y también los cosquilleados– porque se reconoce como una indicación de afecto.

Se afirma que los hombres son tan cosquillosos como las mujeres, y quizá un poco más. Así que la próxima vez que tenga una discusión con su pareja, no se vaya de la habitación. En su lugar, hágale cosquillas a su pareja. Las zonas más sensibles a las cosquillas son, en orden descendiente, las axilas, la cintura, las costillas, los pies, las rodillas, la garganta, el cuello y las palmas.

¿Qué le dice todo esto? Haga un esfuerzo verdadero por relajarse. Sea juguetón. Diviértase. Puede lograr una diferencia importante en su bienestar y en todas las relaciones en su vida.

Hoy en día existen muchas cosas que pueden satisfacer su sentido del humor. Hay libros, programas de televisión, DVD, audiocasetes, sitios en Internet, clubes de comediantes por todo el país y lo más divertido de todo, la vida real. Busque y encontrará el humor rodeándolo. La risa es contagiosa. ¡Disemínela!

¿Se anima? Bien. Cuéntele un chiste a la próxima persona que vea o con la que hable. Si es una de esas personas que dice "No puedo contar un chiste", cuéntelo igual. Probablemente sea más divertido que si lo contara una persona que se expresara en forma muy pulida. Así que para que no tenga como excusa el decir que no conoce ningún chiste, échele un vistazo a uno de los sitios de chistes en Internet. Pruebe *www.chistes.com* un sitio que envía por email un chiste al día. O vaya a los sitios en inglés *www.ahajokes.com*, *www.jokesclean.com* y *www.danggoodjokes.com*. Quién sabe, esto podría ser el principio para usted de toda una nueva carrera, pero por el momento, por favor no deje su trabajo habitual.

O, para poner en marcha su sentido del humor, mire una película divertida. *Hicimos una encuesta entre amigos y colegas y obtuvimos esta lista para reír a carcajadas…*

- ***Tootsie,*** 1982.
- ***Big,*** 1988.
- ***Meet the Parents (La familia de mi novia),*** 2000.
- ***Little Miss Sunshine,*** 2006.
- ***The Full Monty,*** 1997.
- **Películas escritas y dirigidas por Mel Brooks,** como ***Young Frankenstein***, 1974, y ***The Producers***, 1968.
- **Películas dirigidas por Woody Allen,** como ***Annie Hall (Dos extraños amantes)***, 1977, y **Vicky Cristina Barcelona,** 2008.
- **Películas con Billy Crystal,** como ***City Slickers***, 1991, y ***Analyze This***, 1999.
- **Películas con Robin Williams,** como ***Mrs. Doubtfire***, 1993, y ***The Birdcage (La jaula de las locas)***, 1996.

[Nota y sugerencias del traductor: Generalmente las películas arriba mencionadas tienen subtítulos en español, pero si prefiere los chistes en su propio idioma, puede comenzar con:

- **Películas con Cantinflas** como ***Por mis pistolas***, 1968.
- ***El cochecito,*** con ***José Isbert y José Luis López Vázquez,*** 1960.]

Cosas serias

Si forma parte del 15% de la población de Estados Unidos que no tiene sentido del humor, podría considerar afiliarse a la asociación para los discapacitados en humor. La National Association for the Humor Impaired (NAFHI), fue fundada por el Dr. Stuart Robertshaw, profesor emérito de psicología y educación en la Universidad de Wisconsin en La Crosse.

Los beneficios de asociarse a la NAFHI son más risa, mejor salud, una tarjeta de socio para su billetera o cartera, un certificado de socio, una prueba de puntuación rápida de la discapacidad del humor (Quick-Score Test of Humor Impairment que le ayudará a diagnosticar a familiares, amigos y compañeros de trabajo) y una insignia que dice "no whining" (se prohíbe rezongar).

La afiliación de por vida en la asociación es gratis para los miembros que reúnan los requisitos a cambio de compartir con el Dr. Humor un relato de los momentos más divertidos que le sucedieron a usted o a alguien que conozca. El relato que proponga debe ser una historia real y no un chiste ni ficción.

Mayor información: Visite el sitio web *www.drhumor.com* para presentar una solicitud para asociarse gratuitamente, complete el formulario y haga clic en "Submit My Story" (proponer un relato). O, *envíe su relato por correo a:* Profesor Stuart Robertshaw, National Association for the Humor Impaired, 3356 Bayside Court, Suite 201, La Crosse, WI 54601. Para recibir su kit de socio, anote su dirección postal.

Su derecho innato: aproveche uno de los mayores dones del ser humano. ¡RÍASE!

SAHUMERIO "SMUDGING" PARA LA AUTOLIMPIEZA

Por suerte para nosotras, Jane Alexander, "la escritora más importante de Gran Bretaña sobre terapias alternativas" y respetada experta en los temas de la medicina natural, la vida holística y la espiritualidad contemporánea, aceptó compartir sus conocimientos profundos sobre la purificación de tiznaduras con sahumerio ("smudging" en inglés). *Éstas son sus palabras e instrucciones…*

Consejos de los sabios...

Jane Alexander sobre el sahumerio "smudging"

Smudging* es el nombre común en inglés de la "Sacred Smoke Bowl Blessing" (bendición del cuenco de humo sagrado o sahumerio), una poderosa técnica de limpieza interna de la tradición indígena norteamericana. Esta ceremonia de purificación con sahumerio apela a los espíritus de las plantas sagradas para espantar las energías negativas y ponerlo a usted nuevamente en un estado de equilibrio. Es el equivalente psíquico a lavarse las manos antes de comer.

Estos conceptos no son nuevos ni tonterías poco realistas de la New Age. La tradición indígena norteamericana se remonta a miles de años, y la mayoría de las culturas tradicionales del mundo –los zulúes, los maoríes, los chinos, los balineses y muchos otros– tienen formas muy antiguas de purificación y bendición. Incluso el Occidente mantiene reliquias de ello, aunque nosotros hace tiempo que hemos olvidado el objetivo verdadero de muchos de nuestros ritos y ceremonias. El incienso que flota en el aire de una iglesia o templo está limpiando la atmósfera seguramente tanto como el cuenco de humo sagrado del hechicero.

Cómo funciona la purificación con el sahumerio "smudging"

La respuesta se encuentra en el mundo subatómico de energía espiritual o imperceptible. Las casas y cuerpos no están simplemente hechos de materia puramente física; también vibran con energía invisible e imperceptible (quizá usted la conozca como qi o chi, prana, quwa, etc.). La limpieza de un espacio o de nuestros cuerpos con técnicas como la del sahumerio quita todos los "residuos" emocionales y psíquicos que podrían haberse acumulado con los años. Es como una limpieza general espiritual.

El sahumerio es realmente maravilloso. En serio. Inténtelo y se convencerá, no tengo duda alguna. Me encanta porque es la forma más simple y más eficaz de limpiar un espacio. Lleva tan sólo cinco minutos aprender lo básico y empezar. Además, ¡realmente da resultados!

Mi experiencia más impactante con el sahumerio la tuve cuando visité al chamán Leo Rutherford en Londres. Me había mudado fuera de la ciudad y había perdido por completo la "sabiduría callejera" que se tiene cuando se vive en una ciudad grande. Por lo tanto, me sentía nerviosa de ir sola por la noche a un barrio desconocido (y algo peligroso). Leo habrá adivinado mi aprensión, porque dijo: "Espera, Jane. Te voy a dar un 'smudging' rápido antes de que salgas". Esperé de pie, con mi saco puesto y una bolsa grande en la mano, en su corredor, mientras él hacía flotar humo a mi alrededor con una inmensa pluma de águila. Me sentí como si se me hubiera dado una ducha de energía –por todo mi cuerpo corrió un hormigueo en oleadas. Respiré hondo y fue como si alguien hubiera encendido cada uno de mis "chakras". Abracé a Leo, olvidando totalmente mis temores. Caminé por las calles oscuras sintiéndome invencible. Fue como si tuviera un manto de poder rodeándome.

Uso el sahumerio "smudging" para limpiarme (en especial si he tenido un día horrible o he tenido que lidiar con personas difíciles o desagradables). Lo uso como preludio para todo tipo de trabajo espiritual y mágico (es como una ducha de poder espiritual). Lo uso para limpiar mi casa y mi oficina. Lo uso para marcar las estaciones y como parte de otros rituales. Efectivamente lo

* Nota del traductor: En este contexto la palabra "smudging" no tiene equivalente en español y es difícil de pronunciar para hispanohablantes –se pronuncia algo parecido a "smóching". Por lo tanto, en esta sección, la palabra sahumerio se refiere al sahumerio "smudging".

uso en todos lados, en todo tipo de momentos –es totalmente adaptable, práctico y fácil de usar.

Lo que hay que saber acerca de la autolimpieza con sahumerio

Las instrucciones a continuación son de mi libro, *The Smudging and Blessings Book* (Sterling) –una guía rápida para empezar la práctica. Visite *www.janealexander.org* para más información y libros, entre ellos *The Illustrated Spirit of the Home* (Harper Collins), el cual da instrucciones sobre la limpieza básica de espacios usando el sahumerio.

Hay muchas maneras de usar el sahumerio. Ésta es una manera sencilla de iniciar. Al volverse usted más diestro, tal vez descubra que desea usar diferentes palabras o acciones. Está bien –simplemente déjese guiar por la intuición.

ATENCIÓN: Si padece asma o cualquier problema respiratorio como la enfermedad de obstrucción pulmonar crónica (COPD), el sahumerio "smudging" podría NO ser apropiado para usted. Si insiste en intentarlo, hágalo con mucha cautela.

Lo que necesita: Una varita de sahumerio ("smudge stick")... fósforos... un pequeño bol de cerámica o piedra, o una concha grande (para apoyar la varita de sahumerio)... y una pluma grande. (La mayoría de las tiendas de alimentos saludables y Whole Foods Markets venden atados de varitas de sahumerio de salvia –"sage smudge sticks". Además, consulte "Recursos", página 349, para conocer otro sitio que vende kits de sahumerio "smudging").

Instrucciones

1. Encienda el extremo de una varita de sahumerio y deje que se queme por unos minutos hasta que el extremo comience a arder. Quizá necesite ventilar la llama por algún tiempo para que el sahumerio realmente eche humo. Luego apague la llama de modo que la varita de sahumerio siga echando humo.
2. Apele a los espíritus del sahumerio para limpiarlo y protegerlo, diciendo: "Salvia sagrada, espanta cualquier negatividad de mi corazón –quita todo lo indigno e impuro".
3. Primero lleve el humo hacia el corazón. Sostenga la varita de sahumerio apartada del cuerpo y use la pluma para mover el humo hacia usted. Luego, dirija el humo del sahumerio por encima de su cabeza, déjelo pasar hacia abajo por los brazos y por delante de su cuerpo. Imagine el humo retirando todos los pensamientos, emociones y energías negativas que se han adherido a usted.
4. Aspire el sahumerio, visualizando el humo purificando su cuerpo desde adentro.
5. Ahora dirija el humo por la parte trasera de su cuerpo hacia el suelo. Visualice los últimos vestigios de negatividad siendo devueltos a la tierra, disolviéndose en el aire.
6. Repita el sahumerio una vez más, esta vez apelando al espíritu de la hierba del bisonte (Hierochloe odorata, "Sweetgrass") de esta manera: "O sagrada hierba del bisonte, tráeme la energía positiva que necesito para hacer este trabajo. Ayúdame a entrar en equilibrio. Purifica mi alma". Mientras realiza el sahumerio, imagínese estar rodeado de energía apacible y afectuosa. Respire positividad, valor y amor.
7. Cuando su sahumerio se haya extinguido, empape la varita de sahumerio con agua.

Cómo preparar el cuenco sagrado para el sahumerio "smudging"

Los chamanes indígenas norteamericanos no siempre usan las varitas de sahumerio. Igualmente común es una mezcla suelta de sahumerio, que se coloca en un bol o concha y se enciende.

Es fácil de hacer, y además tiene la ventaja de que, al hacerse usted más experimentado e intuitivo, puede alterar la mezcla para que se ajuste a cada ritual individual.

Lo que necesita: Las hierbas secas y resinas que elija y un bol para mezclarlos, una concha o bol para el sahumerio, briquetas de carbón autoinflamables ("self-igniting charcoal blocks"), vela y fósforos, pluma, y sal marina ("sea salt").

Instrucciones

1. Siéntese con todos los ingredientes a la mano. Encienda la vela y concéntrese. Pídales a los espíritus de las plantas que está usando que lo ayuden.
2. Tome un bol o una concha grande –debe poder resistir el calor del carbón encendido. Asegúrese de que esté limpio y lo haya lavado en agua a la cual le ha agregado un poco de sal marina.
3. Una mezcla básica de sahumerio consiste en una cucharada de salvia ("sage") desmenuzada (ya sea artemisa –"sagebrush"– o salvia de uso culinario –"culinary sage") más una cucharadita de corteza de cedro ("cedar bark") y una de lavanda ("lavender"). Mezcle las hierbas en un bol.
4. Ponga una briqueta de carbón en el bol o la concha y enciéndala. Espere hasta que el carbón deje de hacer chispas y se haya vuelto gris blancuzco.
5. Agregue algunas pizcas de su mezcla de sahumerio. Echará humo de inmediato.
6. Use el bol para el sahumerio exactamente de la misma manera como usaría una varita de sahumerio –levante el bol y use una pluma para dirigir el humo hacia usted, hacia alguna otra persona o hacia el área en la que está trabajando.
7. Agregue más sahumerio de vez en cuando.

Consideraciones finales

Espero que esta introducción al sahumerio "smudging" lo ayude. Dedique el tiempo necesario para intentar este maravilloso ritual. Al menos, creo que dedicar cinco minutos de un día ajetreado para concentrarse, respirar y estar quieto, resultará ser terapéutico.

Consulte también "Limpie su espacio con un sahumerio 'smudging'", página 330.

SALBA

La salba es una antigua semilla llena de nutrientes de la familia de plantas de menta *Salvia hispanica*, renacida y cultivada en forma espectacular. Esta pequeña semilla se cultiva en el ambiente y el clima ideales de Perú, bajo condiciones estrictamente controladas, las cuales se afirma que son las mejores del mundo.

A diferencia de los otros cereales, la salba ha sido sometida a estudios nutricionales intensos y a largo plazo en seres humanos. Se afirman logros médicos acerca de la salba que no se pueden afirmar sobre ningún otro cereal.

Los superpoderes de la salba

Mitch Propster, fundador y jefe ejecutivo CEO de la distribuidora Core Naturals, afirma que la salba es "el alimento integral perfecto de la naturaleza". Es cierto que su empresa vende el producto, pero lo vende porque él está tan convencido por los resultados. Pensamos que usted lo estará también, después de aprender acerca de todo lo que la salba tiene para ofrecer. *Gramo a gramo...*

- **La salba contiene ocho veces más ácidos grasos omega-3 que el salmón.** De hecho, los ácidos grasos omega-3 se encuentran en forma más abundante en la salba que en cualquier otra fuente de los alimentos integrales de la naturaleza. La salba tiene una proporción –casi increíble– de cuatro a uno de omega-3 y omega-6.

- **La salba contiene cuatro veces más fibra que las semillas de lino ("flaxseed").**
- **La salba contiene seis veces más calcio que la leche entera.**
- **La salba tiene siete veces más vitamina C que una naranja.**
- **La salba contiene tres veces más antioxidantes que los arándanos azules ("blueberries") frescos.**
- **La salba contiene tres veces más hierro que la espinaca.**
- **La salba contiene 15 veces más magnesio que el bróculi ("broccoli").**

Como si todo esto no fuera suficiente, la salba también contiene folato, vitaminas del complejo B, potasio, zinc, selenio y vitamina A. La salba no contiene gluten y es kosher.

■ Receta ■

Gelatina de salba

La salba se puede utilizar para cocinar y hornear. Esta simple mezcla de semillas en agua puede sustituir los huevos en recetas.

- **Vierta 2 tazas de agua tibia en un recipiente con tapa que se pueda cerrar bien.**
- **Agregue ½ taza de semillas secas de salba.**
- **Tape y sacuda vigorosamente durante 10 segundos.**
- **Espere un minuto, luego sacuda nuevamente durante 10 segundos más.**
- **Deje reposar el recipiente con la gelatina a temperatura ambiente durante un mínimo de cuatro horas, o durante toda la noche, para que germine.** (Los nutrientes de las semillas germinadas son hasta 10 veces más biodisponibles).
- **Guarde la gelatina en el refrigerador.** Se mantendrá fresca por hasta 2 semanas.

Beneficios para la salud

El Dr. Vladimir Vuksan, profesor de endocrinología y ciencias nutricionales en la facultad de medicina de la Universidad de Toronto, ha dedicado más de veinte años a buscar, encontrar y experimentar con terapias alimenticias, incluyendo antiguos cereales integrales.

El Dr. Vuksan ha redescubierto y estudiado la salba, con resultados impresionantes y prometedores para los diabéticos, y para todas las personas.

La revista *Total Health* informa que los estudios del Dr. Vuksan proporcionan evidencia irrefutable de que el consumo de la salba resulta en una reducción simultánea de la presión arterial, la inflamación del cuerpo y la coagulación de la sangre, al mismo tiempo que equilibra el azúcar en la sangre después de las comidas.

Como resultado de estos beneficios para la salud tan abrumadores, la salba es la única semilla cuya patente está pendiente, la cual indica que la salba es un alimento funcional con beneficios terapéuticos para la prevención y el tratamiento de varias enfermedades, especialmente la enfermedad cardiovascular, la diabetes y la obesidad.

Además de su alto contenido de antioxidantes, fibra, proteína vegetal y micronutrientes (calcio, magnesio y hierro), la salba es la fuente más concentrada, entre todos los alimentos integrales, del *ácido alfa-linolénico omega-3*, el cual se ha demostrado que se convierte en el ácido eicosapentaenoico (EPA, por sus siglas en inglés), el omega-3 que protege al corazón y se encuentra en el aceite de pescado.

Esto significa los siguientes beneficios...

- **Promueve la salud cardiovascular.**
- **Apoya la movilidad y la función de las articulaciones.**
- **Proporciona una gran fuente de fibra para la salud digestiva.**
- **Asiste en la función y la regularidad de los intestinos de una manera moderada.**

Cómo consumir la salba

La salba viene en varias formas –semillas, en polvo, aceite, cápsulas de gelatina ("gelcaps"). La salba no tiene un sabor perceptible. Las semillas son buenas mezcladas en la ensalada, cereal para el desayuno, yogur, en salsas, licuados y hamburguesas. La salba molida es fácil de usar en la preparación de comidas –hasta el 25% de la harina que se use en cualquier receta puede reemplazarse con salba. Además, el gel de la salba, una sencilla preparación de semillas de salba en agua (instrucciones a la derecha) puede usarse en lugar de huevos en las recetas.

Una vez que comience a usar la salba, descubrirá que puede agregarla a casi cualquier comida que prepare sin alterar el sabor del plato.

Existen también productos deliciosos que contienen la salba –"chips", "salsa" mexicana, tortillas de harina, "pretzels", barras– que son refrigerios fabulosos. Tenga en cuenta que los productos de la salba deberían usarse además de, no en lugar de, su dosis diaria recomendada.

Dosis típica

Para los adultos, dos cucharadas rasas diariamente. Eso es el equivalente de 15 gramos, lo que suministra más del 100% del consumo diario

■ Receta ■

Bolitas de salba con dátiles

Rinde: 40 a 60 bolitas

Agradecemos a Core Naturals por permitirnos incluir esta receta para una delicia supersaludable, sin gluten ni azúcar agregada.

Ingredientes

3 tazas de dátiles sin carozos ("pitted dates")
3 tazas de agua
1/4 taza de semillas de salba molidas
5 tazas de cereal de arroz tostado (p. ej., Rice Krispies)
1 taza de nueces ("walnuts"), trituradas

Preparación

1. Ponga a hervir los dátiles en el agua.
2. Cocine a fuego lento por 5 minutos, y luego retire del fuego.
3. Haga puré de los dátiles hervidos con un aplastador de papas ("potato masher"). Deje enfriar.
4. Agregue las semillas de salba molidas a la mezcla de dátiles y mezcle bien.
5. Agregue el cereal de arroz tostado a la mezcla y mezcle bien.
6. Enrolle la mezcla formando bolitas de 1 pulgada (2 cm).
7. Esparza las nueces trituradas sobre una bandeja para hornear ("cookie sheet") y dele vueltas a las bolitas para recubrir con las nueces.
8. Refrigere durante la noche.

Estas bolitas de dátiles que no contienen gluten ni necesitan hornearse son una delicia ideal, saludable y fácil de preparar para cuando tiene visitas.

recomendado de omega-3 y omega-6 en una proporción perfectamente equilibrada.

Para los niños, la dosis típica, dependiendo de la edad y el tamaño del niño, es de hasta una cucharada diaria.

Debido a que contiene mucha fibra, es posible que usted tenga que estar cerca de un baño la primera o la segunda vez que tome cualquier cantidad considerable. Tiene un efecto limpiador, lo que es algo bueno.

ATENCIÓN: Los diabéticos deberían seguir tomando su medicación, controlando cuidadosamente el azúcar en la sangre y consultando con su profesional de la salud. Con suerte, los niveles de azúcar en la sangre mejorarán y la dosis de la medicación podría reducirse con la supervisión de un médico.

Dónde comprar la salba

Todas las formas de la salba se encuentran disponibles en el sitio web de Core Naturals, *www.salba.com*, o llámelos sin cargo al 888-899-3779. Fíjese además en las tiendas de alimentos saludables y los mercados de alimentos naturales, como Whole Foods.

TAICHÍ

Por todo Estados Unidos, grupos de personas se reúnen en parques y otras zonas públicas tranquilas para comenzar el día practicando el taichí, una forma sencilla y occidentalizada del clásico y más complejo ejercicio chino.

Aunque en este libro no enseñamos cómo practicar el taichí, en varios capítulos lo recomendamos como una disciplina que vale la pena. Por lo tanto, deseamos darle a nuestros lectores lo necesario para entender mejor la más moderada de las artes marciales, y cómo el taichí podría beneficiarlo.

La siguiente información proviene de la American Tai Chi and Qigong Association (*www.americantaichi.org*)...

El taichí es una práctica de la mente y el cuerpo que se originó en China como un arte marcial. La persona que practica el taichí mueve su cuerpo lenta y moderadamente, mientras respira profundamente y medita (el taichí es a veces llamado "meditación en movimiento"). Muchos practicantes creen que el taichí ayuda a una energía vital llamada qi o chi (que significa "aire" o "poder") a fluir por todo el cuerpo.

Breve historia del taichí

Aunque las versiones sobre la historia del taichí frecuentemente difieren, la figura más importante generalmente es Chang San-Feng (o Zan Sanfeng), un monje taoísta en China en el siglo XII. Se afirma que San-Feng había observado cinco animales –tigre, dragón, leopardo, serpiente y grulla– y había llegado a la conclusión de que la serpiente y la grulla, mediante sus movimientos, eran los más capaces de superar a oponentes fuertes e implacables.

San-Feng desarrolló un conjunto inicial de ejercicios que imitaba los movimientos de los animales. También introdujo flexibilidad y agilidad en lugar de fortaleza a las artes marciales, y también algunos conceptos filosóficos clave.

La filosofía principal del taichí

Uno de los conceptos principales del taichí es que las fuerzas del yin y el yang deberían estar equilibradas. En la filosofía china, el yin y el yang son dos principios o elementos que conforman el universo y todo lo que contiene. Además son opuestos entre sí. Se cree que el yin tiene las características del agua –como frescura, oscuridad, calma y las direcciones hacia adentro y abajo– y que es de carácter femenino. Se cree que el yang tiene las características del fuego – como calor, luz, acción y los movimientos hacia arriba y afuera– y es masculino. En este sistema de creencias, el yin y el yang de la persona debe estar en equilibrio para que sea saludable, y el taichí es una práctica que apoya este equilibrio.

Los componentes básicos del taichí

Cuando se practica el taichí, estos tres componentes principales trabajan juntos…

➤ **El movimiento.** Al practicar el taichí, las personas sienten el suelo con los pies, hunden su peso en el suelo y mantienen una buena alineación del cuerpo para promover la estabilidad y el equilibrio. Los movimientos fluyen de uno a otro, con el peso del cuerpo cambiando de la pierna derecha a la pierna izquierda para equilibrar las sensaciones de vacío y lleno. Los movimientos conforman lo que se llaman formas o rutinas. Algunos movimientos tienen nombres de animales o aves, como "La grulla blanca extiende sus alas". El estilo más complejo de taichí tiene hasta 108 movimientos; el estilo más sencillo utiliza sólo 13 movimientos.

➤ **La meditación.** Mientras realizan los movimientos lentos y moderados del taichí, las personas mantienen su mente en calma y alerta, concentrándose en el ser interior.

➤ **La respiración profunda.** Con el flujo de los movimientos, las personas exhalan aire viciado y toxinas de los pulmones, inhalan aire fresco, estiran los músculos relacionados con la respiración y disminuyen la tensión. Este proceso suministra oxígeno fresco y nutrientes a todo el cuerpo.

Beneficios del taichí para la salud

El taichí…

- **Proporciona un ejercicio aeróbico de bajo impacto que además causa que los huesos soporten peso** ("weight-bearing exercises", en inglés), lo cual ha demostrado que combate la pérdida ósea.
- **Mejora el estado físico,** la fuerza muscular, la coordinación y la flexibilidad.
- **Mejora el equilibrio y disminuye el riesgo de caídas,** especialmente en las personas ancianas.
- **Alivia el dolor y la rigidez,** como los causados por la artritis.
- **Proporciona los beneficios de la meditación,** como mejor control del estrés y de las afecciones relacionadas con el estrés.
- **Mejora el sueño.**
- **Mejora el bienestar en general.**

En Asia, muchos consideran el taichí como el ejercicio más beneficioso para las personas ancianas, ya que es moderado y puede fácilmente modificarse para adaptarse a las limitaciones de salud de cada persona.

ATENCIÓN: El taichí es una práctica relativamente segura. Sin embargo, hay algunas advertencias…

- Dígale a su profesional de la salud si usted está considerando aprender taichí para mejorar la salud (en especial si padece una afección bajo tratamiento médico, si no ha realizado ejercicios por mucho tiempo o si es mayor de edad).
- Si no coloca su cuerpo adecuadamente cuando practica el taichí, o si se excede haciéndolo, podría provocar músculos doloridos o esguinces.
- Los instructores de taichí frecuentemente recomiendan que las personas no practiquen el taichí enseguida después de comer, o cuando están muy cansadas, o cuando tienen una infección activa.
- Si padece cualquiera de estas afecciones (hernia, problemas con las articulaciones, dolor de espalda, esguinces,

una fractura u osteoporosis grave) o si está embarazada, su profesional de la salud debería aconsejarle si debería modificar o evitar ciertas posturas del taichí.

El taichí es muy eficaz para varios problemas de salud, y además es muy fácil de practicar. Puede realizar tan sólo una sesión de 15 minutos al día en cualquier lugar que le convenga, y no necesita equipamiento ni ropa especial.

Mayor información: Visite el sitio web de la American Tai Chi and Qigong Association, *www.americantaichi.org*. Es una organización comercial nacional sin fines de lucro con base en el estado de Virginia.

Para hallar un profesor de taichí o clases en su zona, en la página principal de la asociación, haga clic en el enlace "For Consumers" en la columna de la derecha y luego en "Tai Chi for Health Information Center". Entonces haga clic en "Tai Chi Qigong Class Locator".

Consejos de los sabios...

Fuerte, tranquilo y seguro de sí mismo con el taichí

Millones de personas en todo el mundo practican el taichí porque es una manera maravillosa de integrar y nutrir la mente, el cuerpo y el espíritu. Afina la concentración mental, fortalece los músculos y los huesos y fomenta la confianza en sí mismo. Para practicar estos movimientos, repita cada secuencia por cinco minutos diariamente. Párese con los pies separados por el ancho de los hombros, con las rodillas ligeramente dobladas, los dedos de los pies ligeramente orientados hacia afuera, y con una postura erecta (o siéntese en una silla fuerte). Muévase lentamente y con elegancia... haga corresponder el ritmo de su respiración profunda a sus movimientos.

Demostración: *www.youtube.com/iiqtc*

ADVERTENCIA: Consulte con su médico antes de comenzar la práctica del taichí..

Reunión del cielo y la tierra

En la medicina china, la tierra y el cielo representan el yin y el yang, poderosas energías curativas.

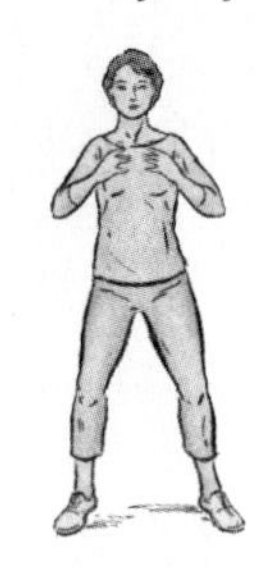

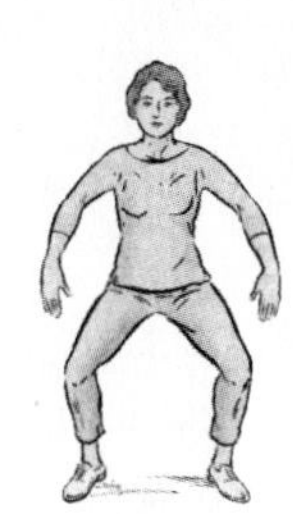

1. Comience con las manos frente al pecho a la altura del corazón, separadas por unos centímetros.
2. Extienda los brazos... comience a doblar las rodillas hacia los costados externos.
3. Agáchese sobre las rodillas tanto como sea cómodo, extiéndase hacia abajo y junte las manos, como si los brazos estuviesen formando un círculo y reuniendo la energía de la tierra.

4. Enderece las piernas, levante las manos hacia el corazón.
5. Ahora, extienda bien los brazos... estírese hacia arriba y junte las manos, como si estuviese encerrando en un círculo y reuniendo la energía del cielo.
6. Baje las manos, haciéndolas pasar en frente de la cara hasta la altura del corazón. Repita la secuencia.

Manos como nubes

En este movimiento, cada vez que su mano se mueva lentamente por delante de la cara, sígala con la mirada, imaginándola como una nube serena y ondulante. Relaje los hombros... descanse la mente.

1. Comience con las manos frente al corazón, separadas por varios centímetros.

2. Girando el torso levemente hacia la izquierda, baje la mano derecha hasta la altura de la cintura... mueva ambas manos hacia el lado izquierdo del cuerpo.

3. Levante la mano derecha y baje la mano izquierda, de modo que ambas se crucen.

4. Girando el torso hacia el centro, pase la mano derecha por delante de la cara como si fuera una nube que se mueve lentamente... pase la mano izquierda por delante del centro del cuerpo a la altura de la cintura.

5. *Repita con el otro lado:* Gire el torso y mueva las manos hacia la derecha, la mano izquierda a la altura de la cintura. Levante la mano izquierda y baje la mano derecha. Gire el torso hacia el centro. Pase lentamente la mano izquierda por delante de la cara... mientras la mano derecha pasa a la altura de la cintura. Repita la secuencia.

Ilustraciones de Shawn Banner.

Roger Jahnke, OMD, médico de medicina oriental, acreditado por la junta médica ("board certified"), conferencista y autor de dos libros, incluyendo *The Healer Within* (HarperOne). Es director del Institute of Integral Qigong and Tai Chi, *www.iiqtc.org*, y jefe ejecutivo (CEO) de Health Action, empresa asesora del bienestar, ambos en Santa Bárbara, California.

TÉ DE KOMBUCHA

Se afirma que el té de kombucha proporciona una variedad de beneficios para la salud, desde estimular el sistema inmune y combatir el cáncer hasta ayudar con la diabetes y la artritis. Se prepara haciendo flotar un "hongo" kombucha (que en realidad es una masa de levadura especial) en azúcar, té y agua. ¿Le interesa? *Siga leyendo...*

Según la experta en hongos...

Betsy Pryor, presidenta de Laurel Farms, quien introdujo el kombucha al público estadounidense en 1993, lo llama "un regalo de Dios" debido a sus propiedades que confieren salud. *Ahora le pasaremos a ella la palabra...*

"El kombucha no es realmente un hongo. De hecho, el kombucha no existe en la naturaleza. Alguien lo creó. Quién fue sigue siendo un misterio. Aunque es muy extendida la creencia de que el kombucha existía ya en 220 a. de C. en China, donde se conocía como el 'té divino', yo creo que sus orígenes se remontan mucho más atrás en el tiempo. Tengo la impresión de que el creador misterioso era egipcio y experto en la bella arte egipcia de la fermentación.

"El hongo kombucha es una combinación de buenas bacterias y hongos (no del tipo que causan problemas) que cuando se deja sin molestar por siete a 10 días, flotando en una mezcla de azúcar común, té y agua, produce una bebida tonificante que contiene las vitaminas B-1, B-2, B-3, B-6, B-12, ácido fólico y *ácido glucurónico*, el cual actúa con el hígado para ligar toxinas metabólicas y ambientales y excretarlas del cuerpo.

"El kombucha además produce un nuevo bebé (un clon) que puede mantenerse o regalarse. Según la leyenda, los bebés de la madre original del kombucha lo acompañarán, si los trata bien, por toda la vida."

Ahora seguimos las hermanas Wilen...

Es difícil describir a qué se parece el kombucha. Finalmente nos pusimos de acuerdo en que se semeja a un filete redondo de pechuga de pollo crudo y sin piel.

Beneficios del té de kombucha, según dicen...

Se afirma que el té de kombucha es un superestimulador del sistema inmune, ayudando al cuerpo a combatir muchísimas afecciones, entre ellas la candidiasis (infección vaginal causada por hongos), úlceras, psoriasis, artritis, estreñimiento, diarrea crónica, problemas de próstata, incontinencia masculina y femenina, hemorroides, estrés, síndrome de fatiga crónica, indigestión, problemas renales, cálculos biliares, colesterol elevado, acné, diabetes, esclerosis múltiple, cáncer, conteo disminuido de las células T, endurecimiento de las arterias, pérdida de la memoria y otros síntomas de envejecimiento, síntomas de la menopausia, síndrome premenstrual, impotencia, arrugas, exceso de peso, gota, síndrome del túnel carpiano, hipoglucemia, caída del cabello y quién sabe qué más.

La gente nos dice que es muy bueno también para sus mascotas. Poner algunas gotas en el agua que beben las mascotas todos los días les da brillo y nueva vida a su piel, pelaje y disposición, y puede eliminar el mal aliento.

¿Será un cúralo-todo o pura exageración?

Aunque conocemos a personas que han tenido resultados milagrosos que atribuyen a beber el té, también conocemos a personas que comenzaron a beberlo y no continuaron porque no les parecía que obtenían suficientes beneficios del té como para continuar.

Pues entonces, ¿cómo puede saber si valdrá la pena para usted? La única manera es probándolo. Ésa es la razón por la que queremos que usted sepa más sobre el mismo, y exactamente qué implica cultivar y cosechar el kombucha.

NOTA: Si decide, mientras repasa todos los detalles sobre la preparación y los suministros necesarios, que le gustaría probar el té de kombucha pero no quiere cultivar y cosecharlo, consulte "Algo especial –Té divino en una botella" en la página 307 y lea acerca del té de kombucha preparado y embotellado.

Cómo prepararlo

El proceso de cultivo del hongo kombucha comienza con la preparación de la mezcla de agua destilada, azúcar y té en una olla de acero inoxidable que luego se transfiere a un bol de vidrio. Cuando se ha enfriado y está a temperatura ambiente, ponga a flotar el hongo kombucha (que alguien le dio o que usted compró) en el bol, agregue el té iniciador que viene con el kombucha, cubra y coloque en un lugar oscuro, limpio y tranquilo por siete a 10 días. Al final de ese tiempo, sáquelo, destápelo y –si todo salió bien– verá que el hongo kombucha se ha clonado. El kombucha original se ha transformado en una madre y el bebé está junto a ella.

Separe la madre y el bebé, vuelva a hacer flotar la madre en una nueva preparación y haga lo mismo con el bebé o regálelo. Luego, cuele y vierta en una botella de vidrio el líquido en el que estaban los kombuchas, y refrigere lo que ahora es su té de kombucha (tónico saludable). Una vez que se haya enfriado, está listo para beber.

Para comprar el hongo kombucha: Si aún está interesado en preparar el té de kombucha, solicite un hongo kombucha de un cultivador comercial confiable. Betsy Pryor y su dedicado personal en Laurel Farms han cultivado más de 16.000 kombuchas y siguen adelante. Un estudio independiente estimó que el té de kombucha preparado con los cultivos de Laurel Farms es el "más activo biológicamente" de todos los que examinaron en el mundo.

Para mayor información sobre el té de kombucha (o para solicitar un kit iniciador del té de kombucha o un ejemplar del libro de Betsy Pryor titulado *Kombucha Phenomenon–The Miracle Health Tea*, escrito con Sanford Holst), vaya al sitio web *www.laurelfarms.com*, o llame a Betsy al 941-351-2233.

Suministros necesarios: Mientras espera que llegue su hongo, puede reunir estos ingredientes y utensilios...

- **2 bols para mezclar de vidrio sin plomo ("unleaded") con capacidad de 3 ó 4 cuartos de galón (3 ó 4 litros)**
- **tela blanca de algodón delgada y recién lavada, suficiente grande como para cubrir los bols**
- **una olla de acero inoxidable de 4 cuartos de galón (4 litros)**
- **una caja de bolsitas de té verde o de té negro** (NO de té orgánico, ya que éste puede causar moho)
- **algunas ligas de goma (bandas, "rubber bands") de 6 pulgadas (15 cm)**
- **una cuchara de madera o plástico**
- **una bolsa de 5 libras (2 ¼ kilos) de azúcar blanca (común refinada)**
- **un galón (4 litros) de agua destilada**
- **una jarra medidora** (para el agua)
- **cinta adhesiva** (puede ser "Scotch tape")
- **embudo ("funnel") de plástico**

Cuando su hongo madre llegue: Recibirá el hongo kombucha en una bolsa de plástico hermética. Lo primero que debe hacer es abrir la bolsa para dejar que respire el hongo. Asegúrese de no volcar el té que está dentro de la bolsa, ya que lo va a necesitar para iniciar el proceso de fermentación.

Cuando esté listo para comenzar el proceso de cultivo, siga las instrucciones paso a paso que vienen con el hongo. También puede visitar *www.laurelfarms.com* para ver una lección ilustrada sobre cómo preparar el té de kombucha. Como con la mayoría de las instrucciones, parecen ser más complejas de lo que en realidad son. Una vez que se acostumbra, rápidamente se convierten en una rutina fácil.

ATENCIÓN: Conozca todas las precauciones necesarias al manipular, cultivar, cosechar y almacenar el hongo y el té de kombucha. Por ejemplo, nunca exponga el hongo a la luz directa del sol. Nunca deje que un metal (como sus joyas) toque el hongo, y no lo ponga cerca del horno de microondas.

Use té verde o té negro para la preparación. *No* use té orgánico, ya que puede causar moho. Los tés de hierbas disminuyen los beneficios para la salud del hongo kombucha y algunos incluso pueden matarlo. *Nunca* use miel en lugar de azúcar, ya que la miel puede destruir algunas de las bacterias saludables del kombucha.

Sabor del té

El té de kombucha es una bebida fermentada cuyo sabor varía –según el estado del tiempo,

ALGO ESPECIAL

Té divino en una botella

¿Quiere beber té de kombucha sin tener que cultivarlo? GT Dave comenzó a embotellar kombucha en 1995 después del éxito que su madre logró bebiéndolo durante su lucha contra el cáncer de mama. Era un adolescente en ese entonces, y comenzó a prepararlo en la cocina de su casa.

Lo que comenzó como un deseo de compartir este don con cualquier persona que pudiera beneficiarse del mismo se ha vuelto una empresa exitosa que produce más de una docena de variedades diferentes de productos de kombucha que se distribuyen a tiendas de todo Estados Unidos. GT está comprometido a cultivar y cosechar el kombucha más fresco, puro y potente disponible, sin sacrificar la calidad para obtener más ganancias.

Si quiere el kombucha para un problema físico específico, beba el "Original" de GT en vez del kombucha con jugo de fruta, jengibre ("ginger") o verduras agregados.

Mayor información: Visite el sitio web de GT, *www.synergydrinks.com*, y haga clic en "find a store" para encontrar una tienda en su zona.

las fases de la luna y las condiciones del cultivo– de picante y algo dulce a picante y similar al vinagre de sidra de manzana. Algunas preparaciones tienen un sabor absolutamente delicioso mientras que otras hacen fruncir los labios sólo de pensarlo. Parece no haber consistencia cuando se trata del sabor; algunas tandas son simplemente mejores que otras.

Dosis recomendada

Los científicos rusos que realizaron muchas investigaciones sobre el kombucha afirmaron que cuatro onzas (120 ml), tres veces al día, parecía una cantidad sensata. Sugerimos ir aumentando hasta llegar a 12 onzas (350 ml) al día, comenzando con tres o cuatro onzas los primeros tres días. Al aumentar la cantidad de onzas cada día, no las beba todas de una vez. Si quiere bajar de peso, beba dos o tres onzas antes de las comidas. Si quiere subir de peso, bébalas después de las comidas. En pocas semanas sabrá la cantidad que es mejor para usted.

ADVERTENCIA: Ni nosotras, ni Laurel Farms, ni GT Dave hacemos ninguna afirmación acerca de los beneficios para la salud del té de kombucha. Consulte con su profesional de la salud antes de embarcarse en éste o cualquier tratamiento de autoayuda.

El Dr. Ray Wunderlich, Jr., fundador del Wunderlich Center for Nutritional Medicine, afirma: "Con respecto al hongo kombucha el jurado aún no ha dado su veredicto sobre este producto relativamente nuevo pero muy viejo. Así como alguien puede atragantarse comiendo carne o contraer urticaria por comer huevos, el consumidor de kombucha debería ser cauteloso por temor de que cualquier alimento fuerte como éste estuviese contaminado, fuese tóxico o generara reacción alérgica en la persona que lo usa".

TÉ VERDE

La mayoría de nuestros lectores saben que el té verde tiene muchas propiedades medicinales. Según el boletín *Annals of Epidemiology*, los resultados de un estudio reciente en Japón demostraron que beber siete tazas de té verde al día podría disminuir el riesgo de padecer enfermedad del corazón en un increíble 75% y el riesgo de contraer cáncer colorrectal en el 31%. El estudio de cinco años involucró 12.000 personas entre los 65 y 84 años de edad, y los investigadores indican que sus impresionantes resultados pueden deberse al hecho de que esas personas habían estado bebiendo té verde toda su vida.

Nunca es demasiado tarde para comenzar a beber té verde y obtener sus muchos beneficios. Su alto nivel de *flavonoides* lo hace más eficaz que otros tipos de té para estimular el sistema inmune, disminuir el colesterol y el azúcar en la sangre, reducir la presión arterial, mejorar la salud respiratoria y digestiva, proporcionar efectos antiinflamatorios y proteger contra el mal de Alzheimer.

Según un estudio, beber tres tazas de té verde le proporciona la misma cantidad de antioxidantes que obtendría si comiera seis manzanas.

Otro beneficio de beber té verde diariamente es hacer que la pérdida de peso sea un poco más fácil –el té verde contiene un extracto que ayuda a quemar grasa a un ritmo mayor.

ADVERTENCIA: Algunas personas tienen una irritación del estómago cuando beben cantidades grandes de té verde. Si nota una irritación del estómago, reduzca la cantidad de tazas de té verde.

Matcha –el té *verdaderamente verde*

Ahora que usted conoce los beneficios del té verde, nos gustaría presentarle el té matcha, la variedad de té verde de más alta calidad y cultivado más concienzudamente.

En términos de su valor nutricional y contenido antioxidante, un vaso de matcha es equivalente a 10 vasos del té verde común.

ALGO ESPECIAL

Una revelación en hidratación

Así es como la empresa Pure Inventions se refiere a su té verde y otros productos de frutas y cacao ("cocoa") con alto contenido de antioxidantes. Vierta en agua un cuentagotas del extracto de té verde (100 mg) y ¡zas!, tendrá té verde. No tiene calorías, ni cafeína, ni conservantes, ni edulcorantes artificiales (es endulzado con extractos de stevia y lo han).

Agregue uno o dos cuentagotas a su botella de agua para obtener un rápido estímulo de energía cuando esté fuera de su casa. Bébalo en un restaurante, en la casa de un amigo o donde sea y cuando sea que quiera un estimulante refrescante, al mismo tiempo que aprovecha los beneficios del té verde.

Mayor información: Para obtener más detalles acerca de los sabores del té verde y otros extractos antioxidantes de Pure Inventions, visite *www.pureinventions.com* o llame al 732-842-5777.

Cuando bebe té matcha, usted ingiere la hoja entera, no simplemente el agua preparada (como con el té verde).

Mientras hacemos la comparación... el té verde común es de color parduzco, pero el té matcha, contiene mucha *clorofila*, lo que le da un hermoso color verde brillante, y cuando se mezcla con agua se vuelve aún más majestuosamente verde. Si está haciendo un esfuerzo por "optar por lo verde" (y ser amistoso con el medio ambiente), además de todos los beneficios mencionados bajo "Té verde", aquí hay algunas razones más para considerar beber el té matcha...

Beneficios del té verde

• **Vale la pena repetirlo –contiene muchos antioxidantes.** El té matcha es más rico en antioxidantes que otros alimentos conocidos por sus niveles impresionantes de antioxidantes, como arándanos azules ("blueberries"), granadas ("pomegranates") y espinaca ("spinach"). ¡Eh, Popeye, pon eso en tu pipa y fúmalo!

• **También vale la pena repetirlo –contiene mucha clorofila,** un renombrado agente desintoxicante que ayuda a eliminar los metales pesados y las toxinas químicas del cuerpo.

• **Proporciona la *catequina EGCG* (un potente antioxidante que combate el cáncer).**

NOTA: La catequina EGCG también viene en forma de suplemento. Consulte en su tienda de alimentos saludables.

• **Contiene mucha *L-teanina*, un aminoácido que se sabe que relaja la mente.** Por esta razón, también se sabe que el té matcha mejora el estado de ánimo.

Mayor información: Para aprender más acerca del té matcha, visite *www.matchasource.com*. Este sitio web ofrece consejos para preparar y beber, recetas, una guía para comprar, incluyendo una buena selección de tés de alta calidad y un kit para iniciarse con matcha ("Matcha Starter Kit") para que prepare su propia Chanoyu (ceremonia japonesa del té) que alivia el estrés. Si tiene preguntas, llame Matcha Source gratuitamente al 877-962-8242.

TÉCNICA ALEXANDER

Joan Arnold (*www.joanarnold.com*) ha sido una experta del movimiento por más de 25 años. Enseña danza, ejercicio y yoga, y es una profesora certificada de la técnica Alexander.

La descripción que Joan hace de la técnica Alexander es tan elocuente que se la presentamos en sus propias palabras. Debería darle una idea clara sobre cómo podría beneficiarse de la misma y qué puede esperar al registrarse para tomar una lección.

Consejos de los sabios...

Joan Arnold sobre la técnica Alexander

La técnica Alexander es una manera de moverse más fácilmente. Su idea básica, basada en la relación entre la cabeza y la columna vertebral, es que cuando el cuello no se esfuerza demasiado, la cabeza puede estar suspendida ligeramente en el extremo de la columna vertebral y toda la columna puede alargarse en el movimiento.

Los hábitos inconscientes de movimiento pueden causar una vasta gama de problemas en el cuerpo. El exceso de tensión en el cuello y la espalda comprime la columna vertebral. La compresión de la columna vertebral puede causar dolor en la espalda, el cuello, los hombros, la cadera, las rodillas o los tobillos. Ya que también reduce el volumen interno del torso, esto presiona los órganos y puede dificultar la circulación, la respiración y la digestión, previniendo que el cuerpo funcione a su nivel óptimo. La postura problemática puede socavar su vitalidad.

Nuestro sistema neuromuscular está diseñado para funcionar en sintonía con la gravedad. En el torso hay una respuesta antigravedad, un flujo hacia arriba que promueve la flotabilidad y el movimiento eficaz. Aprender la técnica Alexander puede ayudarlo a restablecer esta flotabilidad natural, lo cual disminuirá la tensión en una parte específica del cuerpo y distribuirá el esfuerzo por todo el cuerpo. Usted accede a más flexibilidad, más espacio en las articulaciones, respiración más plena y mayor resiliencia, logrando así más claridad, serenidad y concentración a todo lo que hace.

Qué se puede esperar de una lección de la técnica Alexander

Quizá usted tiene episodios recurrentes de dolor en la espalda que lo dejan en el sofá por semanas... o las manos y muñecas lo molestan siempre que usa la computadora... o se despierta por la noche con espasmos en las piernas... o no puede pensar bien porque está distraído por el dolor en el cuello y los hombros... o su intento de cantar le sale como un graznido forzado... o su juego de tenis nunca mejora. Podría ser hora de tomar una lección de la técnica Alexander.

Ya que esta técnica es un programa de reeducación del movimiento, cada sesión privada se llama lección, el profesional se llama profesor y el cliente se llama estudiante. Cualquiera puede ser un estudiante –un atleta, un niño, un artrítico, un ama de casa, un ejecutivo.

Una lección de la técnica Alexander –dura usualmente entre 30 y 45 minutos– es una oportunidad de relajarse y observar cómo funcionan su mente y su cuerpo. En una parte de la sesión, usted se tiende vestido sobre la mesa y llega a un estado de descanso mientras el profesor suavemente mueve sus extremidades, calma su organismo y estimula la tranquilidad y la expansión. En otro segmento de la lección usted está más activo. El profesor lo guía para que note la dinámica de su cuerpo –cómo se sienta, se para, camina o se extiende y ofrece entrenamiento enfocado y de apoyo sobre cómo hacer acciones sencillas más fácilmente. Sin importar cuál sea su problema, usted y su profesor prestarán atención al patrón de la dinámica de todo su cuerpo.

El movimiento entonces se convierte en el vehículo para mejorar su funcionamiento. Para desmitificar la complejidad del cuerpo, usted observa un cuadro de los músculos y un esqueleto en miniatura. Cuando se pone de pie o se sienta, el profesor lo ayuda a sentir compresión en el cuello, liberarla e imaginar la columna vertebral alargándose. Cuando camina, el profesor –altamente preparado en el sutil contacto de la técnica Alexander– le brinda la sensación de un paso más fluido y leve.

Esta sensación luego se convierte en su punto de referencia cuando está solo. Usted recuerda una idea o una sensación de su lección y usa ese recuerdo para darse cuenta que debe relajarse. Aprende a imbuir actividades comunes –escribir, hablar, lavar la vajilla– con un espíritu de observación mientras nota sus tendencias y explora maneras de moverse más eficazmente. Adquiere una destreza única, una especie de inteligencia corporal portátil.

Una lección de la técnica Alexander ayuda a restablecer su capacidad para los movimientos armoniosos. Aunque tiene beneficios terapéuticos, no es un tratamiento como la quiropráctica o el masaje. Como el yoga y la fisioterapia, es algo que usted aprende a hacer por sí mismo. Sin embargo, no es un conjunto de ejercicios o posturas. Más bien, es un método para notar sus patrones de movimiento y cambiar cualquiera que lo estorbe.

El consultorio del profesor de la técnica Alexander es un ambiente de tecnología poco avanzada con una silla, una mesa para el trabajo corporal y un espejo. Usted, el estudiante, usa ropa cómoda y suelta que le permite mover libremente los brazos y las piernas. El profesor le pregunta qué problema o meta lo ha llevado a usted a este lugar. Usted podría contarle su historial médico y lo que la vida le exige.

Aunque es posible hacer la prueba con una sola lección sin hacer el compromiso de continuar, usted obtendrá lo máximo de la técnica Alexander tomando una serie de lecciones. Muchos estudiantes comienzan a aplicar sus nuevos conocimientos después de la primera sesión, descubriendo que tienen más opciones de las que se imaginaban de cómo se ven y se sienten. Algunas personas resuelven el problema que los llevó al consultorio después de varios meses, y luego siguen por un año o más, fascinados por el proceso de eliminar obstrucciones internas y perfeccionar sus destrezas.

El éxito del trabajo depende de cómo use lo que usted aprende. El objetivo no es que dependa de su profesor, sino de entrenarlo, en todas sus interacciones, para hallar mayor comodidad, confianza y paz. Con el tiempo, la técnica Alexander le ofrece una manera moderada de mejorarse usted mismo.

Mayor información: Para aprender más, visite el sitio web *www.alexandertechnique.com* o el sitio *www.alexandertech.org*.

TERAPIA CON ARCILLA

La arcilla ("clay") no es sólo para que los niños jueguen o para los alfareros. Dicho en forma clara, podría ser la clave para restaurar su salud –ya sea consumiéndola o usándola como una compresa.

Fuimos afortunadas de tener una autoridad en la terapia con arcilla que se ofreciera voluntariamente a presentarle a nuestros lectores esta modalidad curativa. Perry A~, así se llama, es la autora de *Living Clay: Nature's Own Miracle Cure*. Se ha dedicado a difundir la voz acerca del potencial curativo y seguro de la arcilla viva.

Consejos de los sabios...

Perry A~ acerca de la terapia con arcilla

La arcilla es la farmacia de la Naturaleza. Es ceniza volcánica con todas las impurezas quemadas, dejando microminerales ("trace minerals") puros. La arcilla es un nanocristal de energía electromagnética altamente cargada proveniente del calor termodinámico de un volcán. No puede duplicarse en un laboratorio. Sólo Dios puede hacer arcilla.

La mayoría de las arcillas tienen un pH altamente alcalino. La arcilla es homeostática y como tal es un adaptógeno que proporciona estabilidad y equilibrio al cuerpo. Un organismo equilibrado puede curarse a sí mismo. Eso es lo que el cuerpo humano está diseñado para hacer cuando no está sobrecargado –filtra la acumulación de toxinas y desechos en el cuerpo que comienzan a causar problemas de salud. El poder de la arcilla reside en su capacidad de adsorber y absorber –succionar hacia sí misma– toxinas, sustancias químicas, virus, moho y bacterias, y luego acarrearlos fuera del cuerpo.

La energía electromagnética de la arcilla estimula la circulación, facilitando el flujo de sangre y de oxígeno para revitalizar la reparación celular.

Suena como un remedio de charlatán porque puede ayudar con tantas cosas, pero realmente sí puede... y en un periodo asombrosamente breve... y con gran facilidad, lograr resultados.

Lo bueno de la arcilla es que es segura. La agencia federal Food and Drug Administration (FDA) le da a la arcilla de bentonita ("bentonite clay") una calificación de GRAS, lo que significa (por sus siglas en inglés) que está considerada en general como segura. (En caso de que usted se pregunte por qué no ha escuchado sobre algo tan maravilloso antes –después de todo, es segura, económica y eficaz– las empresas que se dedican a la arcilla no pueden, por motivos legales, afirmar que la arcilla es curativa sin realizar los multimillonarios programas de pruebas que las compañías farmacéuticas más importantes pueden pagar).

Existe un largo historial registrado de animales silvestres que instintivamente buscan y consumen arcilla para curarse a sí mismos. Los curanderos de muchas tribus aborígenes han usado por mucho tiempo la arcilla como parte de sus tratamientos curativos.

Todas las arcillas son diferentes, incluso dentro de la misma familia de arcillas, así que es imprescindible conocer bien todos los tipos. Se sabe que la familia de arcillas llamada esmectita ("smectite") es curativa. La bentonita pertenece a este grupo.

Aunque todas las arcillas tienen algún poder curativo, algunas son increíblemente más potentes que otras. Algunas son buenas para el uso interno, otras son mucho mejores para el uso externo, y unas pocas son excepcionales en ambas áreas. Puede encontrar mayor información en el sitio web *www.aboutclay.com*.

La arcilla es un reemplazo natural de la mayoría de los medicamentos y no tiene efectos secundarios negativos que dañen los órganos. Se puede utilizar para una moderada limpieza interna, para curar heridas en la mitad del tiempo habitual y para una vasta gama de afecciones –para detener el reflujo ácido y los trastornos intestinales, frenar la intoxicación alimentaria ("food poisoning"), desintoxicar metales pesados, sanar quemaduras, aliviar picaduras de insectos, erupciones en la piel, acné y problemas de las encías, ayudar a niños con autismo, expulsar parásitos internos y detener la anemia.

Ahora seguimos con Joan y Lydia

Mayor información: Si está intrigado por lo que ha leído aquí, y quiere saber más acerca de la arcilla, puede comprar el libro de Perry (*www.livingclaybook.com*), en el cual hay una descripción detallada de los cinco tipos de tratamientos con arcilla –aplicación de polvo seco, cataplasma (compresa de arcilla, "clay pack"), aplicación tópica hidratada, bebida y baño de arcilla. Perry además tiene una lista de 101 dolencias y cómo curarlas con uno o más de estos tratamientos usando arcilla de bentonita de calcio. También puede visitar el sitio web *www.livingclayco.com*.

Perry A~ está dispuesta a contestar preguntas acerca de la terapia con arcilla, y usted la puede contactar enviando un correo electrónico a *perrya@austin.rr.com*, o llamando al 512-262-7187. Para mayor información sobre la terapia con arcilla, consulte "No más amputaciones innecesarias" en la sección "Diabetes", página 66.

TEXTO IMPRESCINDIBLE SOBRE ALIMENTOS

El libro *The World's Healthiest Foods–Essential Guide for the Healthiest Way of Eating*, de George Mateljan (George Mateljan Foundation) ha sido una adición invaluable a nuestra biblioteca. George Mateljan fundó Health Valley Foods, que fijó el estándar de los alimentos sabrosos y saludables preparados convenientemente. Después de 26 años en Health Valley, volcó sus energías y sus recursos al desarrollo de la organización sin fines de lucro George Mateljan Foundation, para ayudar a la gente a comer mejor y vivir más tiempo de forma más saludable.

Le llevó a George 10 años escribir su magnífico libro de 880 páginas lleno de excelente información acerca de los alimentos más saludables del mundo, incluyendo secretos sobre cómo elegirlos, almacenarlos y prepararlos sin destruir sus vitaminas, minerales y antioxidantes. Los nutrientes en estos alimentos pueden ayudar a mejorar su sistema inmune como lo hicieron con George (él no ha tenido un resfriado ni una gripe en los últimos 10 años). Además, consumir estos alimentos puede ayudarlo a bajar de peso (George pesa ahora 50 libras –22 kilos– menos que antes de empezar a comer de esta manera).

En el libro comparte un plan de cuatro semanas, el cual le quita todas las conjeturas a la manera más saludable de comer. La mayoría de las recetas llevan siete minutos o menos para prepararse con menos de cinco ingredientes, ¡y usted puede incluso preparar toda una comida con cinco platos en 15 minutos! Hay 500 recetas estilo mediterráneo ¡y 100 de las recetas no requieren cocinar para nada!

Mayor información: Visite el sitio web de la George Mateljan Foundation en *www.whfoods.com* para descubrir recetas, artículos y videos.

TÓNICO ANTIBIÓTICO ABSOLUTAMENTE NATURAL

Richard Schulze, ND (médico naturopático o naturista), MH (maestro herborista), una de las autoridades más destacadas del mundo en la terapia con hierbas, ha estado formulando medicamentos a base de hierbas por más de 30 años. Su tónico antibiótico natural es una fórmula original que él usó en su clínica para ayudar a sus pacientes a aumentar la circulación, desintoxicar la sangre y estimular una respuesta más rápida del sistema inmune. El Dr. Schulze ahora enseña a través de Estados Unidos, Canadá, Europa y Asia, y aunque ya no ejerce en su clínica, nosotras tenemos en la página siguiente la receta de su increíble tónico antibiótico.

Este tónico es extremadamente potente debido a que todos los ingredientes son frescos. Su potencia no debería ser subestimada. Esta fórmula, cuando se agrega a una rutina de desintoxicación, puede curar afecciones crónicas y enfermedades persistentes. Estimula la máxima circulación de la sangre, al mismo tiempo que proporciona las mejores hierbas desintoxicantes. Esta fórmula no es sólo para los resfriados, sino que ha ayudado a revertir infecciones mortales como algunas causadas por los virus de nueva mutación que desafían a los antibióticos convencionales. Consulte la receta del tónico antibiótico completamente natural en la siguiente página.

Mayor información: Para escuchar el mensaje en audio del Dr. Richard Schulze, y para aprender acerca de las fórmulas de su American Botanical Pharmacy, visite el sitio web *www.herbdoc.com.*

■ **Receta** ■

Tónico antibiótico natural

Ingredientes

1 parte de dientes de ajo frescos picados (provee beneficios antibacterianos, antifúngicos, antivirales y antiparasitarios)

1 parte de cebollas blancas, o las cebollas más picantes disponibles, frescas, picadas (beneficios similares al ajo)

1 parte de raíz de jengibre ("gingerroot") fresca, rallada (aumenta la circulación a las piernas y los brazos)

1 parte de raíz de rábano picante ("horseradish") fresca, rallada (aumenta el flujo de sangre a la cabeza)

1 parte de pimienta de cayena ("cayenne pepper"), o los pimientos más picantes disponibles –p. ej., habaneros, African Bird o Scotch Bonnets–, fresca, picada (promueve la circulación de la sangre)

Vinagre de sidra de manzana ("apple cider vinegar") no procesado ni filtrado ni blanqueado ni destilado –"raw, unfiltered, unbleached, non-distilled"– (disponible en tiendas de alimentos saludables)

Preparación

Llene hasta tres cuartos de un frasco de vidrio con partes iguales (es decir, una taza de cada uno) de las hierbas y verduras frescas, picadas y ralladas. Luego llene el frasco por completo con el vinagre de sidra de manzana. Cierre el frasco y sacuda vigorosamente. Entonces, si el frasco no está completamente lleno, agregue más vinagre.

Sacuda el frasco por lo menos una vez al día durante dos semanas, luego filtre la mezcla usando un pedazo limpio de tela de algodón (p. ej., una camiseta vieja limpia) o una estopilla (gasa, "cheesecloth"), vierta en una botella y etiquétela.

NOTA: Es muy importante agitar el tónico una vez al día, por lo menos. Lo mejor es agitarlo cada vez que camina cerca de él. Todas las hierbas y verduras deben ser frescas (cosechadas orgánicamente, de ser posible). Use hierbas secas sólo si no puede conseguir el ingrediente fresco.

Dosis

La dosis es de entre una y dos cucharadas (entre ½ y 1 onza –entre 15 y 30 ml), dos o más veces al día. Haga gárgaras y trague. (No diluya con agua).

Para tratar infecciones ordinarias, tome un cuentagotas lleno (entre ¼ y ½ cucharadita) cinco o seis veces al día.

Este tónico se puede tomar durante el embarazo (consulte con su médico primero), es seguro para niños en dosis apropiadamente más pequeñas (consulte con el pediatra primero) y, como alimento, no es tóxico en absoluto.

ATENCIÓN: NO tome este tónico si padece acidez estomacal ("heartburn"), gastritis, úlceras o esofagitis.

Puede preparar una gran cantidad de este tónico, ya que no necesita refrigeración y se mantiene bien por mucho tiempo sin ningún tipo de almacenaje especial.

Consejos saludables

Este capítulo está lleno de una gran variedad de consejos útiles del tipo de "*¡Eso no lo sabía!*" que nos ayudan a que la vida sea un poco más fácil. Sugerimos que lea hasta el final del capítulo, descubra lo que beneficiará su buena salud, incorpore las sugerencias para la preparación de los alimentos y lo comparta con otras personas.

AFEITADO DE PIERNAS

➤ **Cómo evitar que los pelos crezcan hacia dentro.** Afeite en la dirección en que crecen los pelos desde la rodilla hasta el tobillo. Si lo hace en el sentido contrario al pelo, puede causar que los pelos crezcan hacia dentro.

➤ **Prevenga la resequedad de las piernas.** Deseche la crema de afeitar, deshágase del jabón. En vez, aféitese con aceite –de ajonjolí (sésamo, "sesame oil"), de maní ("peanut oil") o de girasol ("sunflower oil")– para lograr que la piel sea suave y sedosa.

AGUACATES –¿CUÁNDO ESTÁN MADUROS?

Hágales la prueba de los cinco dedos. Apoye un aguacate ("avocado", palta) en la palma de la mano y ponga los dedos de la otra mano al costado del aguacate. Presione suavemente. Si se siente como si el carozo dentro del aguacate se está desprendiendo de la pulpa, entonces el aguacate está maduro.

Otra prueba: quite el pequeño tallo del aguacate; si el círculo bajo el tallo es amarillo brillante, puede esperar que sea una fruta perfecta, madura, no dañada y lista para comer.

La razón por la que le decimos esto es porque los aguacates son un increíble superalimento que vale la pena agregar a la dieta. Son una fuente fabulosa de vitamina E... una fuente excelente de *glutatión*, un antioxidante que ayuda a prevenir el cáncer, la enfermedad del corazón y el envejecimiento... proporcionan el compuesto *betasitosterol* que ayuda a disminuir los niveles de colesterol... contienen una gran cantidad de luteína, el carotenoide que protege contra la degeneración macular y las cataratas... su alto contenido de *folato* protege contra los ataques al cerebro ("strokes")... y, además, ciertos nutrientes como el *licopeno* y el *betacaroteno* se absorben mejor cuando se consumen con aguacate. A las pruebas nos remitimos.

UN ANILLO ATASCADO

Cuando su dedo esté hinchado y no pueda sacarse un anillo, ponga la mano en agua muy fría. El agua fría causará que los dedos se contraigan y el anillo atascado saldrá fácilmente.

ANTIBIÓTICOS

Si toma un antibiótico recetado por un médico, asegúrese de tomar también acidófilos (se venden en las tiendas de alimentos saludables). Los antibióticos no discriminan –destruyen tanto las bacterias buenas como las malas. Los acidófilos reemplazan las bacterias benéficas. También pueden ayudar a prevenir las infecciones intestinales y disminuir la posibilidad de diarrea en un 40% mientras esté tomando antibióticos. Las cápsulas deberían proporcionar entre uno y dos mil millones de células de acidófilos viables. No se preocupe, no tiene que contarlas. Simplemente lea la etiqueta detenidamente.

Si prefiere consumir yogur en vez de tomar cápsulas de acidófilos, elija una marca cuya etiqueta indique claramente que contiene probióticos (por ejemplo, las marcas Stonyfield Farm, Yo-Plus y Activia).

NOTA: Tome acidófilos enseguida *después* de haber comido y al menos dos horas *antes* o dos horas *después* de tomar un antibiótico. Así aprovechará los beneficios de los acidófilos. sin disminuir la eficacia del antibiótico.

AROMAS PARA SANARSE

➤ **Pan recién horneado.** Imagine el olor del pan casero recién horneado. Se afirma que el aroma del pan recién horneado puede lograr que se sienta mejor y se recupere más rápido.

➤ **Eucalipto.** El aroma de las hojas frescas de eucalipto es también muy sanador. Si no puede obtener las hojas frescas, use la esencia ("essential oil").

BASE DE DATOS DE MEDICINA NATURAL

Si desea hacer sus propias investigaciones médicas, ya sea usted un profesional de la salud o una persona que padece un problema de salud, y su énfasis es en los ingredientes y productos naturales, considere anotarse en la base de datos Natural Medicines Comprehensive Database (NMCD), la cual se actualiza diariamente.

Puede suscribirse a este servicio en línea pagando por un mes a la vez, o por un año, dos años o más. El cargo de la suscripción es razonable y el beneficio en términos de información confiable, actual y valiosa es invalorable.

Se incluye en la suscripción...

- **Búsqueda de enfermedad o afección médica,** que indica los productos naturales que podrían ser eficaces para una condición específica.
- **Índices de seguridad y eficacia para más de 1.100 medicamentos naturales.**
- **Datos sobre más de 49.000 productos de marca** –información objetiva acerca de los productos combinados de marca y de los ingredientes que contienen.

• **Un verificador de la interacción entre productos naturales y medicamentos** que indica las posibles interacciones entre un producto natural y cualquier medicamento. Automáticamente verifica la interacción posible con cada ingrediente que contiene el producto.

• Hoja de información fácil de entender para el paciente.

• **Advertencias mensuales enviadas por correo electrónico (eUpdate).**

La empresa responsable por la base de datos NMCD es Therapeutic Research –una organización dedicada a la investigación y la publicación completamente independiente. El hecho de que no acepten publicidad es su garantía de que proporcionan a los suscriptores información objetiva y basada en evidencia. También publican un libro anual de más de 2.300 páginas.

Mayor información: Llame al 209-472-2244 o visite *www.naturaldatabase.com*.

BEBIDAS CALIENTES

En todo este libro le informamos sobre las propiedades curativas de los tés de hierba y esperamos que usted esté aprovechando los beneficios, pero... asegúrese de dejar que el té o el café o cualquier otra bebida caliente se enfríe por cuatro o cinco minutos antes de beberla. Los investigadores estiman que el riesgo de contraer cáncer del esófago (el tubo muscular por el cual pasa la comida de la garganta al estómago) podría aumentar cinco veces o más en las personas que beben bebidas calientes en forma habitual.

El investigador David C. Whiteman, del Queensland Institute of Medical Research de Australia, afirma que ésta no es la primera vez que nos han advertido. Whiteman cita el consejo de la Sra. Beeton, la famosa escritora de libros de cocina de la época victoriana quien recomendaba "un intervalo de entre cinco y 10 minutos entre preparar y verter el té, para asegurar que el té esté lo suficientemente lleno de sabor y que sea poco probable que cause heridas térmicas."

BOLSAS DE PLÁSTICO

La impresión en las bolsas de plástico –como las que usted se lleva del supermercado– puede contener plomo. Lo mismo se aplica a la impresión en la mayoría de las bolsas de plástico en las que se empaquetan los panes. Si usa una bolsa de plástico con impresos, asegúrese de que la superficie impresa no toque los alimentos. Cuando use las bolsas, no las dé vuelta. Los alimentos pueden absorber el plomo; luego el plomo sería absorbido por quien consuma los alimentos.

CEBOLLAS SIN LLORAR

➤ **Congélelas.** Ponga las cebollas en el congelador por 20 minutos y luego podrá picarlas o cortarlas finamente sin que se le caigan las lágrimas.

➤ **Fósforos.** Mantenga un fósforo en la boca –con el lado del azufre hacia fuera, por supuesto– mientras pica o corta las cebollas.

➤ **Gafas protectoras.** Nosotras nos ponemos gafas protectoras ("goggles") cuando trabajamos con cebollas. Nos parece que es el método más eficaz para prevenir las lágrimas y el amargor en los ojos.

Para quitar el olor de las cebollas, consulte "Quite el olor a ajo", en la página 321.

COMPRESA HELADA ALTERNATIVA

Si necesita una compresa de hielo pero no tiene una a mano, utilice un paquete de verduras congeladas. Golpéelo con un martillo para partir los montones de verduras, haciéndolo flexible y fácil de adaptar a la zona afectada.

COMPUTADORA SEGURA

El Instituto nacional para la seguridad y salud ocupacional (*www.cdc.gov/NIOSH*) aconseja al usuario de computadora que...

- **Ponga la pantalla al nivel de los ojos,** a 22 a 26 pulgadas (55 a 65 cm) de distancia.
- **Se siente apartado de la pantalla a la distancia de los brazos extendidos.** A esa distancia, el campo eléctrico es de casi cero.
- **Mire hacia delante y se asegure que el cuello esté relajado.**
- **Ponga el teclado ("keyboard") de forma que los codos estén doblados al menos 90°** y que pueda trabajar sin doblar la muñeca.
- **Use una silla que le dé apoyo a la espalda,** permita que los pies descansen en el piso o sobre un apoyapiés, y mantenga los muslos paralelos al piso.
- **Se aleje de la computadora 15 minutos cada hora,** para evitar el cansancio de la vista.

ENSALADAS MÁS SANAS

Prepare una ensalada tan cerca de la hora de comer como sea posible. Cuanto más tiempo esté una ensalada preparada, más vitaminas se pierden y menos valor nutritivo tendrá la comida.

FORTALECEDORES DEL SISTEMA INMUNE

Cuando termine de leer este capítulo, vaya directamente al capítulo "Le hace bien al cuerpo", página 261, para conocer más fortalecedores del sistema inmune.

➤ **Jugo de aloe vera.** El principal ingrediente activo en el aloe vera es el *acemanán*, el cual se cree que aumenta la eficacia del sistema inmune. Tome una onza (30 ml) de jugo de aloe vera antes de cada comida. Es posible que también ayude a la digestión.

➤ **Un baño frío.** Sumergirse en un baño frío o bajo una ducha fría por unos minutos todos los días puede mejorar la circulación y también el sistema inmune.

➤ **"Sauerkraut" (chucrut, col agria).** Consuma una porción de "sauerkraut" sin sal (disponible en tiendas de alimentos saludables) todos los días. La col cruda y fermentada contiene mucho selenio, el cual se sabe que ayuda a fortalecer el sistema inmune.

CUANDO HACE FRÍO

Opte por mitones ("mittens") en vez de guantes. Mantendrán las manos más calientes. Otra manera de mantener las manos calientes, y también los pies, es usar un sombrero. Aunque parezca increíble, es la pura verdad –se pierde mucho calor corporal por la cabeza descubierta.

Además, las capas delgadas de ropa lo mantendrán más caliente que si usa una sola capa gruesa. Su cuerpo calienta el aire que hay entre las capas y lo aísla del frío.

Muchas personas piensan que una buena bebida fuerte les dará calor. ¡Equivocado! El alcohol dilata los vasos sanguíneos y eso resulta en la pérdida de calor.

HUEVOS SIN PROBLEMAS

Hay mucha controversia en la comunidad de profesionales de la salud acerca de si es seguro o no consumir huevos crudos. Podrían contener la bacteria salmonela que causa la intoxicación alimentaria. La salmonela se encuentra usualmente en la yema, pero la clara también puede contenerla. Las estadísticas demuestran que alrededor de uno de cada 30.000 huevos contiene salmonela. ¿Está dispuesto a arriesgarse? Los huevos cocidos a al menos 160°F (70°C) matarán la bacteria que puede causar una contaminación de transmisión alimentaria.

➤ **Dónde guardarlos.** Mantenga los huevos en el refrigerador en el envase en el que vinieron. Si existe algo de salmonela, la sección de huevos de la puerta del refrigerador no los mantendrá lo suficientemente fríos como para evitar que se multiplique la salmonela, especialmente si la puerta se abre con frecuencia.

➤ **La seguridad en primer lugar.** Eche a la basura los huevos que estén agrietados. Podrían estar contaminados. Mejor estar seguro que enfermarse con salmonela.

JENGIBRE SANA MUCHO

Varios remedios requieren raíz de jengibre ("gingerroot"). Hasta hace poco, congelábamos trozos de jengibre y rallábamos un trozo siempre que lo necesitábamos. Acabamos de enterarnos de una mejor manera de guardar el jengibre. Compre un pedazo grande de jengibre, pélelo, córtelo en trozos del tamaño de una moneda de 25 centavos, y colóquelos en una bandeja en el congelador. Una vez que estén congelados, ponga los trozos en un recipiente plástico y vuélvalos a poner en el congelador. Siempre que un remedio pida jengibre, saque la cantidad de trozos congelados que necesite. Se descongelarán en unos pocos minutos a temperatura ambiente.

ATENCIÓN: El jengibre actúa como un anticoagulante ("blood thinner"), así que consulte con su médico antes de usarlo si toma un anticoagulante. Y deje de consumir jengibre tres días antes de una cirugía.

LAVADO DE MANOS EFICAZ

Lavarse las manos quizá sea su acción más importante para ayudarlo a evitar la propagación de una infección y mantenerse sano, según los Centros para el control y la prevención de enfermedades (CDC, *www.cdc.gov/spanish*).

Sí, claro, se ha lavado las manos toda su vida. ¿Pero está haciéndolo en forma adecuada para eliminar los gérmenes? Sea particularmente diligente al lavarse las manos después de haber estado afuera con gente durante la temporada de resfriados y gripe o después de estar en contacto con superficies contaminadas (por ejemplo, en el transporte público, cualquier escritorio en su oficina, al tocar dinero).

Los momentos más importantes para lavarse bien las manos son...

- **Antes de preparar comida o comer.**
- **Después de usar el baño.**
- **Después de cambiar los pañales o limpiar a un niño que ha usado el baño.**

- **Antes y después de atender a alguien que está enfermo.**
- **Después de sonarse la nariz, toser o estornudar.**
- **Después de tocar un animal o excrementos de los animales.**
- **Después de tocar basura.**
- **Antes y después de tratar una cortadura o herida.**

Instrucciones para lavarse las manos, según los CDC...

- **Humedezca las manos con agua corriente limpia y aplique jabón.** Use agua caliente si está disponible.
- **Frote las manos entre sí para hacer espuma** y restriegue todas las superficies.
- **Siga frotando las manos por 20 segundos.** ¿Necesita un cronómetro? Cante "Feliz cumpleaños" dos veces a su enamorada.
- **Enjuague las manos muy bien bajo agua corriente.**
- **Seque las manos usando una toalla de papel o un secador de aire caliente.** De ser posible, use la toalla de papel para cerrar el grifo.

Si no tiene disponible jabón y agua, use un gel a base de alcohol para lavar las manos. *Cómo usar un desinfectante para las manos ("hand sanitizer") a base de alcohol...*

- **Aplique el producto en una palma.**
- **Frote las manos entre sí.**
- **Frote el desinfectante en todas las superficies de las manos y los dedos hasta que las manos estén secas.**

MÁS JUGO DE LIMÓN

➤ **Exprima más jugo.** Le sacará casi el doble de jugo a un limón si lo hace rodar por la encimera después de dejarlo en agua caliente por algunos minutos, o si lo calienta en el microondas por unos 20 segundos... ojo, caliéntelo 30 segundos como máximo, o podrá explotar.

➤ **Sin semillas.** Para obtener el jugo sin las semillas, envuelva un pedazo húmedo de estopilla (gasa, "cheesecloth") alrededor del lado cortado de un limón y cuele el jugo mientras exprime el limón.

UNA MANZANA (O DOS) AL DÍA

Unos investigadores estudiaron a estudiantes que comían dos manzanas al día y los compararon con estudiantes que no comían ninguna manzana. Los que comían manzanas estaban menos estresados, tenían menos dolores de cabeza y eran más estables emocionalmente. Además. parecían tener mejor cutis, menos resfriados y no tenían problemas de artritis. ¡Comience a comer manzanas! Para consejos sobre cómo lavar manzanas, consulte la página 321.

IDENTIFICACIÓN DE LA MEDICACIÓN

Cuando la farmacia le prepare una receta médica, incluso si ha vuelto a pedir un medicamento, o si compra píldoras de venta libre, verifique que le dieron lo que quería. Visite *www.webmd.com/pill-identification* y teclee el nombre, forma y color de la píldora. Este sitio web identificará el medicamento, y le proveerá información útil acerca del mismo, incluyendo comentarios de los usuarios acerca de su eficacia.

CONSEJOS PARA TOMAR LOS MEDICAMENTOS

➤ **Los que tienen mal sabor.** Si tiene que tomar algo desagradable, ya sea una hierba, una píldora o un jarabe para la tos, entumezca sus papilas gustativas primero chupando un cubito de hielo por un par de minutos.

Pero si tiene que beber un té de hierbas, el calor del té contrarrestará la insensibilidad de la lengua. En este caso, no hay otro remedio –decídase a acostumbrarse al mal sabor de la hierba.

➤ **Las píldoras y cápsulas que no puede tragar fácilmente.** El Dr. Hans H. Neumann, médico de salud pública de Connecticut, sugiere que, después de tomar píldoras o cápsulas, le dé un mordisco a una banana, la mastique bien y la trague –"La banana ayuda a recubrir el esófago y empujar la píldora hacia el estómago para que sea absorbida rápido".

El Dr. Ray Wunderlich, Jr., respetado médico y fundador del Wunderlich Center for Nutritional Medicine (*www.wunderlichcenter.com*), sugiere que los líquidos con textura, como el jugo de tomate y otros jugos de verduras, hacen que tragar píldoras sea mucho más fácil.

ELIMINE LOS METALES PESADOS CON ALIMENTOS

Parte de la contaminación ambiental que respiramos todos los días, especialmente quienes vivimos en ciudades grandes o industriales llenas de smog, son los metales pesados –cadmio, mercurio, plomo, cobre y otros.

Las verduras con alto contenido de azufre ("sulfur") –las batatas (boniatos, camotes, "sweet potatoes") y la col (repollo, "cabbage"), por ejemplo– pueden ayudar a desintoxicar nuestros organismos de esos metales. Cómalas a menudo, al menos varias veces a la semana.

QUITE EL OLOR A AJO

➤ **Quítese el olor a ajo de las manos frotando apio ("celery"),** tomate o limón en las manos.

➤ **Nuestra forma preferida de quitar el olor a ajo (y a cebolla).** Imagine que una pieza de los cubiertos de plata es una barra de jabón y lávese las manos con la misma bajo agua fría. Funciona como por arte de magia.

QUITE LOS PESTICIDAS DE FRUTAS Y VERDURAS

Jay Kordich, conocido como "The Juiceman", compartió con nosotras este método para quitar los venenosos pesticidas y pulverizaciones de los productos agrícolas. Llene el fregadero con agua fría y agregue cuatro cucharadas de sal y el jugo fresco de medio limón. Esto produce una forma diluida del ácido clorhídrico. Ponga en remojo la mayoría de las frutas y verduras por cinco a 10 minutos; ponga en remojo las verduras de hojas entre dos y tres minutos; ponga en remojo las fresas (frutillas, "strawberries"), arándanos azules ("blueberries") y todas las otras bayas entre uno y dos minutos. Después de dejarlas en remojo, enjuague bien con agua fría del grifo y disfrútelas.

Una alternativa al método del hombre de los jugos es poner en remojo los productos agrícolas en un fregadero o una palangana (cubeta, cuenco) con un cuarto de taza de vinagre blanco destilado ("distilled white vinegar").

Luego, con un cepillo para verduras, restriegue los productos agrícolas bajo agua fría. Deles un enjuague final y ya están listos para comer.

PARA MADURAR PIÑA

Usualmente, la parte de abajo de una piña (ananá, "pineapple") se madura e incluso se pasa mientras que la parte superior que tiene las hojas puntiagudas sigue estando verde. Para remediar esto, voltee una piña y manténgala así. Para probar si está madura, arránquele una hoja pequeña. Si sale fácilmente, la piña está lista para comer.

LIBRO DE REFERENCIA

Si usted cocina espontáneamente y no siempre tiene tiempo para comprar los ingredientes necesarios, el libro de referencia *The Food Substitutions Bible*, de David Joachim (Robert Rose, Inc., *www.fireflybooks.com/Robert Rose*) es imprescindible. Este destacado autor ha incluido más de 5.000 sustituciones para ingredientes, equipamiento y técnicas. Todas las sustituciones incluyen proporciones exactas e instrucciones para hacer reemplazos precisos y confiables.

RESOLUCIÓN DE PROBLEMAS

Laura Silva Quesada, sanadora, conferenciante internacional y presidenta de The Silva Method (*www.silvamethod.com*), afirma que usted puede crear un estado de ultraconciencia haciéndose preguntas. Al irse a dormir y estar en un estado de relajación total, pregúntese lo que sea para lo que quiera una respuesta. Laura recomienda que se exprese de esta manera: "Si supiera esa respuesta, ¿cuál sería?". O, "Si tuviera la solución, ¿cuál sería?". O, "Si supiera el camino a seguir, ¿qué camino tomaría?".

Según Laura, cuando se encuentra en un estado de relajación, esas preguntas abren su mente a la resolución creativa de problemas.

SIN SUDOR

Durante esos días de mucho calor del verano, cuando tiene que hacer algo físicamente agotador en un lugar sin aire acondicionado, mastique un trozo de panal de abejas ("honeycomb", disponible en tiendas de alimentos saludables). El panal puede efectivamente disminuir la temperatura del cuerpo, manteniéndolo a usted sin sentir el calor.

ATENCIÓN: Si sospecha que tiene sensibilidad a los productos de abeja, NO masque panal. Además, los asmáticos NO deberían consumir panal.

PARA SACAR UNA TIRITA

➤ **Aceite para bebé ("baby oil").** Empape una bolita de algodón con aceite vegetal o aceite para bebé y aplíquela sobre toda la tirita curita, "Band-Aid"). La misma saldrá sin dolor.

➤ **Secador de cabello.** Ponga un secador de cabello a soplar aire caliente sobre la tirita por uno o dos minutos. El calor derretirá el elemento pegajoso, haciendo posible quitarla sin dolor.

Consejos salubres para el hogar

PARA COMBATIR LA CONTAMINACIÓN DEL AIRE

Ya que "donde el pie camina el corazón se inclina", usted tiene que proteger su corazón y todos sus órganos, asegurándose de que su hogar esté bien ventilado y tan libre de contaminación como sea posible. *Estas sugerencias pueden ser de ayuda...*

Plantas poderosas

Después de exhaustivas investigaciones realizadas por la agencia espacial NASA, se llegó a la conclusión de que ciertas plantas comunes de los hogares pueden disminuir los niveles de las sustancias químicas tóxicas en los hogares y oficinas en forma impresionante.

Si piensa que su hogar no está contaminado –porque, por ejemplo, abre la ventana del baño cuando usa el rociador para limpiar azulejos–, échele un vistazo a esta lista de toxinas comunes que acechan donde vive... *benceno* ("benzene") que se encuentra en tintas, aceites, pinturas, plásticos, goma, detergentes, tinturas y gasolina)... *formaldehído* ("formaldehyde") que se encuentra en todos los ambientes interiores, incluso en espuma aislante, tablero de aglomerado, productos de madera prensada, en la mayoría de los agentes de limpieza y los productos de papel tratados con resinas, entre ellos las bolsas marrones de los supermercados, pañuelos faciales de papel y toallas de papel... y *tricloroetileno* ("trichloroethylene" o TCE) que se encuentra en los procesos de lavado en seco, las tintas para imprimir, pinturas, lacas, barnices y adhesivos.

No entraremos en los detalles de los graves daños que esas sustancias químicas pueden ocasionar. *En su lugar, aquí tiene los nombres en inglés de las cinco plantas más importantes que han demostrado ser eficaces en la disminución de los niveles de las toxinas comunes...*

- **Spider Plant** (*chlorophytum comosum "vittatum"*) –muy fácil de cultivar con luz solar indirecta o luz brillante difusa.
- **Peace Lily** (especie *spathiphyllum*)– muy fácil de cultivar en un lugar con poca luz.
- **Chinese Evergreen** (*aglaonema* "silver queen") –muy fácil de cultivar con poca luz.

• **Weeping Fig** (*ficus benjamina*) –bastante fácil de cultivar, pero requiere algo de atención especial. Necesita luz indirecta o brillante difusa.

• **Golden Pothos** (*epipremnum aureum*)–es una planta muy fácil de cultivar, ya sea en luz indirecta o brillante difusa.

¿No le gusta ninguna de esas plantas? *Aquí tiene cinco plantas adicionales también recomendadas por la NASA para limpiar el aire...*

• **Gerbera Daisy o Barberton Daisy** (*Gerbera jamesonii*).

• **Janet Craig dracaena** (*Dracaena deremensis* 'Janet Craig').

• **The Snake Plant o mother-in-law's tongue** (*Sansevieria trifasciata 'Laurentii'*).

• **Warneck dracaena** (*Dracaena deremensis 'Warneckii'*).

• **Pot Mum o Florist's Chrysanthemum** (*Chrysanthemum morifolium*).

La NASA recomienda colocar entre 15 y 18 de estas plantas en una casa de 1.800 pies cuadrados (167 metros cuadrados) para limpiar y refrescar el aire. La mayoría de los que vivimos en apartamentos o casas con mucho menos espacio necesitamos sólo una planta en cada cuarto. Ponga las plantas donde el aire circule. Una vez que obtenga las plantas, no se sorprenda si usted o un miembro de su familia no se queja más de dolores de garganta y nariz tapada que eran causados por contaminantes.

Protección contra las sustancias químicas nocivas

➤ **Alerta sobre las chimeneas.** No alimente el fuego de su hogar con revistas y periódicos coloridos, ya que contienen plomo y al quemarse emiten niveles peligrosos de plomo. Puede ser muy perjudicial, especialmente para los niños que estén en la casa.

➤ **Ropa lavada en seco.** ¿Aún manda a lavar su ropa en seco a una tintorería que no usa métodos seguros para el ambiente? ¡Caramba! Las sustancias químicas usadas en el proceso de limpieza son potentes y pueden afectar a los seres humanos de diversas maneras. Una queja común involucra la tiroides, haciendo que la persona se sienta alicaída y sin energía.

Para protegerse de los gases de las sustancias químicas que se usan en el lavado en seco, nunca cuelgue la ropa recién lavada en seco en su armario con la funda de plástico encima. Lo ideal sería quitarle la funda de plástico y hallar una manera de airear la ropa (en la terraza, en el patio, en el techo) antes de entrarla a la casa. Una vez que el olor a las sustancias químicas desaparezca, los solventes se habrán evaporado. Es entonces cuando usted debería colgar su ropa en el armario.

➤ **La mejor cortina para la ducha.** Use una cortina para la ducha que esté hecha de poliéster, nailon ("nylon"), algodón o cáñamo ("hemp"). ¡Lo ideal es una cortina cuya etiqueta indique claramente que *no contiene PVC!*

Según el Center for Health, Environment & Justice (*www.chej.org*), el plástico PVC (cloruro de polivinilo, "polyvinyl chloride"), comúnmente llamado vinilo ("vinyl"), es uno de los más peligrosos productos de consumo que se hayan creado. El PVC es peligroso para la salud humana y el ambiente. Nuestros cuerpos pueden contaminarse con sustancias químicas venenosas –mercurio, dioxinas y ftalatos ("phthalates")– que se liberan durante el ciclo de vida del PVC.

¿Desea eliminar el olor de una nueva cortina para la ducha? Ése es el olor de las sustancias químicas venenosas que se liberan del PVC como gas en el aire. Un estudio realizado por la agencia federal Environmental Protection Agency (EPA, *www.epa.gov*) informó que las cortinas de vinilo para la ducha pueden causar niveles altos de toxinas peligrosas en el aire, los cuales pueden persistir por más de un mes.

Nos enteramos que Target y Bed, Bath and Beyond están discontinuando gradualmente el PVC. Ikea y Crate and Barrel ya tienen cortinas para la ducha sin PVC.

Si aún no lo ha hecho, lea la etiqueta de la cortina de su ducha. Si es de vinilo (con PVC), reemplácela. ¡Sea limpio y ecológico!

CÓMO CUIDAR LOS UTENSILIOS DE COCINA

Las investigaciones recientes sugieren que deberíamos estar tan preocupados acerca de los utensilios de cocina de cobre o cerámica como de los difamados utensilios de cocina de aluminio. *Sugerimos que evite usar este tipo de utensilios, pero si cocina con ellos, aquí hay unos consejos para ayudar a minimizar los efectos perjudiciales...*

- **Cobre ("copper").** Algunas marcas económicas usan cobre en la superficie sobre la cual se colocan los alimentos, y ese cobre puede filtrarse en cantidades perjudiciales para la salud. Los utensilios de cocina de cobre son adecuados solamente si tienen una superficie de acero inoxidable para colocar los alimentos.

- **Cerámica.** Lo peor de todo es la cerámica, de la cual puede filtrarse plomo a los alimentos que contiene. El plomo –incluso niveles bajos– puede ser gravemente tóxico, especialmente para los niños. Para prevenir posibles intoxicaciones con plomo, la agencia federal Food and Drug Administration (FDA) aconseja no usar utensilios de cocina de cerámica provenientes de China, Hong Kong, India y México. Si está usando utensilios de cocina de cerámica, no cocine ni almacene alimentos ácidos como tomates, jugo de naranja o vinagre en los mismos. Y no ponga cerámica en el lavavajillas.

- **Hierro fundido ("cast iron").** Si usa utensilios de cocina de hierro fundido para cocinar, la comida absorberá algo del hierro y, a su vez, usted también lo absorberá. Esto es particularmente beneficioso para las mujeres que están menstruando y pierden hierro cada mes. Sin embargo, puede ser perjudicial para las personas que no necesitan más hierro. Conozca sus necesidades y cocine con precaución.

- **Kit para examinar la existencia de plomo ("Lead-Testing Kit").** Si tiene dudas acerca de la seguridad de sus platos y otros artículos en su casa, especialmente si son usados por niños, puede comprar un kit para examinar la existencia de plomo.

Consejos de los sabios...

¿Está quitando lo bueno para la salud al cocinar sus alimentos?

La inflamación es la respuesta curativa natural y temporal a la infección o las heridas. Pero si el proceso no se desactiva cuando debería hacerlo, la inflamación se vuelve crónica, y los tejidos son lesionados por el exceso de glóbulos blancos y por los radicales libres que dañan el ADN.

Resultado: Un riesgo elevado de desarrollar enfermedad del corazón, cáncer, diabetes, osteoporosis, artritis y otras enfermedades.

Richard E. Collins, MD, "el cardiólogo cocinero", aconseja cómo prevenir la inflamación crónica.

Los consejos del Dr. Collins: Consuma una dieta rica en nutrientes que fortalecen el sistema inmune... y utilice las técnicas de cocción que no destruyen los nutrientes que combaten las enfermedades ni agregan propiedades inflamatorias a los alimentos.

Cocción saludable de las verduras

Los alimentos vegetales de colores intensos generalmente contienen muchos antioxidantes que ayudan a combatir la inflamación al neutralizar los radicales libres.

Ejemplos: Los flavonoides saludables prevalecen en las verduras moradas o amarillas intensos... los carotenoides se encuentran en las verduras amarillas, naranjas, rojas y verdes.

Excepciones: A pesar de su tono pálido, el ajo y la cebolla son potentes antioxidantes.

Por desgracia, estos nutrientes se pierden fácilmente. Por ejemplo, hervir o escalfar ("poach") las verduras causa que los nutrientes se filtren al agua que las cocina –y que se desechan al descartar el agua de la olla. El calor fuerte al freír causa una reacción entre los carbohidratos y los aminoácidos, creando sustancias químicas carcinógenas llamadas *acrilamidas*. Incluso cuando se usan técnicas saludables para la preparación de la comida, el cocer demasiado destruye los nutrientes. *Mejor...*

- **Microondas.** Utiliza una cantidad mínima de agua y conserva el sabor (así que usted no estará tentado a agregar mantequilla o sal). Humedezca ligeramente las verduras con agua, cubra y cocínelas en el microondas hasta que estén tiernas pero firmes.

- **Salteado.** En un "wok" o una sartén para saltear ("sauté pan") precalentada, cocine revolviendo las verduras sobre fuego mediano-alto por uno o dos minutos en un poco de salsa de soja baja en sodio ("low-sodium soy sauce").

- **Al vapor.** Cocinar al vapor es mejor que hervir, pero como el vapor cubre los alimentos, algunos nutrientes se filtran. Para "reciclarlos", vierta ese poco de agua de la cacerola en una sopa o salsa.

- **Guisado (estofado, "stew").** Los nutrientes que se filtran de las verduras no se pierden porque permanecen en el jugo del guisado.

- **Asado.** Encienda el horno a 350°F (175°C) o menos para proteger los nutrientes de las verduras y minimizar la creación de las acrilamidas.

Los mejores métodos para cocinar la carne

Cuando la carne de res, cerdo, ave o pescado se fría, se asa a la parrilla o al horno a 400°F (200°C) o más, se provoca una reacción química que crea *aminas heterocíclicas inflamatorias* (HCA, por sus siglas en inglés) –en particular cuando los alimentos se exponen a la llama o el humo directos. Se sabe que al menos 17 HCA son carcinógenas, relacionadas con el cáncer de mama, de estómago, de colon y de páncreas.

Más seguro: Ase al horno la carne de res, ave y pescado a 350°F (175°C). Evite cocer demasiado –las carnes bien cocidas pueden provocar cáncer. Además, asegúrese de evitar que quede poco cocido para prevenir la intoxicación alimentaria ("food poisoning").

Si le encanta asar a la parrilla: Compre una piedra para asar de esteatita ("soapstone grilling stone"), de una pulgada y media (cuatro cm) de espesor y cortada a la mitad del tamaño de su rejilla para asar. (Las piedras se venden en tiendas especializadas en artículos de cocina y en Dorado Soapstone, 888-500-1905, *www.doradosoapstone.com*). Colóquela sobre la rejilla para asar, luego ponga la comida encima de la misma. La esteatita calienta bien, no reseca los alimentos y proporciona el sabor de asar sin exponer los alimentos a las llamas o el humo directos.

Si come tocino (panceta, "bacon"). Para minimizar las HCA, cocine el tocino en el microondas y tenga cuidado de no quemarlo.

Los aceites de cocina acertados

¿Se horroriza cuando los chefs del canal de TV Food Network saltean en aceite de oliva extra virgen sin refinar? Sí, debería espantarse. Este aceite tiene un muy bajo punto de humeo (la temperatura a la cual un aceite se convierte en humo) de alrededor de 325°F (165°C) –y cuando el aceite humea, los nutrientes se degradan y se producen radicales libres.

Mejor: Saltee o sofría con aceite de canola refinado, el cual tiene un punto de humeo alto. O use aceite de cocina de semilla de té ("tea seed cooking oil") –pero no aceite de árbol del té (melaleuca, "tea tree oil")–, ya que su punto de humeo es de aproximadamente 485°F (250°C).

Para comprarlo: Emerald Harvest (*www.emerald-harvest.com*) o Republic of Tea (800-298-4832, *www.republicoftea.com*).

Regla práctica: Si el aceite de cocina comienza a humear, deséchelo. Use un termómetro láser (en venta en tiendas de artículos de cocina) para ver instantáneamente la temperatura del aceite –así sabrá cuándo reducir la intensidad del fuego.

Richard E. Collins, MD, director de bienestar de South Denver Cardiology Associates en Littleton, Colorado. Está acreditado por la junta médica ("board certified") en cardiología y medicina interna, ha realizado más de 500 demostraciones de cocina por todo Estados Unidos y es autor de *The Cooking Cardiologist* (Advanced Research) y *Cooking with Heart* (South Denver Cardiology Associates). Para mayor información vaya al sitio web *www.thecookingcardiologist.com*.

CONSEJOS PARA LA LIMPIEZA

➤ **Alimentos líquidos limpiadores.**

• **Té y un espejo.** Se afirma que el té frío da brillo a los espejos. Pues, lo intentamos hace poco con una bolsita de té fría y húmeda. Humedecimos el espejo con la misma, luego lo secamos con una toalla de papel, y está tan limpio como puede estarlo.

• **Agua de papas y plata.** El agua de papas, el agua que queda en la olla después de cocinar papas, es un viejo remedio tradicional popular para muchas dolencias. ¿Quién hubiera adivinado que también limpia la plata? Simplemente sumerja la plata sin brillo en agua de papas por un par de horas.

➤ **Consejo para quitar el polvo.** Antes de sacar la aspiradora, use un trapo húmedo para quitar el polvo. La salida del aire de la aspiradora sopla el polvo de un lugar a otro.

➤ **Para mantener la madera sin termitas (termes) ni gusanos.** Exprima el gel de las hojas de una planta de aloe vera y úselo como barniz en los trabajos de madera y los muebles de madera de su casa, para protegerlos de termitas y gusanos.

➤ **Desodorante para las compactadoras de residuos.** Entre tres y cinco gotas de aceite de gaulteria ("wintergreen") en su compactadora de residuos harán que sea tolerable hasta que pueda vaciarse.

➤ **Hogar aromático hogar.** Hierva unos pedazos de ramita de canela ("cinnamon stick") en un cuarto de galón (un litro) de agua. Cuando el agua haya casi desaparecido después de hervir, su casa se llenará del agradable aroma de la canela.

➤ **Los hombres casados y las tareas domésticas.** Según un estudio de cuatro años de parejas casadas, los hombres que hacían tareas domésticas eran más saludables que quienes no las hacían. Parece que el estar dispuesto a hacer un poco de esfuerzo físico es representativo de la capacidad de una persona para lidiar con los conflictos del matrimonio y las presiones de la vida. Bueno, muchachos, ¡saquen la aspiradora!

Consejos de los sabios...

Cómo resolver los errores tontos en el hogar

A continuación, amigos y compañeros de trabajo comparten sus meteduras de pata en el hogar más memorables y sus soluciones...

➤ **Suéter encogido.** Deje en remojo por al menos cinco minutos en una mezcla de acondicionador para el cabello (use entre una y dos cucharadas) y agua tibia. No enjuague. Enrolle el suéter en una toalla para quitarle el agua de más. Luego extiéndalo sobre una toalla seca, y suavemente tire del suéter para volver a darle forma.

Una alternativa excéntrica: Póngase el suéter empapado –preferiblemente sobre una capa interior adicional– hasta que se seque.

➤ **Ropa húmeda maloliente.** Si ha dejado ropa lavada en la lavadora por mucho tiempo, hágala pasar por el ciclo de enjuague nuevamente y agregue una taza de vinagre blanco.

➤ **Inodoro desbordado.** El nuevo propietario de una casa hizo reconectar por un plomero el inodoro y el lavabo del sótano, los cuales los propietarios anteriores habían desconectado. Durante una tormenta, el agua salió a borbotones del inodoro e inundó el sótano.

Solución: El plomero instaló una válvula de retención (de frenado, "check valve") –un dispositivo económico que previene el flujo en sentido contrario.

➤ **Objetos caídos por el desagüe.** Cubra la boca del tubo de una aspiradora que funciona con agua o en seco ("wet/dry vacuum") –no una aspiradora común– con la pierna de unas pantimedias. Inserte la boca del tubo en la abertura del desagüe, y encienda la aspiradora. Después de que el objeto haya sido recuperado, haga correr agua por el desagüe para volver a llenar el sifón.

➤ **Manchas de blanqueador en los muebles.** El esposo de una amiga limpió el ventilador de la sala de estar con blanqueador (lejía, cloro, lavandina, "bleach"). Cuando encendió el ventilador, el blanqueador se roció por todo el cuarto. El sofá azul marino quedó con manchas de blanqueador permanentes. Mi amiga las cubrió usando una manta decorativa, pero las pinturas para telas ("fabric paints"), disponibles en Internet y en tiendas de artesanías, también podrían lograr que las manchas sean menos visibles.

➤ **Manchas de blanqueador en la ropa.** Si se trata de una prenda que a usted realmente le encanta, intente usar un producto para quitar el color ("color remover") –usualmente se encuentra cerca de las mercancías para teñir ropa en las tiendas por departamentos y los supermercados– en toda la prenda, y luego vuelva a teñirla.

Alternativa: Una amiga se quedó con una camiseta artística al salpicar cuidadosamente más blanqueador sobre la prenda.

➤ **Pisos de madera dura rayados.** Un compañero de trabajo colorea las rayaduras con marcadores permanentes del mismo tono.

➤ **Cera de velas pegada.** Congele los candeleros cubiertos de cera y luego cuidadosamente despegue la cera.

Cera en un mantel: Ponga una toalla de papel sobre la cera endurecida y bajo el mantel, y luego planche la toalla de papel de arriba. La plancha debería estar a temperatura media, no caliente.

➤ **Crayones en las paredes.** Aplique WD-40, frote la marca del crayón con una esponja húmeda. Después de quitar el crayón, limpie el área con agua y jabón, y seque con una toalla de papel. El WD-40 es un producto multiuso. Algunas personas lo han usado para quitar esmalte de uñas de los pisos de madera dura... camuflar rayaduras y quitar marcas de patines de ruedas en pisos de linóleo o cerámica... y quitar la suciedad de las teclas de piano.

Marjory Abrams, presidenta de la casa editorial Boardroom Inc.

HOGAR, DULCE HOGAR

Feng shui

El feng shui es una antigua práctica china, de al menos 5.000 años, que se cree que usa tanto las leyes del Cielo (astronomía) como de la Tierra (geografía). El objetivo es equilibrar el flujo de energía de su ambiente (conocido como qi o chi) mediante la selección de colores y la colocación de los muebles de modo que usted pueda vivir en armonía con su entorno y disfrutar de buena salud, menos estrés, buena suerte y bienestar.

Mientras investigábamos sobre el feng shui, y examinábamos nuestro apartamento, en un momento estábamos eufóricas y al siguiente estábamos listas para empacar y mudarnos. *Advertencia:* ¡El feng shui puede enloquecerlo!

Los siguientes consejos básicos sobre el feng shui permitirán que la energía fluya mejor alrededor de su casa. Es muy posible que produzcan pequeñas mejoras, y también existe la posibilidad de obtener mejoras espectaculares al estimular un área que necesitaba ser estimulada o que tal vez usted ni siquiera sabía que existía.

➤ **Zonas de la buena salud y de la familia.** La esquina este de su casa es la zona de la buena salud y de la familia. Los libros acerca de curación, hierbas y nutrición son ideales para colocar en esta zona. Lo mencionamos simplemente para que usted sepa dónde guardar este libro que está leyendo.

Además de la esquina este de su casa, cada cuarto de la casa tiene una zona de la buena salud y de la familia –la sección central izquierda de la Bagua, que es muy compleja para explicar aquí. Si está realmente interesado en conocer bien el feng shui, consulte "Mayor información" en la página siguiente.

Mientras tanto, volvamos a lo básico...

➤ **La puerta principal.** Ponga algo que le guste en su campo de visión al abrir la puerta principal. Esto hará que llegar a la casa sea más acogedor.

➤ **Las puertas.** Aceite las puertas de modo que no chirríen. Esto además disminuirá las sensaciones de irritación.

➤ **El dormitorio.** Abra la(s) ventana(s) de su dormitorio por al menos 20 minutos al día, permitiendo que el flujo viciado de energía chi abandone el dormitorio y sea reemplazado con un flujo chi fresco. Se afirma que esto le trae buena suerte. Bueno, quizá tendrá que quitar el polvo un poco más a menudo, pero la buena fortuna compensará por el tiempo que pase quitando el polvo que entra por la ventana abierta. ¿Y sabe qué puede hacer con toda esa buena fortuna? ¡Contrate a una mucama!

➤ **Fuente ornamental.** Una fuente ornamental de agua en su casa se usa para atraer lo que sea que usted quiera en la vida.

➤ **Vista por la ventana.** Si mira hacia fuera por cualquiera de sus ventanas y ve una vista desagradable y permanente, ponga un espejo en la pared opuesta, enviando la imagen nuevamente hacia afuera.

➤ **Buena salud.** La portada de la versión en inglés de nuestro libro, *Remedios caseros curativos de Bottom Line*, tiene una inmensa y hermosa manzana roja. Aparte de ser una portada atractiva, el mensaje fundamental es: "Una manzana al día aleja al médico". Para nosotras, una manzana, ya sea real, de porcelana, vidrio o madera, o una acuarela, representa la buena salud.

Cómprese un regalo que sea su símbolo de "la buena salud" y colóquelo en un lugar destacado para que se vea frecuentemente en su casa. Cada vez que lo vea, visualice la salud óptima.

Mayor información: Considere tomar una clase de feng shui, concurrir a un taller, leer uno o dos libros. Recomendamos *Feng Shui*, de Richard Craze (HarperCollins). O contrate a un consultor profesional de feng shui. Para ver un directorio de clases, talleres o consultores, visite el sitio web *www.fengshuidirectory.com*.

Limpie su espacio con un sahumerio "smudging"

Con el paso de los años, hemos escuchado muchas historias de éxito con los sahumerios "smudging" (la práctica de quemar hierbas para la purificación emocional, psíquica o espiritual). *Aquí le presentamos algunas de estas historias...*

Un agente de bienes raíces de Nueva York no podía vender un apartamento atractivo. Un profesional holístico realizó un sahumerio "smudging" en el apartamento, eliminó su energía negativa, y al siguiente día el apartamento se vendió al precio de venta original. También nos enteramos de una pareja que se mudó a una casa nueva donde no podían dormir bien. Desesperados, siguieron el consejo de un amigo y realizaron un sahumerio "smudging" en cada cuarto de la casa. Han dormido muy, pero muy, bien desde entonces.

El sahumerio "smudging" no sólo purifica las personas, sino que también puede eliminar la energía vieja o viciada de un cuarto o un área de la casa. Todos los cuartos necesitan la purificación con un sahumerio... tanto como necesitan la limpieza física. Si su vida parece estancada o las cosas no están ocurriendo de acuerdo a lo planeado, podría descubrir que purificar el espacio donde vive resuelve el problema. Purificar el espacio a su alrededor es también una parte importante de la ceremonia del sahumerio.

Lo que necesita: Una varita de sahumerio ("smudge stick"), fósforos, un pequeño bol de cerámica o de piedra, o una concha grande, y una pluma grande. (La mayoría de las tiendas de alimentos saludables y los mercados Whole Foods venden atados de varitas de sahumerio de salvia –"sage". Además, consulte "Recursos", página 349, para enterarse de otro lugar que vende kits de sahumerio "smudging".)

ATENCIÓN: Si padece asma o cualquier problema respiratorio como la enfermedad pulmonar obstructiva crónica (EPOC o COPD, por sus siglas en inglés), el sahumerio "smudging" quizá NO sea apropiado para usted. Si insiste en intentarlo, hágalo con mucha cautela.

Instrucciones

1. Para purificar un espacio, encienda la varita de sahumerio según se indica en el capítulo "Le hace bien al cuerpo", bajo "Lo que hay que saber acerca de la autolimpieza con sahumerio", página 297, y realice el sahumerio "smudging" a usted mismo y a cualquier persona que esté con usted.
2. Luego, camine por el cuarto haciendo llegar el humo a cada rincón. Apele al espíritu de la Salvia ("Sage") para alejar toda la negatividad del cuarto. Luego repita, pidiendo al espíritu de la hierba del Bisonte ("Sweetgrass") que brinde armonía y equilibrio al cuarto.
3. Vaya al centro del cuarto y párese quieto por un momento. Dese vuelta hacia el Este del cuarto y abanique el humo del sahumerio "smudging" en esa dirección cuatro veces con la pluma, diciendo: "Espíritu del Este, Gran Espíritu del Aire, purifica e inspira este espacio".
4. Dese vuelta hacia el Sur y realice el sahumerio "smudging" cuatro veces, diciendo: "Espíritu del Sur, Gran Espíritu del Agua, fortalece y trae paz a este espacio".
5. Ahora dese vuelta hacia el Oeste y realice el sahumerio "smudging" cuatro veces, diciendo: "Espíritu del Oeste, Gran Espíritu del Fuego, energiza y protege este espacio".
6. Dese vuelta hacia el Norte y realice el sahumerio "smudging" cuatro veces, diciendo: "Espíritu del Norte, Gran Espíritu de la Tierra, cimenta y limpia este espacio".
7. Vuelva a su posición original en el centro del cuarto y mire hacia arriba, enviando el humo del sahumerio "smudging" hacia el techo cuatro veces, diciendo: "Gran Padre Cielo, protege este espacio desde arriba".
8. Finalmente agáchese hacia el piso y envíe el humo del sahumerio "smudging" hacia el piso cuatro veces, diciendo: "Gran Madre Tierra, nutre este espacio desde abajo".
9. Ponga su varita de sahumerio en el bol o la concha y permanezca quieto con los ojos cerrados. Visualice los grandes espíritus que ha convocado montando guardia alrededor del cuarto. Puede imaginarlos como los grandes arcángeles o los cuatro espíritus de los animales guardianes de la tradición indígena norteamericana (Búfalo –Norte; Águila –Este; Coyote –Sur y Oso pardo "grizzly" –Oeste). Visualice la energía afectuosa de los Espíritus Madre y Padre arriba y debajo de usted. Agradézcales a todos ellos.
10. Cuando su sahumerio "smudging" se haya extinguido, moje con agua la varita de sahumerio.

NOTA: Usted también debería realizar un sahumerio "smudging" a cualquier cosa que vaya a usar para su bendición o purificación –cristales, velas, flores, piedras, etc.

Amor de su propia cosecha

Algunos creen que hacer germinar el carozo de un aguacate (palta, "avocado") esparcirá amor por toda la casa. ¿Por qué? Porque el aguacate está regido por Venus. Le dará además a usted la alegría de ver crecer algo verde. Y es fácil. Todo lo que necesita es el carozo de un aguacate, un vaso alto con agua, unos palillos de dientes (mondadientes) y el alféizar soleado de una ventana.

Lave y quite cualquier fragmento de pulpa de aguacate que esté adherida al carozo. Determine cuál de los extremos del carozo es más angosto. El extremo más angosto es donde el tallo y las hojas crecerán; el extremo más ancho es donde las raíces crecerán.

Clave cuatro o cinco palillos de dientes espaciados uniformemente alrededor del medio del carozo del aguacate y póngalo en el vaso de agua, asegurándose de que el extremo más ancho esté en el agua y el más angosto apunte hacia el sol. Coloque el vaso en un alféizar soleado. Contrólelo todos los días, volviendo a llenar el vaso de modo que entre el tercio y la mitad del carozo esté en el agua todo el tiempo.

NOTA: La mayoría de los carozos de aguacate crecen, pero usted podría comenzar con dos o tres carozos de aguacate en distintos vasos de agua para garantizar que al menos uno brotará.

Su paciencia será recompensada cuando las raíces comiencen a crecer, seguidas del tallo y las hojas. Cuando la planta tenga unas 12 pulgadas (30 cm) de altura, transfiérala a una maceta de ocho pulgadas (20 cm) y corte media pulgada (un cm) del extremo en crecimiento para estimular más holgura.

La luz de los vidrios de colores

Las ventanas, las lámparas y las arañas de vidrios de colores refractan la luz y crean arcoíris que se suman al flujo positivo de energía en la casa.

Consejos de los sabios...

"Lo podría necesitar algún día"... y otras excusas comunes para el amontonamiento

La mayoría de las personas desean eliminar el amontonamiento, pero muchas nunca logran hacerlo. Saben que tirar las cosas que ya no usan haría más fácil hallar lo que sí necesitan... que la vida sin amontonamiento sería más enfocada y menos atormentada por la ansiedad... y que menos amontonamiento significaría niveles más bajos de polvo y alérgenos en la casa. Pero simplemente no pueden convencerse de tomar las medidas necesarias.

Estas son las excusas más comunes para no deshacerse del amontonamiento y cómo superarlas...

"Lo podría necesitar algún día"

Algunas personas no son capaces de tirar nada por temor a que podrían necesitarlo más adelante. En realidad, la gran mayoría de las cosas que se guardan porque "se podrían necesitar algún día" nunca se necesitan. Simplemente se amontonan y nos incomodan. *Ejemplo:* Su hermana le regala una nueva cafetera eléctrica. Pero usted mantiene la vieja "por si acaso".

Esta mentalidad de poder necesitar algo en algún momento a veces proviene de un temor subconsciente acerca del futuro. Quienes se criaron en la pobreza o quienes vivieron durante la Gran Depresión son particularmente propensos a dicha mentalidad.

Qué hacer: Establezca una rutina de "cuando entra uno, sale uno". Cuando llega una revista nueva a su casa, recicle el número anterior. Cuando compre una nueva prenda, elija una vieja para descartar.

"Es demasiado importante como para deshacerme de esto"

Nuestras posesiones pueden entrelazarse con nuestros recuerdos. Le asignamos valor sentimental a objetos vinculados a sucesos de nuestro pasado, y luego nos resulta psicológicamente difícil descartarlos.

Algunos de estos objetos están relacionados con la historia de nuestra familia, creando una sensación de que nos han sido "encomendados" y estamos obligados a mantenerlos. Otros, como trofeos deportivos y ensayos finales, están relacionados a logros que requirieron esfuerzos considerables de nuestra parte o de nuestros hijos.

Qué hacer: Considere dónde ha guardado los objetos con un "valor sentimental". Si estas cosas han pasado años sin ser tocadas en cajas en el ático o juntando polvo en el fondo de un armario, no deben ser tan importantes como pensamos. Las posesiones realmente importantes se mantienen en lugares más destacados. Si no está dispuesto a poner un objeto en exhibición en algún lado en su casa, tírelo a la basura. (Si este objeto es una parte de la historia de la familia, pregúnteles primero a otros miembros de la familia si desean quedarse a cargo de guardarlo).

Sus recuerdos y lo que usted siente acerca de sus logros no disminuirán por la pérdida de un objeto físico relacionado con el suceso –ni es un insulto a su querida y difunta abuela deshacerse de las estatuillas de porcelana que a ella alguna vez le encantaban, pero no a usted.

"Vale mucho dinero"

No confunda la cantidad que cuesta algo con lo que vale para usted. El hecho de que pagó $3.000 por una silla para masajes o una mesa de billar no es relevante si ese objeto nunca se usa. De hecho, un objeto que no se usa tiene valor negativo –usted no obtiene ningún placer del mismo, y el objeto ocupa espacio valioso en su casa.

Qué hacer: Trate de vender las cosas "valiosas" que no use en un sitio de remates en Internet ("online auction site"), como eBay, o por medio de una tienda de mercancía en consignación ("consignment store"). Recuperar una parte de lo que pagó mitigará el dolor psicológico de deshacerse de algo caro.

"Mi casa es muy pequeña"

Algunos afirman que el problema no es que tienen muchas cosas –simplemente no tienen espacio suficiente. En realidad, el tamaño del hogar es el factor menos flexible en esta situación. Si su casa pequeña está hasta el tope, es mucho más fácil deshacerse de algunas cosas que mudarse a un espacio más grande. Hasta que se deshaga de cosas, sus posesiones simplemente harán que su casa pequeña parezca aun más pequeña.

Qué hacer: Entienda que el tamaño de su casa proporciona un límite a lo que puede adquirir. No alquile un espacio para almacenar ni desaproveche el espacio en el que vive con cosas innecesarias.

"No tengo tiempo para organizarme"

Organizarse puede ser una tarea importante, y llevarle varios días o más.

Qué hacer: Piense en organizarse como una forma de ahorrar tiempo. A la larga, la organización hace que sea más fácil ubicar cosas y elimina la "limpieza en pánico" antes de que lleguen las visitas.

Además, divida los trabajos grandes en tareas más controlables. *Ejemplo:* Cada día, tómese 10 minutos para caminar por su casa llenando una bolsa con basura y otra con objetos para donar a obras de caridad. Hágalo durante una semana, y verá el gran efecto que esto tendrá en la disminución del amontonamiento.

"No es el problema que mi cónyuge piensa que es"

Quizá el amontonamiento no lo moleste a usted, ¿pero no sería más fácil deshacerse de cosas que discutir con su cónyuge a propósito de ello? El amontonamiento puede fomentar una gran tensión en las relaciones.

Qué hacer: Pregúntele a su cónyuge cómo se imagina un cuarto ordenado, y luego comparta su propia visión. Quizá imagina su sala de estar como un espacio abarrotado y cómodo, donde se puede ver un partido de fútbol, pero su cónyuge lo ve como un lugar para recibir visitas. Una solución podría ser mover el televisor a otro cuarto y mantener la sala de estar prolija para las visitas.

"No son mis cosas"

¿Tratan sus amigos y familiares a su casa como si fuera una instalación de almacenamiento? ¿Mantienen aún sus hijos adultos posesiones de la infancia en sus viejas habitaciones?

Qué hacer: Decida si está bien que otras personas usen su casa para almacenar. Si ese es el caso, usted debe aprender a vivir con el amontonamiento. Si no lo es, pídales amablemente a esas personas que vengan y se lleven sus cosas antes de cierta fecha.

Peter Walsh, un asesor de organización que reside en Los Ángeles y fue entrevistado en el programa *Clean Sweep* de la cadena TLC. Es autor de *It's All Too Much: An Easy Plan for Living a Richer Life with Less Stuff* (Free Press). Su sitio web es *www.peterwalshdesign.com*

Mascotas... Cómo mantenerlas sanas

PARA PERROS Y GATOS

Préstele atención a su mascota para evaluar sus necesidades. Use el sentido común al determinar la dosis de tratamiento, tomando en cuenta el tamaño de su mascota. Después del tratamiento, preste mucha atención a la reacción de su mascota. Igual que con los seres humanos, si los síntomas persisten, busque ayuda profesional.

Botiquín de primeros auxilios para los dueños de mascotas

En primer lugar, el Centro de control de envenenamiento de animales de la organización pro animales ASPCA (*www.aspca.org*) aconseja a los dueños de mascotas a comprar un botiquín de primeros auxilios ("first-aid kit") para sus mascotas. *El botiquín debería contener...*

- **Una botella nueva de peróxido de hidrógeno** (agua oxigenada, "hydrogen peroxide") de 3% USP –para inducir el vómito).
- **Una jeringa para untar (lardear) al asar ("turkey baster"), una pera de goma ("bulb syringe") o una jeringuilla para medicamentos** –para administrar el peróxido).
- **Solución salina para los ojos.**
- **Lágrimas artificiales en gel ("artificial tear gel")** –para lubricar los ojos después de lavarlos).
- **Un líquido lavavajillas suave que diluya la grasa** (para bañar el animal después de la contaminación de la piel).
- **Pinzas ("tweezers")** –para quitar aguijones y garrapatas.
- **Bozal ("muzzle")** –para proteger contra las mordeduras causadas por temor o excitación).
- **Una lata de la comida húmeda preferida de su mascota.**
- **Una jaula para transportar la mascota ("pet carrier").**

Consulte siempre con un veterinario o una línea de emergencia para el control de envenenamiento para obtener indicaciones sobre cómo y cuándo usar cualquier elemento del botiquín de primeros auxilios.

Remedios para las afecciones comunes

➤ **Diarrea.** Mezcle una cucharadita de algarroba ("carob") en polvo (se vende en las tiendas de alimentos saludables) en un vaso de agua y déselo a su mascota por la mañana y por la noche. Si no mejora el estado de su mascota, dele la algarroba en agua varias veces al día.

➤ **Ácaros ("mites") en las orejas.** Cuando su mascota parezca tener comezón en la oreja, tome una linterna y mire dentro de la misma. Si ve suciedad en la oreja similar al poso de café, es probable que su mascota tenga ácaros.

Pinche cápsulas de vitamina E, exprima el aceite en cada una de las orejas de su mascota, y frótelo suavemente en las mismas. Luego tome hisopos de algodón (bastoncillos, "cotton swabs") y limpie cuidadosamente la suciedad y el aceite. Repita el proceso tres días seguidos. El aceite de la vitamina E sofocará los ácaros y ayudará a curar la comezón en las orejas.

➤ **Comezón.** Para aliviar la comezón de su mascota, úntele un poco de vinagre de sidra de manzana ("apple cider vinegar").

➤ **Lombrices ("worms").** Es unánime –el ajo elimina las lombrices y sus huevos, y previene que vuelvan. Use el sentido común en cuanto a la dosis. Un diente de ajo a la semana parece ser adecuado para los cachorros. Los perros mayores, según el tamaño, deberían consumir dos o tres dientes de ajo a la semana.

Pique el ajo finamente y mézclelo en la comida de su mascota –un poco por vez. Un par de píldoras de ajo diariamente parecen ser eficaces para eliminar las lombrices.

ATENCIÓN: Las cantidades grandes de ajo pueden ser perjudiciales para los perros (consulte la página 342). Tres o cuatro veces a la semana usualmente se tolera bien.

Para quitar el olor a zorrillo (mofeta)

➤ **Jugo de tomate.** Si su mascota fue rociada por un zorrillo, póngase guantes de goma y báñela en jugo de tomate. Necesitará mucho jugo de tomate aunque puede diluirlo en agua.

➤ **Vinagre.** Podría ser más económico bañar a su mascota en vinagre blanco destilado diluido en agua –una parte de vinagre y 10 partes de agua. Teniendo cuidado de no mojarle los ojos con la solución, pásele una esponja con el vinagre por la cara. No quite el vinagre enjuagando con agua –el olor volverá. Aun si deja que el vinagre se seque naturalmente sobre su mascota, quizá tenga que aplicarle un tratamiento más antes de que el olor se vaya definitivamente.

Pulgas

Las pulgas ("fleas") son un gran problema para los dueños de mascotas. Para encontrar métodos alternativos, consultamos a veterinarios, entrenadores y aseadores ("groomers") de animales, para averiguar cómo cuidan a sus propias mascotas. Todos coincidieron en que nunca usan collares antipulgas ("flea collars") ni rociadores (espráis) que contienen sustancias químicas. Se dice que algunos collares y rociadores contienen ingredientes muy fuertes que pueden causar todo tipo de problemas físicos, incluyendo problemas al corazón, alergias y trastornos del sistema nervioso.

➤ **Collares antipulgas caseros.** Hay collares antipulgas de hierbas disponibles en algunas tiendas de mascotas y algunas tiendas de alimentos saludables. Si se siente ambicioso, puede preparar un collar antipulgas casero para su mascota.

Halle un collar duradero y cómodo –una correa de cuero o un cordel de cocina ("twine") fuerte pero suave– y empápelo en esencia de menta poleo ("pennyroyal", que se vende en las tiendas de alimentos saludables) por 24 horas. Luego átelo alrededor del cuello de su mascota y las pulgas desaparecerán.

ATENCIÓN: NO use menta poleo si usted o su mascota están embarazadas. En dosis casi fatales la esencia puede actuar como un estimulante del flujo menstrual y provocar un aborto espontáneo.

➤ **Repelentes de pulgas.** Las pulgas tienen un muy buen sentido del olfato. *Aquí hay remedios que se sabe que atacan con éxito a sus naricitas...*

• **Limón.** Corte dos limones en pequeños pedazos del tamaño de un bocado (con cáscara y todo). Colóquelos en una olla con un litro (un cuarto de galón) de agua. Después de que hierva por una hora, sáquelos del fuego y déjelos en remojo durante la noche. Por la mañana, cuele y use este líquido para lavar con una esponja a su mascota o rociarla con el mismo. Mientras que las pulgas serán ahuyentadas por el aroma de la esencia del cítrico, este aroma les parecerá placentero a las personas que viven con la mascota. El agua de limón además ayudará a curar las picaduras de las pulgas en la piel de la mascota.

• **Levadura de cerveza ("brewer's yeast").** Se afirma que la dieta de las mascotas juega el papel más eficaz en ahuyentar a las pulgas, específicamente la adición de la vitamina B-1 (tiamina) al menú. La levadura de cerveza (se vende en las tiendas de alimentos saludables), es una buena fuente de B-1 altamente recomendable. La dosis diaria es una cucharada colmada por cada 50 libras (22 kilos) que pesa la mascota.

Se cree que la vitamina B-1 produce un olor en la piel de la mascota que los seres humanos no podemos oler, pero que supuestamente asquea a las pulgas.

Para prevenir que la levadura de cerveza cause gases, désela a la mascota en la comida húmeda y en pequeñas cantidades.

Dueños de mascotas: podrían también tomar una dosis diaria de levadura de cerveza para protegerse de las pulgas.

• **Ajo.** Nos enteramos de alguien que frota aceite vegetal en la piel de su perro, y luego lo masajea con un poco de ajo en polvo. Claro, la pobre mascota huele como un sándwich de salame por unas horas, pero gracias al ajo, queda libre de pulgas por algunos meses.

• **Cedro ("cedar").** Las pulgas odian el olor del cedro, una de las razones por las que los armarios para almacenar están revestidos de cedro. Asegúrese de que el lugar donde vive su mascota contenga virutas ("shavings") o astillas ("chips") de cedro. Póngalas en una bolsa de algodón, o cósalas dentro de un acolchado ("padding") o una almohada. Asegúrese de que su mascota no tenga acceso a las mismas si tiene tendencia a mordisquear las cosas.

• **La casa para el perro al aire libre.** Ponga hojas de pino (pinochas, "pine needles") frescas en o alrededor de la casa para ayudar a mantener alejadas a las pulgas.

➤ **Cómo eliminar las pulgas de su casa.** Las pulgas se reproducen y ponen sus huevos en las alfombras y los muebles.

• **Pase la aspiradora.** Cada dos días, pase la aspiradora por las zonas donde su mascota pasa el tiempo y duerme. Póngase un par de calcetines blancos y camine lentamente por toda su casa. Las pulgas serán atraídas por el calor de su cuerpo y la energía electromagnética. Cuando salten hacia sus pies, los calcetines blancos harán que sea fácil verlas. ¡Entonces encienda la aspiradora!

Para estar seguro de matar las pulgas y los huevos que aspira la aspiradora, ponga un poco de polvo químico antipulgas ("chemical flea powder") –del tipo fuerte que no debería usar con la mascota– en la bolsa antes de pasar la aspiradora.

• **Levadura de cerveza ("brewer's yeast").** Ya que las pulgas odian el olor de la vitamina B-1, espolvoree levadura de cerveza, una buena fuente de esta vitamina, sobre las alfombras, los muebles y otros lugares donde pasan el tiempo las mascotas.

• **Lavado.** Una vez a la semana, lave la ropa de cama de su mascota.

Viajar con una mascota

➤ **Esencia de menta piperita ("peppermint oil").** Cuando viaja con su mascota, es posible que el agua que ella bebe tenga un sabor distinto al agua casera, y quizá no quiera beberla. Pero puede prevenir este problema. Comenzando unos días antes de viajar con la mascota, vierta tres o cuatro gotas de esencia de menta piperita en el agua de la mascota. Cuando esté de viaje continúe poniéndola en el agua de la mascota. De este modo, tendrá un olor familiar y la beberá así como lo hace en casa. Ah, y no se olvide de empacar la esencia de menta piperita.

El cariño por la mascota

➤ **Crianza con cristales.** Según las gemólogas Joyce Kaessinger y Connie Barrett de Beyond the Rainbow (*www.rainbowcrystal.com*), los animales responden a las piedras del mismo modo que los seres humanos. Ellas tenían un gato y querían traer un gatito a la casa. Para evitar pasar por el usual periodo largo y desagradable de adaptarse uno al otro, Joyce puso cuarzo rosa ("rose quartz") –una piedra de crianza y amor– por todas partes de la casa, incluyendo donde los gatos dormían. En sólo dos días, el gato más viejo estaba dándole cuidados maternales al gatito.

ATENCIÓN: Asegúrese de que cada piedra que use sea grande –suficientemente grande como para que la mascota no la pueda tragar.

➤ **Vínculo afectivo entre la mascota y su dueño.** Se dice que al alentar a su mascota a comer las últimas migajas que quedan en el plato de usted, está acostumbrándola a sus vibraciones corporales y fortaleciendo la relación con usted.

Consejos de los sabios...

Ahorros para los dueños de perros y gatos

Les tenemos cariño a nuestras mascotas y queremos que tengan vidas largas y saludables. *Aquí hay maneras de asegurarse de que hagan justamente eso –sin que el proceso nos cueste un dineral.*

• **Detección temprana de las enfermedades.** Preste atención a los cambios en la rutina de la mascota, como más jadeos de lo habitual o el consumo elevado de agua. Estos pueden ser signos precoces de una enfermedad –los cuales pueden tratarse más fácilmente y más económicamente que en etapas posteriores.

• **Aliméntelas con una dieta de alta calidad.** Mantendrá su mascota saludable *y* ahorrará en el costo del veterinario. Los primeros ingredientes en la etiqueta deben ser proteínas de origen animal –no subproductos ("byproducts"), cereales ni vegetales.

• **Realice el aseo de la mascota a mediados de la semana.** Muchos salones ofrecen un descuento del 20% por los servicios realizados de martes a jueves.

• **Considere un seguro para la mascota.** El costo es de unos $16 al mes para los gatos y $22 al mes para los perros. Visite los sitios *www.petinsurance.com* y *www.pet-insurance-info.com* para averiguar lo que cubren.

Charlotte Biggs, jefa ejecutiva de gobernanza de Pet Care Services Association, Colorado Springs, Colorado, *www.petcareservices.org*.

ESPECIALMENTE PARA LOS PERROS

Artritis y debilidad

➤ **Tabletas de harina de huesos ("bonemeal").** Comience lentamente –una al día para un perro de tamaño mediano, y controle gradualmente la dosis según su reacción y necesidades.

➤ **Glucosamina.** Así como la glucosamina surte efecto en los seres humanos, puede también ayudar a aliviar el dolor de las articulaciones de su perro. Pídale al veterinario que le recomiende un producto de buena calidad (con o sin condroitina), el método de administración (píldoras o líquido) y la dosis diaria.

➤ **Tabletas de alfalfa.** Se sabe que tres tabletas de alfalfa al día han hecho desaparecer la cojera artrítica de un perro.

Tos

➤ **Curación de ajo.** Si su perro tiene tos, dele un par de cápsulas de ajo cada tres horas hasta que la tos disminuya. Y por favor, ¡dígale que debe dejar de fumar!

Problemas digestivos

➤ **Gases.** Frote el estómago del perro –donde el pelo es más escaso– con vinagre de sidra de manzana ("apple cider vinegar") y en media hora los gases deberían cesar.

➤ **Diarrea en los cachorros.** Si su cachorro tiene diarrea, aliméntelo con requesón ("cottage cheese") por dos o tres días –nada más, sólo requesón. Es un remedio eficaz para esta afección del cachorro llamada *coccidiosis*. Antes de realizar este tratamiento, pídale el visto bueno al veterinario.

Ojos, orejas y dientes

➤ **Cuidado de las orejas.** Una vez a la semana, empape una bolita de algodón en aceite mineral y cuidadosamente limpie la parte de adentro de las orejas de su perro. Este proceso ayuda a prevenir infecciones.

NOTA: A algunas razas, como los terriers y los caniches ("poodles"), les crece pelo dentro de las orejas. Pídale a un aseador de perros que le enseñe cómo depilar el pelo de las orejas para prevenir que se acumule cera y suciedad.

➤ **Inflamación de los ojos.** Si a su perro le encanta andar en el carro con la cabeza fuera de la ventanilla, de vez en cuando sus ojos podrían inflamarse un poco. Humedezca un paño (trapo) suave y sin pelusas ("lint-free"), y cuidadosamente límpiele los ojos. Luego póngale una gota de aceite de ricino ("castor oil") en cada ojo. Hágalo dos veces al día hasta que los ojos del perro estén normales.

A propósito, nunca permita a ninguna mascota andar en un carro con la cabeza fuera de la ventanilla. ¡Es peligrosísimo!

➤ **Dientes y encías.** No limite la dieta de su perro a alimentos blandos. Los alimentos enlatados, los restos de comida y otros alimentos blandos no limpian el sarro de los dientes. La acumulación de sarro puede causar infección y dolor en las encías. Asegúrese de que la dieta de su perro se complemente con alimentos secos, galletas duras para perros o huesos grandes.

➤ **Mal aliento.** Mezcle algunas ramitas de perejil ("parsley") fresco en la comida húmeda de su perro, y luego agréguelo a su comida seca. Una vez que lo trague, su aliento debería mejorar mucho. Además, si usted está dispuesto, cepille los dientes de su perro todos los días para aliviar el aliento desagradable.

Las patas

➤ **Protección cuando nieva.** Sacar a caminar el perro en aceras nevadas, cubiertas con productos comerciales para derretir la nieve, puede ser peligroso para la salud de su perro. Las sustancias químicas en esos productos queman sus patas. El perro lame sus patas para aliviarse, lamiendo las sustancias químicas que lo pueden enfermar. Enseguida después de haber sacado a pasear a su perro, lave sus patas con una mezcla de una cucharadita de bicarbonato de soda ("baking soda") y un vaso de agua. La solución de bicarbonato aliviará el ardor de las sustancias químicas.

La salud del pelaje

➤ **Pelaje brillante.** Agregue un par de cucharadas de bicarbonato de soda ("baking soda") al baño de su perro –y al agua con cual lo enjuaga– para lograr un pelaje suave y brillante.

➤ **Resequedad de la piel.** Nos enteramos de un perro que tuvo resequedad crónica de la piel por años. Nada lo ayudaba, hasta que su dueño comenzó a mezclar una cucharada de aceite de alazor (cártamo, "safflower oil") en la comida todos los días. Una semana más tarde, la resequedad de la piel que lo afectaba se había curado por completo.

➤ **Detenga la muda de pelo.** Si la muda de pelo de su perro no tiene fin, se sabe que masajear su pelaje con aceite de oliva una vez a la semana ha limitado la muda de pelo a las estaciones adecuadas.

Adiestramiento

➤ **Hasta que su cachorro esté adiestrado.** Si su cachorro aún deja charcos en la alfombra, ponga germen de trigo ("wheat germ") en la zona húmeda. Se secará sin dejar ninguna mancha ni olor. Todo lo que tendrá que hacer es pasar la aspiradora.

Cuestiones de peso

Jill Elliot, DVM, sabe cuánto cariño usted le tiene a su mascota, pero no lo demuestre alimentándola más de lo que debería estar consumiendo. Los perros (y los gatos también) son más saludables cuando tienen un peso normal.

La Dra. Elliot sugiere cómo determinar si su perro está demasiado gordo, demasiado delgado o al peso ideal. La mejor manera de juzgarlo es pasar las manos por el cuerpo del perro. Debería sentir una delgada capa de grasa entre la caja torácica y la parte externa del cuerpo del perro. Al mover las manos hacia la espalda debería sentir una hendidura (una cintura) debajo de la caja torácica. Al pasar las manos bajando por la espalda, debería sentir una espalda plana, no una espina dorsal o caderas sobresalientes.

Si las costillas y la espina dorsal son prominentes, el perro está demasiado delgado. Si hay mucha grasa entre las costillas y la parte externa del cuerpo o no tiene cintura, su perro podría tener exceso de peso.

El perro con el peso ideal tiene una buena cantidad de grasa entre la piel y las costillas,

ALGO ESPECIAL

Para quien tiene o desea tener un perro

Todos los que deseen proteger la salud de su perro deberían obtener un ejemplar de *Whole Health for Happy Dogs—A Natural Health Handbook for Dogs and Their Owners* de Jill Elliot, DVM, y Kim Bloomer (Quarry Books).

La Dra. Elliot (*www.nyholisticvet.com*), que tiene consultorios homeopáticos en Nueva York y Nueva Jersey, y proporciona consultas por teléfono en todo el país, compartió con nosotras información vital acerca de "Sustancias venenosas (que se deben evitar)", "Ansiedad por la separación" y "Cuestiones de peso". No se la pierda en este capítulo.

la cadera y la espina dorsal, y usted realmente puede sentir los huesos. Al verlo de costado, el estómago está metido hacia dentro, con buena cobertura muscular. Desde arriba, la cintura es evidente, y los músculos son visibles.

El exceso de peso es especialmente peligroso en los perros con cuerpos alargados debido al esfuerzo adicional que tiene que ejercer su espalda. El exceso de peso es una de las causas más comunes de los problemas de espalda y articulaciones. También puede predisponer al perro a otros problemas de salud. Así que, lograr el peso ideal no es sólo muy bueno para la salud en general del perro, sino que ayudará a prevenir que ocurran enfermedades comunes aun si el perro estuviera predispuesto a las mismas.

La próxima vez que quiera alimentar a su mascota más de lo que debería consumir, recuerde que las mascotas con exceso de peso padecen muchas enfermedades graves, en especial problemas musculoesqueléticos, y que el sobrepeso puede conducir a la diabetes tanto en perros como en gatos.

Sustancias venenosas para los perros

Al ser una veterinaria con consultorio en Nueva York y Nueva Jersey, la Dra. Elliot ha tratado a muchas mascotas envenenadas. Vale la pena prestarle atención a sus consejos.

Basándose en sus años de experiencia, la Dra. Elliot opina que los perros son curiosos como los niños –y se deben mantener las sustancias nocivas fuera de su alcance. Siendo usted el mentor médico de su perro, debe mantener las siguientes cosas en un lugar seguro donde su amigo curioso no pueda acceder a las mismas.

➤ **La mayoría de los medicamentos para los seres humanos** –incluyendo los medicamentos para tratar la enfermedad del corazón, presión arterial elevada e hipertiroidismo, los antidepresivos, la aspirina, etc.

➤ **Todos los estupefacientes (narcóticos)** –incluyendo la marihuana, el hachís y los alucinógenos. Si su perro ingiere un estupefaciente, es posible que necesite tratamiento médico con internación hasta que esté totalmente recuperado.

➤ **Xilitol.** Aunque el *xilitol*, una alternativa a la azúcar, podría ayudarle a mantener una figura esbelta, podría ser mortal para su perro... aun una cantidad minúscula. El xilitol está creciendo rápidamente en popularidad y es usado en cada vez más productos, como budines sin azúcar ("sugar-free pudding"), caramelos duros ("hard candies"), pastillas de goma ("gumdrops"), goma de mascar ("chewing gum"), muchos alimentos para diabéticos, productos horneados y en la pasta dental.

Cuando un perro ingiere xilitol, sus niveles de azúcar en la sangre disminuyen súbitamente, lo cual puede resultar en la pérdida de la coordinación, convulsiones y a veces algo peor. Los síntomas pueden ocurrir tan sólo 20 minutos después de ingerir el xilitol, o pueden demorarse hasta 12 horas.

Lea las etiquetas, y cuando la lista de ingredientes incluya xilitol, asegúrese de que no haya manera de que su perro pueda alcanzarlo.

➤ **Productos que contienen organofosfatos (OP, por sus siglas en inglés), carbamato ("carbamate") e hidrocarburo clorado ("chlorinated hydrocarbon" o CIHC)** –como los collares para repeler pulgas ("fleas") y garrapatas ("ticks"). Estos collares contienen sustancias venenosas que deben permanecer en la piel del perro. Ingerirlas puede causar problemas neurológicos que podrían requerir atención con internación, según la gravedad de la afección.

➤ **El blanqueador (lejía, cloro, lavandina, "bleach")** puede ser muy nocivo si se traga o incluso si se lame. Puede irritar el recubrimiento del estómago y el esófago del perro al ser tragado. Nunca induzca vómitos en estos casos. Dele a su perro mucha agua y leche para ayudarlo a diluir el blanqueador.

➤ **Chocolate y cafeína**, según la cantidad ingerida. Si su perro consume uno de éstos, está bien inducir vómitos, pero también podría necesitar tratamiento médico. Los ingredientes de los productos del café y el chocolate que los hacen tan peligrosos para los perros son los alcaloides llamados *metilxantinas* (compuestos que forman parte de la composición molecular natural de estos productos), particularmente la *teobromina* y la cafeína. A diferencia de los seres humanos, los perros no poseen la enzima necesaria para descomponer la teobromina. Debido a esto, la teobromina seguirá acumulándose en el cuerpo del perro con el tiempo, si se le permite seguir consumiendo chocolate. Aunque no se enferme la primera vez que lo consuma (sin embargo, la hiperactividad probablemente será bastante evidente debido a la azúcar y la cafeína), con el tiempo su perro se intoxicará con el chocolate y podría morir debido a esta toxicidad. Sea prudente y no permita que su perro coma nada de chocolate.

Algunos medicamentos de venta libre también contienen estos ingredientes, así que tenga mucho cuidado con estas sustancias cerca de su perro. Vómitos y/o diarrea usualmente sucederán dos a cuatro horas después de consumir productos de café o chocolate. Su perro además mostrará signos de gran nerviosismo y quizá hasta tenga temblores y convulsiones u orine en exceso. El pronóstico es bueno si se da cuenta del problema dentro de dos a cuatro horas después de que el perro ingiera la sustancia. No induzca vómitos si su perro tiene convulsiones, y llévelo rápido a un veterinario. Aun si ha vomitado la sustancia, debería llevar su perro a un veterinario. Sea precavido en vez de lamentarlo después.

➤ **Cebollas y ajo** –según la cantidad consumida, pueden causar anemia. Su perro podría necesitar una transfusión de sangre y atención con internación. El ajo se le puede dar entero cautelosamente, o en forma líquida tres o cuatro veces a la semana.

Algunas personas les dan ajo a sus perros porque hay cierta creencia de que puede ser un potente repelente de parásitos. Además, en pequeñas cantidades, el ajo tiene un muy buen efecto en la digestión.

➤ **Zinc** –que se encuentra en las tuercas, tornillos y monedas de un centavo estadounidense acuñadas después de 1983. Puede causar anemia si se ingiere.

➤ **El plomo ("lead")** se encuentra en algunas monedas, juguetes y pintura vieja. Si su perro traga monedas o juguetes, podría requerir cirugía para extraer el objeto extraño, y hospitalización para recibir la atención médica adecuada.

➤ **El veneno para ratas ("rat poison")** puede ser muy peligroso –incluso en pequeñas dosis. Si ve que su perro ingiere veneno para ratas, trate de inducir vómitos y dele carbón activado ("activated charcoal") antes de 15 minutos; esto ayudará a minimizar el efecto. Luego llévelo de inmediato a un veterinario para tenerlo en observación.

Si no ve a su perro ingiriendo el veneno, tenga en cuenta que podría parecer normal por 24 a 72 horas antes de mostrar signos de envenenamiento (sangrado por cualquier parte, incluyendo la nariz, el recto, la boca y las encías, las vías urinarias, etc.). Cuando vea estos signos, podría ser muy tarde para salvar a su perro. Busque atención de inmediato si le parece que ha ingerido veneno para ratas, y siempre que sea posible, lleve el nombre del veneno al veterinario.

ATENCIÓN: Si piensa que su mascota ha ingerido CUALQUIER CANTIDAD de una sustancia tóxica, es imprescindible que actúe de inmediato. Tenga siempre el número del hospital para animales más cercano o la línea de emergencia local para envenenamiento de animales ("animal poison hotline") en cualquier lugar obvio en su casa. El veterinario le dirá si lo que consumió su perro es venenoso o podría causarle un problema, y le aconsejará sobre el tratamiento necesario (o si necesita buscar atención médica de inmediato). Si la sustancia no era peligrosa para su perro, esta llamada mitigará su preocupación. Siempre es mejor pecar por exceso de precaución que lamentarlo después.

Para mantener a los perros lejos de los muebles

➤ **Sonido y resplandor disuasivos.** Para adiestrar a su perro joven a mantenerse alejado del sofá y las sillas, ponga hojas de papel de aluminio en los asientos. Cuando su perro salte sobre éstos, ¡sorpresa! El ruido de algo desmoronándose y el resplandor asustarán a su mascota y harán que mantenga los pies en el piso.

➤ **Un brebaje disuasivo.** Mezcle un cuarto de taza de esencia de clavos de olor ("oil of cloves") con una cucharada de paprika (pimienta húngara) y una cucharadita de pimienta negra. Vierta la mezcla en un tubo para humedecer estampillas ("stamp-moistener tube") y aplíquela en todas las patas de los muebles y alrededor de los bordes de las alfombras. El aroma desalentará al cachorro a ir donde usted no quiere que vaya. Si aún no está adiestrado cuando el aroma se desvanezca, mezcle otra tanda de la solución y vuélvala a aplicar.

Ansiedad por la separación

La Dra. Jill Elliot (*www.nyholisticvet.com*), veterinaria homeopática, sabe que vivimos en un mundo donde las personas tienen que salir de la casa para trabajar y hacer compras y mandados. Éstas son las observaciones y el consejo de la Dra. Elliot.

Si llega a su casa y ve que los muebles y sus pertenencias han sido mascados; que hay deposiciones por el piso; que se han excavado zanjas en los patios, jardines, alfombras o pisos, o si escucha a su perro aullando lo suficientemente fuerte como para hacer temblar los edificios, entonces es muy probable que su perro sufra de ansiedad por la separación. Esto parece ser uno de los problemas más comunes de la salud mental en los perros. Los perros son animales de manadas, y eso significa que no se supone que queden solos. Si su perro es el único perro en la casa, usted se transforma en su manada.

Diferentes perros hacen cosas distintas para mostrarle cómo se sienten. Algunos se vuelven muy destructivos con sus cosas, otros aúllan y gimen, mientras que otros se acomodan para esperar tranquilamente a que usted regrese. Lo que todo esto significa es que están esperando a reunirse con su manada, o sea con usted. Este problema puede ser más evidente en perros que han sido abandonados, pero puede sucederle incluso a un perro que fue bien criado. La solución depende de usted y las decisiones que tome para remediar la situación.

Lo que sucede frecuentemente es que las personas a cargo de los perros que tienen este problema lo empeoran con acciones que ellos creen que en realidad están ayudando. Por ejemplo, usted se alista para salir (su perro conoce los signos que indican que está por irse), así que usted comienza a crear una gran conmoción al respecto. Promete volver pronto, lo abraza y lo besa y sigue hablándole al perro, demorando su partida mientras trata de asegurarle que volverá. Al hacerlo, está empeorando el problema. Cuanto más trate de tranquilizar a su perro cuando es hora de salir, más le indica que tiene algo de qué preocuparse. Una mejor manera de manejar su partida es simplemente decir adiós e irse.

Una manera de superar el problema es salir por periodos cortos y volver. Quizá los días en que no trabaja puede irse por 15 minutos y volver. Váyase por periodos más largos cada vez hasta que su perro se dé cuenta que usted no lo va a abandonar.

Dejar a su perro en la casa con algunos juguetes que estimulen la mente también puede ayudar. Los juguetes estimulantes son los que hacen que su perro piense o trate de obtener algo del juguete, como un trozo de comida dentro de un juguete Kong (un juguete con el centro hueco). Estos tipos de enfoques pueden mantener a su perro sin estrés y a ambos felices.

ESPECIALMENTE PARA LOS GATOS

Remedios para problemas comunes

➤ **Desodorante para la caja de arena del gato.** Para que no tenga que cambiar la caja de arena ("litter box") muy a menudo, vacíe los excrementos todos los días y agregue el contenido de una caja de 16 onzas (450 g) de bicarbonato de soda ("baking soda") a la caja de arena de su gatito. Agregar cuatro cucharaditas de menta seca ("dry mint") es opcional, pero le agregará frescura. Además, agite la arena del gato a menudo para airearla.

➤ **Cortaduras y rasguños.** Limpie la herida con agua tibia. (Quizá tenga que cortar un poco de pelo para llegar a la misma). Luego pinche una cápsula de vitamina E y exprima el aceite sobre la cortadura o el rasguño. Si su gato quita lamiendo la vitamina E, simplemente aplique más.

➤ **Bolas de pelo.** Es importante que el gato consuma fibra dietética –comida seca para gatos o pasto fresco– y una cucharadita diaria de aceite vegetal, para permitirle pasar las bolas de pelo ("fur balls") con las deposiciones. La fibra y la dosis diaria de aceite pueden ayudar a prevenir que se formen grandes bolas de pelo.

➤ **Prevención de los problemas urinarios en los gatos macho.** Agregar una cucharadita de vinagre blanco destilado ("distilled white vinegar") al día al agua de su gato puede ayudar a prevenir la formación de cálculos en los riñones que podrían, con el tiempo, causar todo tipo de problemas urinarios. También se dice que una dieta de comida para gatos de bajo contenido de cenizas ("low-ash") puede ayudar.

Comida

➤ **Nunca jamás dele a su gato comida seca para perros.** Nos informaron de buena fuente que un gato no sobrevivirá consumiendo un régimen de comida seca para perros. Un gato no necesita toda esa fibra, pero sí necesita más vitaminas y proteínas de las que proporciona la comida seca para perros.

➤ **Una comida por vez.** La comida húmeda para gatos que queda por medio día puede agriarse, enmohecerse o crecerle bacterias nocivas que podrían enfermar gravemente a su gato.

➤ **Un condimento fabuloso.** Guarde el líquido del atún enlatado para cuando parezca que a su gato no le gusta la comida que le está sirviendo. El jugo del atún podría despertar el apetito del gato.

Protección de sus muebles

➤ **Cómo prevenir los arañazos a los muebles.** Si tiene muebles de madera oscura y un gato al que le gusta usarlos como postes para arañar, saque la salsa "chili". A los gatos les disgusta el olor de la misma. Frote la salsa picante sobre los muebles de madera, luego lústrelos y observe cómo su gato se mantiene alejado.

➤ **Alejados de los muebles.** Para mantener a un gato fuera del sofá o de su sillón preferido, amontone bolas de alcanfor (naftalina, "moth balls") entre los almohadones, en las costuras –donde sea posible. No se exceda o usted tampoco querrá sentarse ahí.

ESPECIALMENTE PARA LAS MASCOTAS EXÓTICAS

➤ **Canarios –enfermos y mudando las plumas.** Además de su alimento habitual de semillas, dele al ave enferma torta esponjosa ("sponge cake") mojada en jerez. Sin importar lo poco que coma el ave del pastel esponjoso, sígale dando esto de comer todos los días. Nos comentaron que este remedio, por raro que parezca, puede lograr que un canario recupere la salud y vuelva a cantar en muy poco tiempo.

ATENCIÓN: Consulte con su veterinario antes de intentar este remedio.

➤ **Cabras –repelente de moscas.** Alimente a las cabras con un cuarto de taza de vinagre de sidra de manzana ("apple cider vinegar") diariamente. No sólo les gustará el sabor, sino que les encantará el resultado. Mantendrá las moscas lejos de las cabras y de sus deposiciones.

➤ **Gallinas con piojos ("lice").** Un par de veces a la semana, mezcle tres cucharadas de azufre ("sulfur") en su comida y los piojos se alejarán del gallinero.

➤ **Caballos –pelaje brillante.** Agregue copos de avena ("oats") triturados al heno ("hay") como parte de la dieta del caballo, y su pelaje quedará con un lustre brillante.

➤ **Periquitos –fatiga.** En forma diaria, agregue tres gotas de vitamina C líquida al agua que bebe el ave y aliméntelo con semillas de girasol ("sunflower seeds") procesadas en una licuadora. Con suerte, notará una diferencia en su nivel de energía en un mes.

➤ **Cerdos con lombrices.** El carbón –el tipo que encuentra en sus calcetines de Navidad si se ha portado mal– ayuda al cerdo a deshacerse de las lombrices ("worms"). Déjelo que se dé una comilona con unos trozos de vez en cuando.

OTROS TIPS PARA LOS DUEÑOS DE MASCOTAS

Ha observado una correlación entre lo que está sucediendo en su vida y las enfermedades de su mascota?

El psicólogo Lloyd Glauberman (*www.mindperk.com*) es un experto en cambios en el comportamiento y el creador de una forma de hipnosis que ayuda a las personas a acceder al increíble poder desaprovechado de su mente subconsciente. Sugiere que "La próxima vez que su mascota esté enferma, dele una larga mirada a su situación actual. Sus problemas emocionales podrían estar manifestándose en su mascota. En algunas instancias, la mascota no se recuperará hasta que su dueño ponga en orden su propia vida".

Por su bien y el de su mascota, tome la vida con calma para que ambos puedan prosperar.

Consejos de los sabios...

Enfermedades que se contraen de las mascotas: Pasos sencillos para no correr peligro

En años recientes, la bacteria *estafilococo dorado* (Staphylococcus aureus) resistente a la meticilina (MRSA, por sus siglas en inglés), que solía encontrarse exclusivamente en los seres humanos, ha aparecido en mascotas. Los seres humanos pueden contraer la MRSA (con frecuencia pronunciado "mersa") durante una estadía en el hospital, y luego transmitirla a sus mascotas, donde puede vivir por varios meses antes de ser transmitida a su vez a los seres humanos que tienen contacto con las mascotas. Tanto los perros como los gatos parecen ser posibles portadores de la bacteria, la cual puede causar graves infecciones en la piel, pulmonía e incluso la muerte tanto en los seres humanos como en las mascotas. Para protegerse, lávese siempre las manos después de tocar una mascota, y no permita que una mascota le lama la cara. Lleve su mascota al veterinario si tiene cualquier signo de infección en la piel.

Otras enfermedades que usted puede contraer de sus mascotas...

Perros

➤ **Lombrices intestinales (ascárides, oxiuros, "roundworms").** La *toxocariasis* es una infección que se contrae del parásito ascáride que vive en las deposiciones de los perros infectados. Los huevos de las ascárides llegan de alguna forma al suelo y pueden ser ingeridos después de trabajar en el jardín con un suelo infectado o acariciar a un perro que ha estado rodando por el suelo. Una vez ingeridos, los huevos se desarrollan hasta convertirse en lombrices que migran por el cuerpo del ser humano. Las infecciones con ascárides son más comunes en zonas áridas, donde los huevos pueden sobrevivir en el suelo por años.

Síntomas en los seres humanos: Es posible que las infecciones leves no causen síntomas. Las infecciones más graves podrían causar dolor abdominal, tos, fiebre, comezón en la piel y falta de aliento.

Tratamiento para los seres humanos: Medicamentos antiparasitarios.

Síntomas en los perros: Diarrea, pérdida de peso.

Tratamiento para los perros: Medicamentos para eliminar las lombrices. ("deworming").

Prevención: Lavarse bien las manos después de trabajar en el jardín o acariciar a su perro.

➤ **Los anquilostomas ("hookworms")** se encuentran en las deposiciones de los perros infectados. Las larvas de los anquilostomas pueden penetrar la piel y desarrollarse hasta convertirse en gusanos que cavan túneles bajo la piel, creando sendas rojas que pican.

Síntomas en los seres humanos: Comezón, sarpullido, dolor abdominal, diarrea, pérdida del apetito.

Tratamiento para los seres humanos: Medicamentos antiparasitarios.

Síntomas en los perros: Diarrea, pérdida de peso.

Tratamiento para los perros: Medicamentos para eliminar las lombrices..

Prevención: Evite el contacto de la piel desnuda con la tierra o playas donde perros han defecado.

➤ **La leptospirosis** es una infección bacteriana que afecta las vías urinarias de los perros y otros animales que la contraen a través de la nariz o la boca, después de pasar tiempo en hábitats compartidos con mapaches (zorros negros, "raccoons") y otros animales silvestres. Los seres humanos la contraen cuando una llaga abierta o membrana mucosa entra en contacto con la bacteria.

Síntomas en los seres humanos: Algunas personas infectadas no tienen síntomas. Otras tienen fiebre alta, dolor de cabeza fuerte, escalofríos, vómitos y a veces ictericia.

Tratamiento para los seres humanos: Antibióticos.

Síntomas en los perros: Aletargamiento, pérdida del apetito, ictericia.

Tratamiento para los perros: Fluidos y antibióticos.

Prevención: Use guantes cuando trabaje en un suelo o hábitat compartido con mapaches. Evite nadar o caminar por el agua que podría estar contaminada con la orina de los animales.

Gatos

➤ **La tiña ("ringworm")** no es un gusano o lombriz, a pesar del nombre en inglés, sino una infección causada por hongos, nombrada en inglés por el sarpullido circular que causa en los seres humanos. La tiña se transmite por el contacto directo con la piel o el pelo de un animal infectado.

Síntomas en los seres humanos: Sarpullido en forma de anillo que es rojizo y con frecuencia pica.

Tratamiento para los seres humanos: Ungüento antifúngico.

Síntomas en los gatos: Caída y disminución del pelo.

Tratamiento para los gatos: Ungüento antifúngico.

Prevención: Mantenga a su gato adentro para minimizar el riesgo de que tenga parásitos en la piel.

➤ **Toxoplasmosis.** Algunos gatos emiten un organismo potencialmente infeccioso en sus deposiciones que puede ser particularmente peligroso si es ingerido por mujeres embarazadas y personas con sistemas inmunes comprometidos. Los gatos típicamente se infectan cuando comen una presa infectada, como ratones o aves. Los seres humanos pueden ingerir accidentalmente los parásitos después de limpiar una caja de arena.

Síntomas en los seres humanos: La mayoría de las personas afectadas nunca muestra síntomas. Quienes lo hacen pueden tener dolores de cabeza, fiebre, fatiga, dolores en el cuerpo.

Tratamiento para seres humanos: Algunos medicamentos pueden disminuir la gravedad.

Síntomas en los gatos: Frecuentemente no presentan signos.

Tratamiento para los gatos: Antibióticos.

Prevención: Las mujeres embarazadas deberían evitar limpiar las cajas de arena de los gatos. Mantenga a su gato en interiores.

➤ **Fiebre causada por arañazo de gato.** Ésta es una enfermedad bacteriana causada por *Bartonella henselae*. El organismo usualmente es transportado por las pulgas que viven en el gato.

Síntomas en los seres humanos: Ganglios linfáticos hinchados, fiebre y malestar.

Tratamiento para los seres humanos: Antibióticos.

Síntomas en los gatos: La mayoría de los gatos no muestran ningún signo de enfermedad.

Tratamiento para los gatos: Medicamentos contra las pulgas.

Prevención: Inmediatamente lave y desinfecte cualquier arañazo de un gato.

Aves

➤ **Psitacosis.** Algunas aves transmiten una bacteria que causa una infección respiratoria bacteriana en los seres humanos, contraída al inhalar las secreciones secas de las aves infectadas.

Síntomas en los seres humanos: Fiebre, escalofríos, dolor de cabeza, dolores musculares y tos seca.

Tratamiento para los seres humanos: Antibióticos.

Síntomas en las aves: Típicamente no tienen síntomas, aunque algunas aves muestran signos de enfermedad respiratoria, como aletargamiento y secreciones por los ojos y por las vías nasales.

Tratamiento para las aves: Antibióticos.

Prevención: Tenga mucho cuidado al manipular cualquier ave que muestre signos de enfermedad respiratoria.

Jon Geller, DVM, veterinario del hospital Veterinary Emergency en Fort Collins, Colorado. El Dr. Geller escribe artículos para varias revistas acerca de las mascotas y responde las preguntas de los dueños de perros en el sitio web *www.dogchannel.com*.

Recursos

Durante años hemos conocido y tenido relaciones comerciales con la mayoría de las empresas y servicios que recomendamos aquí. Las otras pocas empresas las han recomendado personas en quienes confiamos. Aun así, antes de hacer un pedido, averigüe sobre las garantías, políticas de devolución y cualquier otra cosa que necesite saber para ser un comprador feliz.

Si prefiere comprar con un catálogo en la mano, en vez de navegar en Internet, llame y pregunte si hay un catálogo impreso disponible. Algunas empresas ofrecen además suscripciones gratuitas a un boletín en línea.

Al momento de la publicación, la información de contacto que aquí se encuentra era correcta, pero las direcciones, números de teléfono y sitios web cambian con frecuencia.

Productos alternativos, gemas y regalos

Beyond the Rainbow

(Cristales, aromaterapia, esencias florales, más)
www.rainbowcrystal.com

Crystal Way

(Cristales, gemas)
2335 Market Street
San Francisco, CA 94114
415-861-6511,
www.crystalway.com

Gaiam—A Lifestyle Company

(Productos orgánicos, seguros para el ambiente)
833 W South Boulder Road
PO Box 3095
Boulder, CO 80307-3095
877-989-6321, *www.gaiam.com*

Gemisphere

(Gemas de calidad terapéutica)
2812 NW Thurman Street
Portland, OR 97210
800-727-8877, *www.gemisphere.com*

Incense Warehouse

(Productos de sahumerio "smudging")
154 Merrick Road
Amityville, NY 11701
888-288-2977, *www.incensewarehouse.com*

Mystic Trader

(Regalos inusuales de todo el mundo)
1334 Pacific Avenue
Forest Grove, OR 97116
800-634-9057, *www.mystictrader.com*

Prairieland Herbs

(Alimentos y regalos seguros para el ambiente)
13505 South Avenue
Woodward, IA 50276
515-438-4268, *www.prairielandherbs.com*

TickleMePlant.com

(Una planta que se mueve al hacerle cosquillas)
60 Hurds Corner Road
Pawling, NY 12564
845-350-4800, *www.ticklemeplant.com*

Productos de hierbas y más

Blessed Herbs
(Importante selección de extractos líquidos de un solo ingrediente)
109 Barre Plains Road
Oakham, MA 01068
800-489-HERB (4372)
www.blessedherbs.com

C.C. Pollen Co.
(Productos de abejas)
3627 East Indian School Road
Phoenix, AZ 85018
800-875-0096
www.ccpollen.com, www.sylvaninc.com

Chinese Herbs Direct
(La más grande tienda china de hierbas en Internet –hierbas crudas, fórmulas de hierbas, tés)
2675 Skypark Drive, Suite 102
Torrance, CA 90505
877-252-5436
www.chineseherbsdirect.com

Flower Power Herbs and Roots, Inc.
(Consultas gratis sobre hierbas en la tienda)
406 E 9th Street
New York, NY 10009
212-982-6664
www.flowerpower.net

Great American Natural Products
(Hierbas, esencias, tés)
4121 16th Street N
St. Petersburg, FL 33703
727-521-4372
www.greatamerican.biz

Herbally Grounded, LLC
(Centro de aprendizaje y tienda)
4441 W Charleston
Las Vegas, NV 89102
702-558-HERB (4372)
www.herballygrounded.com

HerbalProvider.com
(Productos de Himalayan Herbal Healthcare)
140 Mountain Way Drive, Suite 1
Orem, UT 84058
866-448-2330
www.herbalprovider.com

Indiana Botanic Gardens, Inc.
(Remedios de hierbas desde 1910)
3401 W 37th Avenue
Hobart, IN 46342-1751
800-644-8327
www.botanicchoice.com

Penn Herb Co., Ltd.
(Remedios de hierbas, vitaminas)
10601 Decatur Road
Philadelphia, PA 19154
Phone Orders: 800-523-9971
Customer Service: 215-632-6100
http://pennherb.com

San Francisco Herb Company
(Hierbas, especias, y más de alta calidad)
250 14th Street
San Francisco, CA 94103
800-227-4530
www.sfherb.com

TeaBenefits.com
(Información sobre varios tés y venta de tés)
www.teabenefits.com

Productos para viajes

Magellan's Travel Supplies
(Consejos para viajar que valen la pena en un sitio web)
110 W Sola Street
Santa Barbara, CA 93101
800-962-4943
www.magellans.com

Índice

A

Abejas/avispas, 191
Aceite, limpieza interna con, 279-81
Aceite de maní, 16, 31
Aceite de oliva, 39, 72-73, 259-60
Aceite, quemadura por salpicadura de, 223
Aceite, remedio para artritis de, 269
Aceite de ricino, 16-17, 32
Aceitunas, 40, 72
Acidez estomacal, 136-37
Ácido alfa-linolénico (ALA), 288, 299-300
Ácido docosahexaenoico (DHA), 9, 61, 288,
Ácido eicosapentaenoico (EPA), 9, 61, 288, 300
Acidófilos, 127-28, 143, 252-253, 316
Ácidos grasos omega-3, 172, 206, 288-91
Acné, 201-2
Acupresión, xi-xiv
para alergias, 10
para ciática, 36
para congestión de los senos nasales, 47
para diarrea, 80
para dolor de cabeza, 91
para dolor de cuello, 52
para dolor de garganta, 119
para fatiga, 115
para fumadores, 38
para hipo, 132
para mareo por movimiento, 142
para niños, 162
para pie de atleta, 208
para problemas digestivos, 135, 139
Adiestramiento de perros, 340
Afecciones de la próstata
hiperplasia prostática benigna (BPH), 218-21
prostatitis, 218-21
Afirmaciones, xiv-xv.
Ver también afecciones específicas
Agua
y asma, 19
y dolores de cabeza, 90
dulce de cebolla, 160
y gota, 122
Aguacates, 40-41, 104, 315-316, 331-32
Aire acondicionado, 142
Ajo
aceite de/frotar con, 44, 258, 166, 167, 192, 258
y mascotas, 336-37, 339, 342
quitar el olor a, 321
remedios con, 5, 16, 19, 46, 70, 82, 123, 144, 145, 191, 208, 227, 243, 244, 252, 253
Alcoholismo, 23-29
Alergias, 4-10, 101. *Ver también alergias específicas*
Alfalfa, 12
Algas marinas, 14, 31, 236
Aliento malo, 87-89, 340
Alimentos
alergias a los, 6-7
cocinar, 325-27
y gatos, 345
y memoria, 145
y la salud, 312-13
sustituciones para, 322
Ver también Comer, Dieta;
Alimentos saludables, libro de referencia sobre, 322

Almohadas para dolor de cuello, 53
Almohadilla térmica
bolsa de maíz apta para el microondas, 16-17
Cherry Hugs, 270
Aloe vera, 19, 30, 56, 82, 104, 125, 130, 134, 202, 204, 206, 207, 222, 224, 230, 247, 318
Amamantar, horario de, 159
Amontonamiento, 332-34
Ampollas, 10-11
Amputaciones, 66-67
Angina, 48. *Ver también* Salud del Corazón
Anillo, para sacarse un, 316
Ansias, limitadores de las, 23
Ansiedad, 106-12, 147, 183-185
Ansiedad por separación, 166, 343-44
Antiácido, 283
Antibiótico natural, 313-14
Antibióticos, 316
Apendicitis, 11-12
Apio, 16, 35-36
Apiterapia, 55
Apnea del sueño, 241-42
Arándanos agrios, jugo de, 19, 113, 230, 231
Arañas vasculares, 255
Arcilla, terapia con, 311-12
Arginina, 125
Aromaterapia, xv-xvii
para alergias, 6
para la ciática, 36
para dolor de garganta, 119
para dormir, 116
para el estrés, 111
para la excitación sexual, 232
para fatiga, 116
para gases, 135
para el hipo, 132
para pérdida de la memoria, 146
para perder peso, 185
para presión arterial, 217
para resfriados/gripe, 228
para salud del corazón, 48
para la tos, 245
Arrugas, 196-97
Artritis, 12-18, 339
Asma, 19-21, 161-62
Aspiradora para cólico, 159
Astillas, 21
Atragantamiento, 21-22
Autismo. *Ver* Enfermedad celíaca
Aves, 348
Ayurveda, 261
Azúcar en la sangre, para controlar el, 61-79
Azufre, 34

B

Baño de ojos seco (receta), 173
Barrita astringente (lápiz estíptico), 4
Beber socialmente, 23-24
Bebés, dejar al descubierto la cola de los, 160
Bebidas alcohólicas y sus problemas, 23-29
Bebidas calientes: consejos sobre, 317
Bebidas gaseosas, 83, 122
Bicarbonato de soda, 177, 223
Billeteras: Back Saver, 35, 96
Boca
y mal aliento, 87-88
seca, 89
Ver también Encías; Dientes
Boca ardiente por un chile picante, 223
Bochornos, 148
Bolitas de salba con dátiles (receta), 300
Bolsas de plástico, 317
Botón de oro (hidraste), 125
Bromelaína, 15, 82-83, 202

C

Cabello, para acondicionar el, 32
Cabello, cuidado del, 30-34
Cabello, laca natural para el, 33
Cabello, puntas partidas del, 32
Cabello, Puré de banana y aguacate para el, 32
Cabello rizado, 33
Café, 15, 44, 69, 92, 137, 140, 193, 214, 237, 238, 342
Calambres musculares, 156-57
Caldo de carne, 261-64
Caldo de carne (receta), 262
Callos, 213
Calor para el cuello rígido, 51
Caminata con bastones, 265
Camomila. *Ver* Manzanilla
Cáncer, prevención del, 206-207, 269-70, 283, 315
Cantar, 117, 285-87
Caramelo para moverse (receta), 105
Cartílago de tiburón, 12-14, 206
Caspa, para combatir la, 30-31
Cebada, 138, 247-48
Cebollas, 6, 40, 156, 160, 192, 202, 203, 213, 227, 239, 249, 283, 284, 314, 317, 342
Cebollas escalonias, 46, 284
Centavo de dólar: y mareo por movimiento, 142
Cepillado en seco, 266-69
Cepillo de dientes, 3, 119
Cerezas, 269-72
Champiñones (hongos), 222
Chocolate, 6, 76, 196, 342

Ciática, 34-36
Cicatrices, curación sin, 50-51
Cinta para el cabello, 91
Cítricos, consejo sobre, 44, 83
Col (repollo), 12, 23, 95, 105, 203, 254
Colesterol, 39-43, 69, 76, 78, 180, 221, 264, 276, 282, 283, 290, 308, 315
Cólico, 159-60
Comer
 y estados de ánimo, 60-61
 y gorgoteo en el estómago, 139
 Ver también Alimentos; Dieta
Comezón en la zona del recto, 43-44
Comilonas/ansias, detención de, 183
Compresa de col, 95
Compresa de hielo, 46, 318
Computadoras (ordenadores): uso seguro de, 318
Congestión del pecho, 159, 228, 244
Consejos saludables, 315-22
Contacto físico, 272-74
Contaminación del aire, para combatir la, 323-25
Cortaduras/heridas, 49-51, 344
Corteza del viburno, 150-51
Cristales, terapia con. *Ver* Terapia con gemas
Cromoterapia (terapia con colores), xvii-xviii, 96, 228
Cuello, problemas del, 51-55, 97, 119, 164, 274
Cuero cabelludo escamoso, 159
Culebrilla (herpes zóster), 55-56
Curitas (tiritas), 322

D

Dedos/uñas de las manos, 152, 223, 248-51, 258
Dedos/uñas del pie, 131, 152, 157, 208, 210, 213
Dentadura postiza, 86-87
Depresión, 57-61
Descongestionantes, 244
Desintoxicante de los riñones, 230
Diabetes, 61-79
 y alimentos, 69-79
 y amputaciones, 66-67
 controlar la, 62-63
 y cuidado de los pies, 64-5
 lecturas recomendadas para la, 78-79
 y neuropatía, 65-66
 y niveles de azúcar en la sangre, 63-64
 quién puede tener, 62
 remedios caseros del Dr. Mao para, 76-77
 sitios web para, 77-78
 y suplementos, 67-69
 y zapatos Crocs, 65
Diarrea, 79-81, 160-61
Diarrea del viajero, 80-81
Dientes, 3, 81-87, 161, 339-40
Dieta
 con bajo contenido de grasa, 159
 y control del peso, 186-87
 e indigestión, 133
 y síndrome del intestino irritable (SII), 140-41
 Ver también Alimentos; Comer
Digestión: y perros, 339
Dolor
 y cerezas, 270
 durante la micción, 230
 y miso, 282
 y úlceras en la boca, 4
 Ver también Músculos
Dolor de cabeza, 15-16, 54, 89-94
Dolor de cabeza los fines de semana, 92
Dolor de cabeza por la mañana, 92
Dolor de espalda, 52-54, 94-99
Dolor de garganta, 118-20
Dolor de hombro, 154-55

E

Eccema, 204, 205
Ejercicios, 48, 57, 63-64, 105-106, 108, 122, 131, 141, 145, 154-55, 161-62, 188, 189-90, 253, 302
Ejercicios mentales, 145
Embarazo, 100-102
Encías, 81-87, 339-40
Enfermedad celíaca, 103
Enfermedades transmitidas de mascotas a personas, 346-8
Ensaladas, preparación de, 318
Equilibrador hormonal, 149
Espermas, estimulantes de, 238
Estados de ánimo, 60-61
Esterilidad, 235-38
Estimuladores de energía, 113-117
Estómago
 gorgoteo en el, 139
 indigestión del, 133-39
Estreñimiento, 104-106, 164-165, 253, 274
Estrés, 27, 28, 84, 91, 95, 106-112, 136, 140, 141, 236, 273, 286, 292, 294, 302
Extracto de hoja de olivo, 275-279

F

Fatiga, 113-117
Feng shui, 236-37, 329-30

Fenogreco
pasta de, 21
té de, 5, 20, 45, 169, 244
Fiebre de heno, 4-10
Flema, 245
Flores, remedios de, 293-94
Frijoles, 39, 40, 116, 134, 135, 216, 234
Frutas/jugo de frutas, 133, 143
Fumar, 47, 188-91
Furúnculos, 203

G

Garganta irritada, 118-20
Gases, 87,134-36, 140-41, 339
Gatos, 15, 344-45, 347-48
Gel: y cuidado del cabello, 30, 32-33
Gelatina de salba (receta), 299
Gingivitis, 85
Ginkgo, 45, 147, 169
Gota, 120-22
Goteo posnasal, 246
Gripe/resfriados, 226-29

H

Habichuelas (habas), *Ver* Frijoles
Harina, 160
Heimlich, maniobra de, 22
Hemorragia nasal, 123-24
Hemorroides, 124-25
Herpes genital, 125-26
Herpes labial, 126-28
Herpes zoster (culebrilla), 55-56
Hiedra venenosa, 129-31
Hierbas, xix-xx, 15, 18, 23, 38, 135, 136, 146, 231, 240, 254, 264
y control del peso, 184
y dolor de espalda, 95
para la salud del corazón, 49
Hinchazón, 152, 156, 197-98
Hinojo, 88, 89, 133, 177, 192
Hiperplasia prostática benigna (BPH), 218-19
Hipo, 131-132, 161, 165
Hogar, errores en el, 328-29
Homeopatía, xx-xxi, 164
Hongos (champiñones), 222
Hongos, problemas de, 44, 65, 208, 248, 252
Hormigueo/entumecimiento. *Ver* Neuropatía
Huesos, salud de los, 270
Huevos, 61, 121, 319

I

Indigestión, 133-39
Inflamación estreptocócica, 119
Insomnio, 239-40
Invierno: fatiga en, 115
Irrigación de agua salada, 46

J

Jabón dental, 82
Jardinería, 57
Jengibre, 14, 101, 134, 137-138, 142, 170, 173, 212, 226-27, 245, 319
Joyas: y alergias, 7

K

Karaoke, sistemas de, 286

L

Labios agrietados, 198-200
Laca para el cabello, 33, 174
Lágrimas artificiales, 171
Laringitis, 119-20
Leche, 43, 60, 61, 102, 139, 159, 247
Limones/jugo de limón, 25, 33, 50, 81, 83, 104, 118, 158, 161, 193, 197, 213, 244, 320, 337
Limpieza, consejos para, 327-329
Limpieza de cutis, 194-95
L-lisina, 126, 128
Lúpulos, 35, 158

M

Magnesio, 58, 67, 157
Mal aliento, 87-88
Manchas de la edad, 202
Manicuras, 251
Manos
balanceo de, 90
cuidado de las, 200-201
lavado de, 319-20
verrugas en, 257-58
Ver también Dedos/uñas de las manos
Manzanas, 4, 40, 80, 320
Manzanilla, 44, 106, 158, 260
Mareos causados por movimiento, 142-143
Mareo causado por movimiento: y objetos muy fríos, 142
Masaje, 30, 35, 36, 47, 52, 91, 132, 133, 156, 201, 211, 213, 258, 273, 274
Mascotas
ahorrar dinero y, 338-39
botiquín de primeros auxilios para, 335
cariño por su, 338
exóticas, 345
gatos, 344-45
perros, 339-44
y pulgas, 336-38
quitar el olor a zorrillo de, 336
remedios para afecciones comunes de, 336
saludables, 335-48
y sustancias venenosas, 341-43
viajar con, 338

Mastitis, 143-44
Matcha (té), 308-9
Mayonesa, 32
Medicina natural, base de datos de, 316-17
Medicinas/medicamentos, 316-17
  música como, 285-87
Meditación, xxv-xxvi, 109
Melatonina, 240, 271-72
Memoria, 144-48
Menopausia, 148-49
Menstruación, 149-51
Menta, 133, 193
Menta piperita (peppermint), xvii, 83, 88, 89, 91, 116, 135, 138, 140-41, 204, 211, 240, 338
Metabolismo, 185
Metales, para eliminar los, 321
Miel, 6, 17, 50, 55, 91, 118, 197, 200, 223, 244, 248
  y niños, 159, 162
Migrañas, 93-94
Milenrama
  cataplasma de, 82
  té de, 94, 95-6, 123-4, 150
Mirra, 4, 57, 86
Miso, 281-85
Moretones, 151-53
Mosquitos, 191-92
Mostaza, 4, 70, 81, 104, 135, 199-200
Mucosidad, 20, 244
Muebles, 328, 343, 345
Músculos, 153-57
Música, 285-87

N

Náuseas, 101, 137-38
Néctar hawaiano, 15
Neuralgia, 158
Neuropatía, 65-66
Niños y afecciones infantiles, 159-66. *Ver también afecciones específicas*

O

Oídos y sus afecciones, 167-169
Ojeras e hinchazón bajo los ojos, 197-98
Ojos, 132, 170-76, 197-98, 225, 339
Ojo morado, 151-52
Olor corporal, 177-78
Olvido, 146. *Ver también* Memoria
Oración, 49
Orina, cura de, 207-8
Ortiga mayor, 6, 202, 219
Orzuelos, 170
Osteoporosis, 283
Otitis de piscina, 167-68

P

Palmito aserrado, 219
Palpitaciones, 48
Pánico, ataques de, 110
Papas, 158, 234, 327
Papaya, píldoras de, 125, 135
Pasas remojadas en ginebra (receta), 13
Paseo en carro: y cólico, 160
Pasta dental, 3
Patas de su perro, protección de las, 340
Pecas, 203
Pepino, 138, 177, 200, 220
Periódico: y mareo causado por movimiento, 142
Perros, 335, 339-44, 346-47
Personas mayores: atención ocular para, 174
Pesadillas, 166, 241
Pesar (duelo), 58
Pescado, 60-61, 69-70, 100-101, 121, 147, 288, 290
Peso, control del
  y aromaterapia, 185-86
  y comidas/bebidas, 181-83
  consejos y trucos, 179-83
  y detención de comilonas, 183
  y ejercicio, 188-91
  y hierbas, 184
  en la mesa, 181
  y metabolismo, 185
  motivadores para el, 186
  y perros, 340-41
  y el peso ideal, 188
  y planear sus comidas, 179-81
  y régimen, 186-87
  y sustitutos de los dulces, 183-84
  y terapia con gemas, 186
Pesticidas, 7, 193, 321-22
Picaduras de insectos, 191-94
Picazón/comezón, 43-45, 125, 130, 168, 192, 204-5, 253
Picazón en la zona genital, 44
Pie de atleta, 207-8
Pies
  ablandar/endurecer, 211-2
  baños de, 95
  cansados/doloridos, 208-9
  y diabetes, 64-65
  y sus dolencias, 207-14
  dolor en los, 209-10, 274
  y dolor de espalda, 95
  fríos, 212-13
  remojo de los, 95
  sudorosos/olorosos, 213-4
  Ver también Callos; Dedos/uñas del pie; Neuropatía
Piedra desodorante, 177
Piel
  cepillado de, 267
  cómo curar la, 201-7
  cuidado de la, 194-201
  prevención del cáncer de, 206-7

Piernas
afeitado de, 315
calambres en las, 156-57
dolor en las, 52-55
Pimienta, sopa con, 143
Pimienta de cayena, 15-16
Pinza para la ropa, curación con, 91
Piña, 15, 82-83, 118, 133, 143, 195, 202, 207, 322
Piojos, 163
Plantas: y contaminación del aire, 323-24
PMS (síndrome premenstrual), 150
Presión arterial, 214-18
Problemas: consejos sobre resolución de, 322
Problemas urinarios, 229-31
Productos de abeja
polen, 5, 31, 113-15, 185, 233
propóleos, 55, 85, 227, 248
Propulsores de energía (receta), 114-15
Psoriasis, 205-6, 250, 276
Puerro, 55
Pulgas, 336-38

Q

Quemaduras, 222-23
Quemaduras de sol, 223-25

R

Rábanos, 24, 51, 177, 222-23
Rábano picante, 5, 82, 90, 243
ReBuilder (reconstructor de nervios), 291-92
Receta
para baño de ojos seco, 173
para bolitas de salba con dátiles, 300
para caldo de carne, 262-263
para gelatina de salba, 299
para pasas remojadas en ginebra, 13
para pastillas de la tos, 245
para perfume, xvi
para propulsores de la energía, 114-15
para salmón crocante, 71
para sopa de miso, 284
para sustitutos de la sal, 217
para té de kombucha, 305-306
para tónico antibiótico natural, 314
para tratar el estreñimiento, 105
Reciclar bolsas de plástico: consejos para, 317
Reflexología, xxii-xxiv
para ansias por los dulces, 183
para congestión de senos nasales, 47
para dolor de espalda, 95
para dolor de oído, 167
para dolor de pie, 274
para el estrés, 111
para hemorroides, 125
para indigestión, 133
Reiki, 292-93
Relajación en el piso, 95
Remedios florales de Bach, 293-94
Remedios de Nueva Inglaterra
para la artritis, 17
para las náuseas, 138
Repelentes: picaduras de insectos, 192-93
Resacas, 24-26
Resfriados/gripe, 226-29
Respiración, fortalecedor de la, 20
Respirar, 38, 108, 113, 117, 145, 240
Rigidez matinal, prevención de la, 17
Riñones, 229-31
Risa, 59, 106, 294-95
Roble venenoso, 129-31
Roncar/ronquidos, 241-42

S

Sahumerio "smudging", 295-298, 330-31
Salba, 74, 298-301
Salmón crocante con pan de salvado (receta), 71
Salsa Tabasco, 20
Salud del corazón, 47-49
Sandía, 93, 130, 219, 231
Sangre: para donarla, 275
Sarpullido causado por pañal, 160
Semillas de cáñamo, 289
Semillas de lino, 32, 104, 140, 206, 230
Senos nasales, congestión de, 45-47
Serpientes, mordeduras de, 193-94
Sexo/sexualidad, 16, 232-38
Síndrome del intestino irritable (IBS), 139-41
Síndrome premenstrual (PMS), 150
Sistema inmune, 16, 68, 111-112, 144, 198-99, 226, 262, 267, 276, 277, 282, 283, 287, 294, 305, 318
Sopa de miso (receta), 284
Sueño, 238-42
Suplementos, 9, 67-69, 172, 290-1. *Ver también* Hierbas; Vitaminas; *suplementos específicos*
Sustancias químicas nocivas, 324-25
Sustancias venenosas: y perros, 341-43

Sustitutos de los dulces, 183-4
Sustitutos de la sal (receta), 217

T

Taichí, 301-04
Sarro dental, 85-86
Té
y artritis, 15
y ciática, 35-36
y congestión de senos nasales, 45
y culebrilla, 55
y fumar, 38
y gases, 134
e indigestión, 133
e insomnio, 240
de kombucha, 304-7
matcha, 308-9
y pérdida de memoria, 146
verde, 307-9
Té de jengibre, 14, 134, 226
Té de semillas de eneldo, 132, 160
Técnica Alexander, 309-11
Telas, alergia a las, 8
Terapia de colores (cromoterapia), xvii-xviii, 96, 228
Terapia con gemas, xviii-xix
y ansiedad, 111
y artritis, 17
y asma, 20-21
y control del peso, 186
y depresión, 60
y dolores de cabeza, 91
y dolor de espalda, 96-97
y dolor de músculos, 156
y espolones en el talón, 209-10
y fertilidad, 237
y herpes genital, 126
e indigestión, 133
y mascotas, 338
y menopausia, 149
y pérdida de memoria, 146
y sexo, 232
Terapia magnética, xxi-xxii
plantillas para zapatos, 209
productos para espalda, 98
Tiempo
frío, vestirse para el, 318-9
caluroso, 322
Tinnitus (silbido en los oídos), 168-69
Tiña, 243
Tiritas (curitas), 322
Torceduras/esguinces, 156
Ver también Músculos
Tos, 243-46, 339
Tos, pastillas para la (receta), 245
Tragar aire, 139
Transpiración, 177. *Ver también* Olor corporal
Trastorno afectivo estacional (SAD), 58-59
Trauma, 58

U

Úlceras, 247-48
Urticaria, 203-4
Utensilios de cocina, cómo cuidar los, 325-27

V

Vaginitis, 252-53
Varicela, 163-64
Várices (venas varicosas), 253-255
Vejiga, infección de la, 230
Venda de algodón elástica, 55
Verduras: pesticidas en, 321-322
Verrugas, 165, 256-59
Verrugas genitales, 258-59
Verrugas en las plantas de los pies, 258
Vesícula biliar, 259-60
Viaje aéreo, 159
Vinagre
remedios para mascotas, 336, 339, 344-45
remedios para la salud, 31, 44, 91, 118, 156, 160-61, 177, 192, 204, 207, 222, 247, 256
usos en el hogar, 262-63, 314, 321, 328
Virus, resfriado causado por, 164
Visión. *Ver* Ojos
Visualización, xxiv-xxvi, 18, 59-60, 91-92, 94, 109-10, 116, 187, 228-29, 230, 257
Vitamina A, 220, 258-59
Vitamina B-5, 135
Vitamina B-6, 20, 42, 58, 144, 150
Vitamina C, 49, 126
Vitamina D, 68-69, 183
Vitamina E, 35, 50, 56, 124, 125, 127, 151, 159, 202-203, 248-9, 254-5, 258-9
remedios para las mascotas, 336, 344
Vitaminas
del complejo B, 25, 67, 107, 115, 234
y la salud del corazón, 49
Ver también Suplementos

Y

Yoga, 31, 88, 134, 147, 181, 240
Yogur, 32, 44, 127-28

Z

Zanahorias, 222, 238, 283
Zapatos Crocs Rx, 65
Zinc, 86, 87, 174, 196, 219, 238, 248, 342
Zorrillo, eliminar el olor a, 336